労働政策研究報告書 No.201
2018

「日本的高卒就職システム」の現在

－1997年・2007年・2017年の事例調査から－

独立行政法人 労働政策研究・研修機構
The Japan Institute for Labour Policy and Training

ま え が き

　現在日本の高卒労働市場はバブル期並みに活況を呈しており、企業の採用意欲は極めて高い。

　しかしこの 20 年間を振り返るに、高卒労働市場は常に景気循環の荒波の中で翻弄され続けてきた。労働政策研究・研修機構では、前身である日本労働研究機構時代から高卒就職に関する調査を数多く行ってきたが、80 年代には国際的に高い評価を受けていた「日本的高卒就職システム」の光の部分を主に映し出し、90 年代以降はドラスティックに進行する「日本的高卒就職システム」の変容を描き出してきたのである。

　文部科学省・厚生労働省による『「高卒者の職業生活の移行に関する研究」最終報告』が出された 2002 年以降、同じ新規学卒者でも大卒労働市場とは異なる独自の仕組みの内実も相当程度変化した。近年においては高卒就職者の減少に伴い高卒就職問題に対する人々の関心は薄れ、研究も先細りの状況となっている。とはいえ、先進諸国で高等教育に進学しない若者層が高い失業率に苦しむ中、今でも 20 万人近い日本の高卒就職者は相対的に安定した状態で労働市場に移行している。新規高卒者は今日においても特に日本の地域労働市場を支える上で重要な労働力であり続けており、今後もその重要性に変化はないであろう。

　本報告書は今では数少なくなった高卒就職に関する包括的な研究であり、高校、企業、ハローワーク等に対する、10 年ごとに実施した 3 時点の定点観測調査の結果を取りまとめたものである。20 年間に渡る調査期間において当機構の位置づけも変わった。また高卒就職を取り巻く変化の大きさに戸惑い、何度も仮説を修正しながら研究を進めてきた。複数地域にまたがる長期的な研究として他にはない希少な研究であり、独立行政法人の研究機関ならではの研究の継続性を生かした研究となっている。

　本報告書が、この問題に関心を持つ方々のお役に立てば幸いである。

2018 年 9 月

独立行政法人　労働政策研究・研修機構
理事長　　樋　口　美　雄

執 筆 担 当 者 （執筆順）

氏 名	所 属	執 筆 章
堀　有喜衣	労働政策研究・研修機構　主任研究員	序章 第3章 終章
小杉　礼子	労働政策研究・研修機構　研究顧問	第1章 第4章
金崎　幸子	労働政策研究・研修機構　前研究所長	第2章
尾川　満宏	愛媛大学　教育学部　講師	第5章
小黒　恵	労働政策研究・研修機構　アシスタントフェロー	第6章 補論
筒井　美紀	法政大学　キャリアデザイン学部　教授	第7章

目　　次

序章　「日本的高卒就職システム」の現在

第1節　はじめに

　本報告書の目的は、1990年代以降変容してきた「日本的高卒就職システム」の現在の姿について、1997年・2007年・2017年に実施した事例調査から20年間の変化を浮き彫りにすることである。

　これまで労働政策研究・研修機構は前身である日本労働研究機構時代から高卒就職に関する研究を数多く積み重ねてきた。その際には日本の高校から職業への移行を「日本的高卒就職システム」、すなわち推薦指定校制、一人一社制に基づき、高校と企業との継続的・安定的関係である「実績関係」の中で生徒が就職を決定していく仕組み、として捉えていた。こうした研究枠組みは同時代の研究に共通しており、とりわけ高校就職指導の「自律性」を重視する立場から、成績という指標によるメリトクラティックな事前の校内選抜が高校と企業との継続的な信頼関係を担保し、質の高い高卒労働力を送りだすことが可能になる仕組みであることが、高校を対象とした調査研究から強調されてきた（苅谷 1991）。日本の学校から職業への移行を支える制度的な枠組みは1980年代には日本の高校生の労働市場への移行を円滑にする装置として国際的に高い評価を受けていたのである。

　しかしながら1990年代の経済環境の悪化に伴って、日本の高卒就職は高度成長期以来経験したことのない危機的な状況に陥った。他方で高等教育政策の転換と18歳人口の減少により大学進学率が上昇した。高校を卒業しても進学も就職もしない高卒無業率も漸増し、高校生の進路は狭隘化した。以下では90年代以降の高卒就職の変化を当機構が実施してきた調査を絡めながら記述する。

　上述したように1990年代における高校生の進路の変化は、高卒就職者の減少、大学進学者の増加、高卒無業者の増加、という3点から把握できる。とりわけ高卒就職の変化は著しいものであり、日本労働研究機構が1997年当時にいち早く実施した調査においては、高卒労働市場は急激に縮小し、過去には新規高卒者が担っていた仕事の高学歴代替や非正規化が進み、高卒労働市場の急激な変化に対応できない高校就職指導は機能不全に陥ることとなったことが指摘されている。

　こうした状況を受けて、2002年（平成14年）の文部科学省・厚生労働省により『「高卒者の職業生活の移行に関する研究」最終報告』（以降、最終報告と呼ぶ）がまとめられる。最終報告に依拠しながら、当時の政策的な問題認識を整理したい。

　上述したように1990年代のバブル崩壊以降から2000年代初めにおいては、高卒者に対する労働需要の減少と、求人職種が技能工に偏るとともに求人規模が中小企業化するという需要側の変化を背景に高卒者の就職状況は悪化し、また進学も就職もしない高卒無業者率が上昇するとともにフリーターや無業者が増加した。さらに当時の高卒就職の仕組みとしての事前の校内選考が「短期間で大量の求人・求職に対し効率的なあっせんを実現している一方で、

必ずしも生徒が納得した上でのあっせんを実現していない、あるいは適性のあった生徒を紹介できていないというミスマッチを生み出している可能性がある」という認識が示された。また求人数が少ない現状では、校内選考により就職を希望していても応募することすらできない生徒がいることも問題視されている。

こうした問題認識から、「生徒・企業が互いに納得のいく仕事や企業、人材を選べる仕組みの整備」として、高等学校就職問題検討会（仮称）の設置、各高校における求人の一層の共有化の推進、地域の状況を踏まえた就職の仕組みや就職支援についての検討の場の設置、地域の状況を踏まえた応募・推薦方法の見直し、さらに「就職を円滑化するためのサポートの充実」、「キャリア形成の観点からの教育・職業能力開発等の基盤の整備」、「中長期的展望に立った『職業生活への移行』の検討」が政策提案された。

最終報告を受けて対応がなされた 2003 年（平成 15 年）以降今日まで、採用選考期日に関する全国的な就職協定は維持され、一人一社制については地域の高等学校就職問題検討会にて申し合わせがなされることになった。また厚労省のインターネットサービスによる求人の共有化も進んだ。

他方で実態面では 2000 年代半ばに製造業中心の景気回復が起こり、高卒就職の状況は大きく改善されるとともに高卒就職者数が漸増し、高卒無業者は大きく減少した。景気回復局面を捉えた当機構の 2007 年調査によれば、企業調査からはいったん高卒者から高学歴者に代替された仕事において高卒者が再び需要されるという「戻り現象」が見出されていた（労働政策研究・研修機構 2008）。ただし高校と企業との継続性はさらに弱まり、校内選考も減少していたものの、「一人一社制」は運用上継続されていた。その後 2008 年の金融危機により再び高卒労働市場は冷え込み、近年の景気回復により現在はバブル期を超える水準まで高卒の採用意欲は高まっている。

この 20 年あまりを振り返るに、新規高卒労働市場に対する景気循環の影響の大きさを感じざるを得ない。むろん過去にも新規高卒求人に対する景気の影響は見られたが、より早く直接的に影響を及ぼすようになっている。それゆえ日本の高校から職業への移行の見通しについて把握するためには、景気が良い時も悪い時も調査時点に含まれた長期にわたる調査が望ましい[1]。さらに高卒者においては高等教育への進学率は地域ごとに大きく異なること[2]、また人口減少という観点からも地域ごとに把握することが肝要である。

以上のような問題意識から、本報告書では高卒就職の現在を、1997 年・2007 年・2017 年の 3 時点の定点観測による事例調査を行うことを通じて浮かび上がらせ、政策的な示唆を引き出すことを試みる。

---

[1] 本調査の着地点として、次回調査（2027 年）ないしは次々回調査（2037 年）において、高卒就職の循環的な変化と構造的な変化について峻別できるようになることを目指している。
[2] 『平成 29 年度学校基本調査』によれば、東京都では卒業者に占める就職者の割合は 6.7％にまで少なくなっているが、青森県・岩手県・秋田県・山口県・佐賀県・長崎県では 3 割を超えている。

なお本調査研究は、プロジェクト研究「若者の職業への円滑な移行とキャリア形成に関する研究」のサブテーマ「学校と労働市場との接続のあり方に関する研究」に位置づいており、課題研究「高卒就職の変化に関する調査研究」および緊急調査「一人一社制に関する調査」にも応える研究である。

第2節　事例調査の経緯

本報告書は、1997年・2007年・2017年の3時点の事例調査に基づき検討する。なお本調査で活用する一連の調査を以下では「高卒就職インタビュー調査」と呼ぶ。

「高卒就職インタビュー調査」は、1997年に初めて実施された。また1997年時点の調査において調査は1回のみの予定であり、5地域（東京・埼玉・秋田・長野・島根）で行った。2007年に2回目の調査を立ち上げる際には研究メンバーを大幅に入れ替え、調査地域も高知、青森、北海道、大分、および新潟（ハローワークのみ）と大阪（企業とハローワークのみ）を追加した。

またプロジェクト進行中に厚生労働省より「一人一社制に関する調査」（緊急調査）の要請を受けたため、インタビュー対象（高校、企業）が新たに追加された。これらの対象については主として一人一社制に関する質問項目を中心に尋ねており、インタビュー時間も短くなっている。

対象地域の選定においては高卒労働市場の状況（県外移動・需給状況・求人内容）によって分類した3つの類型から行っている（図表序－1）。この類型は1997年より用いており、今日においても同様の高卒労働市場類型が妥当かどうかについては第2章で検討されている。

3回目の調査となる2017年には調査対象地域を再び東京・埼玉・秋田・長野・島根・青森・高知に絞り調査を行った。図表序－2で灰色になっている対象が追加された対象であるが、秋田G併設については統廃合があり、もともと3校が対象だったのが1校になってしまったことから秋田K併設を追加、島根Q工業は2007年調査では訪問がかなわなかったが、2017年には対象となっている。また青森C社は介護関係の求人が急激に増加したことから訪問先として追加した。

図表序－1　高卒労働市場類型

類型	都道府県	県外移動	需給状況	求人内容
流入地域	東京・埼玉	流入	良好	サービス・販売
バランス地域	長野	バランス	良好	製造
流出地域	秋田・島根	流出	求人不足	製造
	青森・高知	流出	求人不足	サービス・販売

図表序－2　インタビュー対象先一覧（2017年調査）

行政機関	高校	企業
東京都Aハローワーク	東京A普通 東京B工業 東京D商業	東京A社 東京B社
埼玉県Bハローワーク	埼玉D普通 埼玉F商業 埼玉E工業	埼玉A社 埼玉E社
秋田県Cハローワーク 秋田県教育委員会	秋田G併設 秋田J併設 秋田K併設 秋田A商業（緊急調査） 秋田B工業（緊急調査）	秋田A社 秋田B社 秋田C社 秋田G社 秋田I社（緊急調査）
長野県Dハローワーク	長野K普通 長野L普通 長野N商業 長野M工業	長野A社
島根県Eハローワーク	島根P普通 島根R商業 島根Q工業	島根B社
青森県Gハローワーク	青森A商業 青森B工業	青森B社（緊急調査） 青森C社
高知県Kハローワーク	高知A商業 高知B工業	高知A社 高知B社（緊急調査） I社 山陰E社
行政機関8所	高校22校	企業17社

第3節　報告書の構成

　本報告書は次のような構成となっている。

　第1章は公表データからこの20年間の新規高卒労働市場の変化について概観し、第2章では今回の調査対象7地域の位置づけを行う。第3章はこの20年間の高卒就職研究のイシューであった校内選考と一人一社制について、第4章から第6章は高校就職指導について学科ごとに分析している。第4章は商業高校、第5章は工業高校、第6章は併設高校の就職指導について考察する。第7章は企業調査を用いて、高卒採用の変化を議論する。以上の知見を踏まえて終章で政策提案を行う。

参考文献

日本労働研究機構，1998，『新規高卒労働市場の変化と職業への移行の支援』調査研究報告書
　　No.114.

労働政策研究・研修機構，2008，『「日本的高卒就職システム」の現状と模索』労働政策研究
　　報告書No.97.

労働政策研究・研修機構，2015，『若者の地域移動—長期的動向とマッチングの変化—』JILPT
　　資料シリーズNo.162.

第1章 マクロ統計にみる新規高卒労働市場の変化

第1節 はじめに

　本章の目的は、各種のデータに基づき、新規高卒者の労働市場の近年の変化を概観することである。

　序章での記述のとおり、本調査研究は、いくつかの地域の学校、企業、ハローワークにおける高卒就職に関わる動向を定点観測的に把握、分析するものである。前回のこの調査が2007年であったため、そこから今回調査までの大まかな高卒就職の変化をとらえておくことが本章のねらいであるが、この 10 年の変化を理解するためにはそれ以前からのトレンドの確認も必要であることから、少し長く 20〜30 年間の推移をみることにしたい。

　手順としては、まず、労働力需要側に注目し、全体としてのわが国の産業構造と雇用形態の変化を確認する。その上で、新規高卒者への求人について、明らかにする。次いで労働力供給側に注目し、卒業時の進路と就職職種、無業・フリーター割合について学科別の特徴についても触れながら検討する。最後にマッチングに注目し、内定時期と地域間移動を概観する。

第2節 労働力需要側の変化

1 産業構造の変化

　まず、産業構造の変化をみよう。図表 1 − 1 は「労働力調査」（総務省統計局）から作成したわが国の就業者全体の産業別構成の推移である。

図表1-1 就業者の産業別構成比の変化

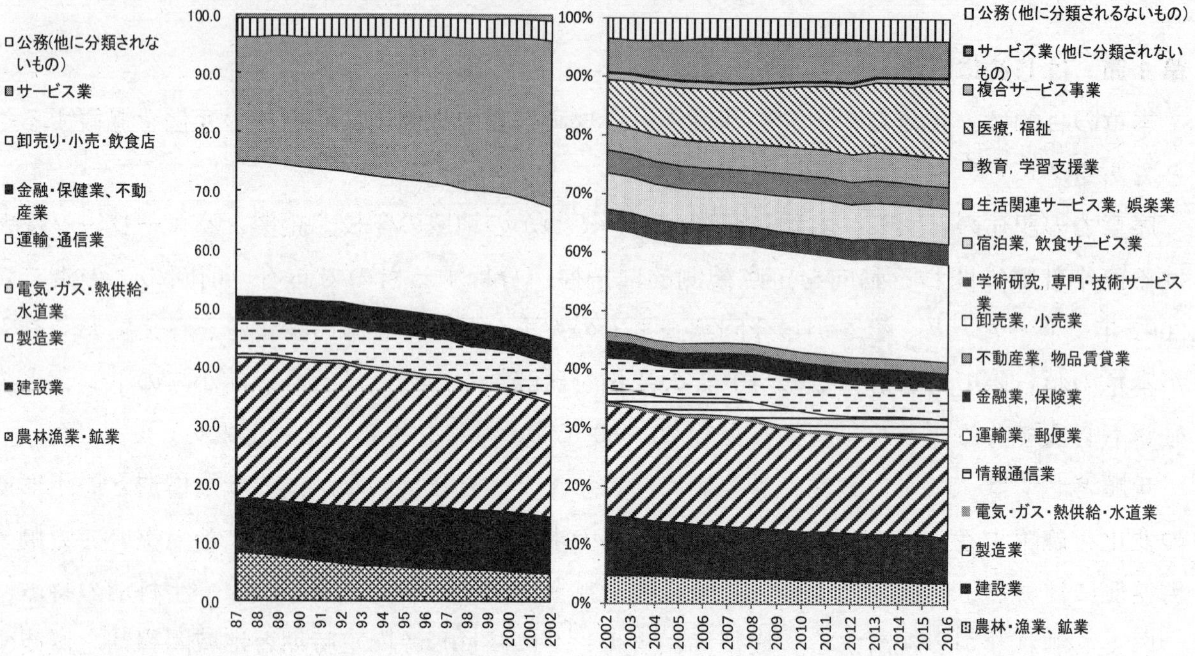

凡例（左図）:
- □ 公務(他に分類されないもの)
- □ サービス業
- □ 卸売り・小売・飲食店
- ■ 金融・保健業、不動産業
- □ 運輸・通信業
- □ 電気・ガス・熱供給・水道業
- □ 製造業
- ■ 建設業
- ▨ 農林漁業・鉱業

凡例（右図）:
- □ 公務(他に分類されないもの)
- ■ サービス業(他に分類されないもの)
- ▨ 複合サービス事業
- □ 医療, 福祉
- 教育, 学習支援業
- ■ 生活関連サービス業, 娯楽業
- □ 宿泊業, 飲食サービス業
- ■ 学術研究, 専門・技術サービス業
- □ 卸売業, 小売業
- □ 不動産業, 物品賃貸業
- ■ 金融業, 保険業
- □ 運輸業, 郵便業
- □ 情報通信業
- ▨ 電気・ガス・熱供給・水道業
- □ 製造業
- ■ 建設業
- ▨ 農林・漁業、鉱業

資料出所：総務省統計局「労働力調査基本調査」年平均から作成。
注：産業分類の変更のため、2002年以前とは接続しない。また、2011年は総務省統計局による推計値。

　2002年に産業分類に変更があったため、直接には接続していないが、おおむね対応するように配置している。図に見る通り、この10年も前の10年の傾向、すなわちサービス経済化が進展し、第1次産業、第2次産業従事者が減る傾向が続いている。サービス産業の中でも、とりわけ「医療・福祉」の増加が大きい。また、「情報通信業」でも増加がみられる。

2　雇用形態の変化

　若年労働者の雇用に関して、近年問題にされているのは、非正規雇用の増加である。次の図表1-2は、若年雇用者に占める非正規雇用者の割合の推移を示している。15〜24歳、および25〜34歳の男女についてそれぞれ推移をみているが、年齢段階、性別によりもともとの水準は異なるが、いずれも1990年代を通じて上昇し、2000年代半ばからはほぼ横ばい、さらにここ数年は減少傾向に転じている。若年人口が減少する中で、景気は長期に拡大基調にあり、後に見る通り新卒市場は売り手市場化している。こうした中で正社員に就きやすい状況に変わっていると推測される。近年、非正規雇用者が増加しているのは、若年者ではなく高齢者においてである。

図表1−2　若年雇用者に占める非正規雇用者の割合の推移（性・年齢段階別）

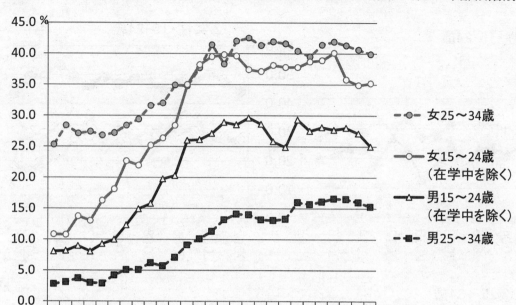

資料出所：総務省統計局　「労働力調査特別調査」（2001年以前：各2月），「労働力調査詳細集計1〜3月平均」
　　　　　（2002年以降）から作成。

注：2011年の数値は総務省統計局が補完的に推計した値(2015年国勢調査基準)。雇用者（役員を除く）に占め
　　る「非正規雇用者」の割合。「非正規雇用者」は，2008年以前の数値は「パート・アルバイト」，「労働者派
　　遣事業所の派遣社員」，「契約社員・嘱託」及び「その他」の合計，2009年以降は「非正規の職員・従業員」。

　この非正規雇用者割合の変化を学歴別にみたものが次の図表1−3である。2002年以降の
統計なので、若年非正規雇用者割合は横ばいから、減少傾向になっている期間である。性別・
年齢段階別で水準は異なるが、いずれも高卒者は大学・大学院卒に比べて、非正規雇用者の
割合は大きい。また、25〜34歳層では、学歴間の差が拡大傾向にあることも見て取れる。こ
こ数年の非正規割合の低下は、高学歴層での変化がけん引するものだったことがわかる。

図表1－3　若年雇用者に占める非正規雇用者の割合の推移（性・年齢段階別）

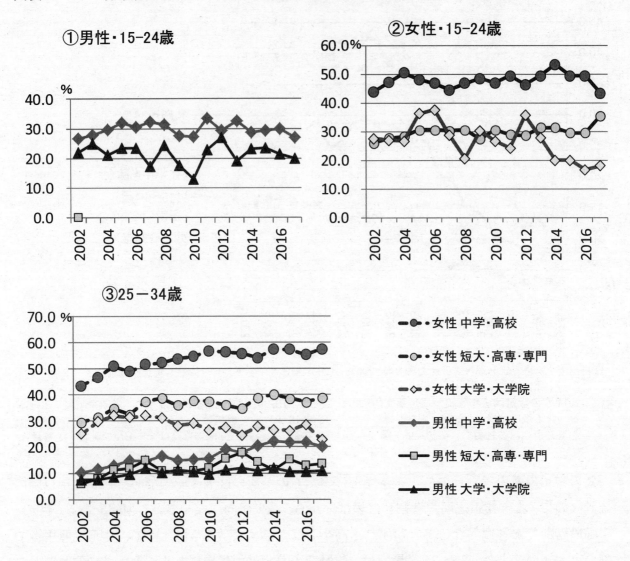

①男性・15-24歳

②女性・15-24歳

③25－34歳

凡例:
- 女性 中学・高校
- 女性 短大・高専・専門
- 女性 大学・大学院
- 男性 中学・高校
- 男性 短大・高専・専門
- 男性 大学・大学院

資料出所：総務省統計局「労働力調査詳細集計1〜3月平均」から作成。
注：男性15〜24歳の短大・高専・専門卒については対象数が少ないことから、掲載を省いた。

3　新規高卒求人における変化

　では、新規高卒求人はどう変わってきたのか。好況で今後の事業拡大が見込める状況であれば採用を増やす企業が多くなるので、新卒求人も増える。図表1－4のとおり、世界金融危機（リーマンショック）の後、長期にわたる景気拡大が続き、2017年3月卒の高校生への求人数は39万人近く、求人倍率は2.23倍で、求人数は1998年以来、求人倍率はバブル景気期以来の高い水準となっている。求人数、求人倍率は景気の影響を強く受けるので、この環境が今後も続くわけではない。

図表1－4　新規高卒予定者対象の求人数と求人倍率

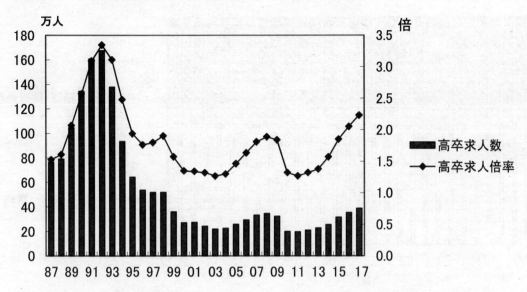

資料出所：厚生労働省職業安定局「新規学卒者（高校・中学）の職業紹介状況」各年

　次に、求人の質について検討する。統計で分かる求人の内容は職種と事業所規模、産業である。図表1－5は職種についてである。この間職業分類の改定があるのだが、高卒求人で最も多い「生産工程、輸送・機械運転、建設、運搬等の職業」についてはほぼ変わらず、いわゆるブルーカラー職とみることができる。2007年の前回調査時点までは、増加基調とみてきたが、この10年は横ばいから、やや減少に転じている。特に、リーマンショック後、製造業での「派遣切り」が起こった時期に求人全体が減少しているなかで、とりわけブルーカラー職での減少幅が大きく（164千人→88千人）、割合でも減っている。近年増加しているのはサービス職の求人である。ただし2013年からの職業分類変更の影響が大きいのがサービス職である。職業区分の変更に伴いどの程度の職種間移動があるかを、総務省統計局が2010年1月の「労働力調査」を用いて示しているので、その例を引くと、統計の改定でサービス職へ区分替えとなった数が多かった分類区分は、保健医療従事者及び社会福祉専門職業従事者の一部（移動数32万人）、一般事務従事者の一部（会計事務員の一部：同50万人）、一般事務従事者の一部（フロント（ホテル）：同9万人）などである。高卒求人の集計区分は大括りなので、さかのぼっての分類移動の確認はできないが、福祉関係などでのサービス職の求人増加は間違いないところであろう。

図表1−5　求人の職業別構成比の推移

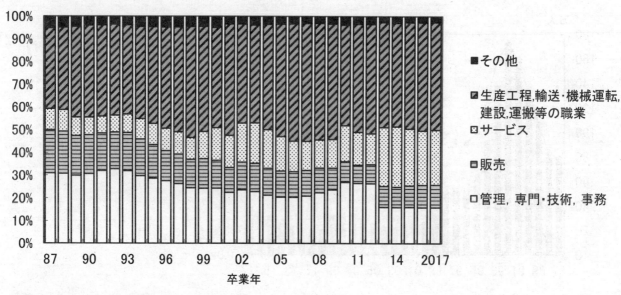

資料出所：図表1−4に同じ。
注：職業分類の改定に伴い、2013年より集計区分が変更となったため、データは接続しない。

図表1−6　求人の事業所規模別割合の推移

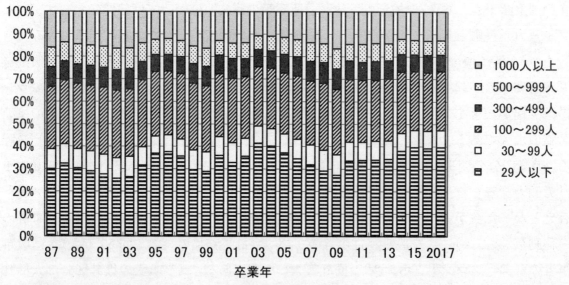

資料出所：図表1−4に同じ。
注：2013年卒から、規模別については高卒の求人申込書の改定に伴い、求人申し込みを行った事業所の従業員
　　数の規模から、就業先事業所の従業員数の規模となったため、データは接続しない。

次に求人事業所の規模についてみる。図表１－６のとおりで、求人の件数では大きな変動があるのだが、その構成比でみると 30 人以上 500 人未満ではあまり大きな変動ではない。100 人以上と未満で分けてみると、2010 年ごろまでは、好況時には 100 人以上規模の割合が高まり、不況時には 100 人未満規模の割合が高まるといった傾向がみられた。おそらく好況時には十分採用できなかった 100 人未満事業所が、不況時に採用に動いているという関係であったろう。しかし今回の好況下では 100 人未満規模の求人割合は増加傾向を続けている。求人倍率がバブル期以来の高さになっていることから、どの規模でも人手不足感がかなり強いということだろうか。

　次の図表１－７は、産業別求人数の推移である。2011 年あたりを底に求人増が続いているので、まずその範囲でみると、建設、医療・福祉の増加数が大きく、また、製造（食品、輸送用機器）、運輸、小売業、飲食店の増加数も大きい。ただし、リーマンショック前の 2007 年と比較すると、明らかに伸びているのは建設と医療・福祉のみであり、輸送用機器製造、汎用機器製造など当時の景気をけん引していた製造業については以前の水準に達していない。（中分類レベルデータ、およびより長期の変動は後段に実数で示した。）

図表１－７　産業別求人数の推移

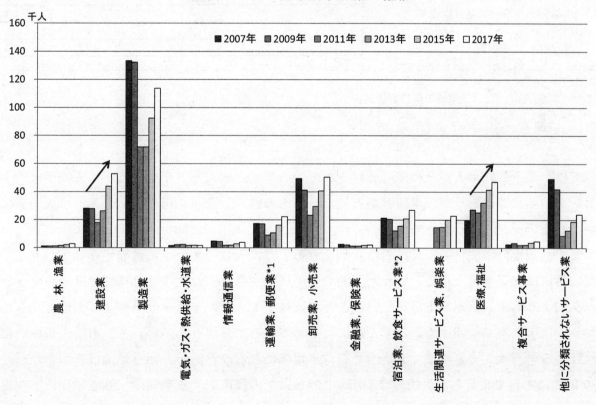

（実数）　　　　　　　　　　　　　　　　　　　　　　　　　　　　　　　　　　　　単位：千人

	1987年	1992年	1997年	2002年	2007年	2009年	2011年	2013年	2015年	2017年
産　業　計	766	1,673	518	243	333	323	197	228	316	387
農，林，漁業	2	3	1	1	1	1	1	2	2	3
建設業	52	150	74	22	28	28	18	26	44	53
製造業	302	707	198	81	133	132	72	72	92	114
うち　食料品製造業	28	59	20	11	13	14	10	11	15	19
うち　繊維工業	15	25	6	2	2	2	3	3	4	5
（2009年まで衣類・その他の繊維製品製造業　別掲）	30	44	13	4	4	3				
うち　金属製品製造業	22	54	18	7	11	10	5	6	8	10
うち　はん用機械器具製造業*1	29	78	22	9	17	18	4	5	6	7
うち　生産用機械器具製造業							4	4	4	5
うち　業務用機械器具製造業							2	2	2	3
うち　電子部品・デバイス・電子回路製造業					8	7	4	2	3	4
うち　電気機械器具製造業	58	148	31	10	9	9	5	4	5	7
うち　輸送用機械器具製造業	32	84	22	13	27	29	12	12	15	19
電気・ガス・熱供給・水道業	4	6	3	1	2	2	2	2	2	2
情報通信業					5	4	2	2	3	4
運輸業，郵便業*2	27	70	20	11	17	17	9	11	16	22
卸売業，小売業					49	41	23	30	41	51
うち　卸売業	72	140	31	12	14	11	7	9	12	14
うち　小売業	121	225	62	32	35	30	16	21	29	36
金融業，保険業	24	28	5	3	3	2	1	1	2	2
宿泊業，飲食サービス業*3					21	20	12	16	21	27
うち　飲食店	26	44	16	11	12	12	7	8	12	16
生活関連サービス業，娯楽業							15	15	20	23
医療，福祉					19	27	25	32	41	47
複合サービス事業					2	3	2	2	4	5
サービス業（他に分類されないもの）	132	295	106	67	49	42	9	12	19	24

（左端に「主な産業」と縦書き）

資料出所：図表1－4に同じ。
注：*1 2009年までは「一般機械器具製造業」
　　*2 2004年まで運輸・通信業、2005〜2010年は運輸業
　　*3 2009年までは「飲食店,宿泊業」

　では、こうした求人がどの程度充足されているのか、求人充足率を見る。求人充足はマッチングの結果ではあるが、求職者から見た「求人の魅力」を示す指標でもあり、求人の質にかかわるデータという面もある。

　まず、規模計に注目して長期的な変動をみると、求人数の多い年には充足率は下がり、少ない年には充足率は上がるという原則的な関係は維持され、2017年3月卒ではリーマンショック前よりも求人倍率が上がっていることを反映して、その充足率は当時よりも低くなっており、次第にバブル期にも迫る求人難にむかっていることがうかがわれる。事業所規模別に注目すると、求人充足率は、大規模で高く小規模になるほど低いという傾向は変わらない。80年代に不況期に見られ大規模事業所が100％以上の採用をする傾向は、2000年代の不況期にもみられさらに好況期にも継続している。高校での指導において、企業に打診したのち学校への推薦依頼人数に絞ることなく応募させる例が2000年代の調査では見受けられた。そうした応募行動の結果でもあるだろうし、また、大規模企業が若年人口の先細りを見越しての採用の枠を広げていることも考えられる。こうした採用行動の結果、中小規模企業の採用

図表1－8　求人の規模別充足率の推移

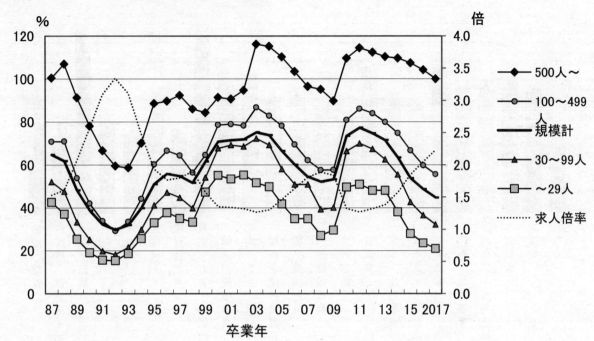

資料出所：図表1－4に同じ。

難はより深刻になっている。29人以下の事業所における充足率は、バブル期に近いところまで下がっており、規模間の格差はこれまでになく開いている。

　次の図表1－9は産業別にみた充足率を2017年3月卒と2007年3月卒との比較で示した。「電気・ガス・熱供給・水道業」や「金融・保険業」の充足率が高い点は2007年当時と変わらない。「製造業」も全体としてはあまり変わらないが、「食料品製造」や「窯業・土石」での充足率は下がっている。「医療・福祉」「建設業」は求人数が10年前より2～2.5倍も増えている業種で、充足率も当時より大幅に下がった。2007年には、「建設業」の充足率は現在より10％も高かったし、「医療・福祉」は倍近い充足率だった。需要増に供給増が追い付いていないということだろう。

図表1－9　求人の産業別充足率（2017年3月卒と2007年卒）

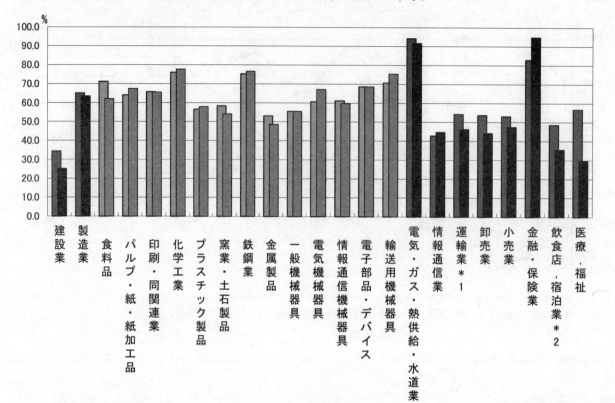

奥■2007年　　手前■2017年

資料出所：図表1－4に同じ。
注：色の薄い部分は製造業の内訳の例示。求人少ない産業や産業分類の改編で接続ができない産業は掲載を省いた。
　＊1 2007年「運輸業」、2017年は「運輸業・郵便業」
　＊2 2007年「飲食店・宿泊業」、2017年は「宿泊業，飲食サービス業」。

第3節　労働力供給側の変化

1　高卒後の進路の変化

　この節では、労働力供給側の行動をデータで確認する。まず、高校卒業時点の進路選択である。図表1－10に示すとおり、18歳人口は1992年をピークに減少してきたが、最近10年は微減にとどまり、高校卒業者数も同様に微減にとどまっている。

　就職者数は、2010年3月卒業者において、リーマンショック後の求人減の影響からか、前年より2万5千人の減少が見られたが、以降は回復傾向にあり、2017年3月卒では2009年とほぼ同水準の就職者数となっている。この間、4年制大学進学者は増加し短大進学者は減少した。進学も就職もしていない「無業者」（図では「一時的な仕事・不詳・他」）は、2000年代初めに約14万人と多かったが、最近では6万人前後まで減少している。

図表1－10　18歳人口と進路別高校卒業者数の推移

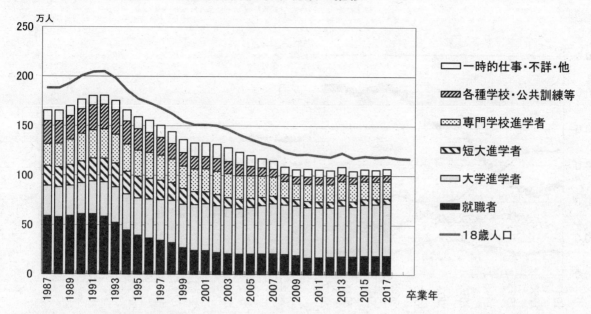

資料出所：文部科学省「学校基本調査」各年
注：進学者には就職進学者を含む。大学は学部、短大は本科入学者。「一時的仕事、不詳、他」は、「学校基本調査」における集計区分の変更に伴い、1998年までは「無業」及び「死亡・不詳の者」の和、1999年からは「左記以外の者」と「死亡・不詳の者」の和、さらに、2004年以降は「一時的な仕事に就いた者」（＝1年未満の有期雇用または短時間勤務の者）、「左記以外の者」及び「死亡・不詳の者」の和。また、2015年以降、「就職者」が「正規の職員等」と「正規の職員等でない者」（＝1年以上の有期雇用かつフルタイム相当の勤務時間の者）に区分されたが、ここではこれを合わせて「就職者」とする。

　図表1－11では、この卒業後の進路について男女別に構成比をとって、その推移をみた。就職者の割合は、求人倍率が最も低かった2003年前後まで減少し、その後は若干増加し、リーマンショック後の2010年にいったん低下、男性はその後に戻しているが、女性の戻りはやや弱い。大学進学者（女性については、この間に短大の大学への改変が進んだことも考慮して、大学+短大の割合で示している）の割合は、1990年代末までは、就職者の減少に反比例するように増加したが、2000年前後でいったん止まり、その後の景気拡大局面では就職率と平行して上昇しているようにみえる。すなわち、2003～2008年の景気拡大期には就職率も大学進学率も高まり、また2011年以降も両者はやや上昇している。
　逆の動きにみえるのが、「一時的仕事、不詳、他」である。「一時的仕事、不詳、他」は、卒業直後に無業やフリーターになっている者がほとんどであろう。卒業時点での就職環境の悪さや家計状況の厳しさが、バブル景気崩壊以降、この進路が増加した背景にあったことがうかがわれる。近年の景気拡大下では、無業の割合はさらに低下している。一方、専門学校進学も2003～2008年の景気拡大期には低下した。景気との対応は無業・フリーターと同じようだが、景気が悪いときには就職可能性を高めるために職業資格を得ようとする動きが強まるということだろう。

図表1−11　高校卒業者の進路の変化（構成比・性別）

①男性

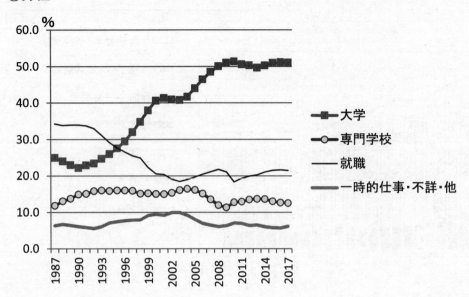

②女性

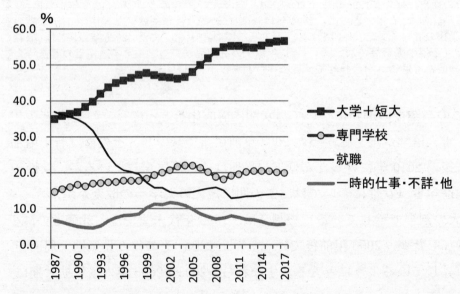

資料出所：図表1−10に同じ。

　無業・フリーターになる者の増減の背景には、就職先が見つかりにくい労働市場の厳しい状況と進学への切り替えなどができない家計の状況など、いくつかの要因があると考えられるが、それらは地域別に差がみられる条件でもあるだろう。今回の調査対象の都県について、卒業時点の無業・フリーターの割合の推移を掲載しておく。この中では、東京都が一貫して高い。埼玉県や高知県、青森県は2000年代初めには10％を超える水準だったが、昨今では低くなっており、東京都との差が開いた。今回の調査対象ではないが、この割合が高いのは、東京都の他、沖縄県、神奈川県、奈良県、大阪府などである。

図表 1 −12　地域別無業者比率の推移

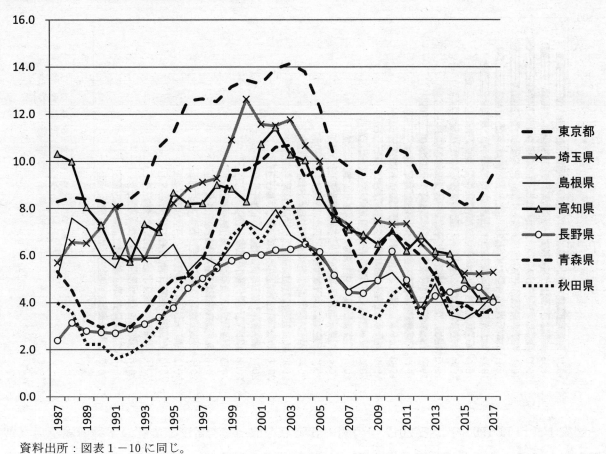

資料出所：図表 1 −10 に同じ。

2　学科による進路の違い

　高校生の卒業後の進路は普通科であるか職業系の学科であるかで違いが大きい。この節では、それを確認するが、それに先だって、中学生の進路選択の変化や学科の新設・統合などによって高校生の学科別の構成が変わっているので、その状況をみておく。

　まず、図表 1 −13 には、学科別に高校の生徒数の推移を示した。1990 年代初めから生徒数は減少傾向にあるが、普通科の生徒が全体の 7 割強を占める状況はほぼ変わらない。1990 年代半ばに新設された総合学科の生徒が増加する一方、工業や商業では減少傾向がみられる。

図表 1 －13　学科別高校の生徒数の推移

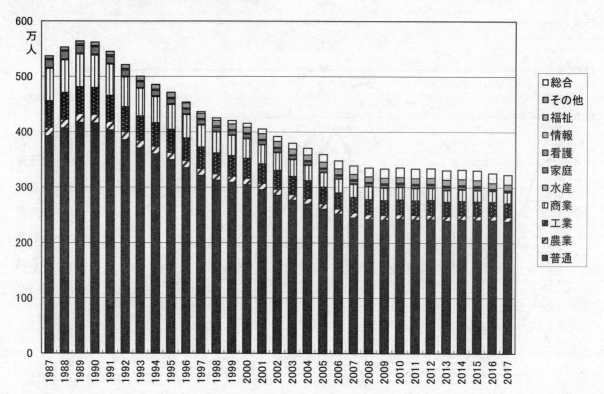

　図表 1 －14 は 1997 年から 2017 年の間の 5 時点を取って、高校卒業者の学科構成を男女別にみたものである。普通科卒業生が 70～80％と多くを占めている点は 90 年代末からほぼ変わらないが、残る部分では、総合学科が増えている。その分減っているのは、男性では農業と商業、工業もやや減っている。女性では商業の減少が明らかである。職業高校の卒業生が男女とも減少している。

図表1−14　高校卒業者の学科構成の変化（性別）

①男性

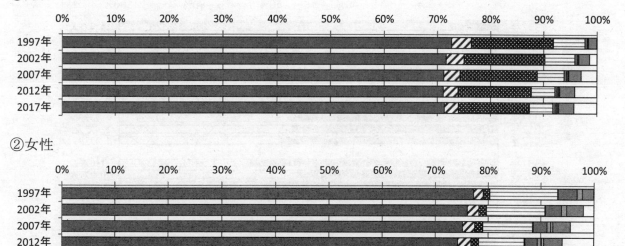

②女性

■普通　☒農業　■工業　■商業　■水産　■家庭　■看護　■情報　■福祉　■その他　□総合学科

資料出所：図表1−10に同じ。

　次に、図表1−15で、性・学科別の進路状況を見る。まず、男性についてみると、就職者が多いのは、農業科、工業科、次いで商業科となっている。この中で卒業生数の多い工業科についてみると、求人倍率が最低水準であった2002年の就職者割合が最も低く、その後は増加している。図表1−11の高卒男性計で見た就職者割合は、2007年以降の以降3時点であまり変わらないのだが、工業高校卒の男性に限れば、就職者割合は高まっており、その分減っているのは大学、専門学校への進学者である。農業科でも同様に就職者割合は高まっているが、その程度は小さく、また商業科でははっきりした増加は見られない。求人が多いのは生産工程の職業であることは、この間変わっていないので、労働力需要にもっとも沿った学科である工業科で、就職者割合が増えるのは当然でもある。工業科で就職者割合を増やしながらが、高校全体では増えていないのは、この間に学科構成が変わっているからである。

　女性についてみると、就職者が多いのは、農業科、工業科、商業科である。最も卒業生数が多い商業科についてみると、2002年で大幅に就職者割合が低下しているが、工業科の男性とは異なり、その後の増加がない。商業科は男女とも同様で、景気回復期の戻りがごくわずかにとどまっている。女性の工業科卒は2017年に就職者が増えているが、卒業生そのものが少ないので、全体の傾向にはほとんど影響しない。女性の就職者割合が、今回の景気回復期にほとんど伸びていないのは、職業高校においても就職者割合がほとんど増加していないからである。

図表 1 −15 日　性・学科別の高校卒業者の進路の変化

①男性

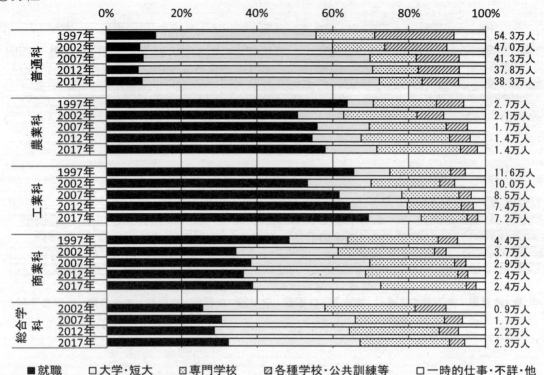

②女性

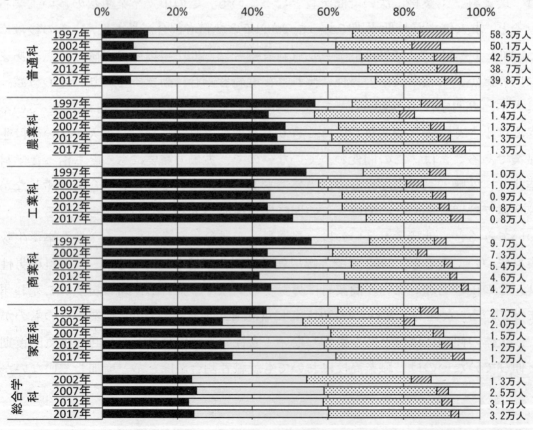

資料出所：図表 1 −10 に同じ。

なお卒業後に「一時的仕事・不詳・他」となる割合は、2002年卒以降減少しているのだが、性・学科別に見ると、男女とも職業学科での減少が明らかであるのに対して、男性の普通科、総合学科ではその減少ははっきりしたものではない。学科別の進路の違いとしてはこの点も重要であろう。

　次の図表1−16は採用者側の立場にたって、新規高卒採用者の出身学科の内訳という形でまとめてみたものである。職業準備教育を受けていない普通科卒の割合は、若干減ってはいるが3〜4割を占めている。総合学科でどの程度職業準備教育がされているかは不明だが、職業学科ほどではないことは確かだろう。これを加えるなら、男性就職者の4割程度、女性就職者の半数程度は職業準備教育をうけていない入職者ということになる。

　この10年の変化を少し詳細に見れば、男性では最も多い工業高校生の割合はほとんど変わらす、普通科と農業科が減り、総合学科が増えている。女性では、商業科と普通科が減り、総合学科が増えた。

図表1−16　新規高卒就職者の学科構成の変化

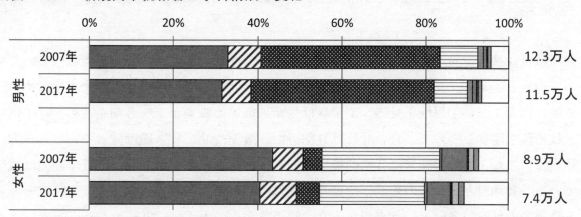

資料出所：図表1−10に同じ。

　次に、就職職種との関係を見る。まず、図表1−17は就職職種の構成の変化を男女別に見たものである。図表の注にあるとおり分類の変更があるのだが、2010年までの「生産工程・労務作業者」とそれ以降の「生産工程、建設・採掘、運搬.清掃等の和」（以下、「生産工程等の職業」と呼ぶ）はほぼ同じとみていいだろう。この30年間に若干の増減はあるが、ほぼ一貫して男性の卒業生の6割がこの職種で就職している。他の職種については、長期的には販売職の減少や保安と専門技術職の増加傾向もみられるが、2010年あたりからはあまり変化はない。女性については、サービス職、生産工程等の職業、事務職、販売職に4分される形で推移してきた。最近10年では前半でサービス職が増えて事務が減り、後半の景気拡大期には事務職と生産工程等の職業の割合が増え、サービス職が減る傾向が見られる。

図表1-17　新規高卒就職者の就職職種構成の変化

①男性　　　　　　　　　　　　②女性

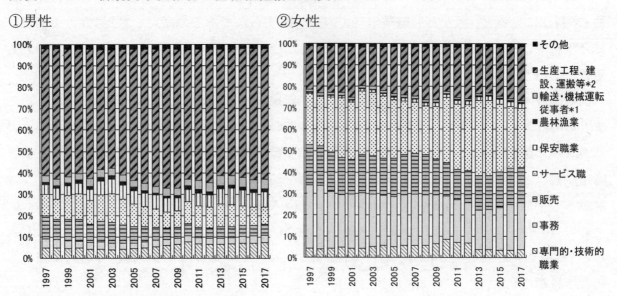

資料出所：図表1-10に同じ。
注：*1　2010年までは「運輸・通信従事者」
　　*2　2010年までは「生産工程・労務作業者」、2011年以降は「生産工程」、「建設・採掘」、「運搬.清掃等」
　　　　の和。

　就職職種は性別で異なると同時に、卒業学科でも異なる。ここでは、就職者数の多い、男性の普通科と工業科、女性の普通科と商業科を取り上げ、その就職職種の変化を検討する。

　まず、図表1-18①男性を見る。工業科は生産工程等の職業が7～8割を占め、近年は専門・技術職も増加していて、合わせれば9割近い。販売やサービス職は減っている。一方、普通科では生産工程等の職業は5割前後でサービス、保安、販売が多いが、近年販売は減少している。普通科と工業科の差は、やはり工業科は学科の専門教育に関連をしているとみられる職種での就職が多いという点であろう。製造業からの求人は、リーマンショック前よりは減っているものの、経常的にあり、専門教育を生かした就職となっている可能性が高い。

　②女性については、商業科では事務職が4～5割、販売とサービスがそれぞれ2割弱となっている。最近10年ほどは、リーマンショックの後に事務職就職者の減少がみられ、現在はやや回復しているものの、リーマンショック前の水準にはしていない。普通科では最も多いのはサービス職で次いで生産工程等の職業となっている。普通科高校に比べれば商業科のほうが事務職就職者は多い傾向は続いていて、労働市場が、職業教育に対して一定の評価をしていることはうかがわれる。

図表1−18　卒業学科別の職種構成の変化

①男性

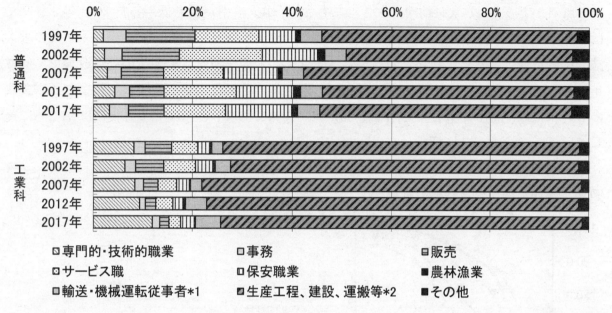

	専門的・技術的職業	事務	販売
	サービス職	保安職業	農林漁業
	輸送・機械運転従事者*1	生産工程、建設、運搬等*2	その他

②女性

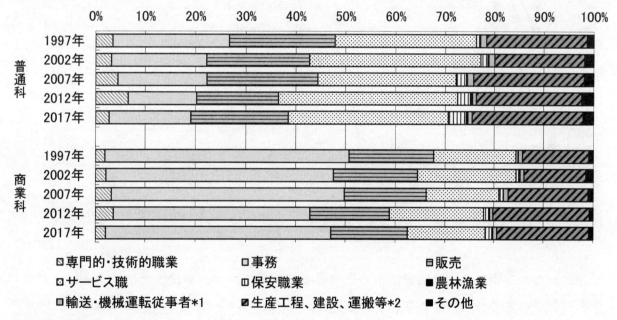

	専門的・技術的職業	事務	販売
	サービス職	保安職業	農林漁業
	輸送・機械運転従事者*1	生産工程、建設、運搬等*2	その他

資料出所：図表1−10に同じ。

注：*1　2010年までは「運輸・通信従事者」
　　*2　2010年までは「生産工程・労務作業者」、2011年以降は「生産工程」、「建設・採掘」、「運搬.清掃等」
　　　　の和。

第4節　マッチングにおける変化

1　内定時期

　マッチングに関しては、内定時期と地域間移動についてみる。図表1−19は、ハローワークが把握している各年度卒業者の3年生時の9月末から卒業後の6月末までの各時点の就職

先決定者の割合を見た。バブル景気期の就職者である 1992 年 3 月卒では、9 月の最初の採用試験でほぼ 7 割が内定を得ており、1 回の受験で就職活動を終えていた。この 9 月末で内定がとれるかどうかは、景気動向に大きく左右され、求人倍率が最も低かった 2003 年 3 月卒では 33.4%しか内定をえられなかった。最近では 2010 年 3 月卒がリーマンショック後の求人減の影響を受けており、9 月末の内定率は 37.6%にとどまった。その後の景気改善で、2017年 3 月卒は 60.4%と高い水準となっている。内定率はその後の応募によって高まり、卒業時の 3 月末には、2010 年 3 月卒でも 93.6%が内定を得ており、さらに 3 カ月後には 97.2%に達している。

図表 1 − 19　採用内定時期の推移

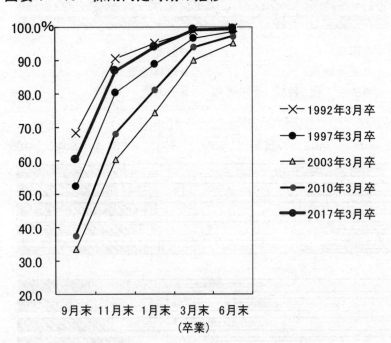

資料出所：厚生労働省「高校・中学新卒者の就職内定状況等」各年。

　なお、この内定率は、求職者に占める内定者の割合であり、学校またはハローワークの斡旋を望まない者の動向は含まれない。実際、2010 年 3 月卒の場合、当初の求職者数は 19 万1 千人であったが、3 月の卒業時点では 15 万 3 千人に減っている。縁故等で職を得たために学校、ハローワークの斡旋を必要としなくなったのかもしれないし、進学に進路変更したのかもしれないが、この統計でみる 100%近い最終の内定率と、学校基本調査に見る 6 万人近い規模の進学も就職もしていない卒業者の数との差は大きい。

2　地域間移動

　次に就職にあたっての地域間移動について、近年の推移を確認しておく。地域別の検討は次の第 2 章でおこなうので、ここでは、全体としての地域移動の量の推移を提示するにとど

める。就職にあたって、県外移動する生徒が多いのは、南九州・沖縄地区で、次いで東北地区となっており、この特徴は30年間変わっていない。県外就職率が高まるタイミングをこのグラフの範囲でみると、まず1997年3月卒から1999年3月卒があたり、また2004年3月卒から2009年3月卒あたりが上昇カーブになっている。いずれも景気回復期に就職活動をした世代である。景気回復が県外就職に直結するかといいうと、今回の景気回復ではほとんどその上昇がみられない。2004年卒〜2009年卒に対応する景気回復の特徴は輸出型製造業が景気のけん引役であった。そこで、地方の高校生が大規模製造業の立地する産業集積地に移動するような就職が多かったと思われる。現在労働力需要の伸びが最も大きいのは、医療・福祉と建設で、これは全国で展開されている。労働力需要の違いが、地域間移動に影響する一つの要因となっていることは確かだろう。

図表1－20　地域別県外就職率の推移

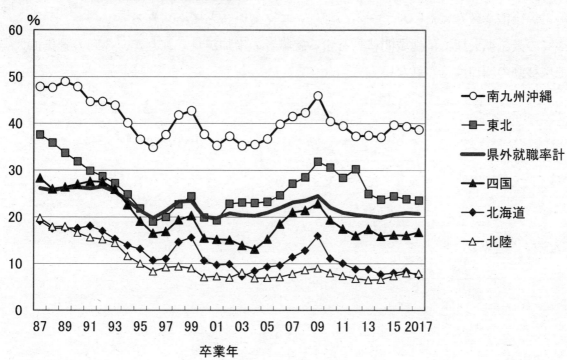

資料出所：「新規学卒者（高校・中学）の職業紹介状況」各年。

第5節　まとめ

　本章では、新規高卒者の労働市場の近年の変化をこの10年程度を射程に概観した。主な結果は次の通りである。

①就業者の産業別構成から見ると、最近10年も、前の10年に引き続きサービス産業従事者が増加している。とりわけ「医療・福祉」の増加幅が大きい。

②若者の非正規雇用者割合は横ばいから低下に向かっているが、学歴間の差が広がっており、同割合が低下しているのは高学歴者である。

③新規高卒者に対する求人はリーマンショック後に減少したが、以降は回復し、現在はリーマンショック前の水準を上回っている。産業別には「医療・福祉」「建設」の増加幅がとりわけ大きい。「製造」も増加しているが、リーマンショック前の水準には戻していない。

④2011年以降、新規高卒求人の充足率は低下しており、規模間の充足率の差はこれまでになく開いている。産業別には「医療・福祉」でとりわけ未充足率が高まっている。

⑤高校卒業者数はこの10年は微減にとどまり、就職者数もリーマンショック直後にいったん下がったが回復している。無業・フリーターになる者は減少しているが、東京都など一部の都県では10%前後のやや高い状況が続いている。

⑥職業高校の卒業者は減少傾向にある。普通科、総合学科卒の就職者は、男子就職者の4割程度、女子就職者の半数程度を占める。工業高校卒男子就職者の9割近くが生産工程の職業や専門・技術職に就いており、また、商業高校卒女子就職者の半数程度が事務職、2割弱が販売職に就いている。普通科高校卒就職者はより多様な職種に分散していることから、労働市場は職業教育にたいして一定の評価を与えていると考えられる。

⑦かつての景気拡大期には地域間移動をする就職者の増加が見られたが、今回の景気拡大では地域移動の増加は見られない。

第2章　調査対象地域の新規高卒労働市場

　新規高卒労働市場の現状と変化については、第1章で日本全国の状況が詳細に分析されたところであるが、地域によって様相は大きく異なることから、本章では、地域別にみた状況について第1章を補完する分析を行う。

　序章で示されたように、本研究プロジェクトはヒアリングを中心に調査を進めており、2017年に7都県の総計約40にのぼる学校・企業・ハローワークから聞き取りをさせていただいた。ヒアリング調査としては少なくないケース数であると考えるが、日本における新規高卒労働市場の全体像を語るには限界があることも確かである。このため、第3章以降の分析及び資料編に収められているケース記録の背景を理解する上で必要な前提となる調査対象地域のプロフィールを整理しておきたい。

　本章では、以下、①新規学卒労働市場は地域別にみるとどのような状況になっているか、②調査対象地域にはどのような特徴がみられるか、③ヒアリング等により各地域の新規高卒就職にはどのような動きが確認されたか、といった点について報告する。

第1節　地域別にみた新規高卒労働市場

1　いずれの地域でも「売り手市場」となった新規高卒労働市場

　第1章で示されたように、新規高卒労働市場も、全体として一般求人と同じように景気変動に応じた変動を繰り返している。前回調査を行った2007年前後は就職氷河期をようやく脱した景気回復局面にあり、新規高卒求人倍率はバブル崩壊後の最初の山を形成しつつあった。この後、リーマンショックによる景気後退、求人倍率の低下を経て、調査直近の2017年3月卒業者ではバブル期の求人倍率に達し、市場として量的に縮小してはいるものの、就職状況は良好な状態が続いている。

　これを地域別にみると、2017年には47都道府県すべてにおいて求人倍率が1倍を超えており、従来から求人倍率が低かったグループの県で軒並み水準が上昇したことにより、2007年と比較して地域間の求人倍率の格差が縮小している（図表2－1）。このような傾向は一般（中途採用）の有効求人倍率でもみられるところであり、需給バランスの指標から見れば、現状ではいずれの地域でも「売り手市場（人手不足）」の状態にあると言うことができる。

　ただし、新規高卒求人倍率が同じように上昇していたとしても、その内訳は地域によって様相が若干異なる。多くの地域で求人数が増え、求職者数が減少することにより求人倍率が上がっているが、従来から求人倍率が低かった地域（調査対象地域では青森、秋田、島根、高知）では特に求職者数の減少幅が大きく、求人倍率をさらに押し上げている傾向がある（図表2－9「調査対象地域の概況」参照）。

　なお、ほとんどの都道府県で10年前と比較して求人倍率が上昇している中、製造業求人のウェイトが高かった愛知県をはじめ少数ながら低下した県もある。

図表2－1　都道府県別新規高卒求人倍率（2007年3月卒及び2017年3月卒）

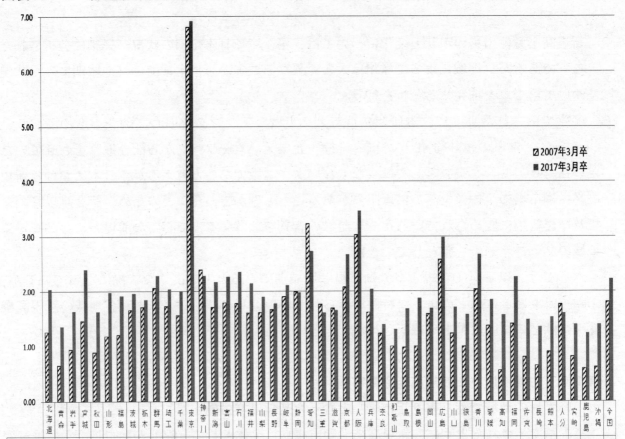

	北海道	青森	岩手	宮城	秋田	山形	福島	茨城	栃木	群馬	埼玉	千葉	東京	神奈川	新潟	富山	石川	福井	山梨	長野	岐阜	静岡	愛知	三重	滋賀	京都	大阪	兵庫	奈良	和歌山	鳥取	島根	岡山	広島	山口	徳島	香川	愛媛	高知	福岡	佐賀	長崎	熊本	大分	宮崎	鹿児島	沖縄	全国
2007年3月卒	1.76	0.66	0.94	1.46	0.89	1.18	1.20	1.66	1.71	2.06	1.71	2.01	6.83	2.39	1.71	1.79	1.78	1.61	1.62	1.62	1.90	1.99	3.23	1.76	1.69	2.08	3.03	1.62	1.23	1.00	0.98	1.00	1.59	2.51	1.21	0.99	2.03	1.37	0.56	1.41	0.80	0.65	0.90	1.76	0.81	0.60	0.52	1.81
2017年3月卒	2.04	1.36	1.64	2.40	1.63	1.98	1.92	1.96	1.85	2.29	2.04	2.00	6.92	2.29	2.17	2.22	2.35	2.15	1.90	1.78	2.11	1.98	2.73	1.66		2.67	3.47	2.04	1.39	1.31	1.68	1.87	1.69	2.99	1.71	1.58	2.67	1.85	1.57	2.26	1.48	1.35	1.53	1.60	1.39	1.24	1.39	2.23

資料出所：厚生労働省「新規学卒者（高校・中学）の職業紹介状況」（卒業年6月末時点）

2　多くの地域で県外就職割合が低下

　このように、ほとんどの地域において求人が増え、求職者が減少し、求人倍率が上昇すれば、求職者の側からみて県内求人との結合可能性が高まることと考えられる。県外就職割合（学校基本調査ベース）[1]を全国平均でみると2007年の20.2％から2017年18.8％へと若干低下しており、出身県内で就職する傾向は強まる方向にある（図表2－2）。

　都道府県別にみると、県外就職割合が低下した県（30県）が上昇した県（17県）を上回るが、細かくみるとその様相は地域によって大きく異なる。県外就職割合が高い地域には、求人不足により県外に流出せざるをえない県だけでなく、大都市の通勤圏である県もあるが、このうち求人不足による流出地域であった地域における県外就職割合の低下が著しい。最も低下幅が大きいのが島根県であり、次いで沖縄県、高知県が続く。

---

[1] 学校基本調査と職業紹介業務統計（厚生労働省「新規学卒者（高校・中学）の職業紹介状況」）の県外就職割合には若干の相違がある。学校基本調査の就職者数にはハローワーク・学校を経由しない就職者（縁故や公務員など）が含まれているためである。就職者のうちハローワーク・学校経由による割合は、都道府県及び年度によって変動があるが、おおむね80～90％程度、2017年の学校基本調査によると全国計で85.0％である。本節では学校基本調査ベースの県外就職割合を用いる。

これに対して、大都市通勤圏で県外就職割合が高い県や従来から比較的需給バランスがよく県内就職割合が高い県では、県外就職割合の変化が小さい傾向がみられる。

図表２－２　就職者のうち県外に就職した者の割合

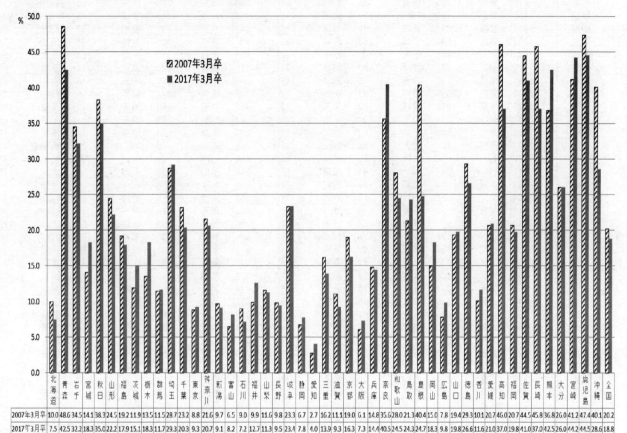

	北海道	青森	岩手	宮城	秋田	山形	福島	茨城	栃木	群馬	埼玉	千葉	東京	神奈川	新潟	富山	石川	福井	山梨	長野	岐阜	静岡	愛知	三重	滋賀	京都	大阪	兵庫	奈良	和歌山	鳥取	島根	岡山	広島	山口	徳島	香川	愛媛	高知	福岡	佐賀	長崎	熊本	大分	宮崎	鹿児島	沖縄	全国
2007年3月卒	10.0	48.6	34.5	14.1	38.3	24.5	19.2	11.9	13.5	11.5	28.7	23.2	8.8	21.6	9.7	6.5	9.0	9.9	11.6	9.8	23.3	6.7	2.7	16.2	11.1	19.0	6.1	14.8	35.6	28.0	21.3	40.4	15.0	7.8	19.4	29.1	10.1	20.7	46.0	20.7	44.5	45.8	36.8	26.0	41.2	47.4	40.1	20.2
2017年3月卒	7.5	42.5	32.2	18.3	35.0	22.2	17.9	15.1	18.3	11.7	29.3	20.3	9.3	20.7	9.1	8.2	7.2	12.7	11.3	9.5	23.4	7.8	4.0	13.9	9.3	16.3	7.3	14.4	40.5	24.5	24.3	24.7	18.3	9.8	19.8	26.6	11.6	21.0	37.0	19.8	41.0	37.0	42.5	26.0	44.2	44.5	28.6	18.8

資料出所：文部科学省「学校基本調査」

　学校基本調査により県外就職者の就職先についてみると、東京、愛知、大阪の３都府県で県外就職者の半分以上を占めるという構造は変わっていないが、市場全体が縮小する中で、三大流入地域の中では愛知県と大阪府のウェイトが若干低下している（図表２－３）。特に愛知県は、2007年には10県の県外就職先において最多（同数１位を含む）であったが、2017年にはそれが３県に減少している。前述したように、愛知県は10年前と比較して求人が減少し、求人倍率が低下した数少ない県の一つであり、地理的に離れた九州各県も含め全国から新規高卒者を集めてきた雇用吸収力が低下してきていることがうかがえる。

　愛知県に代わって九州各県の県外就職の受け皿としてウェイトを高めているのが福岡県である。福岡県のほか、市場規模は小さいが、北海道、石川県などでも県外からの就職者が増えており、新幹線網の整備などもあって、県外就職であってもより近い地域での就職を志向する動きがみられるのではないかと考えられる。

図表2－3　県外就職先の状況（男女計）

	2007年3月卒業者　県外就職先							2017年3月卒業者　県外就職先						
	計(人)	1位	(人)	2位	(人)	3位	(人)	計(人)	1位	(人)	2位	(人)	3位	(人)
北海道	1067	東京	331	愛知	154	神奈川	144	751	東京	295	愛知	105	千葉、神奈川	89
青森	2334	東京	1089	神奈川	310	埼玉	229	1643	東京	810	宮城	206	神奈川	199
岩手	1537	東京	748	宮城	206	埼玉	129	1121	東京	480	宮城	204	千葉	94
宮城	819	東京	381	埼玉	88	神奈川	81	850	東京	350	福島	96	神奈川	71
秋田	1330	東京	646	神奈川	157	宮城	135	908	東京	380	宮城	155	神奈川	103
山形	917	東京	377	宮城	140	埼玉	105	641	東京	257	宮城	123	神奈川	69
福島	1288	東京	544	宮城	149	茨城	129	895	東京	371	宮城	117	埼玉	74
茨城	710	東京	288	千葉	143	栃木	120	823	東京	310	千葉	154	栃木	150
栃木	620	東京	222	群馬	187	埼玉	78	725	群馬	223	東京	221	茨城	80
群馬	383	東京	141	埼玉	110	栃木	45	393	東京	164	埼玉	113	栃木	32
埼玉	2389	東京	2053	群馬	87	千葉	49	2362	東京	1824	群馬	115	神奈川	73
千葉	1628	東京	1246	茨城	172	埼玉	72	1385	東京	984	埼玉	114	茨城	110
東京	671	神奈川	274	埼玉	183	千葉	129	634	神奈川	255	埼玉	151	千葉	88
神奈川	1321	東京	1180	千葉	22	静岡	21	1175	東京	1003	埼玉	28	千葉	18
新潟	443	東京	204	埼玉	54	神奈川	38	355	東京	160	神奈川	28	宮城、長野	24
富山	130	石川	32	大阪	22	東京	19	166	石川	40	東京	30	愛知	23
石川	212	愛知＊	44	大阪＊	44	東京	28	168	富山	36	愛知	32	大阪	25
福井	183	大阪	59	京都	23	愛知	21	220	大阪	58	石川	25	愛知	24
山梨	164	東京	76	神奈川	19	静岡	17	155	東京	76	静岡	19	神奈川	17
長野	318	愛知	99	東京	90	埼玉	25	332	東京	118	愛知	74	神奈川	35
岐阜	1110	愛知	947	東京	54	三重	21	1005	愛知	803	東京	80	大阪	25
静岡	554	東京＊	178	愛知＊	178	神奈川	111	565	愛知	233	東京	153	神奈川	80
愛知	331	静岡	121	岐阜	49	東京	35	512	東京	112	岐阜	89	静岡	77
三重	762	愛知	538	大阪	79	東京	34	605	愛知	443	大阪	41	東京	31
滋賀	256	京都	108	大阪	58	愛知	21	208	京都	90	大阪	50	東京	17
京都	449	大阪	244	兵庫	75	滋賀	38	334	大阪	135	兵庫	54	東京	36
大阪	544	兵庫	179	東京	108	京都	59	651	兵庫	165	東京	131	京都	77
兵庫	1067	大阪	695	東京	102	京都	71	947	大阪	586	東京	122	愛知	50
奈良	544	大阪	386	京都	40	愛知	21	568	大阪	301	京都	46	東京	42
和歌山	603	大阪	372	愛知	61	東京	29	503	大阪	327	愛知	41	滋賀	23
鳥取	323	大阪	96	兵庫	35	岡山	31	298	大阪	53	広島	42	島根	39
島根	690	広島	250	大阪	161	鳥取	56	346	広島	122	大阪	61	鳥取	34
岡山	616	広島	237	大阪	107	兵庫	77	747	広島	253	大阪	138	東京	90
広島	287	大阪	60	東京	47	岡山	37	347	東京	90	大阪	60	岡山	50
山口	716	広島	316	大阪	106	愛知	73	681	広島	312	福岡	77	大阪	66
徳島	486	香川	124	大阪	107	愛知	54	392	香川	101	大阪	64	兵庫	40
香川	157	大阪	48	愛媛	20	岡山	18	188	大阪	34	愛媛	28	東京	23
愛媛	649	大阪	138	広島	96	愛知、香川	87	559	香川	109	大阪	83	愛知	70
高知	664	愛知＊	128	大阪＊	128	香川	98	401	大阪	70	愛知	67	香川	55
福岡	1775	東京	390	愛知	280	大阪	177	1501	東京	311	愛知	267	大阪	144
佐賀	1385	福岡	393	愛知	308	東京	181	1089	福岡	382	愛知	168	東京	163
長崎	2287	愛知	560	福岡	463	東京	320	1442	福岡	394	愛知	294	東京	230
熊本	2027	愛知	442	福岡	325	東京	313	1718	福岡	389	愛知	359	東京	318
大分	858	福岡	260	愛知	125	東京	105	688	福岡	261	愛知	89	東京	85
宮崎	1643	愛知	410	東京	307	大阪	180	1340	東京	282	愛知	246	福岡	197
鹿児島	2571	愛知	530	東京	527	大阪	331	1757	東京	418	福岡	275	愛知	254
沖縄	1157	東京	384	愛知	309	大阪	94	702	東京	258	愛知	139	神奈川、大阪	60
全国計	42975	東京	13114	愛知	5929	大阪	4583	35796	東京	11128	愛知	4369	大阪	3304
割合(%)			30.5		13.8		10.7			31.1		12.2		9.2

＊は同数

資料出所：文部科学省「学校基本調査」

3　製造業求人の割合はほとんどの地域で低下

　求人の産業別構成をみると、ほとんどの地域において、10年前と比較して製造業のウェイトの低下と建設業、医療・福祉の上昇が著しい。2007年3月卒対象求人と2017年3月卒求人を比べると、沖縄を除く46都道府県で製造業の比率が低下しており、特に2007年時点で製造業比率が高かった地域において低下幅が大きい傾向がある（図表2－4）。2007年には滋賀県を筆頭に新規高卒求人の半数以上を製造業が占める県が10県あり、地域間のばらつ

きが大きかった。2017年には製造業比率が50％を超える県はなく、全体として地域間のばらつきが小さくなっている。

　就職者の産業別内訳（学校基本調査ベース）でみると、求人に比べて変化の幅は小さいが、やはり多くの地域で製造業への就職者の割合は低下している。

　製造業に代わって多くの地域でウェイトが高まっている建設業や医療・福祉などは、製造業に比べて企業規模や労働市場圏が小さく、広域から就職者を集めるケースが多くないことから、全国的な製造業求人比率の低下は地元完結型の求人・就職の流れを強めることになるのではないかと考えられる。

図表２－４　製造業求人の割合

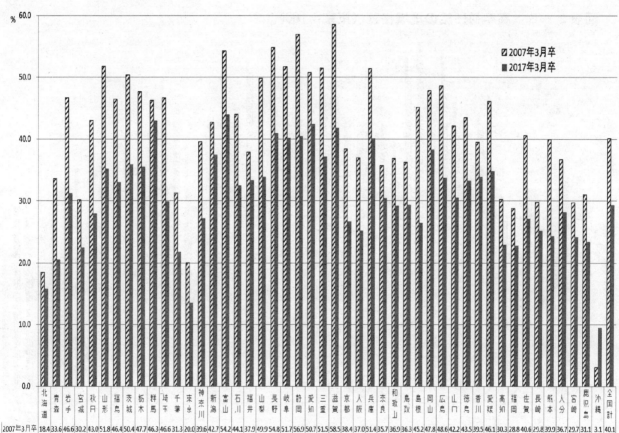

	北海道	青森	岩手	宮城	秋田	山形	福島	茨城	栃木	群馬	埼玉	千葉	東京	神奈川	新潟	富山	石川	福井	山梨	長野	岐阜	静岡	愛知	三重	滋賀	京都	大阪	兵庫	奈良	和歌山	鳥取	島根	岡山	広島	山口	徳島	香川	愛媛	高知	福岡	佐賀	長崎	熊本	大分	宮崎	鹿児島	沖縄	全国計
2007年3月卒	18.4	33.6	46.6	30.2	43.0	51.8	46.4	50.4	47.7	46.3	46.6	31.3	20.0	39.6	42.7	54.2	44.1	37.9	49.9	54.8	51.7	56.9	50.7	51.5	58.5	38.4	37.0	51.4	35.7	36.9	36.3	45.2	47.8	48.6	42.2	43.5	39.5	46.1	30.3	28.8	40.6	29.8	39.9	36.7	29.7	31.1	3.1	40.1
2017年3月卒	15.8	20.5	31.2	22.5	27.9	35.2	33.0	35.9	43.0	29.9	21.8	13.5	27.2	37.5	44.0	32.5	33.4	40.9	40.2	40.5	42.5	37.1	41.8	26.6	26.5	30.4	29.2	29.4	26.5	33.3	30.5	33.2	33.9	34.8	22.9	28.1	27.1	25.2	24.3	28.2	24.2	23.4	9.5	29.4				

資料出所：厚生労働省「新規学卒者（高校・中学）の職業紹介状況」

4　初任給の地域格差は若干縮小

　最後に、初任給の状況についてみてみよう。賃金構造基本統計調査によると、高卒初任給は2007年から2017年までの10年間に全国平均（男女計）で4.1％増となっている。在職者の定期給与がほとんど増えていない[2]のに対し、人材確保の観点から初任給には一定の配慮が

---

[2]　厚生労働省「毎月勤労統計調査」で一般労働者の「きまって支給する給与」（事業所規模5人以上）をみると、2015年平均=100の賃金指数で2007年=101.0、2017年101.4となっている。

なされていることがうかがえる。

　都道府県別にみても、すべての県で高卒初任給は上昇しているが、県外就職割合との関連では賃金の地域間格差が影響することが考えられることから、東京を基準にした場合の賃金格差の状況についてみてみる（**図表2-5**）。東京＝100としてみると、県により動きにばらつきがあるが、全国平均では2007年の92.9から2017年には93.8となり、格差が若干縮小している。県外就職割合の低下と賃金格差の縮小との間に単純な対応関係はみられないが、本節の2で県外就職割合の低下幅が大きい県としてあげた島根県、高知県、沖縄県では10年間の賃金上昇率が全国平均を上回り（それぞれ7.1％増、6.7％増、7.9％増）、格差の縮小幅も大きい。

図表2-5　高卒初任給の地域格差（東京＝100）

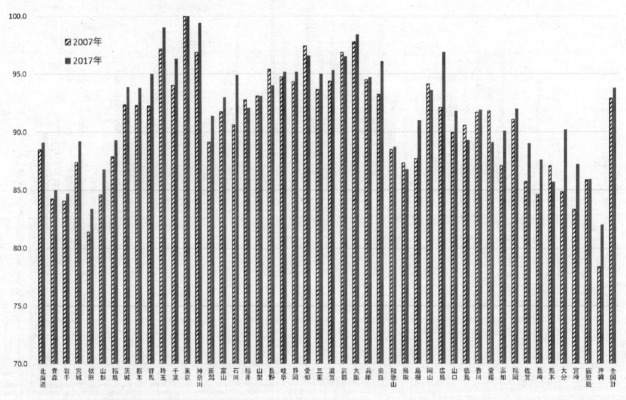

資料出所：厚生労働省「賃金構造基本統計調査　初任給の状況」

5　小括

　以上、新規高卒労働市場の最近10年間の変化を都道府県別のデータで概観したことをまとめる。

①　ほとんどの県で求人倍率が上昇し、求人倍率の地域格差が縮小して、いずれの地域でも人手不足状況にある。

②　地元の労働力需要が高まり、流出地域を中心に県外就職割合はかなり低下した県が多い。県外就職先としてより近い流入地域に向かう傾向もみられる。

③　求人の産業別構成をみると、ほとんどの県で製造業比率が低下し、代わって建設業や医療・福祉のウェイトが大きく高まっている。

④　新規高卒初任給はいずれの県でも上昇しており、東京との格差は若干縮小している。

第2節　調査対象地域のプロフィールと地域特性

　今回の調査対象地域は、青森、秋田、埼玉、東京、長野、島根、高知の7都県である。前回2007年調査において、これらの地域は①県外移動、②需給状況、③求人内容の3つの視点から次のように類型化されていた（JILPT2008 調査研究報告書№.97）。

　　東京、埼玉＝流入／良好／サービス・販売

　　長野＝バランス／良好／製造

　　青森、高知＝流出／求人不足／サービス・販売

　　島根＝流出／中間／製造

　　秋田＝流出／求人不足／製造

　今回調査の時点においては、調査対象地域にはそれぞれどのような特徴がみられるだろうか。2007年調査での類型化の軸に基づいて、需給状況、県外移動、求人内容の順に2017年の状況と10年間の推移を概観する。

1　需給状況

　まず需給状況についてみる（図表2－6）。前項で述べたように、2017年には、すべての都道府県で人手不足状態にあり、前回調査時には新規高卒求人倍率が1倍を割っていた地域もすべて1倍を大きく上回り、絶対的需要不足の状態は脱している。東京の求人倍率は2017年においても突出しているが、その他の県においても、県単位でみる限り、地元に残りたくてもどうしても叶わないという状況は数の上ではほぼ解消してきているといえよう。

　この10年間の経過をみると、東京とその他の地域では大きな違いがみられる。東京はすべての時点で求人倍率が高水準ではあるが、2009年3月卒から2010年3月卒にかけての落ち込みが激しく、2008年秋のリーマンショックの影響がきわめて大きかったことがうかがえる。この落ち込みは2012年を底として回復に転じるが、他県ではこれほどの急激な変化はみられない。東京は求人規模に比べて求職者数が過小であることから、求人数の変化が増幅されて表れやすいと考えられるが、結果的に2007年と2017年の間で求人総数に大きな差がないとしても、求人の急減から急回復に至る過程でどのような変化が進行したかという点について確認が必要である。これについては第3節でみることとする。

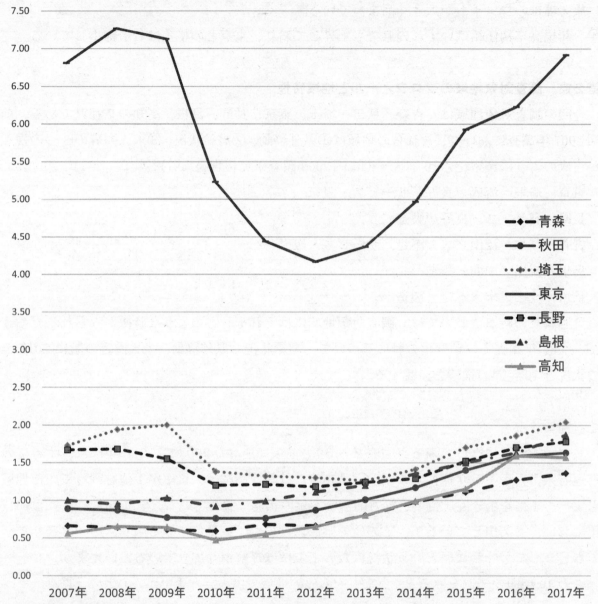

図表2－6　新規高卒求人倍率の変化（2007年3月卒～2017年3月卒）

凡例：
- ◆ 青森
- ● 秋田
- ● 埼玉
- 東京
- ■ 長野
- ▲ 島根
- ▲ 高知

資料出所：厚生労働省「新規学卒者（高校・中学）の職業紹介状況」　各卒業年の6月末時点

2　県外移動

　次に県外移動についてはどうだろうか。前節でみたように、県外就職割合（学校基本調査ベース）は県によりばらつきはあるが、流出県のほとんどで低下している。調査対象地域である島根県、高知県、青森県は全国的にみても県外就職割合の低下幅が大きい地域である。流出4県について10年間の推移をみると、おおむね2009年3月卒から2011年3月卒にかけての県外就職割合の低下が急であり、その後は横ばいという傾向になっている（図表2－7）。県外就職割合の低下時期は東京をはじめとする流入地域の求人が急減した時期と重なっており、この点も含め、第3節で県外就職割合の低下の背景について検討したい。

図表2－7　流出県における県外就職割合の推移（2007年3月卒～2017年3月卒）

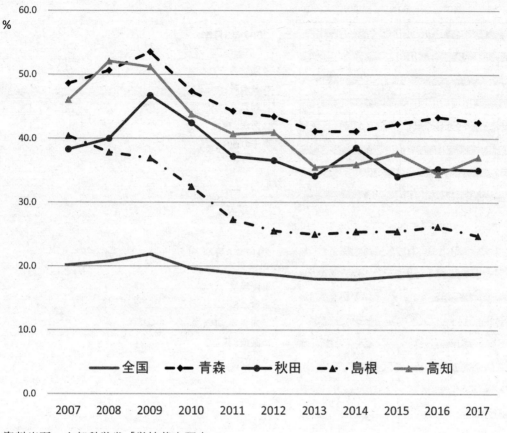

資料出所：文部科学省「学校基本調査」

3　求人内容

　最後に求人内容についてみる。第1節で述べたように、2007年には全国的にみて地域による製造業比率のばらつきが大きかった。2017年には製造業比率が突出した県が少なくなり、高卒求人の産業構成における地域的な特徴は若干薄まる傾向がみられる。調査対象7都県についてみると、2007年に製造業比率が4割台であった秋田県及び島根県が20％台に下がって全国平均以下となり、最も高い長野県（40.9％）と最も低い東京都（13.5％）以外はいずれの県も20％台となっている。

　代わって、いずれの地域でも大きくウェイトを高めているのが建設業と医療・福祉の求人である（図表2－8）。特に、島根県、高知県では求人全体に占める建設業の割合が2割を超え、製造業に迫る勢いとなっている。就職者でみても多くの地域で製造業就職の割合は低下しているが、求人に比べて変化の程度は小さい[3]。多くの地域において、新たに求人が急増した産業では人材確保がより困難になっていることを示唆している。

---

[3]　ハローワーク・学校経由の就職者でみると、製造業就職者の割合は全国計で10年間に6.1ポイント低下しているが、求人の製造業比率の低下（△10.7ポイント）と比べて変化幅は小さい。

図表2－8　新規高卒求人の主な産業別構成比

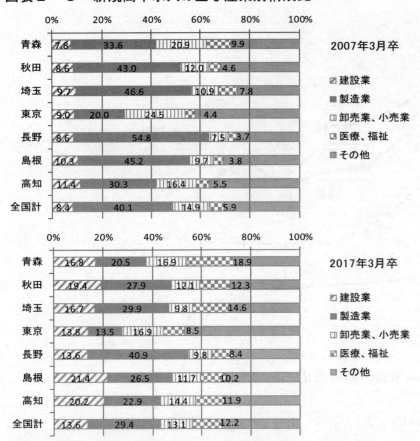

資料出所：厚生労働省「新規学卒者（高校・中学）の職業紹介状況」　各卒業年の6月末時点
注：産業分類の変更があったため、厳密には接続していない。「その他」は、図に示した産業以外の産業の合計。

4　小括

　調査対象地域における以上のデータから、この10年の変化と各地域の2017年時点での特徴を概観する（図表2－9）。

① 　いずれの地域でも人手不足状況にあり、特に10年前に求人不足（求人倍率が1倍以下）であった地域（青森、秋田、島根、高知）において求人倍率の上昇幅が大きい。ただし、これらの地域においては、求人も大きく増加していると同時に求職者数が大きく減少しており、その両方の要因により求人倍率が上昇している。流入地域である東京及びその通勤圏の埼玉では他地域に比べて10年前と比較した求人数、求職者数の変化は小さいが、東京ではリーマンショック後の求人の落ち込みと回復が他県と比較して顕著である。新規高卒就職市場の地元完結度が高い長野県では求職者が増え、就職率も若干上昇している。

② 　労働力移動についてみると、流出地域（青森、秋田、島根、高知）における県外就職割合がいずれも大きく低下している。

③ 　求人の産業別構成についてみると、いずれの地域でも製造業の比重の低下と建設業、医療・福祉の増大がみられる。就職者でみても多くの地域で製造業就職の割合は低下しているが、求人に比べて変化の程度は小さい。

図表２－９　調査対象地域の概況

項目		青森	秋田	埼玉	東京	長野	島根	高知	全国
有効求人倍率[1]	2007年	0.47	0.61	1.01	1.38	1.18	0.92	0.50	1.04
	2017年	1.24	1.35	1.23	2.08	1.60	1.61	1.18	1.50
	増減差	0.77	0.74	0.22	0.70	0.42	0.69	0.68	0.46
新規高卒求人数[2]（人）	2007年3月卒	2553	2540	12230	44877	4568	1510	763	332796
	2017年3月卒	4871	3816	14630	44584	5758	2411	1592	387088
	増減率(%)	90.8	50.2	19.6	-0.7	26.1	59.7	108.7	16.3
新規高卒求職者数[2]（人）	2007年3月卒	3855	2843	7082	6592	2741	1516	1365	184026
	2017年3月卒	3575	2343	7185	6441	3240	1290	1014	173683
	増減率(%)	-7.3	-17.6	1.5	-2.3	18.2	-14.9	-25.7	-5.6
新規高卒求人倍率[2]	2007年3月卒	0.66	0.89	1.73	6.81	1.67	1.00	0.56	1.81
	2017年3月卒	1.36	1.63	2.04	6.92	1.78	1.87	1.57	2.23
	増減差	0.70	0.74	0.31	0.11	0.11	0.87	1.01	0.42
新規高卒就職率[3]（%）	2007年3月卒	32.7	31.5	14.6	7.6	15.7	23.2	19.6	18.5
	2017年3月卒	32.0	30.4	14.1	6.7	18.5	23.1	17.8	17.8
	増減差	-0.7	-1.1	-0.5	-0.9	2.8	-0.1	-1.8	-0.7
県外就職割合[3]（%）	2007年3月卒	48.6	38.3	28.7	8.8	9.8	40.4	46.0	20.2
	2017年3月卒	42.5	35.0	29.3	9.3	9.5	24.7	37.0	18.8
	増減差	-6.1	-3.3	0.6	0.5	-0.3	-15.7	-9.0	-1.4
高卒初任給（男女計）[4]（千円）	2007年	141.2	136.4	162.9	167.6	159.9	147.0	146.0	155.7
	2017年	146.9	144.2	171.1	172.9	162.5	157.4	155.8	162.1
	増減率(%)	4.0	5.7	5.0	3.2	1.6	7.1	6.7	4.1
初任給指数（東京＝100）[4]	2007年	84.2	81.4	97.2	100.0	95.4	87.7	87.1	92.9
	2017年	85.0	83.4	99.0	100.0	94.0	91.0	90.1	93.8
	増減差	0.8	2.0	1.8	—	-1.4	3.3	3.0	0.9
高卒求人の製造業比率[2]（%）	2007年3月卒	33.6	43.0	46.6	20.0	54.8	45.2	30.3	40.1
	2017年3月卒	20.5	27.9	29.9	13.5	40.9	26.5	22.9	29.4
	増減差	-13.1	-15.0	-16.8	-6.5	-13.9	-18.7	-7.3	-10.7
製造業就職者の割合[2]（%）	2007年3月卒	29.8	39.7	50.1	29.0	58.4	51.7	39.5	47.9
	2017年3月卒	25.7	36.0	40.0	19.4	54.2	35.4	32.2	41.8
	増減差	-4.0	-3.7	-10.1	-9.6	-4.2	-16.3	-7.3	-6.1
大学等進学率[3]（%）	2007年3月卒	39.9	41.7	52.7	61.4	49.2	45.5	41.7	51.2
	2017年3月卒	44.6	45.3	57.6	65.9	48.1	45.8	47.3	54.7
	増減差	4.7	3.6	4.9	4.5	-1.1	0.3	5.6	3.5
専修学校(専門課程)進学率[3]（%）	2007年3月卒	15.7	18.4	18.1	12.6	22.9	22.2	20.9	16.8
	2017年3月卒	15.1	17.0	16.7	11.8	20.9	22.0	17.6	16.2
	増減差	-0.6	-1.4	-1.4	-0.8	-2.0	-0.2	-3.3	-0.6

2)は各年6月末時点の数字

資料出所：1)厚生労働省「一般職業紹介状況」、2)厚生労働省「新規学卒者（高校・中学）の職業紹介状況」、
　　　　3)文部科学省「学校基本調査」、4)厚生労働省「賃金構造基本統計調査　初任給の状況」

　以上にみてきたように、今回の調査対象となった７都県の高卒労働市場は、大需要地の東京都及びその通勤圏である埼玉県、10年前と同じく製造業比率と県内就職割合が高い長野県、全国平均と比べて製造業求人の比率が低く県外就職割合が高い青森県、秋田県、島根県、高知県という３タイプに分けることができよう。類型の軸とした製造業求人比率と県外就職割合からみて、調査対象地域が全国の中でどのようなポジションにあるかということを**図表２－10**に示す。

3番目のタイプとしてまとめた4県は高齢化が最も進み、若年人口の減少が大きい地域という点でも共通の課題を抱えている。なお、本項では県全体のデータにより検討を行ったが、調査では青森県及び高知県は県庁所在地で、秋田県及び島根県は県庁所在地以外の地域でヒアリングを実施した。同じ県内でも中核都市とそれ以外の地域とでは状況が異なるのではないかと考えられるが、今回のヒアリングでは、県庁所在地以外の地域でも求人の増加に伴って人手不足が進行しているという大きな傾向は共通していた。

図表2－10　製造業求人の割合と県外就職割合（2017年3月卒）

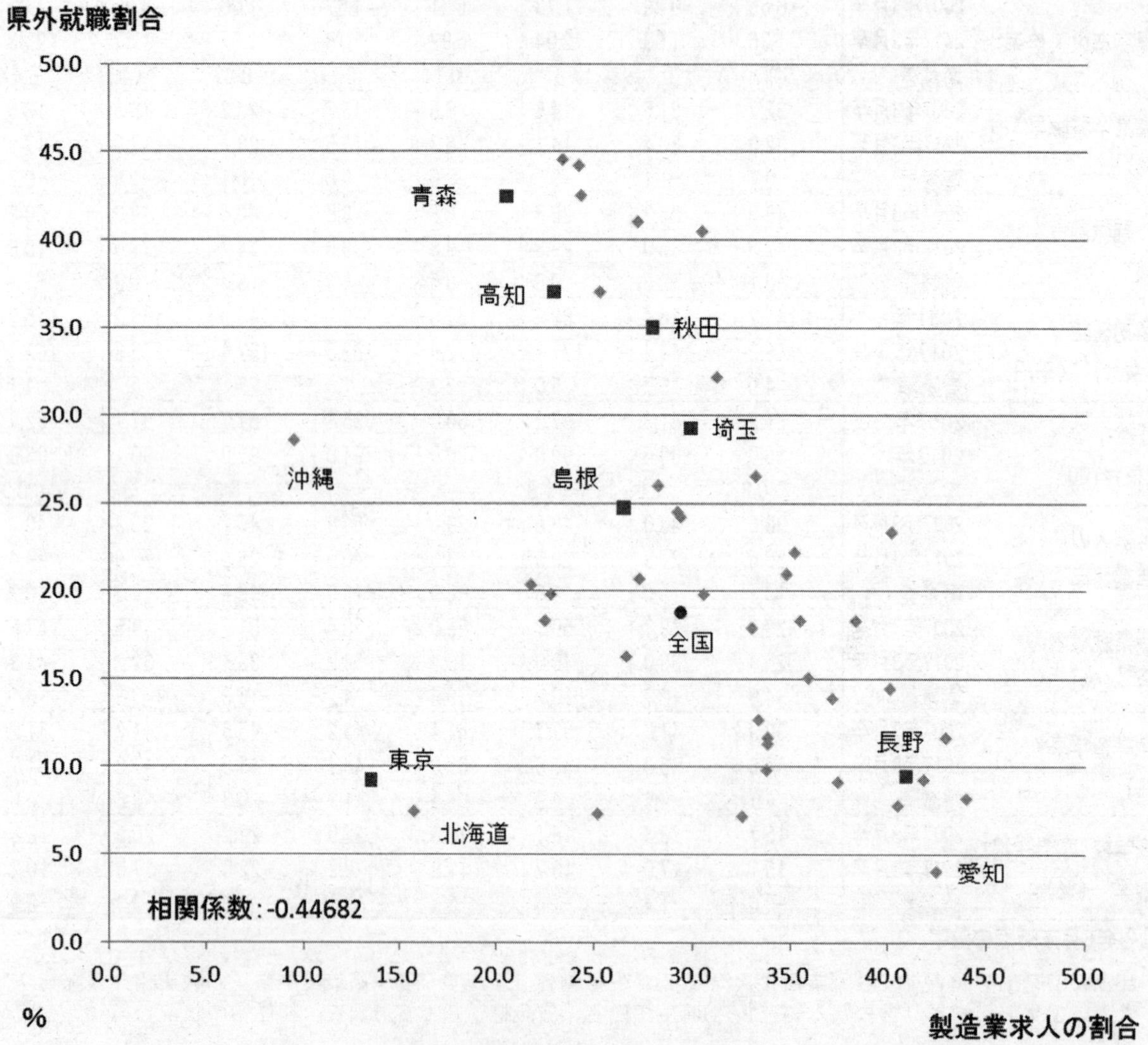

資料出所：製造業求人は厚生労働省「新規学卒者（高校・中学）の職業紹介状況」卒業年の6月末時点、県外就職割合は文部科学省「学校基本調査」

第3節　地域別にみる調査対象地域の新規高卒労働市場の動き

　本節では、ヒアリング調査によるインタビュー内容や提供資料等に基づき、地域別に新規高卒労働市場の状況について検討する。前項で分析した地域の特徴に沿って、首都圏流入地域（東京都及び埼玉県）、県内完結型バランス地域（長野県）、人材流出地域（青森県、秋田

県、島根県、高知県）の順にみていくこととする。

1　首都圏流入地域（東京都及び埼玉県）
（1）自県外からの就職者が大幅に減少

　東京都は 10 年前の 2007 年調査時と変わらず高卒求人における最大の流入地域であり、2017 年 3 月卒求人では全国の求人の 11.5％を占める（2007 年は 13.5％）。求人数は 10 年前と比較して全国的に大幅な増加が見られる地域が多いのに対して、微減となっている（図表 2－11）。一方、ハローワークを経由した都内の高卒就職者数は若干減少し（△1.7％）、さらに都外からの就職者数が大幅に減少した（△16.4％）結果、東京への就職者数（ハローワーク経由分）は 10 年前と比べて 1 割強減少し、その分だけ求人の充足率が低下する結果（△5.1 ポイント）となっている。すなわち、東京都では、トータルとしての求人数と地元高卒就職者数は 10 年前と比較して数の上では大きく変化していないが、全国から就職者が集まりにくくなった結果、求人がさらに充足されにくくなるという構造の人手不足が進行している。

図表 2－11　新規高卒労働市場の概況（東京都、埼玉県）

	東京			埼玉		
	2007年	2017年	増減率・差	2007年	2017年	増減率・差
高卒求人数(人)　①	44877	44584	-0.7%	12230	14630	19.6%
全国シェア(%)	13.5	11.5	-2.0	3.7	3.8	0.1
高卒求職者数(人)　②	6568	6430	-2.1%	7082	7185	1.5%
全国シェア(%)	3.6	3.7	0.1	3.8	4.1	0.3
高卒求人倍率　①／②	6.81	6.92	0.11	1.73	2.04	0.31
就職全数(HW経由)(人)　③＋④	19770	17378	-12.1%	6070	5949	-2.0%
就職地としての全国シェア(%)	10.9	10.1	-0.9	3.4	3.4	0.1
充足率　(③＋④)／①　(%)	44.1	39.0	-5.1	49.6	40.7	-9.0
自県内からの就職者数(人)　③	5827	5728	-1.7%	4517	4665	3.3%
自県外からの就職者数(人)　④	13943	11650	-16.4%	1553	1284	-17.3%
自県内比率　③／(③＋④)　(%)	29.5	33.0	3.5	74.4	78.4	4.0
全国県外就職者に占める受入シェア(%)	33.3	32.5	-0.8	3.7	3.6	-0.1

資料出所：厚生労働省「新規学卒者（高校・中学）の職業紹介状況」　各卒業年の 6 月末時点

　埼玉県は県内の多くの地域が東京への通勤圏であり、首都圏の労働力流入地域として他県からの労働力を受け入れる一方で東京への労働力流出地域でもある。人口規模は東京都の半数強であるが、就職者割合に大きな差があり（2017 年 3 月卒の場合、就職者割合は東京都 6.7％、埼玉県 14.1％）、新規高卒求職者・就職者の実数は埼玉県のほうが若干多い。県外就職割合は全国平均を上回り、2017 年時点では労働力流出地域の類型とした島根県より高くなっている。しかしながら、流出地域の 4 県とは異なり、県外就職割合は 2011～2012 年を底として上昇に転じており、埼玉県においては東京の求人の増加に連動して県外就職が増える傾向がみられる（図表 2－12）。

図表2−12　新規高卒就職者流入・流出状況（埼玉県）

人

年	他県からの受入数	自県内就職者数	県外への送出数
2007年	1553	4517	-2457
2008年	1503	4410	-2382
2009年	1555	4244	-2168
2010年	1303	3807	-1736
2011年	1379	4052	-1678
2012年	1347	4181	-1722
2013年	1295	4530	-2015
2014年	1365	4542	-2071
2015年	1467	4846	-2288
2016年	1371	4886	-2365
2017年	1284	4665	-2520

■ 自県内就職者数　⊠ 他県からの受入数　▨ 県外への送出数

資料出所：厚生労働省「新規学卒者（高校・中学）の職業紹介状況」　各卒業年の6月末時点

（2）リーマンショック後の変化が大きい産業別求人

　東京都においては総数の上で10年前と比較してあまり変化していない求人であるが、産業別の構成は大きく変化している。第2節（**図表2−8**）でみた求人の産業別求人の変化を実数ベースで確認すると、ウェイトは低下したものの最も多いのが卸売業・小売業であることは変わらないが、製造業求人が大きく減少、建設業が増加したことにより建設業がわずかながら製造業を上回っている（**図表2−13**）。

　東京の求人はリーマンショック後の落ち込みが急激であったが、この10年間の中間地点であり、求人数の底である2012年を挟んだ変化をみると、リーマンショックを機に縮んだ求人からの回復度合いは産業によってかなり異なっている。リーマンショック後の求人急減時には、特定の産業だけではなく多くの産業でおおむね同じように求人数の減少がみられたのに対し、その後の求人回復過程では製造業や卸売業・小売業は建設業のような増加がみられず、10年前の水準には戻っていない。産業別構成の変化は、2007−2012年の5年間に比べて2012−2017年のほうが大きい（製造業の割合は2007−2012年に1.1ポイント減、2012−2017年に5.4ポイント減、卸売業・小売業は同じく2.1ポイント減、5.5ポイント減）。

図表 2-13　産業別求人数の推移（東京都）

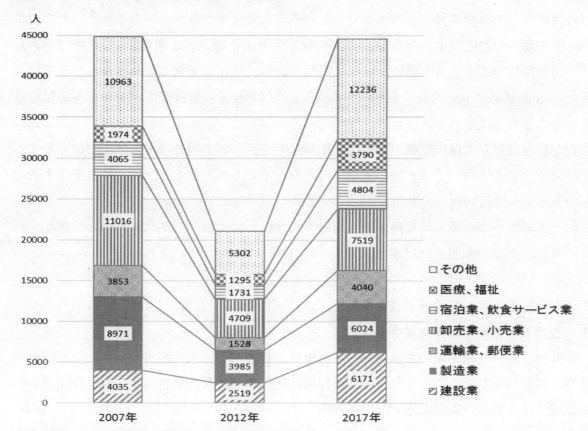

資料出所：厚生労働省「新規学卒者の労働市場」
注：産業分類の変更があったため、厳密には接続していない。
　　「その他」は、農業、鉱業、金融業、不動産業、教育等、図に示した産業以外の産業の合計。

　建設業求人に関しては、東京のハローワークからのヒアリングにおいて、「特に建設業の求人が急増。高卒求人を10年ぶりぐらいに再開した企業、初めて出すという企業もあるが、特に建設業については、就職希望者が少なく、充足が極めて難しい状況」（東京都Aハローワーク）との指摘があった。2017年という時点は、景気拡大による求人需要に加え、東京では2020年のオリンピックを控えて特に建設業需要が拡大しているという要因も大きいが、このような需要の急増部分に対して供給側では短期的な対応が難しい。東京では他地域と比べて就職希望者数はあまり減少していないが、もともと求人が大幅超過であることに加え、就職先選択のプロセスにおいて在籍校の就職実績を参考にすることが多いことから、ある程度安定的に就職先が推移する傾向があると考えられる。このため、特に技術・技能系の求人では、新たに高卒求人を行う企業や、しばらく求人を中断していた企業は人材確保が一層困難になるようである。

（3）求人の高卒回帰の動き

　首都圏の地域的特性として、新規大卒労働市場との競合があることがあげられる。今回調査を行った企業の中にも首都圏においては大卒採用に絞り込んできたというケースがあった

が、このケースでは2018年度新卒者から高卒求人を再開することとしていた。この例に限らず、百貨店など一部の業種でも休止していた高卒求人を再開する動きがみられた。その背景には人手不足への対応の面もあるが、「高卒者は大卒者より職人的志向が強く、現場で認められれば力を発揮するケースも多いといった評価もあり、近年高卒求人が見直されてきているようだ」（東京都Aハローワーク）というように、高校新卒者の特性やポテンシャルが見直されていることもあげられる。

しかし、百貨店の店舗限定職のように転勤がなくイメージが明確な求人はすぐに充足するが、技術系の求人については、対応する学科が減っていることもあり、いわゆる優良企業の求人であっても充足が難しい状況となっている。

なお、このような企業の新規高卒求人回帰の動きについては、第7章において詳細な分析がされているので、参照いただきたい。

2 県内完結型バランス地域（長野県）
（1）安定した労働市場で就職者が増加

長野県は、高卒労働市場の需給バランスがよく、労働力の流入・流出がともに少ない県内完結型の地域である。このようなタイプの地域は他に富山県などが該当するが、今回調査の対象地域では長野県のみである。

長野県は他の調査地域と比較して、この10年間の高卒求人倍率の変動が小さい。近年の求人の底であった2012年3月卒に関しても1.18倍と1倍を割っておらず、県外就職割合はおおむね1割弱の水準で、就職希望者の9割は地元で就職する状況が維持されている（図表2－14）。また、高卒求職者数や卒業者に占める就職者割合が10年前と比較して増加・上昇している。長野県も他県と同様に少子化の進行により18歳人口の減少が続いているが、労働市場が安定していれば高卒時点での地元就職者を維持できることを示唆している。

図表2－14 新規高卒就職者流入・流出状況（長野県）

		2007年	2012年	2017年	増減率・差 （2007－12）	増減率・差 （2012－17）
A	求人数（人）	4568	3170	5758	-30.6%	81.6%
B	求職者数（人）	2741	2687	3240	-2.0%	20.6%
A／B	求人倍率	1.67	1.18	1.78	-0.49	0.60
C ①＋③	就職者数（人）	2738	2676	3239	-2.3%	21.0%
D ①＋②	就職全数（人）	2567	2523	3024	-1.7%	19.9%
D／A	充足率（%）	56.2	79.6	52.5	23.4	-27.1
①	自県内就職者数（人）	2497	2457	2937	-1.6%	19.5%
②	他県からの受入数（人）	70	66	87	-5.7%	31.8%
③	県外への送出数（人）	241	219	302	-9.1%	37.9%
③／C	県外就職割合（%）	8.8	8.2	9.3	-0.6	1.1

資料出所：厚生労働省「新規学卒者（高校・中学）の職業紹介状況」 各卒業年の6月末時点

（2）求人と就職の産業別構成のずれが拡大

　求人の産業別構成は長野県においても大きな変化が見られる。かつては製造業求人が新規高卒求人の半数以上を占めていたが、2012年から2017年にかけての求人回復期に他産業の求人の増加が製造業を上回り、製造業求人のウェイトは約4割に低下している（図表2−15）。

　これに対して、就職者（他県での就職者を含む県内卒業者、ハローワーク・学校経由）の産業別内訳をみると、2017年3月卒業者も製造業への就職が半数を超えており、求人と比べて産業別構成の変化が小さい（図表2−15）。長野県においても需要側と比べて供給側の変化は緩やかであり、求人と就職の産業別構成のずれが拡大している。

図表2−15　求人と就職者の産業別構成（長野県）

求人

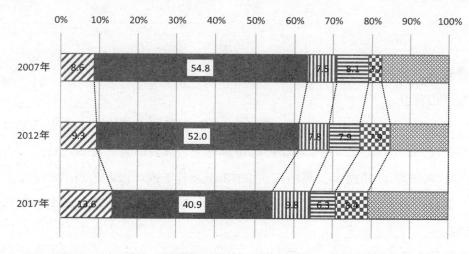

就職者

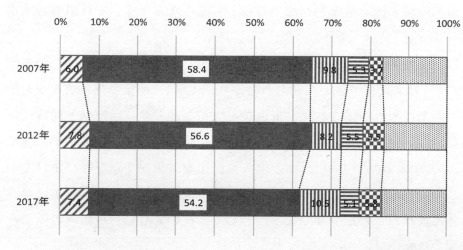

資料出所：厚生労働省「新規学卒者（高校・中学）の職業紹介状況」　各卒業年の6月末時点
注：産業分類の変更があったため、厳密には接続していない。「その他」は図に示した産業以外の産業の合計。

（3）高卒就職をめぐる課題

　長野県では、リーマンショックをはさんだこの 10 年間においても労働市場が安定していたことにより、ヒアリング調査でも他地域に比べて現状の課題についての指摘は多くはなかった。この中で、ハローワークからの問題提起として、「現在は高校の合併で、専門高校が減り総合学科が増えているため、企業は工業や商業などの専門学科出身者を取りたくても難しくなってきているという問題がある」（長野県Dハローワーク）との指摘があった。近年就職者数が増加しているとはいえ、長野県においても少子化が着実に進行しており、高校の集約や小規模化が続いている。このような中でいかに専門教育のクオリティを維持し、地域の需要とのマッチングを図っていくかということが中長期的な課題となっている。

　なお、高校の総合校化や小規模化に伴う問題については、長野県に限らず、人口減少地域に共通した課題である。これについては第6章において詳細な分析がされているので、参照いただきたい。

3　人材流出地域（青森県、秋田県、島根県、高知県）
（1）県外就職割合低下の背景

　第2節でみたように、人材流出地域4県においても2017年3月卒の新規高卒求人倍率は人手不足といえる水準となっている。この10年の推移をみると、求人超過となった時点は青森県と高知県が2015年、秋田県が2014年、島根県が2012年と若干違いはあるが、大幅な求人超過となったのは、おおむね2015年頃からであり、最近2～3年における雇用状況の改善が著しい（図表2－16）。

　県外就職割合（職業紹介業務統計ベース）の低下は2012年頃までが大きく、それ以降はおおむね横ばい傾向で推移している[4]。2012年は東京をはじめとする流入地域において求人が急減した時期であり、流入地域と流出地域をつなぐルートが細くなった後、それ以前の水準に戻っていない。

　ヒアリングにおいては、各地域で県内就職を促進するためのさまざまな取組みについて聞くことができた。4県すべてにおいて共通して語られた事項として、「地元企業の求人票提出時期を早める働きかけ」があげられる。これは、東京など大需要地の企業が解禁と同時に求人票を提出するのに対し、地元企業は求人票の提出時期が遅い傾向があり、県外企業に先に内定してしまうことが多いため、早めの採用計画と求人票提出を労働局や県が呼びかけているというものである。このような働きかけによって地元企業の求人票提出時期が着実に早くなり、就職希望者が県外に流れることが少なくなったとして、次のように、取組みの効果を評価する声が各地域で聞かれた。

---

[4] 島根県に関しては学校基本調査と職業紹介業務統計で傾向が若干異なり、ハローワーク・学校経由の県外就職率は直近2～3年やや高まっている。ここでは求人・求職状況と併せて職業紹介業務統計を用いる。

図表２－16　人材流出４県の新規高卒求人数、求職者数、県外就職割合の推移

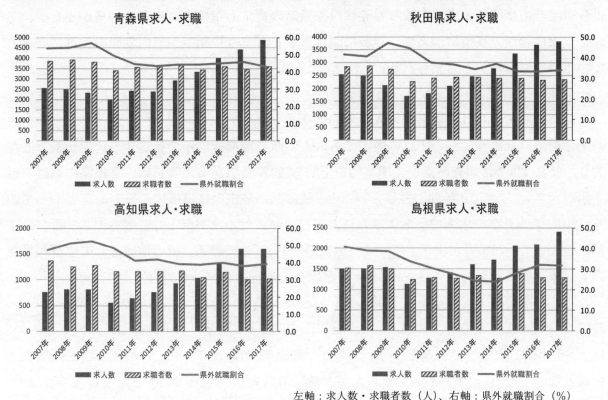

左軸：求人数・求職者数（人）、右軸：県外就職割合（％）

資料出所：厚生労働省「新規学卒者（高校・中学）の職業紹介状況」　各卒業年の６月末時点

　「高校生、特に商工業系高校生は夏休み前にだいたい応募先を決めてしまっており、９月に求人を出しても生徒が残っていないということを事業所が知らないこともあるため、管下の企業には、求人を早期に出すよう働きかけてきた。年々その効果があらわれてきており・・・」（青森県Ｇハローワーク）

　「10年前の調査時には県外大企業からの早い時期の求人に応募が集まり、遅れて申し込まれる地元企業からの求人は応募者がいないという事態が指摘されたが、県内求人の早期化によってこの問題は現在ではほぼ解消されたといえる」（秋田県Ｃハローワーク）

　「ここ数年６月までに求人を出してもらうよう様々な方法で周知徹底した結果、７月１日時点で学校に提供することのできる地元求人が格段に多くなった・・・こうした取り組みを行ってきた結果、求人提出が７月１日の解禁に間に合わないと"話にならない"というのが地元企業に浸透しつつある」（島根県Ｅハローワーク）

　「（2000年代後半、県内就職率の低下に危機感をもち、）知事を筆頭として県内企業に求人要請をしたり、求人提出の時期を早めたりしてもらうなどの取り組みに努めた。その結果、８月末までに受理した県内求人の比率は顕著に高まり2016年度では約９割に達するとともに、県内就職率も徐々に上昇してきた」（高知県Ｋハローワーク）

進路指導担当教員からは、県外就職割合低下の背景として、生徒や保護者の地元志向の高まりや家計の事情など家族を取り巻く状況や意識の変化も指摘されることが多かったが、このような供給側の事情に加えて、地域におけるさまざまな取組みが県内就職の促進に寄与しているのではないかと考えられる。

（2）共通してみられる製造業求人比率の低下

第2節でみたように、いずれの地域でも求人の産業別構成の中で製造業の比率が低下しており、特に2007年調査時点で全国平均を上回る40％台であった秋田県、島根県における低下幅が大きい。この10年間の推移をみると、秋田県と島根県はほぼ同じトレンドとなっており、2010年3月卒の求人で急激に落ち込んだ後、いったん比率が上昇したものの、再び低下傾向となって、20％台で上下している（図表2－17）。この結果、流出地域として位置づけた調査対象4県の産業別求人構成は10年前と比べて似通った構成になってきている。

ただし、製造業求人のウェイトが低下したといっても、2017年3月卒の求人数をみると、2007年と比較して島根県では6.5％減、秋田県では2.4％減と、若干減少してはいるものの、ほぼ10年前と大差ない水準を維持しており、青森県では16.4％増、高知県では58.0％の大幅増となっている。いずれも製造業求人が大量に消失あるいは流出したというわけではなく、建設業や医療・福祉などの求人増による求人全体の大幅な上乗せにより相対的にウェイトが低下したものである。

図表2－17　人材流出4県の製造業求人比率の推移

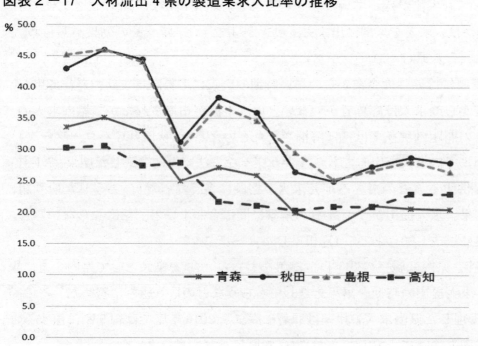

資料出所：厚生労働省「新規学卒者（高校・中学）の職業紹介状況」　各卒業年の6月末時点

かつては、新規高卒者の県内就職を増やすには工場誘致等により製造業の大型雇用創出を図ることが早道という考えがあり、実際、県内・県外就職割合と製造業求人の割合との間には一定の相関関係がみられるが（**図表 2 − 10** 参照）、近年、多くの流出県において、製造業比率が低下しているにも関わらず県内就職割合が高まっている。若年人口の減少により就職希望者が増えない現状では、必ずしも大量の雇用の受け皿が必要というわけではなく、建設業や医療・福祉などの新たな職場が新規高卒者にとって魅力ある就職先となれば、さらなる地元就職の促進につながる可能性がある。ただ、これらの産業では技能や資格が求められる仕事も多く、新規高卒者にとって入職のハードルが低くはない。就職先の選択肢としての可能性を高めるためには、就職間近での情報提供や意識啓発にとどまらず、学科の編成やカリキュラムも含め、高校教育全体としての検討が必要となると考えられる。

（3）地元就職に関する県内地域差の縮小

　秋田県と島根県では、県庁所在地以外の地域でヒアリングを行っている。いずれも、県庁所在地以上に若年人口の減少が進んでいる地域である。このような県の中心都市から離れた地域では、県全体の状況と比較してどのような傾向がみられるだろうか。両地域に共通する課題である地元（県内）就職の状況の変化について、それぞれのハローワークから提供いただいた資料によりみてみる。

　秋田県については、県内を県央、県北（ヒアリング先のCハローワークが位置する）、県南の3ブロックに分けた状況についてみる（**図表 2 − 18**）。10 年前の 2007 年 3 月新卒者では、県北地域の県内就職割合は約 4 割にとどまり、県央の約 7 割との間に大きな差がある。しかし、県北地域ではこの 10 年間に県内就職割合が高まり、県内就職割合が 6 割を超え、県内ブロック間の差が縮小している。

　島根県については、県全体とEハローワーク管内（県西部に位置する）の県内就職割合の推移をみる（**図表 2 − 19**）。10 年前の 2007 年 3 月新卒者では、Eハローワーク管内新卒者の県内就職割合は 4 割弱、2017 年には約 6 割であり、県全体の水準との差が縮まっている。

　このように、秋田県でも島根県でも、県庁所在地から離れた地域において就職者が県内にとどまる割合が高まり、この指標に関する限り、県内格差は縮小している。従来は、流出県の中でも県庁所在地以外の地域から県外へ人材を送り出す傾向がみられたのに対し、これらの地域でも地元・近隣の労働市場圏で新卒者を吸収するようになり、広域的な人材供給の余地が小さくなっていることがうかがえる。[5]

---

[5] 地域別の新卒労働市場の変化に関しては、人口要因のほか、地域経済の動向、産業構造、交通などの地域インフラ、教育資源などさまざまな側面から検討する必要がある。本稿ではそのような総合的な分析を行っていないので、県内就職に関する指標の変化を指摘するにとどめる。

図表2－18　地域別県内就職割合（秋田県）

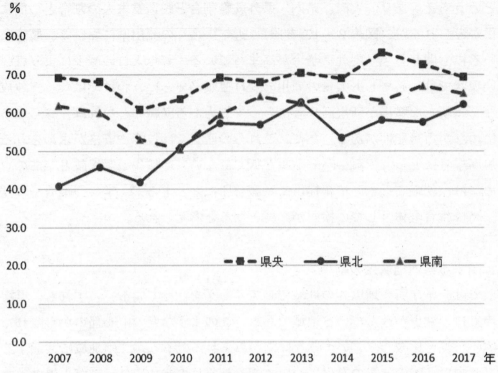

資料出所：秋田労働局「新規高校卒業者職業紹介状況（6月末確定）」各年

図表2－19　地域別県内就職割合（島根県）

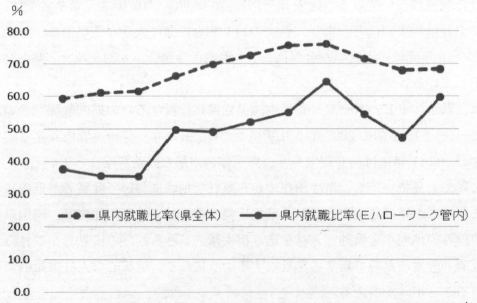

資料出所：厚生労働省「新規学卒者（高校・中学）の職業紹介状況」、島根県Eハローワーク提供資料

（4）高卒就職をめぐる課題

　人材流出地域における共通の課題は、第一に全国の先頭を切って進行してきた高齢化と人口減少である。求人の増加と若年人口の減少が相まって求人倍率が上昇し、数字の上では雇用情勢が好転しているが、労働力供給の制約が大きい中、ミスマッチが生じやすいこと、求人構造の変化への対応が必要となっていることなど、中長期的にみた労働市場のあり方については課題が多い。また、地元就職者の割合が全体として高まっているとはいえ、工業高校を中心に求人ニーズと生徒側の状況にずれが大きく、人材が流出する結果となっているとの指摘もあった。

　　「（年度途中段階での内定率は前年度より改善しているが、未内定者に占める県内希望者の割合が高く、）就職が全体としては好調な反面、事務職をはじめとして、希望の多い職種や業種の求人も同調して増加しているわけではないため、ミスマッチが多いことを反映している」（青森県Gハローワーク）
　　「建築系の工業高校生は進学する者が少なくなく、そのまま県外流出していく傾向が強い。さらに、高知県の場合は全求人に占める製造業求人が他県に比べて低いため、工業高校のかなりの生徒が県外就職していくという実態もある」（高知県Kハローワーク）

　経済状況の変化によって求人ニーズは急変する可能性があるが、新規高卒者の供給構造はそれと同じスピードで変化できるわけではない。流入地域に比べて選択肢が少ない流出地域においては、現下の労働市場との折り合いをつけつつ、就職先選択の多様性や柔軟性を確保することも課題となるだろう。ハローワークでは、景気循環により需要が変動する局面を視野に入れた対応の必要性についても認識されている。

　　「現時点では、景気の回復基調等により新規高卒者の求人数は増加しているが、今後の景気変動の備えとして、未充足となっている求人者との信頼関係の構築に向けた対応が重要であると認識している」（秋田県Cハローワーク）
　　「事業所は求人を充足できない問題を抱えているが、支援機関としては、地元就職を奨励しながらも県外就職を過剰に問題視しないよう、注意をはらっていく必要がある」（島根県Eハローワーク）

４　ハローワークの取組み

　ハローワークからのヒアリングより、企業、学校、生徒等、各地域の 2017 年時点の主な動向、ハローワークとしての対応等がうかがえる聞き取り事項を**図表２－20**にまとめる。
　地域別の状況については前項までに一部紹介してきたが、地域類型に関わらず全体を通して共通した傾向や取組み、各ハローワーク独自の工夫について聞くことができたので、以下

に簡単に紹介する。詳しくは資料編のケース記録を参照いただきたい。

（1）事業所に対する支援

　建設業や医療・福祉の求人未充足が深刻化している状況は共通。高卒採用を取りやめていた事業所が採用再開する動きがみられることも複数のハローワークから報告されている。流出地域では地元求人の早期提出支援に注力しており、ジョブサポーターが求人予定のある企業に書類一式を持参するというサービスをしている所もある。また、不況期の採用中断により従業員の世代間ギャップが生じている事業所から定着支援のニーズがあり、採用だけでなく定着に対する支援も重視される方向。

（2）学校との関わり

　ジョブサポーターが日常的に学校との接点となっているが、ハローワークによって担当制をとる所も特に定めていない所もある。多くの所で、ジョブサポーターが職業講話やセミナー、未内定者のフォローを担っている。学校によって生徒への支援（進路変更した生徒や発達障害の可能性が考えられる生徒など）に温度差があるという意見も聞かれた。

（3）生徒や保護者の現状

　求人職種や仕事内容の変化により、高校新卒者にもコミュニケーション能力が求められる傾向が増していることから、コミュニケーションが得意でない生徒の就職先確保が課題となっている。また、ネットやSNS上に流れる情報の影響を受け、生徒や保護者が企業に対し必ずしも客観的でない評価をしてしまうことがあるという傾向も指摘された。

（4）情報提供等

　高卒求人がWEB化されたことに伴い、ほとんどのハローワークで求人情報冊子の作成・配布といった業務を廃止あるいは縮小している。新たに求人票に追加された青少年雇用情報についてはおおむね事業所の理解が得られ、定着が進んでいると評価されている。

図表2−20　ハローワークからのヒアリングのまとめ

地域		企業の状況、課題等	学校の状況、課題等	生徒、保護者の動向	支援の取組み
人材流入地域	東京	建設業の求人充足が特に困難。高卒求人回帰の動きも	JSが学校担当制で訪問、セミナー等を実施	コミュニケーション能力に課題のある生徒の就職先確保、生徒が職業を知らないこと、保護者の理解	2017年度の求人受付前倒しは余裕が生まれてプラス、青少年雇用情報の教育・研修欄は有効
	埼玉	管内完結求人が少ない。久しぶりの採用で世代の空白のため定着支援の要請も	JSは学校担当制ではなく手分けして学校訪問	介護求人への親の理解不足	局全体で「未就職ゼロ作戦」を展開
バランス地域	長野	総合学科が増え、企業が工業や商業などの専門学科出身者を取りたくても難しくなっている。	JSは学校担当制。企業説明会は現在は必要がないと判断、未内定者は個別にJSが支援	発達障害などの可能性がある生徒の就職についてJSへの相談が多くなっている。	近隣4所の求人をまとめた冊子の希望者全員への配布を廃止。HW独自に管内求人情報を印刷し、各学校に配布
人材流出地域	青森	建設や医療・福祉は、応募者が少なく求人が充足しない。求人の早期提出を働きかけ	高校生対象セミナーで求人票の見方などを指導。途中で就職へ進路変更した生徒への支援に学校等によって差	コミュニケーション能力や一般常識に課題がある生徒などに対する支援が課題。	WEB公開可求人の求人番号をFAXで学校へ通知。
	秋田	求人の早期提出を働きかけ。JSが職場定着指導のため事業所訪問	高校の統廃合が進行。高等学校職業指導連絡会議、新規高卒者求人求職情報交換会を開催	職業講話を生徒や保護者対象に実施。県内から県外への途中希望変更はほぼなくなる。	WEB化に伴って冊子・FAX提供は終了。管轄1市と「雇用対策協定」を締結、地元企業への就職促進に向けた事業を実施
	島根	建設業への就職は少なくないが、充足には遠い。JSが5〜6月に企業へ求人提出書類一式を持参、早期提出を呼びかけ。	職業講話や就職ガイダンス、地元企業との情報交換会などを企画・実施。発達障害の可能性がある生徒の就職支援において学校ごとに温度差がある。	インターネット情報を鵜呑みにする者の増加、早期離職者の存在、生徒自身の適性・能力より保護者の意向を優先しがちであることなど	一般求人提出企業のうち高卒者に適切と判断されたものは新卒求人での提出を打診する場合も。
	高知	県内企業に求人提出時期を早めてもらう取組み。主に大卒者を採用してきた地元銀行が最近高卒求人を出すようになった。	製造業求人比率が低いため、工業高校のかなりの生徒が県外へ流出。	高校生の県内志向の高まり。県内就職者の早期離職率の高さ。客観的事実とはいえない企業情報が地域ネットワークで拡散し、敬遠されることも。	12月に未内定者ガイダンスを実施。求人開拓は減らし、文書を送付。青少年雇用情報は学校には好評。

JS:ジョブサポーター、HW:ハローワーク

第4節　まとめ

　本章では、地域別のデータおよび各地域でのヒアリング内容に基づき、調査対象地域の新規高卒労働市場の現況と近年の変化について検討を行った。その結果と考察を以下にまとめる。

①　地域間の求人倍率の差が縮まり、人材流出地域においても人手不足状況にある。

②　高卒就職を支える最も大きな柱であった製造業のウェイトが、人材流入地域を含めほとんどの地域において、この10年で大きく低下してきている。代わって、いずれの地域でも建設業や医療・福祉などの産業の求人のウェイトが高まっているが、新たに求人が急増した産業では充足が特に難しい状況となっている。

③　県外就職割合はリーマンショック後の流入地域からの求人の減少時期に大きく低下し、その後の求人回復期にも水準が回復していない。その背景のひとつとして、流出地域の各県に共通して、地元就職促進の取組みがあげられる。特に、地元企業の求人提出を流入地域並みに早い時期に前倒しすることにより、県外求人に内定者が流れることを防ぐ効果が得られたと各地域で評価されている。人材流出地域の多くが高齢化・少子化による若年人口の減少が著しい地域であることから、今後、地域間の労働力需給を新規高卒者の就職によって調整する余地はさらに小さくなるのではないかとみられる。

④　県内完結型バランス地域の長野県では高卒就職者数が増加している。中長期的に地域の高卒労働市場が安定して推移すれば地元就職への流れの維持が可能となることが示唆される。

⑤　高卒求人への回帰の動きがみられることがいくつかの地域のヒアリングにおいて指摘された。ただし、生徒・保護者に人気のある職種で地元知名度の高い企業の求人をのぞき、求人の中断期間が長い場合には、かつて求人・就職関係があったとしても、それによるアドバンテージはあまりないようである。

⑥　ハローワークにおいては、リーマンショック後の回復過程における求人構造の変化への対応が共通して最も大きな課題となっている。ジョブサポーターの活動に関しては、学校との連携に加えて、企業における定着支援のニーズも大きくなっている。ネット上などでさまざまな情報へのアクセスが容易になる中、青少年雇用情報などを活用しながら生徒や保護者に客観的な企業情報を伝えることも、引き続きハローワークの重要な役割となると考えられる。

〔引用文献〕

労働政策研究・研修機構（2008）労働政策研究報告書№.97『「日本的高卒就職システム」の変容と模索』

第3章　「実績関係」と校内選考・一人一社制の変化

第1節　問題意識

　本章の目的は、97年・07年・17年の3時点にわたって高校から提供を受けたデータとインタビュー調査の分析を通じて、高校と企業との関係の継続性、校内選考、一人一社制（生徒が一度に1社にしか応募できない仕組み）の変化を明らかにすることである。

　日本の高卒就職は高度成長期以降90年代初めまで順調に推移してきた。日本の高校から職業へのスムーズな移行を支えたのは、「推薦指定校制」、「一人一社制」に基づき、高校と企業との継続的・安定的関係である「実績関係」の中で生徒が就職を決定していく「日本的高卒就職システム」である（日本労働研究機構 1997）。とりわけ教育社会学においては主に高校を対象とした調査に依拠し、高校就職指導の「自律性」を重視する立場から、成績という指標によるメリトクラティックな事前の校内選抜が高校と企業との継続的な信頼関係を担保し、質の高い高卒労働力を送りだすことが可能になる「日本的な高卒就職メカニズム」の重要性が強調されてきたのである（苅谷 1991）。

　しかしバブル崩壊以降、日本の新規高卒労働市場は狭隘化し、急激な変化に対応できない高校就職指導は機能不全に陥った。文部科学省・厚生労働省（2002）『「高卒者の職業生活の移行に関する研究」最終報告』においても、校内選考により希望の企業が受験できない生徒や、企業が自社で自由に選考できないというデメリットなど、従来有効に機能してきたとされる高卒就職指導のデメリット面が指摘されている。ただしこの時期の教育社会学においては高卒無業者に注目が集まり、その後は高卒就職者の減少もあいまって高校就職指導が研究対象として顧みられることはなくなった。近年において高卒就職慣行の運用や実態に関する研究は、日本労働研究機構（1998）、労働政策研究・研修機構（2008）、およびこれらの研究に依拠した堀（2016）を除きほとんど行われてこなかった。これらの研究によれば、一人一社制についてはほぼ維持されながらも、高校と企業との継続的な関係は弱くなっており、校内選考が限定的になっていることが明らかにされた。いわゆる「実績関係」は5年以上連続して採用のある企業と高校との継続的な関係を意味しているとされてきたが、前述の先行研究においてほとんど見出されていない。本章はこれらの研究が依拠した調査から10年が経った現在の高卒就職慣行がどのような位相にあるのかについて、主として高校側から浮き彫りにする。

　分析に先立ち、高校と企業との継続性・一人一社制・校内選考についての先行研究を俯瞰する。高校と企業との関係の継続性については、継続性を測るための指標は確立していない。過去には就職指導担当教員の認識に拠っていたが、今日では教員が長期にわたって就職指導を担当することはまれなことになっており、多くの就職指導担当教員は長期にわたる継続性を判断できる状況にはなくなりつつある。それゆえ本稿では後述するような異なるアプローチによって関係の継続性の変化を測っている。

次に一人一社制についての量的調査はあまりまとまったものがないが、地域ごとにいくつか拾ってみると、例えば東京労働局（2017）が都立高校については悉皆、私立高校については前年に5名以上の就職者がいた高校を抽出した調査によれば、求職者（学校またはハローワークの紹介を希望する生徒）がいた回答高校153校のうち35校（22.9%）において1人2社応募があり、回答校の複数応募利用生徒数は総計63名であった。また全国高等学校校長協会就職対策委員会（2017）の調査によれば、回答校1389校のうち、当初から複数応募に対応している高校は9.5%であり、また複数応募で就職が内定した件数は416件との回答が示されている。こうした調査からは、高校の就職指導においては複数応募も併用されてはいるものの、全体としては一人一社制が今でも主流であることがうかがえる。本章では企業調査も用いながら総合的に検討する。

校内選考についてはやや時期をさかのぼるものの全国的な傾向の変化が把握できる。図表3－1は校内選考に関わる規範について、1983年に実施された調査と2010年調査とを比較している。就職者数の減少が著しいため、1983年調査では就職者人数30人以上を対象としているが2010年調査では就職者人数5人以上を対象としているため同一の対象ではないこと、また全く同じ問いではないことには留意が必要である。

「求人数以上の生徒を企業に推薦する」と回答した割合は1983年には24.9%であったが2010年には31.9%に、また「希望が重なり第一企業が受験できなくなる生徒はいない」と回答した高校は39.2%から59.4%に増加した。この2つの項目の変化は、事前に校内で絞り込むという選抜を伴う校内選考が近年にはあまり行われなくなってきていることを示唆していると考えられる。2010年調査から7年あまりが経過し、この傾向は維持されているのかどうかについて事例調査から傾向を探ることにする。

図表3－1　校内選考の現状

調査名	質問項目	割合（%）
1983年高校調査	求人数以上の生徒を企業に推薦する割合 求人数以上の生徒を企業に推薦しない（いいえ）と回答した割合	24.9
2010年高校調査	依頼された人数以上の生徒を受験させる 依頼された人数以上の生徒を受験させる企業もある（よくあてはまると少しあてはまるの合計）	31.9
1983年高校調査	希望が重なり第一希望を受験できなくなる生徒はいない 希望が重なり第1希望を受験できなくなる生徒はいない（はい）と回答した割合	39.2
2010年高校調査	希望が重なり第一希望を受験できなくなる生徒はいない 希望が重なることなどによって第一希望企業を受験できなくなる生徒はほとんどいない（よくあてはまると少しあてはまるの合計）	59.4

資料出所：堀（2016）を改変
※1983年調査は東京大学教育社会学研究室が全国の就職者人数30人以上の高校に対して実施、回答は2件法。
　2010年調査は労働政策研究・研修機構が全国の就職者人数5人以上の高校に対して実施し、回答は4件法。

第2節　継続して採用する企業比率の変化の計測

　上述したように、高校と企業との関係の継続性を測る指標は確立していない。これまで主に参照されてきた教員の認識についても、継続性を認識できる立場にある教員は極めて少なくなっている。それゆえ本稿では実際の就職者データを用いて継続性の変化を測る。

　分析に用いるデータについて説明する。高校と企業との関係の継続性を測るため、観察期間中に「1回限りの単発の採用ではなく、複数回採用のあった企業の割合」を「非単発採用企業」として算出し、継続性の指標とした。すなわち「非単発採用企業」比率が高いほど、高校と企業との継続性は高いということになる。

　データは各高校からご提供いただいた生徒のための『進路の手引き』や進路状況を示すプリント等に示された就職先をすべてエクセルファイルに入力して構築した。多くの高校においては、生徒が過去3年ないし5年についてのみ就職先が一覧できるような形式になっているが、本章では分析のために頂いた過去の資料をすべてつなげることを試みた。ただし分析のためのデータではないため、個別企業のホームページを適宜参照しつつ、以下のような方針でデータクリーニングを行った。

・複数の支社にそれぞれ入社していた場合には、1企業として扱う。ただしグループ会社は別の企業として扱う。
・1企業の採用で職種名が異なっている場合については、同一企業の採用として扱う。
・観察期間中に大企業において分社化されたと推測される場合は同一企業として扱う。
・全く同じ会社名で同じ年度に同じ人数の採用があった企業が別の企業として複数回入力されていた場合、1社は入力ミスとみなす。
・把握できる範囲で合併した企業については継続しているとして扱う（数としては少ない）。

　高卒採用の場合には大卒採用とは異なり本社一括採用ではなく事業所採用が多く、また大卒採用のように事務系／技術系のような大きな採用区分ではなく職種や事業所・配属先が絞り込まれた採用であることがしばしばある。そのため同一の企業であっても採用枠が異なっているケースも多いと考えられ、全体としては今回の分析方法では継続性が高く出やすいと推測される。

　またデータセットは調査年以前の 10 年間のうち任意の期間についてのデータに依拠しているため、97 年調査であれば主に 88 年3月卒業者から 97 年3月卒業者の 10 年間について観察していることに留意が必要である。

　対象校全体の変化の概要を示したのが図表3－2である。継続してデータの提供を受けられなかった高校が多く、また 20 年に及ぶ調査の間に統廃合の対象となった高校もあるが、今回調査を行った地域の高校についてはすべて示した。また可能な範囲で観察期間の長さを統

一することを試みた[1]。

　高校－企業間関係の変化が大きかったのは、97 年調査（1980 年代後半から 1990 年代後半）から 07 年調査（1990 年代後半から 2000 年代後半）である。97 年調査の高校－企業間関係の継続性については学科による違いがあり、商業高校で最も継続性が高く、続いて工業、普通が最も弱かった。しかし 07 年には商業高校において特に悪化した。普通高校においても悪化したがもともと継続性が低かったので、商業高校ほどの悪化ではない。工業高校の継続性はあまり変化が見られなかった。07 年調査（1990 年代後半から 2000 年代後半）から 17 年調査（2000 年代後半から 2010 年代後半）にかけては全体としてそれほど大きな変化は見られなかった。

　したがって、高校と企業との継続性は、80 年代の商業＞工業＞普通という構造から、90 年代以降は商業≒工業＞普通という構造に変化し、全体として継続性は弱まった。また工業高校においては埼玉Ｅ工業高校のように継続性が高まっている高校もあった。継続性は下げ止まりつつあるように見えるが、10 年後の検討を待つ必要がある。

図表３－２　非単発採用企業比率（観察期間中に２回以上採用を行った企業の割合）

	97年調査	07年調査	17年調査	17年就職者数	観察期間
東京Ｂ工業	41.2	×	32.7	108	97年調査は17年、17年調査は８年
埼玉Ｅ工業	22.7	23.2	32.1	121	５年
秋田Ｉ工業	33.1	×	×	156	97年は10年（併設化）
長野Ｍ工業	40.1	×	43.6	149	10年
島根Ｑ工業	44.5	×	37.6	54	97年調査は10年、17年調査は６年
青森Ｂ工業	×	35.2	43.6	168	07年に13年調査を記入。６年（時期重複）
高知Ｂ工業	×	49.7	50.2	73	07年に13年調査を記入。７年（時期重複）
	97年調査	07年調査	17年調査		
東京Ａ普通	21.2	1.5	9.6	22	97年、07年は11年、17年は10年
埼玉Ｄ普通	29.6	17.2	15.4	18	97年、07年調査は10年、17年調査は８年
秋田Ｇ普通	23.2	×	×	×	６年（併設化）
秋田Ｈ普通	37.7	×	×	×	10年（併設化）
長野Ｌ普通	36.5	26.1	23.3	32	97年調査は12年、07年は12年、17年は6年
長野Ｋ普通	15.1	6.3	9.6	9	いずれの調査も2－3年のデータ抜け
島根Ｐ普通	22.0	×	×	11	11年間
	97年調査	07年調査	17年調査		
東京Ｃ商業	41.5	×	×	×	統廃合
東京Ｄ商業	×	35.7	39.2	88	６年
埼玉Ｆ商業	56.8	41.9	38.6	144	97年調査は15年、07年は11年、17年は10年
秋田Ｊ商業	54.4	×	27.5	53	97年は33年、17年は10年（秋田Ｊ併設）
長野Ｎ商業	50.9	×	×	96	11年間
島根Ｒ商業	44.1	33.8	32.2	30	８年間
青森Ａ商業	×	32.9	32.4	105	07年に13年調査を記入（９年）17年調査は10年
高知Ａ商業	×	×	25.2	50	10年
今回追加校	97年調査	07年調査	17年調査		
秋田Ａ商業	×	×	×	79	
秋田Ｂ工業	×	×	×	148	
秋田Ｋ併設	×	×	33.6	139	６年

注：就職者数には公務員を含むが、公務員は分析対象とはしていない
　　労働政策研究・研修機構（2008）において埼玉Ｄ普通高校の入力ミスがあったので訂正

---

[1] 97 年調査と、07 年調査・17 年調査とはメンバーが異なっているため、97 年調査について元データが残っておらず、日本労働研究機構（1997）に依拠している。

第3節　校内選考について

1　普通高校の分析

　校内選考については個別の事例にて詳しく検討するが、今回調査のほとんどの高校において、絞り込んで振り落とす選抜を行っている高校は一部であり、希望が重なっても学校で事前に選抜はせずそのまま送り出す指導方針が主であった。07年調査においても選抜しない高校は見られたが、今回はメインストリームになったと言ってよい。

　事例については第4章・第5章・第6章においても詳細な考察がなされる。したがって本章では、他章で検討されない普通高校（4校）、07年調査で追加された商業高校（2校）についてのみ検討する。普通高校4校のうち3時点においてデータの提供があったのは、東京A普通高校・埼玉D普通高校・長野L普通高校・長野K普通高校であった。なお島根P普通高校については継続した就職先のデータの提供はなく、インタビューのみを行った。

東京A普通高校

　図表3－3によれば、就職者数はここ数年 10〜20 名程度で就職率は5〜10%程度となっており、浪人も入れるとおおむね半数が四年制大学に進学している。過去には進学も就職もしない高卒無業者の割合が高くなった時期もあったが、近年は落ち着いている。

図表3－3　進路の推移

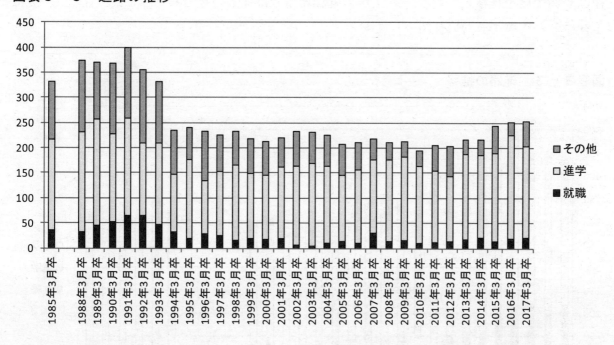

　図表3－4にみるように、1997年調査ですでに観察期間中に1回のみの採用しかない単発採用企業比率が他の高校と比べて高く、07 年調査ではほとんどが単発採用企業であったが、17年調査でも状況はほとんど変わらなかった。

採用の継続性は依然として低いが、インタビューによれば、毎年のように継続的に就職者がいる企業については企業から挨拶があるとのことである。しかし挨拶に来る企業だと採用面で有利というわけではない。昨年の第一次内定率は７割であった。

　生徒の希望が重なっても卒業見込みが立っていれば校内選考をせずに受験させるという方針は、07年から17年まで変化はない。ただし４～５年ほど前から進路指導・キャリア教育が整備されたことで、以前は３年生の夏休みくらいから本格的な指導が開始されていたが、現在は３年生の春から継続的に就職指導が開始されるようになるという大きな転換があった。生徒は求人票（WEBや学校に来た全ての求人であり、選択してはいない）を見て興味のある企業を３－４社程度選び、夏の企業見学で受験先を決めている。

図表３－４　採用回数別企業比率

	1回	2回	3回	4回	5回	6回	7回	8回	企業数
97年調査	78.8%	10.2%	5.1%	2.2%	1.8%	1.1%	0.4%	0.4%	274社
07年調査	98.5%	1.5%							131社
17年調査	90.4%	6.4%	2.1%	0.0%	1.1%				94社

※97年、07年は観察期間が11年、17年調査の観察期間は10年

埼玉D普通高校

　図表３－５にみるように、埼玉D普通高校は1988年には就職者が27.1％を占めたが、現在は５％程度を推移しており、2017年の就職希望者は４人のみである。一人一社制（一度に１社にしか応募できない仕組み）である。

図表３－５　進路の推移

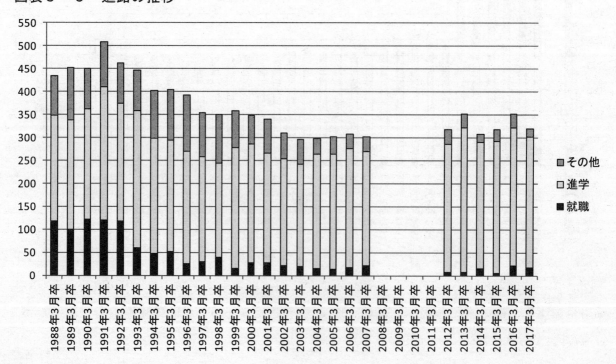

希望が重なった場合は原則として成績などに基づき校内選考をするが「受ける場合も、先方が１人と言ってなければ、複数で受けるとは思います」と語られている。実際には人数が少ないので、希望が重なるケースはほとんどないようであり、この状況は97年、07年調査においても変わっていない。図表３－６によればもともと継続性は低かったが、単発採用企業比率は８割で推移し、さらに低くなった。

図表３－６　採用回数別企業比率

	1回	2回	3回	4回	5回	6回	7回	8回	9回	企業数	年数
97年調査	70.4	14.0	7.0	3.0	1.7	1.0	1.7	0.3		301	10年
07年調査	82.8	7.5	4.0	1.1	1.7	2.3	0.0	0.0	0.6	174	10年
17年調査	84.6	9.2	4.6	1.5						80	8年

長野Ｋ普通高校

　図表３－７によれば、97年調査から07年調査にかけて進学校化が進み、ここ10年の就職者は毎年10人程度である。

図表３－７　進路の推移

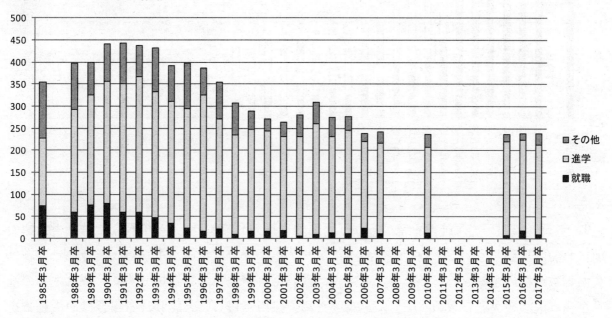

　97年調査では生徒が受けたいと言った場合学校から受けさせないことはないとのことであり、07年調査でも希望はまず重ならないが、もし重なってもそのまま送り出すことが語られている。17年調査では明言はされなかったものの、就職者が少ないわりに就職先の職種がかなりばらけており偏ることはないとのことから、希望が重なることはあまりないことが推測される。

　図表３－８において単発採用企業比率は観察期間が異なっているので直接比較は難しいが、高止まりしている。就職者比率は提供資料から判別できなかったため分析していない。

図表3－8　採用回数別企業比率

	1回	2回	3回	4回	5回	6回	7回	8回	企業数	期間
97年調査	84.9%	8.6%	2.7%	0.0%	1.6%	1.6%	0.0%	0.5%	185	10年
07年調査	93.7%	5.1%	0.0%	0.0%	0.0%	1.3%	0.0%	0.0%	79	7年
17年調査	90.4%	7.7%	1.9%	0.0%	0.0%	0.0%	0.0%	0.0%	52	8年

07 年調査は 2001，2002，2003 のデータ欠如。
17 年調査は 2010,2011 のデータ欠如。

長野 L 普通高校

　図表3－9によると 97 年には1学年5学級から現在は3学級と学校規模が小さくなった
が、就職者は毎年 30 人程度いるという近年では珍しい普通高校となっている。

図表3－9　進路の推移

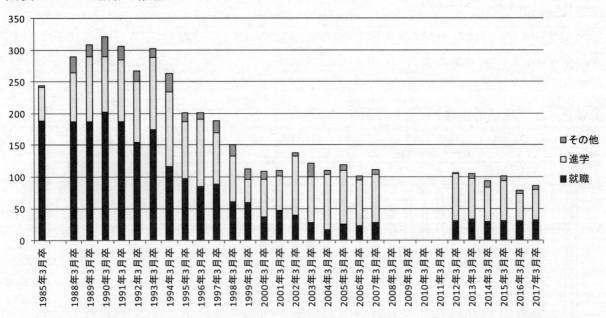

　97 年調査において生徒の希望があれば原則的に推薦しており、07 年調査では選考会議の
前に事前に調整しているとのことであったが、17 年調査では希望が重なった場合には成績と
欠席日数で校内選考を行っている。就職先はほとんどが地元の製造業であり、特に地元の優
良企業は成績や欠席日数のハードルが高いため、採用が難しいと思われる場合は他の企業を
受験するように促している。一人一社制は堅持されている。

　図表3－10、3－11 において観察期間が異なるので単純に比較はできないが、高校と企業
との継続性は普通高校としては高い。教員の語りにおいては「先輩が行っているところは、
長野 L 普通高校の人に来てもらいたいと思っている企業さんだから、こういうところを選ん
だほうが、頑張れば受かる可能性がある」ということは最初の段階で伝えている。

図表 3-10　採用回数別企業比率

	1回	2回	3回	4回	5回	6回	7回	8回	9回以上	企業数	期間
97年調査	63.5%	15.7%	9.3%	3.8%	2.7%	1.4%	1.1%	1.1%	1.3%	625	12年
07年調査	73.9%	12.6%	5.7%	2.3%	1.9%	1.5%	0.8%	1.1%	0.0%	261	12年
17年調査	76.7%	14.7%	5.2%	0.9%	0.9%	1.7%	0.0%	0.0%	0.0%	89	6年

注：97年調査と07年調査に2年度重複

図表 3-11　採用回数別就職者比率

	1回	2回	3回	4回	5回	6回	7回	8回	9回以上	人数	期間
97年調査	25.7%	13.8%	13.5%	8.7%	7.4%	4.8%	6.9%	8.3%	11.0%	1730	12年
07年調査	42.0%	15.2%	10.1%	5.5%	10.3%	5.3%	3.4%	8.3%	0.0%	495	12年
17年調査	47.5%	22.3%	5.0%	8.9%		3.9%	3.4%	8.9%	0.0%	170	6年

注：97年調査と07年調査に2年度重複

島根P普通高校（データ提供なし）

　90年代前半には卒業生が200人を超えていたが、現在では70人にまで落ち込んでいる。97年調査の際には就職率が1割を占めていたが、07年調査の際に数人に減少したものの、17年調査においては1割程度に戻していた。今後も就職者数は10人程度ではあるものの、生徒の家庭の経済状況が厳しいことから就職者が減ることはないと予想されている。

　指定校求人はほとんどないが、1回目の採用試験に失敗する生徒はほとんどいない。1社目でほとんど決まるのは、「そういうところに応募をさせてもらっている、まあ、ライバルがいないということだと思います。」希望が重なった場合は校内選考をすることになるが、少人数なので、あうんの呼吸で応募先を決めており、競合することはほとんどないということであり、97年調査、07年調査の状況と変化はない。家計を支えるために就職する生徒が多いので、ほとんどが地元就職である。就職先の連続したデータ提供は受けられなかったが、97年には11年間の観察期間中に採用があった企業のうち1回のみの採用である企業の割合が78.0％と東京A普通高校と同水準であり、就職者数の少なさを考慮すると現在も相当継続性は低いと推測される。

　以上から、長野L普通高校を除いた普通高校3校では就職希望者数が少なくなっているため、希望が重なることはないとのことであった。重なった場合には校内選考をするということになっていても、実際に行われることはほとんどない。長野L普通高校のみは地元の優良企業については人数を絞り込んだり、基準に達しない場合には受けないように誘導しているが、この4校の中では就職者数も就職者割合ももっとも多くなっており地元の製造業求人が多いことが、普通高校としては珍しい指導を成立させていると推測される。

　商業高校の詳しい検討は次章でなされるが、本稿では07年調査で追加された青森A商業高校と高知A商業高校について取り上げる。

青森Ａ商業高校

　図表３−12によれば、進学者と就職者の割合は近年では４：６の割合で推移している。

図表３−12　進路の推移

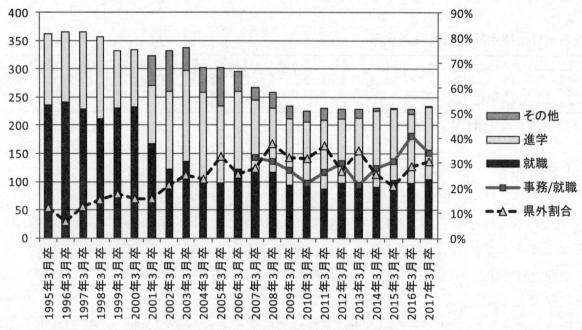

注：2000年３月卒まで、「その他」は進学に含まれており、分離できない。
　　2001年３月卒〜2006年３月卒は「進学未定」は進学に含まれ、分離できない。

　2007年調査によれば、90年代半ばの県内就職者割合は９割前後であったが、2000年代半ばには７割に落ち込んだ。2004年３月の女子の卒業者においては、未就職者（未就職者数÷就職希望者）は４割を超えており、特に地元就職はきわめて悪い状況にあった。2000年から2005年の３月卒業者の９月の内定状況は１割に満たない状況であり、３月になっても内定を得られない生徒は少なくなく、特に2004年３月卒業者においては内定を得られた生徒は５割にすぎなかった。そのため県内の場合には事前に校内選考を行っても採用されるわけではなく、受験先がなくなってしまうために、求人以上の受験を企業にお願いするような状況であった。2013年にも訪問しているが、県内の求人が少ないので県外に促しているが、保護者の反対で県内に留まるという記述が残っている。

　こうした状況から就職は大きく改善し、特に県内就職の改善は目覚しい。ただし県内への定着割合が90年代半ばの水準まで戻ったわけではなく相変わらず就職者に占める割合は７割程度なのだが、未就職者が減少した結果就職者が増えて県内就職者数が増加した、すなわち県内就職を希望しながらできなかった未就職者が就職できるようになった変化と解釈される。また９月末の内定率が高くなり就職先に占める事務職の割合が増えた。近年は県内県外に関わらず、就職希望は100％叶えられるようになっている。

　校内選考の変化についてまとめるなら、上述したように07年調査においては県内の場合

には事前に校内選考を行っても採用されるわけではなく、受験先がなくなってしまうため校内選考で選抜せずに生徒を送り出していた。17年調査の際にも、就職希望者以上の求人はある市況であるが、希望が重なっても他の求人を薦めるようなことはなされていない。希望が重なった場合でも生徒に伝えはするが校内選考をせず送り出していた。

　続いて採用の継続性を整理する。図表3−13によれば、17年調査は2007年から2016年の観察期間であったが、単発採用企業比率は68.2%であった。また図表3−14によれば採用回数別就職者数比率は単発採用企業が38.5%であった。07年調査では就職先データが得られなかったため、今回調査と期間が重なってしまうが、参考までに2004年〜2012年についての数値を示しておく。県内採用企業280社のうち、単発採用企業が174社（62.1%）であり、県外採用企業168社のうち、単発採用企業が127社（75.6%）であった。あわせると単発採用企業は67.1%であった。採用の継続性は低いまま推移しているようである。

図表3−13　採用回数別企業比率

	1回	2回	3回	4回	5回	6回	7回	8回	企業数	期間
17年調査	68.2%	18.4%	6.4%	2.9%	1.1%	1.8%	0.9%	0.4%	456	10年

図表3−14　採用回数別就職者比率

	1回	2回	3回	4回	5回	6回	7回	8回	就職者数	期間
17年調査	38.5%	21.7%	12.7%	7.3%	3.5%	8.1%	4.6%	3.7%	896	10年

高知A商業高校

　図表3−15によれば長年就職者数は50人前後で推移してきたが、四年制大学進学者の増加に伴って就職者は減少している。商業高校ではあるが大学進学実績を前面に出しており、今後も進学校化が進む見込みである。

　2007年時には製造業求人が商業高校にも多数来ており、事務職は数えるほどであったが、近年は久しぶりに増加しており、昨年度の事務職希望者は全員事務職で就職することができた。また複数応募が2006年にあったがあまり歓迎されなかったとのことであったが、2017年にも全く同じことが語られており、この10年間複数応募の取り扱いは変わらなかったようである。

図表 3 − 15 進路の推移

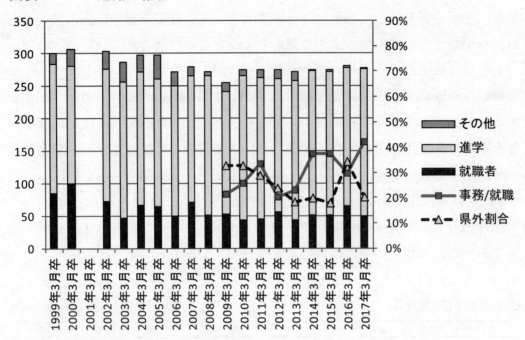

　07 年調査の際は、以前はボーナスをもらって年末で辞める社員の補充として、年末や年明けに事務職求人が出ていたが現在は不透明であり、県内求人が遅いことの問題性が語られていたが、17 年調査では企業が早めに求人を出すようになったせいかそうした語りはなくなり、県内への定着が進んでいる。

　校内選考については成績を主な指標として行っており、企業から求人数以上に推薦してもよいということであれば応募させることもあるという運用は 2007 年から変化はない。

2　成績による校内選考の重要性の低下

　成績による校内選考はかつてと比べると限定的になりつつある。この要因としては、以下の 6 つの仮説が指摘できる。

　第一に、求人の増加や価値観の多様化のため生徒の希望が特定の求人に集中せず、希望が重なりにくくなっており、選抜による調整の必要がなくなっていることが推測される。では景気が悪化し求人が減少した場合には、選抜を伴う校内選考は再び増加するのだろうか。今回の対象校においてもっとも求人状況が改善したと見られる青森Ａ商業高校は、07 年調査においては選抜すると受験できる企業がなくなってしまうので選抜せずに送り出していたが、求人が増加した現在も希望が重なっても選抜せずに送り出しており、景気動向とはかかわりなく選抜を伴う校内選考を行わない方向に向かっていた。以下で述べる理由から考えても、景気が悪化したからといって校内選考が再び重要性を増すとは考えづらい。

　第二に、かつては成績で割り振らないと大量の就職希望者の受験先を決定することは困難であったが、就職者人数の減少により、以前よりは就職先決定のプロセスに手をかけられる

余裕ができたことである。今後も就職者が急激に増加することはないであろうから、こうした状況が続くであろう。

第三に、成績という指標の有効性の低下が学校にとっても感じられるようになったことである。以前から「高校がよいと思う生徒と企業がよいと思う生徒は異なる」という語りは見られていたが、学校側にとっても学業成績という指標の限界が浸透している。特に過去に成績を重視していた商業高校において変化が大きい（堀 2018）。

第四に、保護者へのアカウンタビリティである。これも以前から校内選抜の結果に納得しない保護者については語られていたが、いっそう就職指導に対する保護者のプレッシャーは強まっている。

第五に、就職者が減少し、以前から大事にしていた就職先に生徒を送れないケースがしばしば生じていることから、教員にとっても高校と企業間の関係の継続性を保つことは難しいと認識されている。そのため水準に達しない生徒を送っても企業の信頼を失うとの懸念は以前ほどではなくなっている。

第六に、校内選考の結果希望度が低い企業に入社しても、離職の可能性が高まることに対する懸念の高まりである。確実に最初の1回で就職先を決めることも重要であるが、本人の納得度も定着という観点からは重要だという認識が広まっていると言えるだろう。

以上のような仮説からすると、景気動向に関わらず成績による校内選考の重要性の低下は今後も継続すると予想される。

3　就職指導・キャリア教育の変化

今回新たな動きとして、割り振り型の就職指導から生徒が選ぶことを重視する指導への転換の傾向がはっきりしてきたことが挙げられるだろう。たとえば受験先決定については、現在の高校就職指導は教員が特定の就職先に生徒を割り振るのではなく、生徒と企業との接触機会を増やし、生徒に受験先を選ぶ材料を提供する方向へ向かっている（第4章・第5章・第6章）。また SNS やラインにより結びつく部活の先輩からの情報、またインターネット情報からの影響が拡大している。今後は真偽が定かでない情報の見極め方も指導の必要があるだろう。

さらに従来より推進されてきたインターンシップだけでなく、校内での企業説明会・経済団体主催の生徒と産業界との交流会等も広がっていた。人手不足が要因ではあるものの、生徒にとってはよい機会と言える。

第4節　「一人一社制」の状況と高校・企業・生徒や保護者の考え方

地域の申し合わせとしての「一人一社制」（生徒が一度に1社にしか応募できない仕組み、ないしは生徒が同時に複数応募できない仕組み）の運用状況について記述する。

2002 年に出された文部科学省・厚生労働省『「高卒者の職業生活の移行に関する研究」最

終報告』は、選考開始日については全国的なルールとして定めていくが、就職慣行について
は地域ごとに検討されるべきだとしていた。現在は地域ごとの高等学校就職問題検討会が開
催され、地域ごとに一人一社制についての申し合わせが決定されている。図表3-16に平成
29年度の地域ごとの複数応募開始時期を要約した。9月16日の選考開始日から複数応募可
能なのが沖縄と秋田であり、1人3社まで応募できることになっている。その他の地域の慣
行の詳細については厚生労働省（2017）をご参照頂きたいが、開始時期はやや異なってはい
るものの、すべての都道府県である時期から複数応募が可能になっている。

図表3-16　複数応募開始時期

時期	都道府県名	都道府県数
9月16日から	沖縄	2
	秋田県	
10月1日から	岩手・宮城・山形・福島・茨城・栃木・群馬・千葉・神奈川・福井・滋賀・和歌山・鳥取・広島・山口・香川・愛媛・鹿児島	21
	東京都	
	埼玉県	
	高知県	
10月15日から	山梨・長崎	2
10月16日から	京都・徳島	3
	長野県	
11月1日から	北海道・新潟・富山・石川・岐阜・静岡・愛知・三重・大阪・兵庫・奈良・岡山・福岡・佐賀・熊本・大分・宮崎	19
	青森県	
	島根県	

注：太字は今回の調査対象都道府県

　しかし07年調査の際には例外はあるものの、ほぼ一人一社制で運用されていた。10年が
経過し、現在の運用はどのようになっているのだろうか。今回の事例調査から把握できる範
囲ではあるが、定点観測調査に加えて、厚労省から「緊急調査」として要請された秋田A商
業高校、秋田B工業高校、秋田H社、青森C社、高知B社に対する調査も加えて論じるこ
とにする。

　結論を先んじて言うと、高校の運用については、卒業まで「一人一社制」が原則であり、
選考結果が遅かった場合のみ2社希望を出す場合が生じていた。今回の対象校22校のうち
3校（秋田B工業高校・高知A商業高校・東京A普通高校）に複数応募した生徒が存在し
た。また企業において内定辞退を受けた経験があったのは秋田H社の1社のみであった。

　秋田B工業高校は、複数応募可能とされている求人に応募した例が過去2年に1名ずつあ
る。いずれもサービス業で複数応募可の求人であり、1人は内定辞退したが問題はなかった
とのことであった。工業高校への求人のほとんどは技能職であり、それらの求人のほとんど

は複数応募不可となっているとのことであるが、サービス業は複数応募可の求人があるとのことであった。

高知Ａ商業高校は、すでに前節で既述したように、過去２－３年に１０月以降に事業所に了解を得て２社応募した生徒がいたとのことであった。１社のみ内定したが、複数応募の了解を取る際の企業の反応は極めて悪かったとのことであり、複数応募させることは必ずしも生徒のためにならないのではないかとの懸念が語られた。

東京Ａ普通高校は、１０月以降に２社応募した生徒が過去２－３年に３名おり、複数内定して内定辞退が生じたが問題なしとのことであった。

他方で企業については、秋田Ｈ社において年明けに内定辞退を受けたとのことであったが、辞退理由は不明であり、先生からも説明はなかったとのことであった。なお他に内定辞退を受けたり、複数応募に応じたことのある企業は調査対象に含まれていなかった。したがって量的調査の先行研究と重ね合わせるなら、一人一社制は運用上はほぼ継続しているものと考えられるが、なぜ継続しているのだろうか。

高校側からは、①企業との信頼関係を維持したい（内定辞退したところ翌年から当該企業からの求人がなくなった）、②高校生の就職活動に割く労力（志望動機の作成）や精神面への配慮（複数企業とのかけもちは高校生には難しい）、③指導上の配慮（複数内定を得た生徒と内定を得られない生徒が出てしまう）、という理由が語られた。

付帯調査として調査票を用いて、もし複数応募が広がった場合に予想される状況について調査対象高校に尋ねたところ（１８校より回答あり）、早期離職が減少するなどの前向き評価ではなく、就職活動の困難化と特定企業や生徒による寡占状態を懸念する回答が多くみられた（以下は「そう思う」＝「そう思う」＋「ややそう思う」、「そう思わない」＝「あまりそう思わない」＋「そう思わない」）。

就職活動の困難化としては、「企業との関係維持が難しくなる」「生徒の就職活動準備が難しくなる」については全校が「そう思う」と回答した。また「就職活動が長期化する」についても１７校が「そう思う」と回答している。また「一部の企業に人気が集中する」については全校が「そう思う」、「優秀な生徒に内定が集中する」についても１７校が「そう思う」と回答した。

企業側については、一人一社制だと大卒採用との比較において内定辞退がないので、現行の高卒採用慣行は確実性・効率性の面において評価されている（青森Ｂ社・高知Ｂ社）。内定辞退を受けた経験のある秋田Ｃ社は、一人一社を厳格に運用した方が企業にとっては都合がよいとの認識を示している。

ただし高校との継続性についての考え方は企業によって多様であった。企業の採用において、高校との継続性、また校内選考の受容（高校から推薦されてきた生徒を採用するか、自社で選考するか）についての考え方は、その企業の労働市場に占める位置（求職者が多く集まるかどうか）、また採用戦略によって異なっていたが、以下に代表的な例を挙げる。なお今

回の調査対象企業については一人一社制を評価する企業がほとんどであった。

＜高校との継続性を重視する企業＞

・いったん疎遠になると応募してもらえないので、自分たちのほうから足を運んで、会社の宣伝をしていく必要がある。（秋田Ｃ社）

・企業合併前からよい関係のある地方部は安定した関係、首都圏では間があいたため高校からの認知度を高める努力をしている段階である。（東京Ａ社）

・学校も生徒に企業を勧めないので、生徒の目に留まるように求人票を初日に持参する。（埼玉・Ａ社）

・毎年のように採用してきた学校でも、先生が異動するとまったく応募者がなくなったり、逆に、これまで応募がなかった学校でも、お付き合いがあった先生が赴任されると、応募者が出たりする。（埼玉・Ｅ社）

・高校との継続的なよい関係ができており、決まった工業高校からの採用である。（高知Ａ社）

＜自社での選考重視＞

・２倍近い倍率であり、特定の高校から何人を採用するということではなく、企業において採用選考を行う（青森Ｃ社）

・採用数に対して３倍の応募がある年もあり、高校にも落ちる可能性があることを伝えている（東京Ｂ社）。

・倍率は1.5倍〜２倍弱で、多めに採用することはない（長野Ａ社）

　教員へのインタビューにおいて生徒・保護者の反応について尋ねた。生徒や保護者から一人一社制について問われることはあまりないが、問われた場合でも高校として一人一社制をとっていることを説明すると納得が得られるとのことであった。その理由としては、一人一社制が進学における指定校推薦と同様のイメージで捉えられており、進学でも学校推薦なら１つに絞るのが通例になっていることから、就職においても学校が推薦するなら一人一社と受け止められていることが語られた（青森Ｂ工業高校）。生徒や保護者は一人一社かどうかよりもむしろ応募先の方に関心が集中していることもあるものと推測される。

第5節　本章の要約

　本章では、高校と企業との関係の継続性、校内選考、一人一社制の3時点の推移について検討した。

　高校と企業との関係の継続性についてはこの 20 年間に全体として低下してきたが、学科によりその変化のありようは異なっていた。かつて高かった商業高校の企業との継続性は弱まり、普通高校はもともと低かったがさらに低くなっていた。他方で工業高校は直近の景気回復を反映してのことかもしれないが継続性は下げ止まる傾向にあった。変化は 97 年調査から 07 年調査にかけて大きく、07 年調査から 17 年調査までの変化は小さくなってはいるが、就職者人数が少なくなるとマッチングが成立しづらくなるため、今後の継続性の低下にどの程度歯止めがかかるのかはまだ不明である。なお今回の調査においても「実績関係」（5年以上連続して採用のある企業）はほぼ見出されなかった。

　校内選考については、かつてのように高校が生徒を企業に割りふるような就職指導は影を潜め、生徒に「主体的」に選ばせるような指導に転換していた。その背景には、①売り手市場のため生徒の選べる余地が拡大し、生徒の価値観も多様化した、②就職者人数の減少により高校に余裕ができた、③成績の指標としての有効性が低下した、④保護者への説明責任、⑤就職者の減少により信頼関係の継続が難しいことが高校に認識された、⑥離職の懸念、があるものと考えられる。今後も景気動向に関わらず、校内選考における選抜機能が強まることはないだろう。

　高卒就職における「一人一社制」は、例外はあるものの、運用上はほぼ継続されていると考えられる。指導する側からすると企業との信頼関係、教育上の配慮に加えて、進学における推薦と同じように生徒には捉えられていることがその正統性を支えていることがうかがえた。また企業の採用戦略は多様であり高校との継続性も様々であるので一般化は難しいが、「一人一社制」は大卒採用に比べて内定辞退がないことがメリットと捉えられており、今回の対象企業においては好意的に受け止められていた。今後も学校を通じた就職が主流である限りにおいては、一人一社制は継続されるものと予想する。

参考文献

堀有喜衣，2016，『高校就職指導の社会学－「日本型移行」を再考する－』勁草書房.

堀有喜衣，2018，「商業高校の就職指導」番場博之他『高等学校と商業教育』八千代出版.

苅谷剛彦，1991，『学校・職業・選抜の社会学―高卒就職の日本的メカニズム―』東京大学出版会.

日本労働研究機構，1998，『新規高卒労働市場の変化と職業への移行の支援』調査研究報告書 No.114.

労働政策研究・研修機構，2008，『「日本的高卒就職システム」の変容と模索』労働政策研究報告書No.97.

労働政策研究・研修機構，2015，『若者の地域移動－長期的動向とマッチングの変化－』JILPT
　　資料シリーズNo.162.

東京労働局、2017、「高校生の応募・推薦に関するアンケート　まとめ」東京都高等学校就職
　　問題検討会議資料.

全国高等学校校長会　就職対策委員会，2017，「高校生の就職に関する状況及び新たなキャリ
　　ア教育の推進」平成29年度全国高等学校校長協会　就職対策研究協議会基調報告.

厚生労働省，2017，「都道府県高等学校就職問題検討会議における申し合わせ等（平成30年
　　3月卒業者の応募・推薦について）」
　　https://job.koukou.gakusei.go.jp/dbps_data/_material_/kousotsu/doc/ichiran2906.pdf

第4章　応募先決定と職業情報：商業科における生徒の応募先決定までの職業情報・企業情報の獲得過程の変化

第1節　はじめに

　高校進路指導の現場において、自己理解の促進、進路（職業）情報の獲得、啓発的経験、職業相談、追指導が生徒の進路決定過程での主要な指導であることは、キャリア教育という理念が浸透してきた現在でも変わらないところであろう[1]。こうした進路決定過程の指導は主に発達心理学に基づいて組み立てられてきたといえる。

　一方、教育社会学においては、実際の就職先や応募先企業決定にあたっての学校内での調整の在り方を分析し、企業と学校との間には、学校推薦のある生徒を企業が継続的に採用し続けるという「実績関係」が存在し、学校内でメリトクラティックに行われる応募先の調整がそのまま就職先に決定につながる「学校にゆだねられた職業選抜」があることを指摘してきた（苅谷 1991 など）。ただし、それは一定の地域性や時代性を帯びたものであったことは近年の研究が明らかにしているところである（堀 2016）。学校に実質的な配分の機能があることはみとめられるものの、そのメカニズムには「実績関係」や「ゆだねられた選抜」だけで説明しきれず、地域や時代などによって多様な様相があるのではないか。本稿においては、その様相の一端を学校で指導の一つの柱となってきた「生徒の職業情報取得」という視点からほぐすことを試みる。

　用いるデータは JILPT(前身の日本労働研究機構を含む)内に組織された「高卒就職研究会」の過去数度にわたる同一高校に対するヒアリング調査結果である。「高卒就職研究会」では、1997 年、2007 年、2017 年と 10 年ごとに、いくつかの高等学校、企業、公共職業安定所において、就職・採用過程の現状と問題点などについてヒアリング調査を行ってきた。高校での調査に当たっては、過去 10 年程度の進路情報を収集しているので、20 年〜30 年[2]という長いスパンで時代性が検討できるのではないか。また、就職・採用過程は地域の新規高卒労働市場の状況に規定されるところが大きいという認識から、当初設計においては、県外就職の多い「流出地域」、逆に県外からの就職者を多く受け入れている「流入地域」、そして県内就職

---

[1] 文部省（1977、1978）では、進路指導の機能として次の 6 つの活動（①生徒理解を深め生徒に正しい自己理解を得させる活動、②進路情報を得させる活動、③啓発的な経験を得させる活動、④進路に関する相談の機会を与える活動、⑤就職、進学等の進路先決定に関する指導・援助の活動、⑥卒業生の追指導等に関する活動）が挙げられており、進路情報には産業・職業に関する情報や上級学校に関する情報などが含まれている。なお、「追指導」は現在では耳慣れない言葉となっているが、就職・進学した卒業生に対する、それぞれの進路先における適応への援助のことを指し、進路指導においては基本的な活動の一つと位置付けられていた。キャリア教育の文脈ではあまり使われなくなったが、例えば藤田（2014）は、卒業後の指導・支援を指して使用し、現在のキャリア教育の弱点の一つとして論じている

[2] このヒアリング調査に先立って、1985 年に高校生を対象にした質問紙調査を行っているが、調査対象の高校の多くは、この際の調査協力校であり、そうした高校にあっては、1985 年の段階でもいくつかの点について聞き取りを行っている。そのため、いくつかの高校については 1985 年時点での聞き取りデータも存在する。これを含めれば 30 年の変化をとらえられる部分もある。このほか、今回調査の対象校には未就職卒業者支援をテーマに 2010 年に、地域移動をテーマに 2013 年に聞き取りを行った高校があり、これらの機会に得た情報も分析に当たっては活用している。

者が大半で県外からの流入も少ない「バランス地域」の3類型を設定し、これに属する都道府県から原則―安定所管下の普通科高校、商業高校、工業高校、さらに同じ安定所管下にあって高卒採用を行っている数企業を対象とした[3]。この当初設計における地域類型と高校の学科別という枠組みは、本分析においても主要な枠組みとして踏襲することができる。

　そのうえで、ここでは商業高校を中心に検討することにしたい。工業高校は別の章で検討するからであり、また、労働力需給の点からも、近年一貫して強い需要に支えられてきた工業高校と、後に述べる通り労働力需要の量も質も変化してきた商業高校では、進路指導の在り方、職業情報への接し方は異なることがあらかじめ想定されるからである。なお、普通科高校については、商業科との比較の観点から一部とりあげる。

　以下では、まず先行研究と統計データを基に商業高校卒業者の就職状況について、長期的な変化を概観し、次いで、その就職状況の変化を踏まえながら、ヒアリング調査結果を基に地域類型別に職業情報獲得過程の変化を検討する。最後に、求人難という現状下において、高卒就職者の就業の安定を図るうえで、どのような形で職業情報を取得できる環境を整えることが望ましいかを考察する。

第2節　商業高校卒業者の就職状況の推移

1　1990年代初めまでの商業高校の教育と就職状況

　最初に、1990年代初めごろまでの商業高校卒業者の就職状況を番場（2010）に基づいて概観しておく。番場は1970年代を商業高校の第1のターニングポイントだとする。1950年代から60年代にかけて、地域産業の復興と発展を背景にした労働力需要の拡大に対応して、商業高校は就職する卒業者を増やしてきた。商業教育を通じて、産業横断的な事務職労働者としてのスキル養成にとりくみ、さらに60年代には現場のマネジメント能力の養成も教育目標に加わった。こうした教育を受けた卒業生は企業に入って即戦力となり、さらに管理職、独立事業者となって地域経済の担い手となっていった。60年代初めまでは商業高校生の多くは男子であったが、徐々に女子が増え、60年代半ばにはほぼ同数になる。と同時に、このころが生徒数のピークとなった。60年代後半景気拡大が続く中で、産業界からの需要は事務職ばかりでなく、大規模小売業の販売員などについても大量の需要があった。高校の商業教育はこうした多様な需要の拡大に対して、多様な小学科、商業関係科目を設け、細分化されたスキルの習得を進める方針を採った。

　70年代には、こうした細分化したスキル教育が労働力需要と見合わないことが露呈する。高度成長期は日本型雇用が定着していった時期であり、長期雇用と企業内教育訓練を前提として、企業は、新卒者に対して即戦力ではなく基礎・基本を求める傾向を強めた。これは細分化した即戦力養成型の商業教育への需要の低下につながった。この需要の変化は男性社員

---

[3] その後、諸事情から協力が得られなくなった高校や企業があり、また、これを補完するために追加された高校や企業があったため、ここで分析に用いるケースには地域類型の偏りやデータの欠損する時点もある。

の採用に顕著に現われる一方、女性社員については、企業内での男女の役割分業・キャリアの分化を反映し、結婚までの短期雇用の補助的労働力としてその即戦力性が評価され、採用における商業科の優位性は維持された。こうした就職状況の変化を背景に、70年代には商業高校は、序列化される高校の低位に位置付けられがちになり、同時に「女子校化」が進んだ。

さらに、低経済成長下の70年代後半から80年代にかけては、スーパーマーケット、コンビニエンスストアなどの小売業の拡大があったが、そこで求められる商業労働は標準化・平準化され、アルバイト、パートでも賄いうる労働であり、商業科で学ぶほどの知識・スキルは要するものではなかった。こうした需要側の変化に対応して、商業教育は、80年代初めには基礎・基本教育への転換を打ち出し、さらに80年代末には国際化への対応や企業における組織人となる人材の養成という方向に目標を設定し直した。しかし、高等教育への進学志向が強まる中で、商業高校には不本意入学者が増え、理想とする方向性と高校現場の実際との乖離が広がることとなった。

番場は1990年代を第2のターニングポイントだとする。卒業生の半数以上が就職せず、専門学校を含む高等教育機関への進学者を大幅に増やした時期である。番場はこの時期以降の商業高校を、進学者が増え、また就職においても、商業科で学ぶ知識とスキルに直結する事務職や販売職が減って、それ以外の仕事に就く者が増えた点に注目し「進路多様校化した商業高校」と呼んでいる。

2　1990年代以降の商業高校卒業生の就職状況

90年代以降については、ここでも「学校基本調査」（文部科学省）を用いて、その進路の多様化状況を確認しよう。

図表4−1①に示すとおり商業高校卒業者に占める就職者の割合は、90年代初めまでは70%以上で推移してきたが、この割合は90年代を通して減少し、2000年代に入って下げ止まり、以降は40%前後で推移している。2000年代以降についてより詳細に見ると、景気拡大期の2003年3月卒から2008年3月卒までは就職者割合は増加、2010年3月卒業者では37.1%まで低下しているがこれは世界同時不況（リーマンショック）の影響が考えられる。その後増加に転じ、2017年3月卒では42.8%まで戻している。就職者割合の変化には景気、すなわち求人の増減が強く影響している。

これに対して、就職者数は90年3月卒で138,500人であったものが一貫して減少し、2000年3月卒では51,000人まで減った。その後も減少を続け、2010年代、就職者割合が増加するようになってやっと28,000人前後のほぼ安定した数字（90年代初めの5分の1の水準だが）になった。2008年ごろまでは18歳人口の減少と商業高校への進学者割合の低下が同時に起こり、それ以降は18歳人口は下げ止まったが商業高校への進学者割合は低下が続いたためである。

就職職種の構成を見よう。商業科で学ぶ知識とスキルに直結する職種である事務職と販売

職に注目すると、90年代を通して同職種での就職者が大幅に減少していることは明らかである。90年代初めまでは、この両職種に就く者は合わせて、商業高校卒就職者の70%以上を占めていたが、2011年3月卒では45%まで低下している。80年代に進学先として不人気になった要因として指摘されていた職業教育に直結した職種への就職難は続いていた。ただしごく最近の数値は48%とやや増加の兆しが見える。最近の景気拡大・求人増に対して、商業高校では生徒数の減少があって就職者数そのものは増えなかったが、事務職など商業教育に直結する就職を実現できた生徒は増えたということであろう。

これを男女別に検討したのが②、③の図である。まず男女で就職者数は大きく異なるが、女子の減少幅のほうが大きく、男女の差は縮小傾向にある。卒業生数を見ても同様で、90年代初めには女子の卒業生は男子の2.6倍と多かったが、最近では1.8倍程度と縮小しており「女子校化」はとまっているようである。

就職者割合は男子では90年代初めの65%前後から最近の40%程度に、女子では同80%近くから45%前後に低下しており、女子のほうが低下幅は大きい。この間の高等教育進学率の上昇は全般に女子のほうが大きかったが、商業高校もその例に漏れない。

就職職種については、もともと男女差が大きく、90年代初めの男子の事務・販売職割合は50%程度でこれが昨今は20数%まで低下している。女子では80%程度だったものが60%程度と低下した。女子では特に事務職の減少が著しく、91年3月卒の67.3%（実数では68,900人）から2013年3月卒の38.0%（同7,400人）への激減である。70年代に即戦力性を評価された商業高校卒の女子社員への需要は、大きく低下した。ただし、これについても、2017年3月卒は45.1%（8,400人）と回復傾向が見られる。人手不足が深刻化している現在、高卒事務職の需要が戻っているということであろうが、その位置づけは、かつての結婚までの短期勤務の即戦力と同じとは限らない。

④、⑤の図は、比較のために作成した普通科高校卒男女の就職状況の推移である。就職者割合は、男子では90年代初めですでに20%以下であったが、それが9.5%まで低下し、女子では同25%前後だったものが7.6%まで低下した。女性の変動のほうが大きいのは商業学科と同様である。

職種については、商業高校に比べて事務職・販売職、とりわけ事務職の割合が小さく、男子では生産工程の仕事、女子ではサービス職が多い。事務職の養成という商業高校のもともとの教育目標は、同じ高校新卒就職者の中では相対的に評価されているといえる。

1990年代の商業高校卒業者の就職状況の大変動は、バブル経済崩壊による全体としての労働力需要の低下に加えて、事務職や販売職の需要が、高校新卒者から高等教育卒業者やパート・アルバイト労働者にむかったことが大きな要因として挙げられ、またそのことが商業高校の生徒数減少、不本意入学者の増加につながるという負の循環もあったことは確かだろう。しかし、2010年代に入ってからの景気改善を受けて、就職者割合が高まり、事務職での就職者が増えるという揺り戻しがみられていることは、留意すべき事柄である。その過程で学校

の現場ではどのような指導、生徒の選択、行動があったのだろうか。

図表4-1　商業高校卒業者に占める就職者割合と就職職種の推移
①商業科・男女計

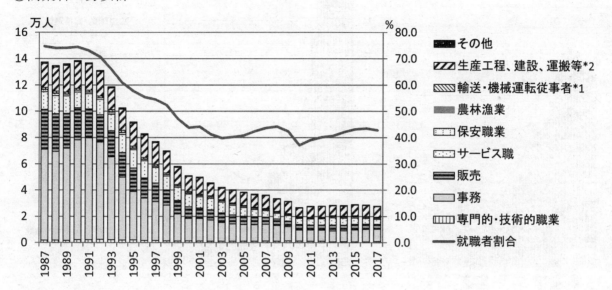

②商業科・男性

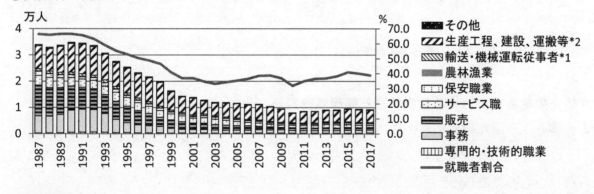

③商業科・女性

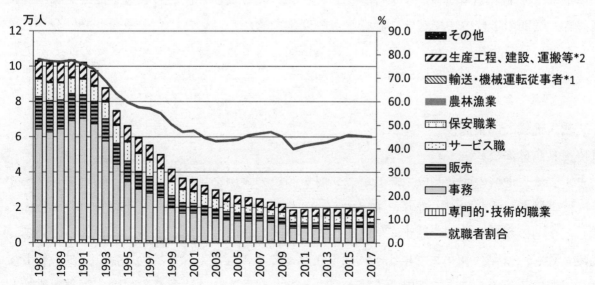

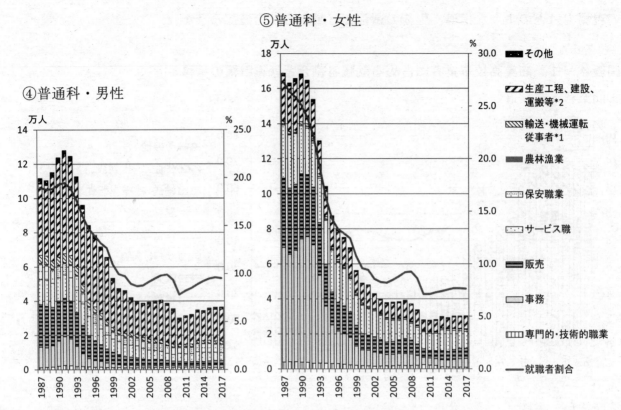

⑤普通科・女性

④普通科・男性

注：*1　2010年までは「運輸・通信従事者」より「輸送・機械運転従事者」
　　*2　2010年までは、「生産工程・労務作業者」、2011年以降は「生産工程」、「建設・採掘」、「運搬.清掃
　　　　等」の和。
資料出所：文部科学省（各年）「学校基本調査」

第3節　商業高校における就職状況と情報取得経路

　ここまで、商業高校卒業者の就職状況から、労働力需要の質も量も大きく変化してきたこと、その背後にある景気要因、および構造的要因についてみてきた。それは今後も変動が避けられないものであろう。

　以下では、「高卒就職研究会」が行ったヒアリング調査及び各校から収集した進路データに基づき、個別の学校の中で起きた就職状況の変化を確認し、さらに、多様な進路に分かれて行くことになる生徒たちが、どのように職業情報を得て、応募先を決めてきたのか、そこに地域や時代の影響がどう働いているのかを検討する。

1　流入地域の商業高校

【埼玉F商業高校】

　まず、流入地域の商業高校である埼玉F商業高校の事例を見る。最初に、図表4－2にから同校卒業者の進路状況の推移を確認する。1980年代半ばからのデータが得られたが、先に示した全国の商業高校での進路変化に比べて、卒業者数の減少はわずかにとどまっている。就職者数も、90年代初めまでに比べれば現在はその半数程度となっているが、全国の統計ではこの間に5分の1にまで就職者が減っていることを考えれば、多くの就職を実現・維持し

てきた学校である。卒業者に占める就職者の割合という点から見ると、1985年卒の8割以上から2000年代始めには5割まで低下しているが、以降は5〜6割の間で安定した状態となっている。実数いえば150人弱程度である。

図表4-2　埼玉F商業高校卒業者の進路の推移

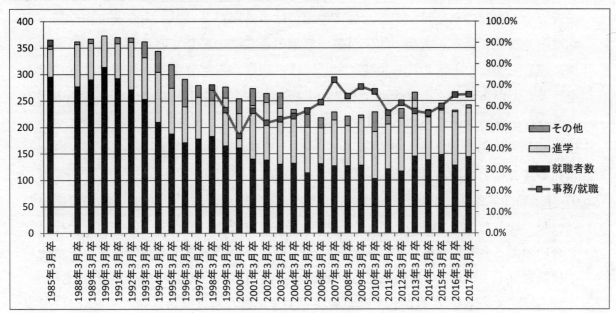

資料出所：1985年、1997年、2007年、2017年に同校を訪問調査した際に受領した学校作成資料に基づいて筆者作成。

　生徒の男女比は、90年代初めまでは男子は1割以下であったが、近年は2〜3割まで増加している。90年代に女子入学者の減少があったということだが、就職指導の中心はやはり女子で、事務職希望が多く、その実現を指導の一つの目標としてきた。1985年3月卒では就職者の9割以上は事務職で就職しており、当時の進路資料には、事務職就職は当然として、その中の銀行等金融系企業への就職者割合が掲載されていた。銀行等は、商業教育が生かされるとともに、賃金水準が高く安定した企業であると、生徒の保護者も価値を置く就職先だったと思われる。就職先としての金融機関を重視する価値観は今もつながるところがあろう。こうした就職実績と背後にある創立以来の歴史から、同校は地元で高い評価を受けてきた。

　図には、データが得られた1998年卒からの事務職割合も掲載したが、2000年代初めにいったん5割を切ったが、リーマンショック前には70%超え、近年も65%水準を維持している。商業高校全体では女子に限っても40〜45%程度であるから、この学校の事務職就職率は高い。

　次に、生徒が職業情報・企業情報を獲得する過程にかかわる指導について、「選抜」の過程との関連を含めて検討する。過去のヒアリング調査記録と今回のヒアリングから、次のような指導が行われていたことがわかる。

<u>1985 年</u>[4]：1 年次から LHR で職業講話（職業の紹介、求められる人材像、新卒者の雇用動向など）。職場実習、職場見学はない。3 年生の 6 月に OB（金融・卸小売、製造、サービス、その他に就職した者）を招聘しての体験報告会を行う。

<u>1997 年</u>：就職希望者は、前年度に学校に来た求人票をみて希望をかため、求人票開示後、短期間のうちに 2 社応募先を決めて教員に提出する。実際に企業に行くのは、選考会議後で一人 1 社のみを見学する。生徒の企業は事務職が多いが、大企業志向や都内志向は弱くなっている。大半の生徒が第一希望の企業に応募しているが、企業の要求水準に達していないと思われる生徒に対しては、教員から応募を見合わせるように指導を行うことがある。2 次求人になると、事務でも生産現場事務などに応募先を広げるよううながす。このころから埼玉県では「支援プラザ」を設置し、2 次求人については各校が県内の全求人を自由にみることができるようにするなど県を挙げての求人情報の共有化をはかっている。

<u>2007 年</u>：希望者は 1、2 年生でインターンシップに行く。ただし、「最も効果が高いのは授業を通じた働きかけであり、商業科科目等の中で折に触れて、こういう会社（付き合いのある会社）があるという話をする」。付き合いのある企業は教員が毎年訪問して情報収集している。生徒に見せる求人票は、学校に持参や郵送で届けられたもので、ハローワークの Web 情報から生徒が興味を引きそうな事務職は見せることもある。選ぶのは生徒であって、興味・関心によるとしかいえない。企業見学は、選考会議後で一人 1 社のみである。選考基準は成績第一であるが、これは特に親への説明責任によるところが大きい。2 次募集以降は、具体的な会社名を提案するなど細かく指導している。

<u>2017 年</u>：3 年生の 5 月末に卒業生を招いての進路懇談会を行っており、分野別に講話をしてもらう。教員は、過去に卒業生が就職した企業中心に毎年 70 社余りを訪問し、企業の求める人材像など得た情報を報告書にして教員集団で共有している。企業ニーズの変化を把握することに努め、校内選考基準も企業が求める人材像にそったもの（対人的な能力や部活などでの努力評価など）を重視する方向にかわっている。商業教育の中でも、こうして集めた情報を生かして指導内容を変えている。学校に来た求人票は PDF 化して自由に閲覧させ、保護者にも来校すれば公開している。大量の求人がある中で、先輩が働いている企業は定着がよいことから、まずそうした求人票から見るようにという助言はする。企業見学は基本的に受験する企業 1 社だが、ハローワークの合同企業説明会には就職希望者全員を出席させている。生徒には、企業人事の方とお話できる貴重な機会だとして、希望企業だけでなく、様々な企業のブースを積極的に訪問するように推奨している。

---

[4] 「高卒就職研究会」のヒアリング調査に先立って、1985 年に雇用促進事業団雇用職業総合研究所が高校生を対象にした質問紙調査を行ったが、同校はこの協力校で、質問紙調査と合わせて学校ヒアリング調査にも応じていただいている。ここは、その際の記録（雇用促進事業団雇用職業総合研究所（1986））からの引用である。

すべての時期の調査で同じ項目を聞き取っているわけではないので、若干の推測を交えてこの高校において生徒が接する職業情報の特徴を整理する。同校での「選抜」の在り方を確認しておくと、一人１社の考え方で校内選抜をしており、この点は30年間変わらない。応募前の企業見学は、応募予定の１社のみという点も97年当時から変わっていない。

　職業情報の提供経路としては、まず教員経由の情報があり、これも長年変わっていない。教員は毎年卒業生が就職した企業を訪問し、卒業生の動向や求める人材像などの情報を収集して教員集団で共有し、また商業科目の授業など多様な機会に生徒に伝えてきた。

　卒業生との懇談を通しての情報提供も長期的に実施していると思われる。また、インターンシップには少なくとも10年前から取り組んでいる。ただし、参加は一部の生徒にとどまっている。

　今回の聞き取りから最近の変化と思われるところを整理すると、まずハローワークの「合同企業説明会」に就職希望者を全員参加させ、かつ積極的に多くの企業ブースを回るよう指導をしている点がある。企業情報の収集の意味と多くの企業人と接することでの学びの機会と位置づけている。

　また、校内選考における基準についても、97年には説明責任を理由に成績第一としていたが、今回は企業が求める能力に沿った基準も併せて重視するとしている。さらに、卒業生の就職先に関心を向けさせる指導は、実績企業重視という意味では従前どおりであるが、その背後にあるのは就業後の長期勤続を重視する価値観である。教員の企業から聴取した人材像にも企業側の人事配置の考え方や能力感の変化がとらえられており、同校ではこうした変化を教科教育内容の改善にも活用していた。高卒女子社員の企業内での位置づけの変化を汲み取り、それが教育内容にも就職指導にも生かされている。

　生徒の職業情報取得という視点からまとめると、教員を通して労働力需要の質的変化に関わる情報が提示されるようになっており、また、また面接会など直接、複数企業と接する機会が増やされている。

【東京Ｄ商業高校】

　次に、おなじく流入地域の商業高校である、東京Ｄ商業高校の事例を見る。同校は、2007年からの協力校であり、進路データも2001年からのみ入手できた。図表４－３がそれである。2000年代は90年代ほどではないが、全国的には商業高校生の減少期である。しかし、この学校も卒業生数は減少していず、就職者数もほぼ100人程度で推移している。男女比については、男子割合は一貫して４～５割で、商業高校としては多い。2000年代初めや2012～14年にかけては「その他」（進路未定）が多く50人を超えることもあった。しかし、2007年調査時、2017調査時ともこの割合は大幅に減っている。景気改善で学校に来る求人が増えていた時期であることが大きいと思われる。

図表4－3　東京Ｄ商業高校卒業者の進路の推移

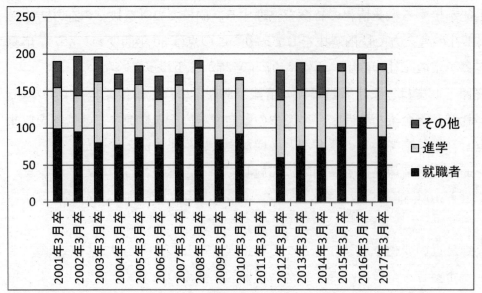

資料出所：2007年、2017年に同校を訪問調査した際に受領した学校作成資料に基づいて筆者作成。

　以下には、各時点でのヒアリングから生徒の、職業情報・企業情報獲得、および「選抜」に
かかわる指導に当たる部分を抜粋・要約して示す。

<u>2007年</u>：1年生の段階で、フリーターの年収などの情報を示して考えさせるなど、フリ
　　ーター防止、進路意識の喚起のための職業講話をおこない、職業インタビューなども
　　行っている。5、6年前は求人が少なくハローワークのWeb求人に頼る状態だったが、
　　今は学校に来る求人は大幅に増えている。求人票はファイルにして各教室に配置し、
　　自由に閲覧する。継続的な採用企業については、どのくらいの成績で受かるかのデー
　　タを蓄積しており、生徒には応募しても難しいなどの情報は伝える。生徒に第3希望
　　まで出させて、選考会議を行う。基準は3年間の成績である。応募前見学は選考会議
　　後で1社のみ。希望職種は、女子は事務か販売がほとんどである。事務は非公開求人
　　があるが、販売、サービスは公開求人が多く、人気企業は倍率が高い。指定校的な求
　　人（非公開求人）でも合格できない場合が増えており、「以前より自由に企業を選んで
　　受けられるようになったが、内定の確実さはなくなった」。

<u>2010年[5]</u>：2009年度卒の92人の就職者のうち学校経由以外での就職者は27人と多い。
　　縁故就職は親や友人、クラブの先輩の紹介である。縁故を選ぶ理由は、男子は学校に
　　来る給与の低い求人でなく職人のような仕事を希望するから、女子は服装・マナーチ
　　ェックが厳しいので進路室に来たくない、職種へのこだわりがある、さらに履歴書を
　　書くのも面倒だからだという。学校経由就職では、応募先は、成績順に希望できる。
　　企業見学は、選考会議で応募が決まった企業のみ。企業側の希望は教員が会社訪問を

---

[5] 2010年については、未就職卒業者支援をテーマにした聞き取りから本章の問題意識に関わる部分を抜粋した。

おこなって収集している。求人が減っており、ハローワークのWeb求人にも頼るが、Web求人は落ちる可能性が大きい。

<u>2017年</u>: 1年生の時の進路行事でフリーターの危険性を話したり、職業・職種の紹介を行う。2年生でインターンシップを経験するが現状は希望者のみで、来年から全員参加で行うことを計画中である。就職後1年経た先輩のOB・OGを囲んでの懇談も行っている。求人票開示後、日程を設定して生徒や保護者に見せ相談にのる。生徒の応募希望が集まると、成績と出席状況を主な基準に校内選抜を行う。企業見学は応募先が決まってからで一人1社。教員は追指導や企業へのお礼・挨拶で企業を訪問し、当該企業が求める人材像等について聞き取り企業情報ファイルを作り教員間で共有する。企業の面倒見のよさ（育ててくれそうか）を重視して企業の特徴を把握しようとしている。

　この学校も一人1社主義の下での選考会議を行い、その後に応募先1社のみの企業見学を行っており、この点は長期的に変わらない。低学年からの進路指導として、職業知識やフリーターの問題性についての情報提供をしている点もこの10年変わらない。教員が企業訪問をして情報収集し教員間で共有している点も変わらないところであろう。先のF商業とも共通した指導スタイルである。一方、この学校では、景気変動による学校指定求人の増減が大きく、減少期にはWeb上の公開求人への応募を増やすが、これは内定が得にくい。さらに減少が急激であったリーマンショック時は学校経由の求人でなく、縁故に頼る生徒が増えている。流入地域であるだけに学校経由外の求人は少なくないが、その質には不安がある。今回調査は好況期であるだけに、こうした学校経由外の情報経路への言及はなかったが、こうした他の情報経路から接近できる雇用機会が多いのは流入地域の一つの特徴といえるだろう。また、今回調査では教員による企業の評価ポイントとして「育ててくれそうか」という点が強調されていた。「使い捨て」が疑われる企業への懸念は労働行政も強く持っているが、その懸念は教員も共有しており、教員がそうした企業情報のフィルターの役割を果たしているということであろう。

2　バランス地域の商業高校

【長野N商業高校】

　バランス地域の商業高校として、長野N商業高校の例を見る。同校の卒業者数は90年代初めには約400人であったが、2017年3月卒では卒業者233人とほぼ半減している。生徒の男女比はおよそ女子生徒が男子生徒の1.5倍から1.8倍程度で推移しており、大きく変わってはいない。卒業者に占める就職者の割合は、1985年3月卒の場合は85.3%（男子70.2%、女子94.8%）で、さらに就職者に占める事務職の割合は80.9%（男性54.1%、女子93.4%）であり、当時の全国の水準に照らして、男女とも事務職就職率が高い学校であった。それが2017年3月卒では就職者割合は41.2%（男子40.0%、女子42.0%）で、さらに就職者に占める事

務職の割合は 34.4%（男性 31.6%、女子 36.2%）と、いずれも大きく減少し、また、男女の差はほとんどなくなった。男女とも進路は進学へとシフトしている。なお、就職者の実数は、2017 年 3 月卒で 96 人であった。

図表 4 － 4 　長野 N 商業高校卒業者の進路の推移

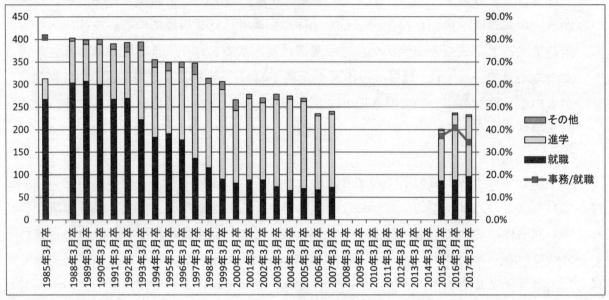

資料出所：1985 年、1997 年、2007 年、2017 年に同校を訪問調査した際に受領した学校作成資料に基づいて筆者作成。

以下は、各時点でのヒアリンク記録からの職業情報と選抜に関わる部分の抜粋・要約である。

<u>1985 年</u>：自宅通勤可能地に就職する者がほとんどである。事務職就職が 8 割と多いが、銀行等の求人は減少傾向にある。LHR では 1 年次から職業を取り上げ、相当時間をこれにあてる。職場の実態との接点は、社会科見学としての「中央卸売市場」の見学を行うが、商業教育としての職場実習は実施していない。生徒が会社組織を作って経営から販売まですべて行う「N 商デパート」が販売実習の役割を果たしている。

<u>1997 年</u>：指定校推薦が増えるなど進学がしやすくなっていることを背景に進学者が増え、就職希望者が減少した。県内求人、特に事務職・販売職の求人が減少したが、教員は、就職希望者が減少したため、企業が求人を短大や専門学校にまわしているのではないかと推測している。企業の少数精鋭主義が鮮明になり「学校推薦は基本的に採用する」というところが少なくなった。企業側が、学校との信頼関係重視から本人の能力・適性重視に転換していると認識。応募に当たっての企業見学は実施していないが、希望がある場合は進路担当に相談することとなっている。応募希望が重なることがあれば推薦選考会議で選抜、学業成績、出席状況などの推薦基準は明示している。希望職種を自分で決められない生徒が増加しており、早い段階での企業見学が必要だと認識している。「N 商デパート」は生徒の職業意識にも大きな影響を与えていると評価している。

<u>2007年</u>：2000年代前半、就職者は20％台半ばまで減少したが、昨年は30％に回復。女子は事務職希望者が多く、昨年は就職者の半数が事務職であった。地元企業の経営者や人事担当に同校の卒業者が多く求人に恵まれていたが、近年は厳しくなり事務求人は減少（金融は1988年以来採用なし）、製造系は増加している。就職指導は、まず、進路指導主事が3年生人員と面接して進路指導票に基き進路希望の実現性に関してアドバイスをする。求人票は前年度のものを事前に見せ、開示後には学校に直接届いた求人にWeb求人を加えたものをみせる。一人5社の企業見学をするよう指導し、日程調整をしてまとまっていかせる。第5希望まで提出させて、選考会議を行う。基準は10年前と変わらない。事務は成績でほぼ決まり、販売は向き不向きがある。販売実習である「N商デパート」は商業教育の根幹と位置付けられている。「N商デパート」にはインターシップが組み込まれ、開店準備にあたって、それぞれの担当の売り場に対応する商店に数日の研修にいく。

<u>2017年</u>：近年の就職者割合は約4割、うち事務職が3〜4割を占める。福祉、警備保障など求人は増えているが、女子生徒の希望が多い事務職が少ない。進路指導部が取り組んでいるのは、地元企業などを学校に呼んでの講話、懇談である。7団体程度を呼んで仕事内容など生徒が興味に応じて話を聞ける行事を行い、2月には2年生を対象に、県教育委員会とハローワークの連携事業として12社地元企業に来てもらう企画もしている。3年生は5月に県内16信用金庫がその取引先の中小企業支援で行う「しんきんビジネスフェア」に就職希望者全員を参加させ、企業を知る機会とした。このほか7月には地元企業の紹介イベントに2年生の希望者は参加するように促した。同校ではインターンシップは部活の関係で学年全体ではできないので、多様な職種、業界に目を広げるためにはこうした企業と接点構築が重要だと注力している。また、応募前企業見学は3社行くように指導し、学校が調整している。複数の会社を見て、自分で応募先を決めることが定着のためには重要だという判断からである。応募に先立って企業見学をすることがこの地域では暗黙のルールとなっており、2次応募でも先に見学が必要である。応募希望企業が重なれば、校内選考があり、成績を基準とするが、生徒間の自己調整がおこなわれているようで、実際には数件しか調整はない。10月10日以降は複数応募可能な地域だが、企業の立場を考えその時期も一人1社で応募する。

　この学校も一人1社での応募で、選考会議は成績重視で行ってきたことは変わらない。今回調査で変化と捉えられるのは、2年次から、多くの段階での地元企業等との接点をつくってきていることである。生徒とその背後にある親のイメージとしての事務職志向と現実の市場との乖離を埋めるためにと、現実の市場、企業との接点を早い段階からつくり、さらに「しんきんビジネスフェア」をも生徒の地元企業を学ぶ場として活用し、現実の企業社会を知ってもらうための指導を展開している。また、複数の企業を見学してから応募先を決めるよう

にさせているのは、自己判断が長期勤続につながるという認識からであった。

　バランス地域は、生徒の応募先がほとんど地域内にあり、閉ざされた労働市場といってい
い。地域が限定的であることが、学校と地域企業、さらに地域労働行政との連携が進んでい
る一つの要因であろう。こうした状況であるから、学校は継続的採用企業でない企業につい
てもかなりの情報を持つことができ、生徒に（適切な）多くの選択肢を見せて、その範囲で
の自己決定を促すことができる。選択肢をコントロールすることができるところが、こうし
た地域の強みではないだろうか。

3　流出地域の商業高校

【島根 R 商業高校】

　次に流出地域の商業高校についてみる。まず島根 R 商業高校である。島根県全体として人
口減少が大きな課題となっているが、同校での生徒数の減少も著しく、卒業生数で言えば91
年3月卒の 306 人から、2017 年3月卒の 65 人とは5分の1近くになった。男女比は 1985 年
の卒業生は女子が男子の 2.4 倍と多かったが、2017 年3月卒では 1.2 倍と女子の減少が大き
い。就職者数も 91 年3月卒の 230 人から 30 人に、就職者割合も同 75.2％から 46.2％（男子
48.3％、女子 44.4％）に減った。就職者に占める事務職割合は、データの得られた 1985 年3
月卒では男子 25.0％、女子 53.1％で、2017 年の男子 28.6％、女子 50.0％はこれと同様な水準
となっている。また、流出地域であり、県外就職者は多い。情報の得られた 2004 年3月卒で
60.9％、2008 年3月卒で 67.2％と 2000 年代半ばあたりは6〜7割が県外に出ていたようであ
る。それが 2017 年3月卒では 26.7％と大きく低下しており、就職者の減少とともに県内で
就職する割合が高まっている。

図表4－5　島根 R 商業高校卒業者の進路の推移

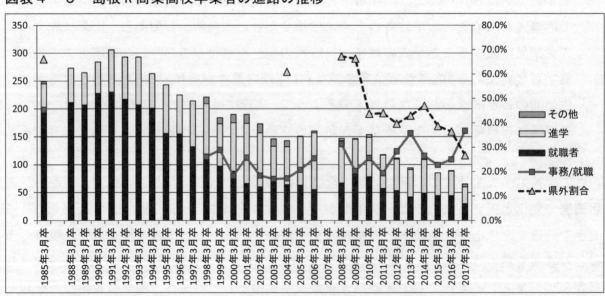

資料出所：1985 年、1997 年、2007 年、2017 年に同校を訪問調査した際に受領した学校作成資料に基づいて筆者
　　　　　作成。

以下、各時点でのヒアリング結果からの抜粋・要約である。

1985 年：就職者のうち事務職は半数弱である。近年金融、事務職求人が減少しており、営業販売職と技能職が増加している。職業の実態に触れる進路指導としては、LHR で職業・産業理解のための講話などを行い、また、2、3 年生の就職希望者と卒業生の懇談会も行っている。

1997 年：就職職種は以前は事務職が大半だったが、現業・技能職、営業・販売職が増加している。2 年生では年間 6 〜 7 回、LHR で進路に関するテーマを取り上げるが、校外に見学に出るようなことはない。1980 年からの R 商デパートを勤労体験として行ってきたが、学校の負担が大きいため、95 年で中止した。3 年生の 4 月には前年の求人票をもとに希望調査を行い、その結果を踏まえて、教員は前年卒業生の追指導兼挨拶で企業訪問する（県外企業）。求人減の中つながりのある企業を重視している。地元企業は中小で毎年の採用はない。求人票開示後、志望企業を提出し、それが重なれば調整会議にかけるが、担任との相談や生徒間の自己調整である程度調整されるため、会議にかかるのは 5 分の 1 程度である。希望が重なるのは県外の金融や百貨店など大企業である。推薦基準は能力と適性、部活等での努力。成績は努力のバロメーターなので重視している。一人 1 社主義だが、甲乙つけがたければ 2 人採用をお願いすることがある。企業見学はおこなっていない。保護者は地元に残ることをあきらめるようになっている。

2007 年：進学率が上昇傾向で就職は 40％前後、就職者数は 2006 年 3 月卒では 55 人で、10 年前の半数以下となっている。うち県外就職はおよそ 5 〜 6 割で推移している。生徒の学力低下はあるが上位層は進学校の下位層程度である。近年は東海、関西、広島などから技能工の求人が多く、男子の 95％は技能工で就職している。応募先の希望が重なれば校内選考を行い、学校からの推薦は一人 1 社とする。基準は主として成績で、加えて部活や出席状況などである。客観的な指標はやはり成績。また、島根県では 11 月から複数応募可であるが、その時期に複数応募できるほどの求人はない。進路指導としては、1、2 年次に LHR で適性検査をする。職場体験などはない。2006 年 3 月の卒業者のうち 3 割が 1 年あまりで離職しているが、背景に暴力やセクハラ問題がある場合もあり、新規の開拓先はこうした不安があるので、従来から付き合いのある企業に送りたいとする。

2017 年：生徒数は 10 年前から半減し、2017 年 3 月の卒業生は 65 人にとどまる。うち就職者は 30 人である。就職者割合はこの 10 年およそ 5 割程度で推移し、また就職者中の事務職の割合は 2 〜 3 割台で推移している。男子は製造希望が多く、女子は事務職希望が多い。しかし事務求人は少ないので販売等に転換していた。リーマンショック直後に県内県外とも大幅な求人減があり、それ以降、県内就職が増加している。今年

は県外の事務職求人が増加しており、県外希望者が増えている。県内の福祉系の求人は増えているが、親のイメージが影響して就職者は減っている。進路指導のプログラムとしては、1年生で職業を知るなどの進路ガイダンス、外部業者も活用する。具体的な企業との接点は3年生の4月に学校内での地元企業との懇談会、6月にハローワーク主催の地域での地元企業との懇談会に参加する。求人票開示後、8月に応募前企業見学に行き、これを踏まえてから応募企業を決める。8月末に一人1社で選考会議を行うが、基準は校内の成績と一般常識テスト、出欠状況などである。県外就職については選考はしていない。また、学校推薦があっても採用されるとは限らない。教員は追指導と挨拶で卒業生のいる企業を訪問しており、様子がわかるので、こうした企業を勧めることはある。求人票に追加された情報、特に離職情報は生徒も親も気にしている。

　この学校も、一人1社の学校推薦で、数字にすることができる成績が基準という指導の在り方は長期的に変わっていないが、県外就職は実質的に選考をしていない。女子生徒の希望は事務職に偏ることも変わりなく、一方男子は2007年のころから大半が生産工程の仕事に就いていたようである。地元求人が中小に限られる中、県外大企業への就職を希望する生徒が多いことも変わらない傾向で、近年の県内就職率の向上も、県外企業の事務職求人が復活している現状では、再び県外率が高まる可能性がある。実績関係に関しては、つながりのある企業重視の意向が確認されるが、2007年の記述にある通り、そこには新規企業への警戒感がある。この高校でも教員は毎年追指導で卒業生の就職先を訪問しており、職場環境などを教員が知ることの意味は大きいと思われる。新たに求人票に追加されるようになった離職情報に生徒も保護者も関心を持つのは、遠方の企業に対しての不安から来るところが大きいのではないか。近年の指導の変化は、地元企業との懇談の機会が複数設けられたこと、応募先を決める前に企業見学をしている点である。2007年まで職場体験などの指導がなかった学校でも、生徒に直接企業との接点を作る指導が広がっているのではないかと推測される。

【秋田J商業高校（後に併設高校の国際情報学科）】
　もう1校、供給地の商業高校として秋田J商業高校を取り上げる。ただし、この高校は再編され、2005年に中高一貫校の普通課程のなかの国際情報学科として組み込まれた。すでに商業高校とは言えないが、実質的に商業教育を行っている学科であり、継続的に見るうえで、商業高校とみなすことにする。なお、表4－6のうち再編後の卒業生（2010年以降）については、国際情報学科の卒業者の数字となっている。
　データが得られている範囲で、卒業生数が最も多かったのは、1991年3月卒で192人、うち80.7%が就職していた。直近の2017年3月の国際情報学科卒業生は70人、62.7%が就職している。1980年代は女子生徒より男子生徒のほうが多く、以降も、男子は4～5割の範囲

となっており、商業高校の中では男子の多い高校となっている。就職者に占める事務職の割合は、1985 年 3 月卒では 70.2%（男子 55.6%、女子 97.7%）であったが、2017 年 3 月卒では 32.1%（普通科を含む、学校全体の数字）になっている。

図表 4 − 6　秋田 J 商業高校（→併設高校の国際情報学科）卒業者の進路の推移

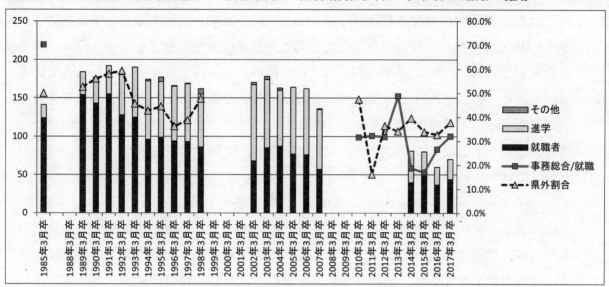

注：2014 年以降は、学校再編後の「国際情報学科」（商業系）のみ。また、「県外割合」、「事務総合割合」のうち 2010 年 3 月卒以降については、普通科を含む全学対象。ただし就職者の 4 分の 3 以上は国際情報学科卒。
資料出所：1985 年、1997 年、2007 年、2017 年に同校を訪問調査した際に受領した学校作成資料に基づいて筆者作成。

　以下、この学校に対するヒアリング記録から、職業情報の獲得、就職先決定過程にかかる部分を抜粋・要約して示す。

1985 年：就職先は金融や製造業の大手が多いが、県内は卸小売り、飲食業も多く、男子は公務も多い。進路関係の LHR として内定 3 年生による 1、2 年生との懇談を行う。教員は追指導と次年度採用のお願いで関東と地元 50 社程度（全就職先の 7 割）を訪問する。地場産業が少ないのに保護者が地元志向であることが課題である。

1997 年：県教育委員会が地元就職促進の方針を出しており、同校もこれを目標に掲げる。進学率が高まっているが、これは思うところに就職できないから進学という選択である。進学促進指導はしておらず、むしろ高卒のほうが大手企業への可能性は高いと指導している。進路指導は 1 年次から先輩の進路状況などを話し、意識付けをする。3 年生になると前年度の求人票を見せて具体的な進路希望を把握する。応募は、原則として一人 1 社である。学校推薦は県外企業なら有効だが、県内企業はほとんど他校と競合しており採用されるかどうかはわからない。校内でも県外については希望が重なることはないが、県内企業は重なることがある。企業に相談すると大抵 2 人応募可になる。以前は生徒に他の企業を紹介して校内で調整したが、今はそういう調整はできな

い。求人職種は製造、営業が増加しており、事務は大幅減、販売も減少傾向である。企業の採用試験では、面接のウエイトが高まっていると認識し、近年は校内でも面接指導に注力している。「学力より人柄」になってきている。

<u>2007 年</u>：（J 商業高校は、2005 年に中高一貫の普通高校に組み入れられ、普通高校の国際情報科として改編された。2007 年の卒業生は入学時の J 商業高校卒業という位置づけになる。）就職状況は今年は改善しているが、親の意向もあって地元の事務希望者が多く、「地元に残りたいなら事務にこだわらない、事務にどうしてもつきたければ県外」と説明している。生徒は、「事務職」は「楽で偉い」といったイメージでとらえている傾向があり、実態とあっていない。どういう仕事をする企業に行きたいかを考えさせる指導をする。入学時は大学を含め、視野を広げ、広い選択肢を提示する方向での指導をする。2 年生の秋ごろには進路希望が定まる。2 年次に就職希望者はインターンシップに 3～4 日行く。インターシップ先は生徒の希望企業・職種を考慮して決める。アルバイトも長期休みでは許可しており、就職試験で有利に働くこともあると認識。教員による企業訪問は毎年 5 月末から 6 月。追指導とお礼。報告書を作成し教員間で共有する。応募にあたってはすべての応募に校長推薦を出すので推薦委員会で検討する。校内選考をしてくれと言われた場合は総合的に判断。複数応募をしたいと生徒が言った場合、両方の企業が複数応募可であれば、企業に事情を話し応募できるようにする。会社見学は実施していない企業もあるため 6 割程度の生徒が見学している。

<u>2017 年</u>：国際情報学科の卒業者のほぼ 6 割が就職しており、入学時から就職希望である生徒が多い。希望職種は事務職が多く、地元に残りたい事務職女子の受け皿が不足している状態である。昨年の事務職希望女子のうち事務職採用は半数で、他は製造系の職場での生産事務職や CAD 設計などの業務で就職している。本人の志向性がはっきりしているため、対人関係の仕事である販売には移行していない。進路指導の行事として、1 年生で地元企業見学に行き、また 1，2 年次には職業人講話として、地元で働いている社会人に会社の紹介や自分のキャリアを話してもらっている。インターンシップは 2 年次に 5 日（2 日の事前事後指導、3 日の企業体験）で行っている。インターンシップは就職希望者にとっては「自分が就職したいという会社をその時点である程度目星をつけ」るという意味があるため、インターンシップ先の決定は就職希望者優先でおこなう。3 年次の応募前企業見学は志望企業には必ず行くが、他に商工会主催のオープンオフィスというイベントがあるので、これを活用してもう 1 社行く生徒も多い。求人票は学校に送られてくるものと Web 求人から、生徒の希望の職種や地域のものを優先して閲覧できるようにする。一昔前は実績企業を勧めることも多かったが、今はそうした傾向は強くない。校内選考は、企業側の意向を聞き、学校で 1 人に絞ってほしいということであれば選考する。基準は成績、人物、資格などトータルで行う。

秋田県は、2004年以来、高等学校就職問題検討会議の申し合わせで、応募開始時から一人3社までの複数応募を可能とする地域である。この申し合わせ以前である1997年に、本校では、原則として一人1社推薦としながら、企業に相談すればたいてい2人とも応募できるとしている。その背景は、県内企業は学校推薦があっても他校との競合で採用されるかどうかわからない、という事情があるからであろう。すなわち県内求人がかなり限られているということで、当初から3社という申し合わせになったのも、そうした労働市場の状況があるからであろう。1985年にはほとんどの女子が事務職で就職しており、その頃の卒業生が親世代となっている。「地元で事務」という希望は親世代から受け継いだものであるともいえる。現実の労働市場の変化と親子の意識との乖離にたいして、視野を広げ、他の選択肢をという指導が2007年、2017年と共通してみられる。2017年は、県を挙げての地元就職促進の方針の下、商工会などのイベントもあって地域の企業の現実に触れる機会はさらに多くなっている。

第4節　高校における職業情報の獲得と就職支援の今後

　ここまでの検討をまとめる前に、今一つデータを提示しておきたい。これは、労働政策研究・研修機構が2015年末から2016年初頭に全国の高等学校の進路指導担当者を対象に行った調査で、進路指導の諸活動の実施状況が、学科系統や地域別に検討することができる。この調査結果から、職業情報・企業情報取得にかかわる指導といえる「企業関係者による説明会・講演会」「職場（職業）体験学習」「保護者・卒業生による職業の紹介」の3つの指導の実施状況をみてみよう。

　図表4－9がそれであるが、就職者のいる高校の進路指導の中で、「企業関係者による説明会・講演会」を行っている高校は47.2％、「職場（職業）体験学習」を行っている高校は74.6％、「保護者、卒業生による職業の紹介」を行っている高校は38.2％であった。学科系統別には、いずれも実施率が低いのは普通科系の高校で最も実施率が高いのは工業系の高校、商業系の高校はその中間あたりである。

図表4－9　生徒を対象とした各指導の実施状況

		対象数（N）	企業関係者による説明会・講演会	職場（職業）体験学習	保護者、卒業生による職業の紹介
就職者のいる高校計		1,891	47.2	74.6	38.2
学科別	普通科系	1,340	40.6	68.4	35.6
	総合系	126	58.7	90.5	42.9
	工業系	136	75.0	95.6	54.4
	商業系	98	63.3	90.8	44.9
	家政・農業系	71	66.2	94.4	32.4
	その他	120	52.5	79.2	42.5

注：労働政策研究・研修機構による「高等学校における進路指導・キャリアガイダンスに関する調査」結果の2
　次分析により筆者作成。

これを地域別に分解してみたものが、図表4－10である。「就職者のいる高校計」でみると、この3つの指導に共通して、実施する学校の割合が小さい地域は、関西と南関東である。さらに、これを学科系統別に分けて商業系に注目すると、「企業関係者による説明会・講演会」については、南関東は普通科よりもその実施率が低く「職場（職業）体験学習」は南関東と関西がほぼ普通科並みの実施率にとどまっている。「保護者、卒業生による職業の紹介」は北関東、南関東、関西が普通科並みかそれ以下である。本章の枠組みで言えば、流入地域とそれ以外の地域で、こうした職業人、企業現場に触れる機会を作る指導を実施するか否かは違っているということである。この点、工業系はすべての地域において相対的に高い実施率となっており、同じく職業系の学科といっても異なっている。

　本調査の流入地域の2校では、インターンシップは実施しており、F商業高校では卒業者との懇談もあり、進路指導に積極的に取り組んでいる学校であった。また、F商業高校はハローワークの事業であるが合同企業説明会に参加させるなどの指導もしていた。ただし、バランス地域、流出地域では、県を挙げての地元就職促進の機運が高まっており、生徒が地元企業との学校内外での懇談する機会を設け、さらに、応募前に複数企業を見学に行くことを学校が推奨するなど、生徒が直接地元企業人に会い、企業現場に触れる機会を多く作る指導は積極的であったように思われる。地域振興政策の後押しを受けていること、さらに、新卒を採用する地域の企業の数も一定範囲であること、かつ卒業生がそうした企業ですでに管理的な地位にいることなどから企業の協力が得やすいこと、加えて流出地域であれば、就職希望の生徒数が少ないこともこうした指導のしやすさにつながっているだろう。実際、就職希望者が100人近いN商業高校で応募前企業見学を3社させるために、教員はかなり疲弊していた。

　また、事務職就職者の割合が現在でも65％というF商業高校と、80年代には遜色ない事務比率だったが今はその割合を大幅に下げているバランス地域や流出地域の高校では、生徒の事務職に凝り固まった希望と現実との乖離を埋める指導の必要性は異なろう。また企業見学の数を増やす指導の背景には、自分でみて決めることが早期離職を減らすことにつながるという教員の期待があった。

図表4−10　生徒を対象にした各指導の実施状況（地域・学科系統別）

①企業関係者による説明会・講演会

		就職者のいる 高校計		普通科		総合系		工業系		商業系	
地域	北海道・東北	57.2	(327)	53.6	(224)	60.7	(28)	80.8	(26)	73.3	(15)
	北関東	43.4	(129)	36.0	(86)	57.1	(7)	54.5	(11)	45.5	(11)
	南関東	29.4	(350)	25.7	(284)	41.2	(17)	80.0	(15)	16.7	(6)
	北陸・信越・東海	50.7	(369)	44.5	(254)	61.5	(26)	68.8	(32)	68.2	(22)
	関西	41.2	(243)	37.4	(198)	30.0	(10)	69.2	(13)	50.0	(6)
	中国・四国	55.4	(222)	43.7	(142)	80.0	(20)	82.4	(17)	76.5	(17)
	九州・沖縄	54.2	(251)	46.7	(152)	61.1	(18)	81.8	(22)	66.7	(21)

②職場(職業)体験学習

		就職者のいる 高校計		普通科		総合系		工業系		商業系	
地域	北海道・東北	85.6	(327)	82.1	(224)	92.9	(28)	100.0	(26)	86.7	(15)
	北関東	82.9	(129)	75.6	(86)	100.0	(7)	100.0	(11)	100.0	(11)
	南関東	54.3	(350)	50.4	(284)	76.5	(17)	80.0	(15)	50.0	(6)
	北陸・信越・東海	81.6	(369)	76.8	(254)	96.2	(26)	93.8	(32)	95.5	(22)
	関西	64.2	(243)	60.1	(198)	80.0	(10)	92.3	(13)	66.7	(6)
	中国・四国	75.7	(222)	69.0	(142)	85.0	(20)	100.0	(17)	94.1	(17)
	九州・沖縄	83.3	(251)	73.7	(152)	100.0	(18)	100.0	(22)	100.0	(21)

74.6

③保護者、卒業生による職業の紹介

		就職者のいる 高校計		普通科		総合系		工業系		商業系	
地域	北海道・東北	36.1	(327)	31.3	(224)	39.3	(28)	57.7	(26)	66.7	(15)
	北関東	37.2	(129)	36.0	(86)	57.1	(7)	45.5	(11)	18.2	(11)
	南関東	36.0	(350)	35.6	(284)	35.3	(17)	40.0	(15)	33.3	(6)
	北陸・信越・東海	42.5	(369)	40.9	(254)	50.0	(26)	65.6	(32)	36.4	(22)
	関西	32.9	(243)	30.3	(198)	30.0	(10)	61.5	(13)	33.3	(6)
	中国・四国	39.2	(222)	31.7	(142)	50.0	(20)	47.1	(17)	70.6	(17)
	九州・沖縄	42.6	(251)	43.4	(152)	38.9	(18)	50.0	(22)	38.1	(21)

注：労働政策研究・研修機構による「高等学校における進路指導・キャリアガイダンスに関する調査」結果の2次分析により筆者作成。
　　北関東は茨城県、栃木県、群馬県、南関東は埼玉県、千葉県、東京都、神奈川県、北陸・信越・東海は新潟県、富山県、石川県、福井県、山梨県、長野県、岐阜県、静岡県、愛知県、三重県、関西は滋賀県、京都府、大阪府、兵庫県とした。

　一方、生徒に直接接点を持たせる指導に代えて、あるいは補完して重要なのは、教員による追指導を兼ねた毎年の企業訪問である。各教員が収集してきた情報は文書化し教員間で共有されることが多い。F商業高校では、こうして収集した情報を基に、企業の求める人材像、能力観を研究し、商業教育のプログラムに反映させていた。生徒の直面する労働市場は全国一律ではないし、また、同じ地域であってもこれまでの経緯によって相を異にしていると思われる。教員の目線で、特に商業科の教員の目線なら、企業内で仕事の流れの変化や人事の

考え方の変化をとらえられるのではないか。商業教育を通して、その成果を企業選択に必要な知識として生徒に伝え、あるいは、教育プログラムに反映させて、労働力需要の質的変化に対応していくことができる可能性がある。さらに、企業訪問の際にD商業高校では「育ててくれそうか」を企業の評価軸としていた。これまでのつながりを重視する価値観を多くの高校がもちつづけているが、そこには卒業生を通して企業をよく知り、「使い捨て」にするような企業を排除するというフィルターとしての意味もあったと思われる。

　応募前に複数の会社を見せ、多くの企業が参加する説明会に参加させるとしても、ベースには教員の目を通したフィルターが働いているのが現状である。高校生の就職活動は、その発達段階に合わせた、無理のない就職市場の設定が必要だと思われる。

　以下に、本章での検討を要約する。
①商業高校は 1960 年代半ばごろまでは男子の多い高校で、事務労働者としてのスキルとマネジメント能力の養成に注力した。卒業生は即戦力となり、さらに管理職や自営業者となって地域経済を支えた。60 年代後半には百貨店の販売員などに需要は拡大した。しかし、日本型雇用の浸透とともに、即戦力型の人材需要は実質的に短期雇用の女子を除いて縮小し、70 年代には、商業高校は序列化された高校の下位に位置するようになり、また女子が中心の学校へと変わった。
②90 年代初め頃は、卒業生の7割は就職し、女子ではその7割が事務職であった。90 年代を通じて、生徒数も就職者数も、そのうち事務職が占める割合も縮小し、現在では就職者2万8千人（90 年代初めの5分の1）となり、女子の事務職割合は4割前後となっている。
③ヒアリング調査から5つの高校でのこの間の進路の変化と職業情報の取得を中心とした指導の在り方の変化をみた。流入地域の高校であるF商業高校では毎年 150 人前後が就職する。同校では一人一社の考え方で選考会議を行い、企業見学は応募予定の1社のみという旧来の方式をとっていた。しかし、ハローワークの行う合同企業説明会に就職希望者全員を参加させ複数企業からの情報を得るようにしむけ、また、教員が企業訪問を継続的に行って人事の考え方や能力観を聴取し、その内容を生徒に伝え、また教科教育の内容にも反映させるなど、職業社会の現実に触れさせるよう努めていた。
④流入地域のD商業高校の最近の就職者数は 100 人前後である。一人1社の考え方での選考会議を行い、企業見学は応募予定の1社のみという指導は長く変わっていない。同高校では不況期に学校に来る求人が激減し、他校と競合する Web 求人に頼らなければならなかったり、生徒が学校経由求人を見限って大量に縁故就職した過去があり、企業の見極めへの関心が強かった。教員は毎年企業訪問をするが、「育ててくれる」企業かどうかを企業評価のポイントとしていた。
⑤バランス地域のN商業も最近の就職者数は 100 人弱である。この学校でも一人1社で選考会議を行うことになっているが、実際にはわずかなケースしか選考にかからない。2年次

から様々な機会に地元企業との接点を作っており、金融機関の企業同士の情報交換を狙ったフェアにも生徒を参加させている。応募前に一人3社企業見学に行くよう調整しており、こうした過程を経て、生徒は応募先を決めており、この過程で自己選抜も進んでいると考えられている。

⑥流出地域のR商業高校は生徒数の減少が続いており、2017年卒の就職者は30人まで減少した。同時に県外就職も3〜4割まで減少した。一人一社の考え方はとっているが、県外就職については実質的に選考していない。校内での地元企業との懇談会、ハローワーク主催の地元企業の懇談会にも生徒を参加させ、さらに、応募先を決める前に企業見学に行く。教員は追指導で企業訪問し、そうした企業を生徒に提案することはある。かつてセクハラなどで卒業生が早期離職したことがあり、新規企業には警戒感がある。

⑦同じく流出地域のJ商業高校の最近の就職者は50人弱である。生徒数が減少し、現在は併設高校内の1学科となっている。県外就職は3〜4割。原則一人1社の推薦だが、企業から求められない限り絞らずに応募させている。1年次の地元企業見学から始まり職業人講話、インターンシップ、商工会主催の企業見学、さらに応募前の見学と地元企業との接点を多段階で設けている。地元事務希望で固まった意識と現実の労働市場との乖離を視野を広げることで埋めようとしている。

⑧最後に全国の高校進路指導担当者を対象とした調査から、現実の労働市場との接点を広げるタイプの指導は、流出地域やバランス地域で多いことを確認した。

⑨これらの検討を踏まえ、流出地域やバランス地域でそうした指導が行われている背景に、地域振興としての若者の地元定着促進政策の存在、労働市場が一定範囲で閉ざされているため企業と学校が相互に理解しやすいこと、就職する生徒数が少なく手をかけた指導がしやすいことを挙げた。また、流入地域も含めて商業高校で取り組んできた教員の追指導が変化する企業の労働需要の質を見極め、また、「育ててくれる」企業を見極めることにつながり、職業教育としての実践性を高め、一方で「使い捨て」企業を選別するフィルターとなっていることを指摘した。

今後のことを考えれば、景気の変動は間違いなくあるだろうし、若年人口の減少は一段と進むであろう。加えて、非正規雇用に係る労働法制の改変、高等教育段階での職業教育の新たな制度導入、さらには事務職への影響が大きいと予想されるAIなどの技術革新、とさまざまな変動要因がある。こうした変化がからみあって、商業高校卒業者への労働力需要の質も量も、また新たな変動にさらされるのではないかと思われる。教員の役割は重くなるだけに、労働行政として、情報の開示などを通じて求人の質を担保し、生徒と企業の接点の構築に力を貸し、地域の労働市場への理解を深める情報提供などの側面援助を強めていくことが必要だろう。

【引用・参考文献】

苅谷剛彦（1991）『学校・職業・選抜の社会学—高卒就職の日本的メカニズム』東京大学出版会.

雇用促進事業団雇用職業総合研究所（1986）『高等学校の進路指導に関するヒアリング調査結果（「高校生の職業希望に関する調査」付帯調査)』職研資料シリーズ I -39.

日本労働研究機構（1998）『新規高卒労働市場の変化と職業への移行の支援』調査研究報告書 No..114.

番場博之（2010）『職業教育と商業高校：新制高等学校における職業科の変遷と商業教育の変容』大月書店.

藤田晃之（2014）『キャリア教育基礎論—正しい理解と実践のために—』実業之日本社.

堀有喜衣（2016）『高校就職指導の社会学:「日本型」移行を再考する』勁草書房.

文部省（1977）『中学校・高等学校進路指導の手引き—進路指導主事編』.

文部省（1978）『中学校・高等学校進路指導の手引き—情報資料編』.

労働政策研究・研修機構（2008）『日本的新卒就職システムの変容と模索』労働政策研究報告書 No..97.

労働政策研究・研修機構（2008）『日本的新卒就職システムの変容と模索—資料編—』JILPT 資料シリーズ No..39.

労働政策研究・研修機構（2010）『高校・大学における未就職卒業者支援に関する調査』JILPT 調査シリーズ No..81.

労働政策研究・研修機構（2015）『若者の地域移動—長期的動向とマッチングの変化』JILPT 資料シリーズ No..162.

労働政策研究・研修機構（2017）『高等学校の進路指導とキャリアガイダンスの方法に関する調査結果』JILPT　調査シリーズ No..167.

第5章　工業高校からの就職

第1節　問題の所在

　工業高校は、高等学校各学科のなかでももっとも就職率の高い学科のひとつである（図表5－1）。工業高校の就職率は、1980年代まで80％前後で推移したが、90年代から2000年代前半にかけて低下し、2004年に52.2％前後で底をみた。しかしその後は上昇し、2010年代後半には70％近くまで持ち直してきた。

　第1章でも言及されているように、高卒就職全体の状況は2010年代を通じておおむねリーマンショック前の水準まで復調した（特に男子）。しかし、その中身をみると、回復の程度と卒業者規模の観点から復調の主因は工業高校にあるといっても過言ではないだろう。本章はその工業高校に焦点を当て、就職指導の現状と課題を明らかにする。

　高卒就職は、バブル経済崩壊後の新卒採用の抑制やリーマンショックによる求人激減など、ときどきのドメスティックな、あるいはグローバルな経済変動に左右される。しかし、経済地理学の研究課題として指摘されてきたように、労働市場には地域的な多様性とそれを発生させるメカニズムがあるため（加茂 2004）、上記のような経済変動が労働市場に及ぼす影響は地域に応じて同一でないと推察される。高卒就職は、そうした多様な地域労働市場と学校との関係のもとに成り立っている。工業高校に限定すれば、堀（2016）が地域労働市場の特質と工業高校の関係性から就職指導のパターンや工業高校生の地域移動のパターンを見出し、地域が生徒のキャリアを規定する可能性を示唆している。また、片山（2015）は「ものづくり」という規範が地域労働市場から浮上してきたとの仮説を検証し、1990年代以降の工業高

図表5－1　高校学科別就職率の推移

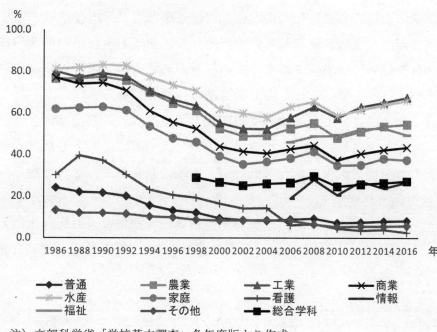

注）文部科学省「学校基本調査」各年度版より作成。

校の復活を説明している。さらに尾川（2012）は、地域労働市場に関する教師の認識が学校での生徒指導・進路指導の「指導の型」の基盤になっている側面を示唆している。こうした最近の工業高校研究は、労働力需給という量的側面からも工業教育の意義と内容という質的側面からも、学校と地域労働市場の密接な関連性を明らかにしてきた。

　では、そうした工業高校と地域労働市場の関連性は、近年の景気変動のなかで高卒就職にいかなる結果を生じさせたのか。とりわけ2010年代後半の「売り手市場」下で、工業高校の就職指導はどのように行われているのか。これらのことを本章では検討していきたい。

　加えて、工業高校からの就職の実態を明らかにするうえでは、学校教育における現代的課題や教育改革の動向も看過できまい。とくに、キャリア教育や近年の子ども・若者に関するさまざまな認識や政策動向が高校職業教育や就職指導の理念や方法に影響を及ぼしていると推察される。とくに本章では、進路指導・キャリア教育および就職指導への影響に着目し、工業高校における指導の質的変化の兆しをとらえることで、高校生をめぐる就職支援に関する制度的課題について試論的に指摘していく。なお、本章では、2017年実施の本調査で得られた学校提供資料およびヒアリング結果に加え、1997年および2007年の調査で得られた学校提供資料およびヒアリング結果を適宜参照する[1]。

第2節　調査地域における工業高校の就職動向

　まず、調査校が所在する都道府県の特徴を、2007年調査による分類および2017年調査における分類にしたがって整理したものが図表5－2である。地域の特徴は各都道府県のデータにもとづいて抽出されたものであるため、各都道府県の平均的な傾向を示している。しかしながら、同一の都道府県内においても県庁所在地や地方中核都市周辺の状況と、そうした都市から地理的に離れた中山間地域などの状況では、生徒像や労働市場などの点においてかなり違いがみられる。本調査においても、いくつかの調査校は各都県の県庁所在地に、いくつかの調査校はそこから遠く離れた地域に位置している。そうした学校の所在地の地理的特徴は、図表5－2に整理されたほどには単純ではないため注意が必要だが、調査対象校を取り巻く環境をおおまかに推察するうえで、これらの分類は助けになるであろう。

　そのうえで、就職者割合が比較的高い工業高校の就職環境を製造業求人の割合という点から整理すれば、2007年から2017年にかけて、製造業求人の割合は全国的に低下した。青森県や東京都、高知県はもともと製造業求人の割合が低いが、比較的割合が高い地域である長野県（54.8％→40.9％）、秋田県（43.0％→27.9％）、島根県（45.2％→26.5％）でも大きな落ち込みが観察された。ただし、その内実として、秋田県や島根県で製造業求人の数自体に大幅な減少がみられるわけではない。つまり、製造業以外の求人が増加し、生徒にとっては（魅

---

[1] ヒアリング結果は、学校側から掲載が許可された部分については本調査研究で用いる学校名とともに引用した。多くの学校で共通に語られたことがらなどについては、学校名を伏せたうえで、意味を損なわない範囲で具体的な発言を加工して記述した。

力的かどうかは別として）多数の業種が選択肢として選べるようになったわけである。

　次に、本調査で対象となった都道府県における「工業に関する学科」卒業者の就職率推移を比較したのが図表5－3である。この10年間の動向を概括するならば、青森県、秋田県、島根県で就職率が相対的に高く、東京都、長野県で相対的に低い。埼玉県や高知県はその中間に位置しているといえる。

　全体的な就職率は、2010年代を通じて緩やかに上昇してきた。2007年時点でもっとも就職率が低かった長野県においても、2010年代前半に10ポイント以上上昇している。このように、工業高校生の就職状況は好転してきたといってよい。2007年調査直後のリーマンショックによる就職率の落ち込みは、青森県、埼玉県、東京都、島根県と高知県において一定の影響が見受けられる。その後の趨勢には違いがあり、東京都は緩慢に、青森県や島根県は急激

図表5－2　調査校の所在地域の特徴

調査地域	調査対象校	地域の分類（2007調査）	地域の状況（2017調査）
青森県	青森B工業高校	流出/求人不足/サービス・販売	県外志向/製造比率20.5%
秋田県	秋田G工業高校	流出/求人不足/製造	製造比率27.9
埼玉県	埼玉E工業高校	流入/求人良好/サービス・販売	製造比率29.9%
東京都	東京B工業高校	流入/求人良好/サービス・販売	製造比率13.5%
長野県	長野M工業高校	バランス/求人良好/製造	県内志向/製造比率40.9%
島根県	島根Q工業高校	流出/求人中間/製造	県内志向/製造比率26.5%
高知県	高知B工業高校	流出/求人不足/サービス・販売	製造比率22.9%

注）2007年調査は、労働政策研究・研修機構（2008a）による。

図表5－3　調査地域の工業高校就職率（全日制と定時制の合計、男女計）

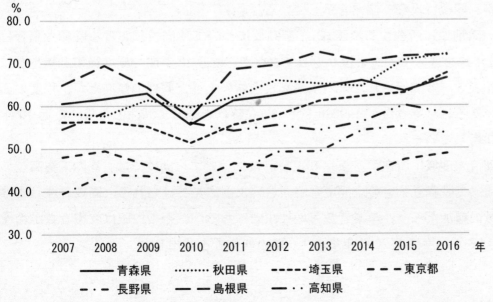

注）文部科学省「学校基本調査」各年度版（自治体公表データ）より作成。就職率算出に必要な就職者の積算方法は第1章と同じ。（正規＋正規でない者）

に復調した。リーマンショックにともなう大都市求人の激減は、地方の工業高校生にとっては一時的な問題として経験されたといえるだろう。なお、リーマンショックによる影響は、秋田県および長野県ではあまり明確には観察されなかった。

　以上のように、地域的な趨勢の差異はあれ、工業高校をとりまく就職状況は製造業以外の求人も増加しながら全体的に復調してきた。こうしたなかで、各学校における具体的な就職指導の内実も、従来の形態に回帰していったのだろうか。結論を先取りすれば、就職率という表面的な数値は回復したものの、具体的な就職指導の様相や指導上の課題といった質的な部分では、前回の 2007 年調査時点と比較していくつかの重要な変化が見受けられた。以下では、本調査で対象となった工業高校各校の具体的な進路動向や学校像の変容、最近の就職指導の課題について、ヒアリング調査および学校提供資料にもとづいて明らかにしていきたい。

第3節　調査対象工業高校の進路動向

　本節では、調査対象工業高校へのヒアリング調査および学校提供資料の整理にもとづきながら、各校の進路状況の推移を確認しておきたい。

　図表5－4の左軸は進路別卒業者数を、青森県、島根県、高知県の右軸は就職者を分母とした県内就職者の割合を示した。なお、秋田 G 併設高校は創設間もなく趨勢を把握することができないため、ここでは割愛している。

　まずは、流出地域に所在する青森 B 工業高校から確認していこう。2000 年代後半に就職者割合の推移は、前節でみた青森県工業高校全体の動向と同様に緩やかな上昇傾向を示している。2000 年代を通じて県内就職者割合が顕著に低下してきたが、リーマンショック後にやや上昇した。しかし、2010 年以降は再び低下し、最近は約 10 年前の水準をも下回るようになっている。青森県全体での高卒者の県内就職率は 2010 年前後に上昇し、2010 年代は横ばいで推移してきたが、同校は異なる傾向を示している。

　次に、首都圏流入地域に所在する埼玉 E 工業高校について。同校における就職者割合は 1990 年代と 2000 年代を通じて浮沈を繰り返してきたが、最近 10 年間では就職率が緩やかに上昇してきた。図表5－3で示された県内工業高校全体の上昇と同様の傾向だが、程度の面ではやや緩やかである。卒業者数が 1990 年代と 2000 年代を通じて減少した後、最近 10 年間は安定ないし微増している。

　おなじく首都圏流入地域に所在する東京 B 工業高校について。同校では、都内工業高校の全体的な傾向に比べて就職者割合の上昇度合が大きいように見受けられる。同校の注目すべき点は、就職者数の増加だろう。卒業者数も増加傾向にあるが、その内訳は就職者数が徐々に増加しており、2016 年度には 2009 年度の 1.6 倍の就職者を輩出した。

図表 5 - 4　調査対象校の進路動向

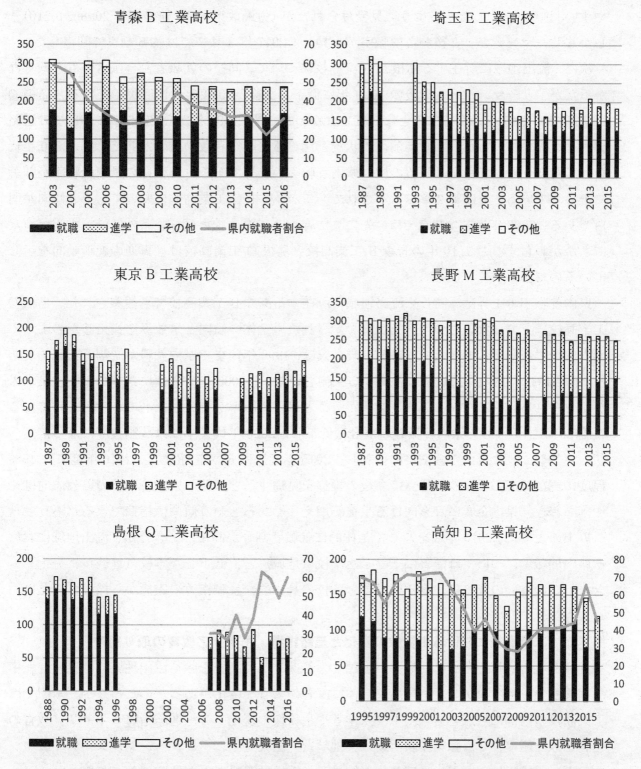

注）学校提供資料より作成。1987 年～1996 年のデータは各年度卒業者数をベースに就職者の割合や進学者などの割合から実数を推定したが、これらの割合の合計が 100％にならない学校がある。

続いて、長野 M 工業高校について。同校では 2000 年代末には全体の 3 割にまで低下した就職者割合が、2010 年代半ばに 5 割から 6 割まで回復している。2000 年代半ばには就職者

数と拮抗するほどの4年制大学進学者を輩出し、「推薦」制度を通じて工業系の大学に入学しやすい「進学校」化したかのように見受けられたが（労働政策研究・研修機構 2008b, p.210）、しかしリーマンショック後から就職率が上昇し、2017年3月卒では約6割まで回復した。

　次に、流出地域に所在する島根Q工業高校について。同校の就職者割合はもともと低くなかったが、リーマンショック後の2009年に低下した後、2010年代に回復している。島根Q工業高校は2007年の調査対象となっていなかったため、1997年から2006年にかけての進路データを欠いているが、1990年前後の状況と比べると卒業者数の減少が甚だしい。2010年代を通じた変化として目を見張るのは、県内就職率の上昇である。島根県の県内就職率が顕著に上昇していることは第2章でも示されているが、島根Q工業高校においてもその傾向が明白である。2000年代末の時点では、先に見た青森B工業高校と同様、県外就職が主流だったにもかかわらず、ここ10年の青森B工業高校と島根Q工業高校は、真逆の就職動向を示しているのである。

　県内就職率の上昇は、同じく流出地域に所在する高知B工業高校でも観察された。島根Q工業高校ほどではないものの、第2章で示された県全体の傾向と足並みを揃えるかのように県内就職率が回復してきた。高知B工業高校は、1990年代まで県内就職が7割と支配的であった。当時は県内の非製造業に就職する生徒もいたが、2000年代半ばに県外から製造業求人が寄せられるようになり、専門性を活かそうと県外就職率が上昇したものと考えられている（堀 2016）。そうして県内就職者の割合は低下し、2000年代後半には3割程度になったが、リーマンショック後から緩やかに復調し、2015年度には65％を超えた。2016年度には45％程度に再び低下しており現時点で今後の推移を見通すことは難しいが、一時の県外志向はやや落ち着き、県内企業に目を向ける生徒が増えつつあるという傾向は指摘できるだろう。

　以上のように、2010年代を通じて全体的に就職者割合が高まってきたが、流出地域における県内就職率については顕著に上昇した学校（地域）と、低下した学校（地域）に分化してきた。この違いの背景は、第4節にて、各校の具体的な就職指導の実態から探ってみたい。

第4節　工業高校における生徒像の変化と進路指導・キャリア教育の取り組み

　就職環境の好転とともに就職率が復調し、青森B工業高校を除く流出地域では県内就職率が高まりを見せるなかで、工業高校自体にはどのような変化があったのだろうか。本節では工業高校の内部に焦点を当て、1．入学者や生徒像の変化、2．進路指導・キャリア教育の体制と取り組み、3．職業体験活動・実地学習（企業見学、インターンシップ、デュアルシステム）の実態について、ヒアリング結果と学校提供資料をもとに整理しておきたい。

1　入学者や生徒像の変化

　18歳人口減少の影響もあり、全体として工業高校の生徒は減ってきている（第1章を参照）。今回の調査地域では、青森県、秋田県、島根県、高知県が人口減少地域として挙げられ

る。こうした全国的な動向のなかで、今回の調査対象工業高校においても卒業者数の減少が観察されるが、最近 10 年間の変化という点では埼玉 E 工業高校、東京 B 工業高校、長野 M 工業高校の減少幅は相対的に小さいといえ、むしろ前者 2 校では増加傾向すら観察される。対して、青森 B 工業高校では 300 人規模だった卒業者数が 200〜250 人規模に縮小しており、少子化傾向を反映している。さらに島根 Q 工業高校では、調査時点で学科の廃止や再編、入学者定員や教員定数の縮小が進行しており、今後もさらに卒業者数が減少していくと見込まれる。高知 B 工業高校においてもここ数年卒業者数が減少しており、今後卒業者数を維持できるかは予断を許さない。

こうした生徒や教員の数の減少だけでなく、入学者の質の変化も工業高校での教育実践に難しさをもたらしている。とくに学校での学習や進路にむけた意識や価値観の面で、生徒や保護者が変化しているとの認識が地域を問わず広まっていた。

生徒数や入学者が減少したことで、個別指導がしやすいというメリットがあるように思われる。しかしながら、教員にとっては「ゆとり世代」といった言葉が象徴するように一人一人に手がかかるケースが多くなり、また家庭や生徒の価値観も多様化して苦労が増した、との声が聞かれた。とくに進路形成にかかわって、ある学校では、「生徒のほうが最近、大手志向ではなくて自宅から通いやすい。あとは自分の時間が欲しいので、休みがとれる会社であれば、お給料はあんまり気にしませんとか、最近、結構変わってきていますよ。会社の名前を見て決める。あと、お給料がいいところで頑張りたい。野心があるというよりは、自分の時間を持ちたいというような形態に変わってきています」というように、生徒の就職意識に変化がみられるという（埼玉 E 工業高校ケース記録）。会社の知名度や給与の高い企業で頑張りたいというような野心的なキャリア展望というより、自分の時間を持ちたいといった生活展望を重視するように変わってきたと、教員たちは認識しているようである。

さらに、就職に対する価値観のみならず、就職に向けた情報収集の方法にも大きな変化があるようだ。フォーマルあるいはインフォーマルなかたちでの先輩からの情報というのは、以前から情報収集の経路としてあったものであるが、近年はインターネットや SNS を通じた企業情報の収集が加わっている。たとえば、秋田 G 併設高校では、直接面識のない先輩とも SNS 上で生徒がつながっていることがあると指摘されており、職場の状況を尋ねるなどできることはメリットといえるかもしれない。しかし他方で、埼玉 E 工業高校では、生徒のみならず保護者までもが SNS やインターネット掲示板を見るなどして「ブラック企業ではないか」と教員に聞きに来ることも多く、インターネット上の情報に左右されやすくなっているとの指摘も聞かれた。

以上のような最近の変化に加え、前回 2007 年調査から問題視されていた入学者の学力低下も依然として課題であり続けている。工業高校において学力低下がもっとも問題になりやすいのは、やはり直接に就職機会を左右することになる資格取得の場面であろう。試験の合格が芳しくない場合には補習時間を増やすなど、教員による工夫の必要性を指摘する声もあ

った（たとえば、青森 B 工業高校や長野 M 工業高校など）。しかし、そうした学校・教員側の努力や心配をよそに、求人回復もあってか「最近は、学校生活を頑張らなくても就職できる、といった意識が高まっているのか、卒業見込みを得られない生徒が増えている」という指摘も聞かれた（高知 B 工業高校ケース記録）。

　さらに、工業高校が対応を迫られている課題として、従来あまり見られなかったような、建設業・製造業からの女子生徒への期待や、特別な支援を要する生徒をはじめとする多様な生徒の特性やニーズにどう対応していくかということがあげられる。これらについては第 6 節で詳述する。

2　進路指導・キャリア教育の体制と取り組み

　以上のように入学者像や生徒像が変化するなか、各学校ではどのような進路指導・キャリア教育の体制を敷き、どのようなカリキュラムを編成・実施しているのだろうか。就職状況の特徴とともにそれらを整理したのが、図表 5 - 5 である。

　調査対象となった工業高校の進路指導部構成人数は、最少が島根 Q 工業高校で 5 名、最多が東京 B 工業高校で 12 名となっていた。また、どのような教員が進路指導部を構成しているかについて、ヒアリング調査の結果を整理すると、おおむね学科や学年からバランスよく進路指導部員が拠出される傾向にあった。2007 年調査時と比較して、青森 B 工業高校、埼玉 E 工業高校、東京 B 工業高校、長野 M 工業高校で進路指導部のスタッフが増員されている。

　進路指導の進め方として、ほとんどの学校で 1 年次から進路ガイダンスや進路希望調査を実施している。さらに、複数の学校において 1 年次から企業見学を実施している。2 年次の 2 学期から 3 学期かけては進学か就職かの希望調査が実施される。多くの学校は 3 年次の 1 学期に三者面談を行い、就職希望者には就職先の最終希望を提出させている。前年度の求人票を参考とした企業選びを 3 年次の 1 学期に行わせ、7 月の求人票の解禁に先立って就職希望を形成させるケースもある。

　ところで、1999 年の中央教育審議会答申「初等中等教育と高等教育との接続の改善について（答申）」で「キャリア教育」という言葉が使われて以降、キャリア教育政策が展開されてきたが、学校現場への浸透という点では多くの課題が指摘されている（たとえば、藤田 2014）。とくに就職者の多い専門高校では、従来的な職業指導や就職指導、後述する職業体験活動のみをキャリア教育ととらえ、「本校では以前から熱心に取り組んでいる」とする場合が少なくないが（尾川 2017）、今回の工業高校でのヒアリングでも同様の認識が見受けられた。たとえば、秋田 G 併設高校の「工業 3 科については、学んでいることそのものがキャリア教育なのだから、わざわざこれ以上のことをする必要はない。むしろキャリア教育が必要なのは、普通科の生徒であろう」（秋田 G 併設高校ケース記録）といった認識が示された。また、ほかの工業高校では、キャリア教育政策の推進前から工業高校では職業観とか技術を磨いてきたのであり、以前から十分行ってきたという認識や、今までやってきたことを継続したり発

図表5－5　進路指導・キャリア教育の概要

	進路指導部の構成	進路指導・キャリア教育	職業体験活動・実地学習
青森 B工業 高校	8名 普通科教諭4名 工業科教諭4名 【6名】	1年次に進路講話、進路講演会、 2年次に企業ガイダンス 3年次に模擬面接会、合同企業説明会	1年次に企業見学 2年次に企業見学とインターンシップ（3日間）
秋田 G併設 高校	11名 普通・生活科学・工業各科の教員をバランスよく配置	1年次に進路ガイダンス、 2年次12-3月に三者面談、 3年次はじめにかけて校内の就職支援員が個別面談、夏休みからPTA等模擬面接	2年次でインターンシップ（3日間）
埼玉 E工業 高校	10名 各科計4名、各学年計3名、フリー計3名 【8名】	2年次に企業団体と生徒との情報交流会、企業見学会	2年次でインターンシップ（3日間） 3年次5月に職場見学会
東京 B工業 高校	12名 各科から計5名含む 【6名】	2年次に外部講師によるビジネスマナーや自己表現の講習会 3年次5月に三者面談、7月に希望調査、1学期にSPIを2度実施	2年次で3日間ジュニアインターンシップ、週1日デュアルシステム（3-4ヶ月間）
長野 M工業 高校	7名 就職と進学3.5名ずつ 【8名】	1年次と2年次に進路ガイダンス 2年次11月に進学・就職の希望調査 3年次5月に就職先の希望調査	1年次と2年次の夏休みに就業体験
島根 Q工業 高校	5名	各学年各学期に進路希望調査 3年次1学期に三者面談、8月に最終希望を提出	2年次11月にインターンシップ（3日間）
高知 B工業 高校	8名 【13名】	2年次冬休み明けに進路希望調査、3学期中には進路別講話	1年次に企業見学 2年次3月にデュアルシステム（5日間）

注）ヒアリング結果および各学校提供資料より作成。なお、【　】内は2007年調査時点。

展させたりすればよいといった認識が示された。

　他方、調査対象工業高校のなかにはCDA（キャリア・デベロップメント・アドバイザー）資格を保有する進路指導部長もおり、自校でのキャリア教育は十分ではないと辛口の自己評価を行うケースも見受けられた。キャリア教育の理念や内容をどのように理解するかに応じて、キャリア教育推進に対する自己評価は異なっている。このことはひるがえって、工業高校の教員のあいだでもキャリア教育の理念や考え方に関する共通認識が未形成であることを示唆しているといえる。

　とはいえ、高校入学時点や高校生の段階で自らの適性を把握したり、生徒自身が意識的にキャリア発達を自己促進したりすることは、現実的な問題として難しいだろう。そのことをもはや入学者に求めようとしない工業高校の教員も、少なくないのかもしれない（尾川2012）。したがって、工業高校におけるキャリア教育推進の文脈では、以前から力を入れてきた職業体験や企業実習をより充実させ、それらと学校内での日々の学習をつないだり職業観・勤労

観の醸成に努めたりすることが大切だと考えられているようである。このような考え方の背景には、職業体験的な学習活動や企業などでの実地学習が工業高校の重要なカリキュラムとして位置づいてきたことが挙げられよう。

3　職業体験活動・実地学習（企業見学、インターンシップ、デュアルシステム）の実態

　図表5-5から分かるように、すべての工業高校では進路指導・キャリア教育の一環として職業体験的な活動や企業等での実地学習を実施している。1年生の段階からバスツアーなどによる県内・県外の企業見学・工場見学を実施する学校は少なくなく、2年生の2学期から3学期にかけて地元企業でのインターンシップを経験することはすべての調査対象工業高校に共通していた。また、複数の学校がデュアルシステムを導入している。このように、多くの工業高校において、1年生から3年生にかけて見学から実習へ、段階的に内容を高度化させる職業体験・実地学習カリキュラムが編成・実施されている。

　職業体験活動や実地学習が重視され、積極的にカリキュラムに組み込まれていることは、工業高校における進路指導・キャリア教育の特徴といえるだろう。2004年度には文部科学省による「専門高校における『日本版デュアルシステム』推進事業」が開始され、全国15地域20校が優れた取り組みとして選定された。選定された高校のうち半数以上（11校）が工業高校であったことも、専門高校における企業実習の推進が工業高校を中心として進められてきたことを象徴しているといえよう。

　それらの指定校のなかでも、東京都立六郷工科高校のデュアルシステム科が比較的長期の企業実習をカリキュラム化しており[2]、全国的に普及していくモデルと目されていた（佐々木2005）。しかしながら、デュアルシステムを推進していくなかでデメリットなども多く指摘され、全国普及もままならない状況にある。文部科学省が2014年に提出した資料には、次のような事業評価が記されている。

　デュアルシステムについては、平成16〜19年度に、「専門高校等における『日本版デュアルシステム』推進事業」を行ったが、①受入れ先の不足、②企業側の人的・物的負担、③安全確保策の負担、④連絡窓口など学校側の負担などの課題があり、全国実施には至っていない。

　（産業競争力会議 雇用・人材・教育WG（第2回）平成26年12月16日　文部科学省提出資料　www.kantei.go.jp/jp/singi/keizaisaisei/wg/koyou/dai2/siryou2.pdf（2018年6月3日最終閲覧）

---

[2] 3年生におけるデュアルシステム実施期間は、合計4ヶ月間に及ぶ。

東京都では 2010 年代にもデュアルシステムを導入する工業高校が見受けられたものの、他県ではデュアルシステムの運営に行き詰まりを見せる事例も報告された。たとえば「京都版デュアルシステム」として発足した京都府立伏見工業高校キャリア実践コースは、2007 年の発足後数年のうちに募集定員が縮小され、教育課程における就業体験の位置づけも大きく変更されたという。「第 1 学年では数回の企業見学を行うだけとなり、従来第 1 学年におかれていた就業体験は第 2 学年に繰り上げられ、いわばこのコースの目玉であった長期の就業体験は第 3 学年のみとされた」（荻野・佐藤 2012、p.144）。同様の事例は他の地域・学校でも見受けられるものであり、インターンシップやデュアルシステムといった学習の具体的な中身は確立され共有された方法に裏付けられているわけではなく、各校（各地域）の状況によってかなり柔軟に定義され、実施され、場合によっては廃止されているのである。

　専門高校等における「日本版デュアルシステム」に関する調査研究協力者会議（2004、p.4）によれば、「いわゆる『インターンシップ（就業体験）』は、社会人・職業人として求められるルールやマナーを身に付け、勤労観や職業観を育み、比較的短期の職業体験により、学校の学習と職業の関係の理解を促進し学習意欲を喚起すること、自己の将来について考える機会とすることなどを目的とするものである。『日本版デュアルシステム』は、これらに加えて、長期の企業実習を通じて、実際的・実践的な職業知識や技術・技能を習得し生徒の資質・能力を伸長するとともに、勤労観、職業観をより一層深めることなどを主な目的とするものであると考える」。しかし、デュアルシステムと銘打っていても数日間から 2 週間程度の限定的な期間で企業実習を行うケースがほとんどであり、本調査の対象工業高校でいえば、高知 B 工業高校のデュアルシステムも 2 年生 3 月の 5 日間に限定されている。デュアルシステムを導入した当初から、同校教員は次のように語っていた。「ほんとうにみんな（＝生徒：引用者注）、疲れていると言っていました。5 日間の期間はどうだということで、5 日間以上はやりたくないし、5 日間未満ではちょっと物足りないということで、やっぱり 1 週間ぐらいが、生徒にとっては一番よかったんじゃないかなと思います」（労働政策研究・研修機構 2008b、p.300）。その慣習が 10 年後の現在にも引き継がれているように推察されるが、職業観・勤労観に働きかけることを意図する数日間のインターンシップとの違いが曖昧である感は否めない。

　このように、工業高校が大事にしてきた職場体験や企業実習の内実は地域ごと、また学校ごとにさまざまである。これらの教育活動が生徒の進路形成をうながすよう有効に機能する要点は、いまだ共有されているわけではない。

第 5 節　就職指導の実態

　次に、3 年次での具体的な就職指導の進め方に焦点化していこう。ヒアリング結果から整理される各校の就職指導の概要を図表 5 - 6 に示した。第 3 章でも述べられたように、工業高校においても一人一社主義の就職指導が主流であった。本節では、その実態について 2017

年調査の結果から簡単に概観した後、最近10年間に生じた大きな変化として、県内就職率の変化に焦点を当ててみたい。

就職地域について、労働政策研究・研修機構（2008a）が示した地域類型によると、類型1（流入地）の東京、類型2（バランス）の長野では相変わらず県内（都内）就職率が高い。他方、第2章で示されたように、類型3（流出地）に位置づく青森県、秋田県、島根県、高知県では県内就職率が上昇してきた。しかし、本章が扱う工業高校に限定すると、流出地すなわち流出地域における県外就職率の低下（県内就職率の上昇）は、ある学校（地域）ではあてはまり、ある学校（地域）ではあてはまらない。そこで本節では、流出地域に所在する調査対象工業高校を県内就職率が上昇した学校（地域）と低下した学校（地域）に分類し、そのような異なる趨勢を示す各校の状況について教員の認識を交えて検討していく。

1　一人一社制の現在：校内選考の限定化・局所化

応募にかかる一人一社制は高卒就職の特徴ともいわれ、現在も各地域で広く採用されている。1970～80年代には「就職希望者ひとりに一社しか学校推薦を与えない高校での」就職指導の方針・慣行として、「一人一社主義」が取り上げられた（苅谷1991、p.20）。しかし現在では「一人一社制」として、すなわち単なる学校の方針・慣行ではなく各都道府県内の申し合わせで「生徒は複数の企業をかけもちして受験できない」（堀2016、p.5）制度として、学校による就職斡旋、生徒の求職活動、企業の求人活動などを規定している。この制度の運用のされ方は都道府県によって異なるが、一定期間、生徒の受験先企業を一人一社に限定させる（専願で受験させる）都道府県が多数派となっている（第3章を参照）。

調査対象地域のうち多くの都県では、10月や11月に一人一社での専願受験の制約がなくなる。しかし、調査では、複数社への応募可能な期間においても一人一社に絞って応募させる就職指導の文化が見出された。たとえば、高知B工業高校では専願で受験することを前提として生徒に指導しており、これは2007年の前回調査時点から変わっておらず、ここには学校側の「一人一社主義」が根付いている。

しかし、就職指導における一人一社主義が不変とはいえ、生徒が学校推薦を獲得するための校内選考は、従来指摘されていたようなメリトクラティックな競争（苅谷1991）となっているわけではなかった。というのも、各校でのヒアリングでは、担任教諭や生徒、保護者との面談などを通じて就職先希望の重複や競合の多くは解消されていくことが示唆されたからである。埼玉E工業高校では、これまで学科担当の教員が中心となって就職指導を行ってきたが、面談や相談など学級担任による指導割合を大きくした結果、2017年度に校内選考の対象となったのは数社にとどまったという。長野M工業高校においても2016年度に校内選考にかかった生徒は20人強に過ぎず、2017年度は進路相談の過程でもっと少なくなるだろうと見込まれていた（詳細は各校ケース記録を参照）。

調査対象地域のなかでは唯一秋田県で、新規高卒者が1人3社まで応募・推薦することが

図表5－6　就職指導の概要

	推薦会議・校内選考 （選考時期）	第1次内定率	その他
青森B工業高校	あり （7月末）	85-95%	県外志向が強い
秋田G併設高校	なし	90%	秋田I工業高校（2007年調査）と普通高校2校が統合し、2016年開校
埼玉E工業高校	あり 2017年度は数社のみ実施	80% 学科により偏りが大きい	就職指導や面談における担任教員の役割が増大
東京B工業高校	あり	50-60% 【約70%】	学校訪問を行う企業でも、必ず採用されるとはみなされていない
長野M工業高校	あり （8月中旬）	90% 【約80%】	就職者の9割が自宅通勤圏内に就職
島根Q工業高校	あり （8月前半）	80-90%	県内志向が上昇
高知B工業高校	あり （例年8月2日）	95% 【約90%】	県外就職に生徒も保護者も抵抗を示さない

注）ヒアリング結果および各学校提供資料より作成。なお、【　】内は2007年調査時点。

認められている。実際、秋田G併設高校では企業から応募者を絞ってほしいと要請されない限り校内選考が行われないが、企業に事前に事情を説明すると予定以上に採用してもらえることもあるという（詳細は秋田G併設高校ケース記録を参照）。

　同校の工業3科に限っては、競合が予想される他生徒の進路希望を生徒自身が把握し、成績等を勘案して希望を変更する、いわゆる「自己選抜」（苅谷 1991）的な調整を行う生徒が多いようであり、校内調整は不要であるという。実は、2007年調査の時点で、工業3科の前身である秋田I工業高校では一人一社主義を堅持した就職指導が行われていた（労働政策研究・研修機構 2008b）。しかし、合併後の秋田G併設高校では、工業以外の学科の生徒が自己選抜を行う様子はなく、希望者が求人数を上回った場合ですら教員が調整することなく、企業へ事情説明や求人増枠を依頼するなどして希望者全員を受験させている。こうした他学科の指導方針が合併前の秋田I工業高校の指導文化を希釈したかどうかは定かでないが、現在の工業3科の就職指導は秋田I工業高校の就職指導から変貌を遂げたようである。ただし、生徒の自己調整によって一人一社主義が実質的には維持されているようにも見受けられる。

　以上のように、工業高校での就職指導にも校内選考の限定化・局所化のような事態が生じており、全生徒を巻き込むメリトクラティックな選抜（苅谷 1991）は強調されなかった。むしろ就職指導は、保護者も含めた相談過程としての性格を強めている。その意味で、一部の学校で言及された自己選抜的な生徒の希望変更についても、第2節で述べたような職業達成や競争にこだわらない近年の新しい生徒像・就職観のもとで再解釈されるべきだろう。

なお、第1次内定率は東京B工業高校のみ5〜6割にとどまっており、2007年調査時よりも低下している。同校では「来校する企業は積極的ではあるが、必ずしも採用されるわけではないので、生徒には気を抜かぬよう準備をさせている」という（東京B工業高校ケース記録）。他地域の第1次内定率は高水準で、また2007年調査時より上昇している学校もあるため、学校もしくは地域によって採用をめぐる学校と企業の関係性が異なっている可能性がある。

2　県内／県外への就職：県内就職率が上昇した島根Q工業高校と高知B工業高校

就職をめぐる競争規範のかわりに、今回の調査過程で生徒の就職意識として言及されたのは、就職地域の希望、すなわち生徒の県内志向や県外志向であった。調査対象の工業高校のなかで最近10年間のうちに県内就職率が上昇したのは、島根Q工業高校と高知B工業高校のみであった。青森B工業高校においても県内就職率は一時的に上昇したが、2010年代に入ると低下しはじめ、2017年調査時点では2000年代の水準を下回るまで低下した。これらの学校でのヒアリングでは各校・各地域に応じた異なる状況が示唆されたため、以下で検討しよう。

まず、全体的な動向と同じ動向を示した島根Q工業高校について。同校では、2007年時点で30%程度だった県内就職率が2017年には60%へと上昇している。この間の数値の上下動は激しかったが、長期的にみると確実に県内就職率は高まっている。こうした傾向の背景について、進路指導担当の教員の認識を参考に探っていこう。

　島根Q工業高校が所在する地域は、従来から「一度は県外に行ってこい」という保護者が少なくなく、また教員の勧めに応じて県外企業に就職する生徒も多かった。現在もそうした雰囲気は残存しているが、一方で「実家に残ってほしい」「遠くはちょっと・・・」という意向を示す保護者が増加し、二極化が進んでいるような印象を受けるという。「生徒が、遠くに行って働きたいと思っていても、最後、親御さんがあまりいい顔をしなくてというケースがだんだん増えてきた」。「生徒が、"自分はこういう理由で頑張るんだ"ということを主張するのをやめて、以前だったら、ケンカしてでも（県外に）出るということはあったんでしょうけど」。「"親が言うなら近所のあの会社にする"とかが目立つようになってきましたね」。「（保護者の）意向に沿ったような。それがだめというわけじゃないかもしれませんけれども・・・」。

　こうした県内志向の高まりにより、県外求人に生徒を送り出せない年が続いて、指定校求人を寄せてくれていた県外の実績企業から求人が来なくなってしまう、という状況も生じている。逆に、県内企業からの指定校求人は増加し、熱心に学校訪問に来るようになった（2017年度の学校訪問企業数は、2016年度に比べて倍近く増加している）。

（島根Q工業高校ケース記録）

このような県内企業の求人活動の活発化を示すひとつの指標が、求人の提出時期であろう。第2章で示されたように、人材送出地域においてはどこもハローワークが地元企業に求人提出時期を早期化するよう働きかけている。島根県も例外ではなく、ここ数年の間に6月時点で求人提出を行う県内企業の数が飛躍的に増加した。その結果、島根Q工業高校の生徒にとっても求人票解禁の7月段階で志望しうる県内企業が増えたため、それも県内就職率を押し上げた重要な要因と考えられる。

次に、2000年代を通じて県外就職が盛んになった高知B工業高校の状況についてもみておきたい。高知B工業高校では2017年調査時点においても県外就職が多数派であったが、県内就職が近年増加傾向にある。2000年代後半では3割前後であったのが2010年代では4割強で推移している（2015年のみ6割を超えている）。この背景として、同校への求人全体に占める県内求人の割合が高まってきたことや、その地元企業が直接学校を訪問して求人を寄せるようになったことなどがあると考えられる（詳細は、高知B工業高校ケース記録を参照）。

ただし、同校での就職指導はどちらかというと県外企業を志向しているようである。高知B工業高校の県外就職における「単発採用企業」は以前から相対的に低い水準にあったが（堀2016）、それはひるがえって県外企業との強いつながりが形成されており、毎年コンスタントに県外企業に送出してきたことを意味する。実際、最近も指定校求人や実績企業からの求人は大きく減っておらず、とくに県外企業（中部地方の自動車関連が多い）からは毎年求人が寄せられているという。同校の校長先生は次のようにいう。

　　なぜそういったことで出していただけるかということも、特に県外の企業さんがおっしゃられるのが"高知B工業高校の生徒は辞めない"と。定着率がいいというところも、やっぱりあるみたいです」。「踏んづけられても立ち上がる。踏んづけたらいけませんけどね。イメージとして。たくましい。ただ筋骨隆々の外見だけのたくましさやなしに、黙々と仕事に取り込める子。ここが頑張りどころやという、歯を食いしばれとは大げさかもしれんけど、そういうような根気強い生徒の育成をしているのも要因かなとも思います。

（高知B工業高校ケース記録）

こうした状況からは、「工業高校の地域移動には就職指導の方向付けが寄与していることが推察される」（堀2016、p.150）。高知B工業高校では、県外就職が主要で現実味のある就職先として認識されており、そこでやっていけるような生徒を育成するための職業指導や就職指導が行われているのである。しかしながら、そうした高知B工業高校においても徐々に県内就職率が上昇してきた背景には、地元求人の増加（2017年の調査時点で、県内求人の半分弱が製造業求人）や、職業安定行政による県内企業からの求人提出の早期化に向けた取り

組み[3]などがあったと考えられる。

　これら県内就職率が上昇してきた学校（地域）においては、地元就職向上のための自治体のさまざまな施策、とりわけ労働政策研究・研修機構（2008a）が指摘した県内企業による求人タイミングの遅さを改善したことが、功を奏しているようだった。各校の就職指導の過程では地元就職ばかりが奨励されるわけではないが、県内企業による求人タイミングの早期化は、結果的に生徒の県内就職を促進することに結実したとみなせるだろう。

3　県内／県外への就職：県内就職率が低下した青森 B 工業高校

　しかしながら、求人タイミングを早期化してもなお県内就職に結びつかない学校（地域）もある。先の 2 校（2 地域）と同様に流出地域に所在する青森 B 工業高校の県内就職率は、2011 年以降に低下し、現在では約 10 年前の水準を下回っている。第 2 章で示された全国的な傾向や、先にみた 2 校（2 地域）とは真逆の傾向を示しているのである。

　生徒の就職地域について、青森 B 工業高校の進路指導担当の教員は次のように考え、指導を行っているという。

　　進路指導としては県内に行けとも県外に行けともいわない。「まず自分が一番行きたいところを考えなさいということで相談に乗るよという話をして…様々な情報は提供しなきゃいけないから、1 年生から県内の企業もこうやってバスで回って歩いて様々情報を得ているし、企業の方がこの学校に来たらその話を聞いたりして、科長を通じてフィードバックして情報を流しているんですよ。」

（青森 B 工業高校ケース記録）

　青森 B 工業高校においても、島根 Q 工業高校や高知 B 工業高校と同様に就職地域の水路づけが意識的に行われているわけではない。しかしながら、県内企業に比べて県外企業は自分のスキルを生かす機会や、労働条件や福利厚生の面で県内企業よりはるかに良く、就職後のキャリアや研修計画等の将来の見通しについての情報提供ができる点も異なっている。こうした求人の質の違いに加え、男子が多いという工業高校の特質なのか、保護者も県外就職に抵抗がないという点も県外志向の復調をプッシュしていると考えられる（詳細は、青森 B 工業高校ケース記録を参照）。

　若者が県外へと流出していく動向は青森県でも大きな問題としてみなされており、新規学卒者とその保護者向けに地元就職を勧めるパンフレットを配布するなど、地元就職の推進に

---

[3] 「2000 年代前半まで新規高卒者の県内就職率は 7 割程度だった。しかし、それが 5 割を割り込むようになった 2000 年代後半、県内就職率の低下に行政も危機感をもっており、マスコミでも騒がれるようになった。知事を筆頭として県内企業に求人要請をしたり、求人提出の時期を早めたりしてもらうなどの取り組みに努めた。その結果、8 月末までに受理した県内求人の比率は顕著に高まり 2016 年度では約 9 割に達するとともに、県内就職率も徐々に上昇してきた」（高知 K ハローワークケース記録）

取り組んでいる（詳細は、青森県 G ハローワークのケース記録を参照）。青森 B 工業高校の教員によれば、こうした自治体の施策は学校現場にも十分に伝わっている。しかしながら、職業安定行政の取り組みは、上記のような工業高校の就職指導のスタンスや県外求人に魅力を感じる生徒・保護者らの意向を大きく変更させるには至っていない。その背景には、県外企業の求人行動があると考えられる。

　青森県でも、県内企業の求人の遅さが県内就職率の低さの原因のひとつとみなされていたが、自治体等の取り組みもあって求人のタイミングはたしかに早まった（2017 年度は、7 月 1 日解禁時点で県内求人が前年度の 2 倍程度）。しかしながら、担当教員が指摘したのは、県内企業の求人早期化をしのぐ県外企業の細やかな学校訪問と情報提供、情報交換であった。担当教員によれば、県外企業は求人票解禁以前のもっと前から、むしろ年間を通じた切れ目のない関係維持に余念がなく、卒業生の働きぶりを含む情報提供や情報交換を行うために、年間 3 回程度は学校を訪問してくる。そのため、学校は生徒に対してより早く、より新しい県外企業の情報を提供することが可能となり、そのことが生徒をして県外企業への就職希望の形成を早めているのではないか、と教員は推測している。そうすると、いくら県内企業が努力して採用計画を早期に立案し、求人票が解禁となる 7 月に学校に対して求人活動を行ったとしても、すでに県外企業に遅れをとっているかたちになってしまう。これらのことから、年間を通じた県外企業の求人活動の熱心さが、生徒の県外志向を促進し、意識的ではないにせよ生徒を県外企業へと水路づけてゆく就職指導の在り方を規定している側面があるといえるだろう。

　誤解のないよう繰り返すが、教員は意識的に生徒を県外企業へと水路づけているわけではない。しかし、上記のような県外企業の熱心な学校訪問や情報提供などにより、生徒は県外企業への就職希望を早期に固めてしまう。そのため教員は、県内企業に対して、もっと早い時期から情報交換・情報提供をしてほしいと依頼することしかできないという。ここから、求人の質やタイミングのみならず、求人活動のあり方が、信頼関係の面でも採用見通しという情報提供の面でも志望先としての優位性を獲得するのに重要であることが示唆される。この 10 年間で、ハローワークなどを通じて県内企業の求人提出の早期化が一定程度実現してきたが、工業高校に寄せられる良質の県外求人（建設業・製造業）に県内企業が対抗するためには、それだけでは不十分で、熱心に学校や教員と関係を築く努力や、より細やかな情報交換や時宜を得た情報提供が求められるようである。

　そうした熱心な求人活動を行うことができる県外企業（とりわけ建設業・製造業関連）の数が比較的多いというのも、青森 B 工業高校の県内就職率が再び低水準に至った重要な要因だろう。図表 5 − 7 には、本節で取り上げた流出地域 3 校について、各校に寄せられた総求人に占める建設業・製造業からの求人の割合を県内／県外別に示した。さらに各校の就職者数を併記したため、就職者規模と求人数のおおまかな対比も可能である。これによると、県内建設業と県内製造業の求人割合は島根 Q 工業高校で抜きん出て高く、島根 Q 工業高校の

図表５−７　流出地域３校の求人に占める建設業および製造業の割合（2016 年度）

	青森B工業高校		島根Q工業高校		高知B工業高校	
	県内	県外	県内	県外	県内	県外
求人票総数	424(100.0)	1,487(100.0)	134(100.0)	326(100.0)	205(100.0)	342(100.0)
うち建設業の求人票	89(21.0)	443(29.8)	44(32.8)	148(45.4)	42(20.5)	85(24.9)
うち製造業の求人票	58(13.7)	225(15.1)	46(34.3)	89(27.3)	60(29.3)	135(39.5)
うちその他産業の求人票	277(65.3)	819(55.1)	44(32.8)	89(27.3)	103(50.2)	122(35.7)
就職者数	52	107	32	21	33	40

注）各学校提供資料より作成。数値は実数、括弧内は％。青森 B 工業および高知 B 工業については学校による産業分類を、島根 Q 工業については学校提供資料および各社ホームページから筆者が判断し産業分類を行った。

県内就職率の上昇を解釈することが容易である。対して、県外就職率が高い青森 B 工業高校では、県外建設業・県外製造業からの求人割合が特段高いわけではない。しかしながら、求人数では他校に比べて圧倒的に多く、就職者規模を勘案しても県外に選択肢やチャンスが多くあるという認識が醸成されることは想像に難くない。実際、山口（2012）の調査によれば、関東地方へ就職していった青森県内工業高校卒業者たちは、学習成果を活かしたりよりよい待遇を重視したりする場合、関東への県外就職が必須であるかのように語っているのである。

　第 2 章で示されたように、青森県全体では高卒者の県内就職率が高まっており、県内企業による求人提出の早期化はそれを一定程度説明しうると考えられる。しかし、青森 B 工業高校の生徒をめぐる就職環境は、そうした県内企業の努力をしのぐ建設業・製造業関連の県外企業の採用活動に大きく影響されているのである。

第6節　生徒像の多様化に対応した就職指導の必要性

　前節では、流出地域の県内就職率の推移の違いを解釈するため、流出地域に所在する工業高校の就職動向を中心に検討した。しかし、流入地域の工業高校を含めたヒアリング結果の全体像をみると、就職指導をめぐって、流出地域と共通の課題や大都市ならではの課題もあることが示唆された。本節では、そうした変化に焦点を当てて、工業高校における職業指導や就職指導の今後の課題を指摘しよう。それは一言でいえば工業高校の生徒像の多様化であり、生徒の多様性に対応した就職指導の必要性が、教育学的言説と労働市場からの要請との絡み合いのなかで高まっているということである。

1　女子生徒の就職

　女子にとっての工業教育の意味は、就職先とのマッチングや職場適応という観点から十分に検討されてきたとは言い難い。しかしながら、今回のヒアリング調査では、教育現場も労働市場でも女子への注目が高まりつつあることが示唆された。この背景には、「土木女子」「土木小町」「電工女子」といった職種とジェンダーをめぐる新しい言説がある。たとえば「けんせつ小町」という言葉は、建設業界における女性活躍の可能性を強調している。

「けんせつ小町」は建設業で働くすべての女性の愛称です。建設現場で働く技術者・技能者、土木構造物や建物の設計者、研究所で新技術を開発する研究者、お客様とプロジェクトを進める営業担当者、会社の運営を支える事務職など、活躍の舞台は多岐にわたります。

　（一般社団法人日本建設業連合会 web サイト「けんせつ小町」
http://www.nikkenren.com/komachi/overview.html　2018 年 6 月 3 日最終閲覧）

　こうした業界内の新しい言説は、工業高校における就職指導にも徐々に影響を及ぼしているようである。ある工業高校の教員によれば、電気工事への入職希望を持って入学してくる女子生徒がいるが、こうした女子生徒は求人側の企業から歓迎されると予想されている。建設業界全体で若手の人材集めにかなり苦しんでいるということは一般的に知られているところであるが、企業として男子はもちろんのこと、女性従業員の割合をめぐる政策動向もあって、女性社員を確保したいという思いが感じられるというのである。学校によっては、工業高校でも女子生徒のほうが就職しやすい、といった言い回しさえ聞かれるほどである。男子生徒を要望するというより優秀な女子生徒を採用したいという企業が増えたという感触が、工業高校の進路担当者の間で広まりつつあるようである。

　ヒアリング調査によれば、こうした動向は建設業のみならず製造業など、工業高校生が就職していく主要な業界に幅広く認められるようである（たとえば、高知 B 工業高校ケース記録を参照）。たとえば、3 交代制の工場労働であっても、すでに就業している女性社員の様子を引き合いに出して女子生徒でも十分適応可能であることをアピールする企業などが例に挙げられた。明示的ではないにせよ、以前は男子生徒が選好されると考えられていた職種についても状況はまったく変わっており、女子生徒でも十分働けるためぜひ採用させてほしいと依頼してくる企業が逆に増えているという。

　このような女子生徒の採用に対する積極性の背景について、就職指導担当者が語るところでは、女性労働者をめぐる最近の政策動向（女性活躍推進）や施設の改善（女性用トイレの設置などによる職場美化）があるという。2014 年に国土交通省および関連団体が「もっと女性が活躍できる建設業行動計画」を策定し、建設業で活躍する女性を 5 年以内に倍増させることを目指して官民を挙げた取り組みが開始された。この計画では「男女の分け隔てなく、意欲ある人材の活躍を期待」する建設業界で、「新たな感性や洗練されたデザインセンス」「生活者目線」「コミュニケーション能力」などを活かし、また「長時間労働など、これまで男性だけでは解決できなかった様々な問題についても工夫が生まれ、効率的で快適な職場環境の整備」を実現すべく、「もっと女性が活躍するための具体的戦略、取組」が示された（国土交通省ほか 2014、pp.1-3）。翌年に実施された取組実態調査（国土交通省 2015）では、女性の「採用や登用に関する数値目標の有無」について「設定している」と「設定していないが、

今後設定する予定である」を合わせた企業の割合は全体で7割強に達している。加えて、「設定していないし、今後も方針を立てる予定はない」とした企業においても、数値を基準とせず、性別関係なく実力本位で採用・登用するなど、必ずしもネガティブな意見ばかりではないことが示されている。女性活躍担当大臣の設置や「女性の職業生活における活躍の推進に関する法律」制定などの政策・法制動向と、それを受けた建設業界の施策、さらには「素形材産業の競争力強化に向けた女性の活躍推進の取組指針」（素形材産業における女性の活躍推進に向けた検討委員会 2015）など製造業界の施策が、工業高校女子生徒の採用を促しているのである。

　ただし、工業高校の就職指導担当者には、設備改善や職場美化といったメリットを挙げて女子生徒の採用に積極的な姿勢を示すのは多くの場合が企業規模の比較的大きい企業であり、中小零細企業にとって女子生徒の採用にはハードルが高いのではないか、という印象もあるようだ。再び前出の取組実態調査を参照すると、「女性活躍支援に向けた取組の有無」について「現在、取組を行っていないし、行う予定もない」企業は、従業員規模300人以上で0.0%であるが[4]、同30〜99人で23.8%、同1〜29人で46.6%に上る（国土交通省 2015）。「会社に女性専用トイレを設置している」企業さえ同1〜29人では半数強（56.4%）にとどまるなど、設備面での対応が追いついていない現状は、たしかにある。とはいえ、小規模企業からも採用・登用は「人物本位」「実力本位」「能力次第」といった回答が寄せられており、潜在的な需要がないわけではないと考えられる。そうした企業側の内情を見透かしてか、工業高校の就職指導担当者のなかには、業種を選ばなければ女子生徒にもかなり就職先があるとの認識を示す者もいた。

　以上のように、建設業や製造業において女子生徒の積極採用の機運は高まりつつあるようである。こうした傾向は、オリンピック景気による首都圏建設業のみならず、島根県や高知県などの流出地域でも見受けられた。業界の人材不足の解消と「一億総活躍」「女性活躍」政策に資する女性労働者の拡充という両面から、女子生徒による建設業や製造業への入職は今後ますます注目を集めると推察される。その際、工業高校での職業教育や就職指導におけるジェンダー・センシティビティなどが議論される必要性が浮上してくる可能性は小さくないであろう。すなわち、従来的な工業教育の考え方やものづくり言説、それらを特徴づけてきた「男社会」「油まみれ」といったイメージ、あるいは体力・元気が一番という世界観（尾川 2012、片山 2016）に、質的な変化が生じるかもしれないのである。

2　多様化する就職支援ニーズへの対応

　工業高校でのヒアリングにおいて地域を問わず共通に語られたいまひとつの課題は、生徒

---

[4] 2015年8月に「女性の職業生活における活躍の推進に関する法律」が成立し、労働者が300人を超える企業には、「一般事業主行動計画」（一般事業主が実施する女性の職業生活における活躍の推進に関する取組に関する計画）を定め、厚生労働大臣に届け出ることが義務づけられている。

がかかえる多様な課題に応じて、就職指導をいかに個別化していけるかということであった。制度化されたシステマティックな新卒採用の流れに適応することが難しい生徒への指導や支援、発達障害など生徒の多様性に対応した就職指導の検討が急務とされている。ヒアリング調査からは、それらの生徒やケースの対応に学校教員は困難や限界を感じており、ハローワークと連携して指導にあたろうとする就職指導の現場の様子とともに、すでにハローワークが重要な役割を果たしている実態が浮かび上がってきた。

そうした事例のもっとも典型的なものは、やはり発達障害を有する、あるいは医療機関による診断はないが発達障害が疑われる生徒の就職支援であろう。本調査のヒアリング過程において、就職内定が得られずに困っている生徒として「障害のある子」が複数の学校で聞かれた。その一方で、障害を有する生徒の就職支援にハローワークからの協力や助言が大きく役立っているという学校もあった。一般的な生徒と同じように就職活動を行っていても採用を獲得するのが容易でない生徒について、事前に連絡すれば支援可能ということでハローワークから協力を得られており「ありがたい」という声も聞かれた。そうした特性をもつ生徒のことを相談すれば二つ返事で学校を訪問してくれたり、就職試験を受験させたにもかかわらず採用に至らなかった場合に、生徒の特性にあわせて次の手を考えてくれたりするという[5]。

このように、さまざまな種類や程度の障害を有する生徒の就職指導に苦慮している学校もあれば、ハローワークの柔軟な対応によりなんとか指導できている学校もある。さらには、喫緊の課題となっているわけではないものの、たとえば高知Ｂ工業高校では、発達障害をもった生徒の対応を想定して多様な特性をもつ子どもの進路先を一緒に考えられるよう、ハローワークとの連携の内容や方法を検討する必要性が指摘された。このことから、特別な支援を要する、あるいは特別な教育的ニーズを要する生徒への対応は、就職指導の場面でも準備しなければならない重要な課題として認識されるようになってきた。

しかし、「発達障害等の疑いのある生徒で手帳を所持している場合は専門援助部門に誘導できるが、そうでない場合、就職活動に消極的であったり、応募しても不採用になったりするため、未就職のまま卒業してしまう生徒が毎年のようにいる」ことも無視できぬ現状である（青森Ｇハローワークケース記録）。そうした生徒たちに向けた個別的な就職支援の方法をめぐり、工業高校とハローワークの連携が模索される必要性がより一層高まっている。

もちろん、特別支援教育の重要性はもっと前から指摘されてきたことであり、さかのぼれば「教育の個性化」を謳った臨時教育審議会の時代から一人一人に応じた指導の重要性がいわれてきた。しかし、発達障害など子どもの学習上生活上の諸特性に対する学校現場での理解や手立ての必要性は、この 10 年の間によりいっそう強調されるようになったといってよ

---

[5] 実際、ハローワーク担当者からも次のような認識が示されている。「学校では、障害者手帳は持っていない発達障害などが疑われる生徒の就職が課題となっているようで、学卒ジョブサポーターへの相談が多くなっている。県としても専門のセンターを設け、セミナーなども実施しているが、ハローワークとしてもそうした関係機関と連携して、切れ目ない就業支援に当たっている」（長野Ｄハローワークケース記録）。

いだろう。こうした教育学側の言説や政策推進により、新たな就職指導問題が工業高校の教員にとっても喫緊の、あるいは準備しておかなくてはらない課題として立ち現れてきている。

こうした状況でハローワークの役割の重要性がより高まっている。本調査の過程で訪問したあるハローワークでは、昔は発達障害というような概念がなかったが、現在はそうした生徒に障害者手帳を発行することが増えたことで、工業高校に限らず普通高校などでも発達障害や知的障害の生徒への対応が増加している状況が指摘された。しかし、そうした生徒の就職支援をめぐって、対応を協議しようと相談を持ちかけてくる学校もあれば、ハローワークへ支援を任せきりにするかのような、学校教員の対応に温度差が感じられるという（島根 E ハローワークケース記録）。

その他に、外国籍を有する生徒に対する就職支援の課題を指摘する学校があった。移民の就労をめぐる政策は政策的にも学術的にも議論されてきたが、その子弟による学卒就職が十分に注目されてきたとはいいがたい。最近になって、2017 年 2 月に法務省入国管理局が「高等学校卒業後に本邦で就職する者の取扱いについて（依頼）」と題した文書を文部科学省初等中等教育局宛送付した[6]。このように外国籍を有する生徒の就職環境を整える動きの兆しが垣間見えるものの、かれらのなかでも日本語能力や日本社会への適応の程度はさまざまであり、従来の就職指導では十分に対応できない困難が生じることは想像に難くないだろう。

このような近年の変化も、高卒就職の支援をめぐってハローワークの存在感を高めている。本調査では、ある工業高校において、そうした生徒の就職指導や就職斡旋に関するハローワークからの支援が手厚く、助かっているという教員の声を聞くことができた。この学校では外国籍の生徒が多く在籍した年度があったが、かれらに対してどのような指導が必要かとハローワークに相談したところ、学校内で教員向け講習会が実施されたという。ハローワークがそうした対応をしてくれることもあり、この学校では外国籍の生徒の就職指導に関する不安は抑制され、ハローワークの対応や支援に不満もなく、逆に"おんぶにだっこ"の状態になっているとのことであった。以前、同校ではハローワークやジョブサポーターに頼ることなく、就職に関する問題は高校側の指導で十分対応可能と考えられていたが、このような進路指導担当者の認識の変化からも上記のことがらが最近 10 年の間で対応すべき、新たな課題として浮上してきたことが読みとれる。ハローワーク担当者の印象としても「職業意識が希薄な生徒、コミュニケーション力の不足や発達障害がみられる生徒、外国籍で在留資格の確認が必要な生徒など、個別対応が求められるケースが増えている」ことが語られたのである（東京 A ハローワークケース記録）

グローバル化の主要な側面である人の移動は、ニューカマーやその子どもが日本の小学校

---

[6] 2017 年 2 月時点でこの取扱いが適用される対象者は、「現在、在留資格『家族滞在』で本邦に滞在していること」「本邦で義務教育の大半を修了していること」「本邦の高等学校を卒業していること」「本邦の公私の機関に雇用されて報酬を受ける活動を行うことが確定していること」「住居地の届出等、公的義務を履行していること」のすべてに該当する生徒に限定されている。中学校より日本に在留し高卒就職を希望する場合の取扱いについては、今後検討することとなっている。

や中学校、高等学校で学ぶようになることを意味し、工業高校もそうした生徒を受け入れるようになっている。そうした社会変動のなかで生徒像の多様性が増していけば、生徒と企業の単純なマッチングや画一的な就職指導では対応困難なケースが今後ますます増えるだろう。現在ではそうしたケースに対してハローワークが個別相談や就職斡旋の機能を果たしているが、今後は個別的な支援の体制と方法を、学校との組織的でシステマティックな連携のもと模索する必要が高まるであろう。

　以上のように、近年では生徒像の多様化に対応した個別の就職指導の必要性が高まり、工業高校でもハローワークでも認識されるようになっている。こうした実態から、景気動向や労働市場との関連だけでなく、生徒の多様性や個別の課題に敏感になるべきだという教育学的言説（教育政策）が工業教育の現場にも影響を及ぼし、就職指導の過程で特別な配慮をしなければならないとの認識を形成しているようである。すなわち、障害をもった生徒のニーズに対応するという狭義の特別支援教育ではなく、外国籍の生徒も含めた広義の特別な教育的ニーズに対応した就職指導が、現在の高校就職指導の現場の新しい課題として求められるようになっているといえるだろう。これは高校教育上の問題であると同時に、若年者雇用をめぐる政策上・行政上の問題でもあろう。高卒就職は教育と雇用・労働の微妙な関係のうえで成り立っている（苅谷1991、堀2016）。であれば、高卒就職をめぐる労働行政は、教育側の変化や課題にも応答してゆかねばならない、教育と雇用・労働を架橋するきわめてセンシティブな営みであるといえるだろう。

第7節　工業高校生に対する就職支援の現代的課題

　以上より、最近10年間の工業高校における就職動向や就職指導をめぐる環境変化は、以下諸点に整理されるだろう。

① 　マクロ統計から、最近10年間の工業高校の就職動向は、全体的に上昇しているが、リーマンショックなどの経済状況の影響は地域に応じて異なっていた。

② 　調査対象校単位でみると、流入地域では卒業者数が増加し就職率も上昇した。他方で流出地域では、卒業者数が減少したが就職率は比較的安定的であった。安定地域は長野M工業高校のみであるが、生徒数は微減したものの就職者が増加した。

③ 　各校での教員ヒアリングによれば、入学者像や生徒像、彼らの職業観・勤労観が多様化してきた。そうした生徒に向けた進路指導・キャリア教育は、多くの学校が1年次から企業見学を行い、また数日間のインターンシップを中心とした職業体験活動や実地学習を導入している点に工業高校の特徴がある。2000年代後半以降、デュアルシステムを導入する学校（地域）が見受けられるが、明確な実施方法などは共有されていない。

④ 　流出地域では軒並み県内就職率が上昇したが（第2章）、工業高校を学校単位でみると、県内就職率が上昇した学校（地域）と低下した学校（地域）に分化していた。多くの流出

地域では、10年前に比べて県内企業の求人タイミングが早期化したが、それが県内就職者の増加に結実するかは一意に決まらない。県外企業による採用活動のやり方と、各校に寄せられる県外求人の質と量に規定される部分は大きいと考えられる。

⑤　工業高校女子生徒の労働市場における価値が高まりつつある。この背景には、2010年代の女性活躍関連政策の動向と建設業・製造業など各業界での施策があり、人手不足も相まって、労働市場と企業の経営戦略における女性労働力の位置づけが変化した。これにともない、従来の工業教育やものづくり言説のイメージに質的な変化が生じる可能性があり、就職指導においてもジェンダーへの敏感さが求められるだろう。さらに、発達障害や外国籍を有する生徒など生徒像の多様化にともない、多様なニーズに対応した個別的な就職指導の必要性が高まっている。この背景には近年の教育学的言説の影響や人の移動のグローバル化からの影響が推察され、工業高校での職業教育や就職指導をめぐる従来の考え方ややり方だけでは対応困難な状況が生じている。総じて、多様な工業高校生像に対応した支援体制とはどういうものかが雇用・労働政策の観点から議論される必要性が高まっている。

　構造的な変化は、市場や経済に限られない。人びとの仕事意識や実態、あるいは教育領域における課題の遷り変わりも、根本的で重要な変化である。工業高校をとりまくそれらの変化は、市場や経済の構造的・一時的な変化とあいまって、工業高校生の就職とその指導をより複雑なプロセスにしていくものと考えられる。

引用参考文献
堀有喜衣、2016、『高校就職指導の社会学―「日本型」移行を再考する―』勁草書房。
片山悠樹、2016、『「ものづくり」と職業教育―工業高校と仕事のつながり方―』岩波書店。
苅谷剛彦、1991、『学校・職業・選抜の社会学』東京大学出版会。
加茂浩靖、2004、「労働市場の地域構造―日本における労働市場の地域的構成研究の課題―」
　　『人文地理』56（5）、pp.43-60。
国土交通省、2015、『建設業における女性の活躍推進に関する取組実態調査　調査報告書』
　　http://www.mlit.go.jp/common/001114256.pdf　（2018年6月3日最終閲覧）
国土交通省・（一社）日本建設業連合会・（一社）全国建設業協会・（一社）全国中小建設業協
　　会・（一社）建設産業専門団体連合会・（一社）全国建設産業団体連合会、2014、「もっと
　　女性が活躍できる建設業行動計画」http://www.mlit.go.jp/common/001052116.pdf　（2018
　　年6月3日最終閲覧）
藤田晃之、2014、『キャリア教育基礎論―正しい理解と実践のために―』実業之日本社。
尾川満宏、2012、「トランジションをめぐる『現場の教授学』―ある地方工業高校における学
　　校と職業の接続様式―」『子ども社会研究』18、pp.3-16.
尾川満宏、2017、「学級活動・ホームルーム活動でのキャリア教育を構想する―適応と抵抗を

通じた社会参画、承認と参加を育む学級経営―」『愛媛大学教育学部紀要』64 、pp.163-170。

荻野和俊・佐藤史人、2012、「高校工業教育における長期の就業体験(インターンシップ)の可能性と限界―京都版デュアルシステムの経験にそくして―」『和歌山大学教育学部紀要教育科学』第 62 集、pp.137-144。

労働政策研究・研修機構、2008a、『「日本的高卒就職システム」の変容と模索』労働政策研究報告書 No.97。

労働政策研究・研修機構、2008b、『「日本的高卒就職システム」の変容と模索―資料編―』資料シリーズ No.39。

佐々木英一、2005、「高校でのデュアルシステム」『工業高校の挑戦』斉藤武雄・田中善美・依田有弘編著『工業高校の挑戦―高校教育再生への道―』学文社、pp.287-292。

専門高校等における「日本版デュアルシステム」に関する調査研究協力者会議 (2004)『専門高校等における「日本版デュアルシステム」の推進に向けて』(報告書)。

素形材産業における女性の活躍推進に向けた検討委員会、2015、「素形材産業の競争力強化に向けた女性の活躍推進の取組指針」
http://www.meti.go.jp/press/2015/04/20150420004/20150420004-3.pdf　(2018 年 6 月 3 日最終閲覧)

山口恵子、2012、「大都市に就職した工業高校卒業生の地元意識」石黒格ほか『「東京」に出る若者たち―仕事・社会関係・地域間格差―』ミネルヴァ書房、pp.195-227。

第6章　学科併設高校における高卒就職・キャリア教育

第1節　はじめに　—公立高校の再編と高卒就職

　本章では、高卒就職のあり方に大きな影響を及ぼす学科という変数を規定する要因として、労働研究ではこれまで研究対象とされてこなかった高校再編に着目する。その際、流出地域であるがゆえに、高校再編が進行する中で高卒就職を重視した再編方針をとっている秋田県を事例とし、再編の結果、1校に複数の学科を設置している学科併設高校[1]に着目して、高卒就職やキャリア教育のあり方を明らかにする。

　少子高齢化の進行に伴い、高校の生徒数は、1989年の564万人をピークとして急減期に突入した。急激な生徒減を受け、公立高校は再編整備を余儀なくされてきた。生徒減の程度や時期、ひいては再編整備の状況は、都道府県ごとの差が大きい。しかし、全体としては、1991年の中教審答申を受け、「新しいタイプの高校」が設置された1990年代半ば以降、高校再編は大きく転換したといえる。

　斎藤（2003）によれば、生徒急減期に入ってから数年は、各都道府県教委が高校の適正規模のラインを設定し、統廃合の基準とするといった計画を示す程度にとどまっていた。都道府県にとって、一度設置した高校の統廃合は非常に困難な問題であったためだ。しかし、1991年の中教審答申が、高校の多様化・個性化という改革方針を打ち出し、その中核をなす「新しいタイプの高校」の設置（1994年に設置された総合学科や、1999年に設置された中高一貫教育校など）が具体化されると、高校再編は大きく動き出した。単に高校の適正規模・適正配置を確保するために統廃合を行うというだけでなく、新しいタイプの高校として整備することで、多様化・個性化改革を推進する、というロジックが可能になったからだ。

　すなわち、高校再編の検討にあたっては、学科に着目することが不可欠であり、地域の高校教育の全体像の中で、学科をどのように配置し、どのような人材を育成していくのか、という視点から捉える必要がある。その方針は上述のとおり都道府県によってさまざまであるが、どのように決定されるのかについては、十分に検討されてきたとはいえない。

　他方、高卒就職において、学科が生徒の進路、とりわけ就職のありようを強く規定していることは周知の事実である。むろん、中村（2010）が専門学科からの四大進学者が増加する「四大シフト」現象を指摘したように、かつてと比較すれば、学科の進路規定力はかなり弱くなっている。しかし、第5章でも示されていたように、高卒就職者の割合は圧倒的に普通科よりも専門学科において高い。また、第4章、第5章からもわかるように、高卒就職のあり方は学科によって明らかに異なっており、高卒労働力の供給側の要因として、学科の影響は未だ大きい。だが、そもそも学科のあり方はどのように規定されているのか、という点は、

---

[1] 正確な表現としては「総合制高校」という呼称があり、秋田県教育委員会でも総合制高校という表現が用いられている（資料編・補論参照）。しかし、「総合」という表現は一般に、生徒が興味関心に応じた自由度の高い科目選択を行う「総合学科」高校や、学科の境界を越えた履修が可能になる「総合選択制」高校との混同を招くおそれがある。そこで本章では、便宜的に「学科併設高校」という呼称を用いることとした。

労働研究において着目されてこなかった。

　上述の点を併せて考えると、高卒就職に影響を与える一つの変数として、高校再編とそれを受けた学科のあり方に焦点を当てておく必要がある。詳細は後述するが、本章で事例とする秋田県は、生徒減、高校減の進行が著しく、再編整備への圧力が強いと考えられる。しかし、上述のとおり高校再編を牽引してきた新しいタイプの高校、特に総合学科への再編という形ではなく、複数の学科を併設する総合制高校という形をとっている。高校再編期における学科と高卒就職への影響、というテーマの検証に適した事例であるといえよう。

　本章の構成は以下のとおりである。まず、第2節では、秋田県教委の高校再編整備に関する資料、ならびに2017年度調査の対象校3校の提供資料を用いて分析を行い、対象校の再編整備がどのような構想に基づいて行われたのかを確認し、次節以降の解釈の補助とする。

　次に、第3節で、3校のヒアリング調査データを用いて、各校でのキャリア教育や進路指導の体制について、再編整備や複数学科併設という形態がどのような影響を及ぼしているのかを分析する。最後に、第4節で本章の結論を述べる。

第2節　秋田県における高校再編整備と高卒労働市場

1　秋田県全体としての高校再編整備の方針

　2017年度調査の対象となった3校の事例について詳細に検討する前に、まず、秋田県全体の高卒就職を取り巻く状況を概観していく。

　図表6－1、6－2は、順に、「中学校卒業者のうち高校進学者の推移」、「公立高校（全日制）数の推移」について、秋田県と東京都の状況をグラフにしたものである。いずれも、高校進学者が全国的にピークであった1988年の数値を100としたとき、その後の割合がどのように推移してきたかを示している。

　図表6－1をみると、東京都では、2001年からおよそ60％前後で保たれているが、秋田県ではほぼ単調に減少しつづけており、2016年では50％を下回っている。すなわち、秋田県における高校進学者は、ピーク時から半減したということになる。なお、この減少幅は、47都道府県の中で2番目に大きい。

　図表6－2からは、公立高校数についても、高校進学者ほど東京都との差はないものの、2016年では1988年の80％程度にまで減少していることがわかる。これは47都道府県中で10番目に大きい減少幅である。なお、2017年度調査対象地域の中では、高校進学者、公立高校数のいずれについても、秋田県で最も減少が著しい。

図表6－1　中学校卒業者のうち高校進学者の推移（秋田県、東京都）

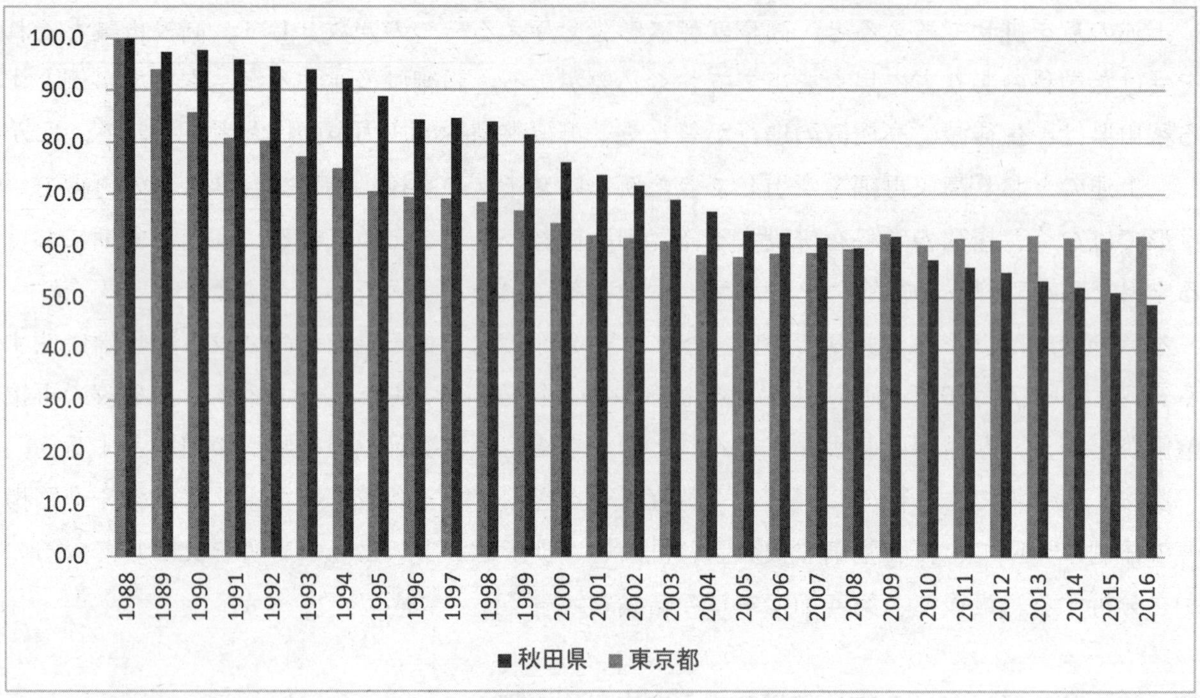

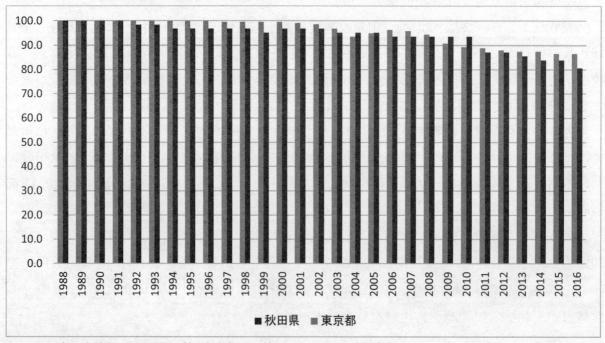

※1988年度の進学者数（秋田県 17,200 人、東京都 164,290 人）を 100 としたときの割合
※学校基本調査より著者作成

図表6－2　公立高校（全日制）数の推移

※1988年度の高校数（秋田県 62 校、東京都 216 校）を 100 としたときの割合
※学校基本調査より著者作成

　さらに、秋田県は高卒労働市場類型における流出地域であり、第2章で示されていたように、高卒就職における県外就職率も、10年前と比較すれば低下しているものの、35％程度と

高い[2]。

　以上のデータから見える秋田県の姿は、高校進学者の減少が著しく、それに伴って公立高校も大きく減少しており、さらに、高卒就職に際して、若者の県外流出も課題となっている、というものである。

　なお、秋田県のうち、調査対象地域[3]における新規高卒労働市場の 2007 年から 2017 年にかけての変化については第 2 章を参照されたいが、要点のみ引用すると、以下の 2 点である。第一に、2007 年は求人不足で、新規高卒求人倍率が 0.89 倍と 1 倍を下回っていたが、求職者数の激減もあいまって、2017 年度の求人倍率は 1.63 倍と大きく上昇している。第二に、求人の産業別構成については、他の調査対象地域と同様に、製造業比重が低下し、建設業、医療・福祉が増大している。

　それでは、高校の再編整備を進めざるをえず、また、県内にとどまって地域に貢献する若者を育てなければならないという圧力も大きいこうした状況下で、秋田県はどのような方針をとっているのだろうか。秋田県全体としての高校再編整備方針の詳細については、補論にゆずることとし、ここでは要点を述べる。

　高校の再編整備においては、学校として望ましい活力を維持するため、複数校を統合するという形がしばしばとられる。こうした統合校の設置に際し、秋田県では、地域において現場で活躍できる人材を育成・供給するため、積極的に専門学科を維持している。第 1 節で述べたように、総合学科をはじめとする「新しいタイプの学校」への転換は高校再編を後押ししてきた。しかし秋田県では、なるべく前身校の専門学科を学科として維持し、1 校に複数の学科が併設された学科併設高校への再編整備という方針がとられてきたのである。こうした方針は、各学校や地域の就職状況といった、高卒労働市場に関する具体的なデータや、地域産業の人材ニーズの分析・把握に基づいて決定されている。なお、専門学科を重視し、維持するという考え方は、県の基幹産業である農業、工業分野において特に強調されている。

　2017 年度調査の対象である秋田 G 併設高校、秋田 J 併設高校、秋田 K 併設高校は、全てが複数校の統合という形で再編整備されたわけではないが、いずれも前身校の専門学科を引き継いだ学科併設高校となっている。次項では、これらの事例校の再編整備について、より詳細に検討していく。

2　2017 年度調査対象校の再編整備

　2017 年度調査で対象となった 3 校の概要は、図表 6 − 3 のとおりである。加えて、前回調査が行われた 2007 年度と比較して、各校における募集定員ならびに入学者数がどのように変化したかを、図表 6 − 4 に示した。

---

[2] これは 47 都道府県中 8 番目である。なお、2017 年度調査対象地域の中では、青森県、島根県に次いで高くなっている。
[3] ただし、秋田 K 併設高校のみ、今回調査を行った秋田県 C ハローワーク管内ではない。

図表6－3　2017年度調査対象校の概要

高校名	再編統合年	設置学科	学科分岐時期	学科内コース	コース分岐時期	2016年度就職率	2016年度進学率
秋田G併設高校	2016年	普通科	2年次	2コース	2年次	49.6	50.4
		生活科学科		2コース	2年次	54.3	45.7
		機械科	1年次	2コース	2年次	72.0	28.0
		電気科	1年次	2コース	2年次		
		土木・建築科	1年次	2コース	2年次		
秋田J併設高校	2005年	普通科	1年次	2コース	2年次	10.3	89.7
		国際情報科	1年次	2コース	2年次	62.7	37.3
秋田K併設高校	2011年	普通科	1年次	6コース（1年次は2コース）	2年次（特進のみ1年次）	55.6	44.4
		生物資源科	1年次	なし	—		
		緑地環境科	1年次	2コース	2年次		

※各校提供資料より著者作成

図表6－4　各校における募集定員および入学者数の2時点比較

2007年度 高校名	学科	定員	入学者	2017年度 開校年 高校名	学科	定員	入学者
秋田普通高校（2007年度調査なし）	普通科	120	115	2016年 秋田G併設高校	普通科	80（▲120）	80（▲111）
秋田G併設高校	普通科	80	76		生活科学科	40	40
	生活科学科	40	39		電気科	35	35
	電気科	35	32		機械科	35（▲35）	34（▲36）
秋田I工業高校	機械科	70	70		土木・建築科	35	35
	土木・建築科	35	32				
合計		380	364	合計		225（▲155）	224（▲140）
秋田J普通高校（中高一貫校）	普通科	80	80	2005年 秋田J併設高校（中高一貫校）	普通科	105（△25）	105（△25）
	国際情報科	120	106		国際情報科	70（▲50）	64（▲42）
合計		200	186	合計		175（▲25）	169（▲17）
秋田農業高校（2007年度調査なし）	農業科学科	40	37	2011年 秋田K併設高校	生物資源科	35	35
	森林環境科	40	28		緑地環境科	35	27
	環境土木科	40	34				
秋田普通高校（2007年度調査なし）	普通科	120	111		普通科	160（▲120）	160（▲27）
秋田普通高校（2007年度調査なし）	普通科	80	38				
秋田併設高校（2007年度調査なし、市立高校）	普通科	80	38				
	情報ビジネス科	35	19		農業系学科計	70（▲50）	62（▲37）
	介護福祉科	35	16		情報ビジネス科、介護福祉科計	0（▲70）	0（▲35）
合計		280	187	合計		230（▲50）	222（△35）

※秋田県教育委員会提供資料より著者作成

　前項で述べたとおり、教育委員会では、統合校を設置する場合、一定規模を確保するため、複数校を統合し、専門学科は学科として維持するという方針がとられている。また、工業と農業は、県の基幹産業であることから、地域への労働力供給という意味でも特に重視されて

いる。

　この方針に基づき、秋田Ｇ併設高校、秋田Ｋ併設高校は、図表６－４からわかるように、それぞれ３校、４校を統合した学校である。また、10年前と比較して、生徒数の減少はやはり著しいが[4]、工業系、農業系の学科を中心として、Ｋ併設高校の一部を除き、統合後も専門学科が維持されている。「第五次秋田県再編整備計画」に記載されているこれら２校の再編整備構想案からも、工業系学科、農業系学科にどのような役割が期待されているのかを読み取ることができる。

　秋田Ｋ併設高校の構想では、「<u>地元に貢献できる、地域産業を担う人材を育成</u>する高校」、「実習等体験的な学習の積み重ねによる、<u>専門的知識や技術の定着</u>を図り、<u>即戦力となる人材</u>を育成する」など、職業系学科としての農業系学科がかなり意識されている。

　秋田Ｇ併設高校の構想でも、「<u>地域社会のニーズ</u>に応え、地元の高等教育機関との連携等、豊富な体験学習により<u>専門的な技術や資格の取得、将来のものづくりのスペシャリストの育成</u>を目指す高校」を目指すとされており、工業系学科に高い専門性を持たせる方針が明らかである。生活情報科も専門学科であり、福祉系大学や介護福祉施設等と連携した実習も行われているが、１年次は普通科との「くくり募集」で入学してくるため、普通科と共通のカリキュラムで、２年次から家政系コースと福祉系コースに分岐する。就職率も約50％と、普通科と同程度である。

　前身となった３校のうち、普通科・生活科学科を併設していた秋田Ｇ普通高校、工業科単独校であった秋田Ｉ工業高校については、2007年調査時の資料から、進路状況がある程度把握できる。秋田Ｇ普通高校では、就職率は30～50％程度、秋田Ｉ工業高校では80％程度が就職し、就職内定率は100％がキープされていた。

　これら２校と比較して、秋田Ｊ併設高校は、再編の経緯が大きく異なる。秋田Ｊ併設高校は、秋田Ｋ併設高校や秋田Ｇ併設高校のように、複数校の統合によって開校した学校ではなく、1962年に設立され、就職率100％を誇っていた伝統的商業高校を前身としている。2005年に中高一貫校化し、この商業高校の特性を受け継いだ国際情報科と、普通科の２学科を併設した学校として開校した。中高一貫教育校は、第１節で述べた、高校の多様化・個性化改革に対応した新しいタイプの学校の一つで、1999年に設置が可能になった。秋田Ｊ併設高校の設置には、秋田Ｋ併設高校、秋田Ｇ併設高校とは趣が異なり、高校教育改革的な側面が強く出ているといえるだろう。

　秋田県では、商業科単科かつ比較的規模が大きい商業高校が市立であるということもあり、工業科や農業科と比較すると、商業教育によって地域に貢献する人材を育成するという役割が明確に強調されてはいない。秋田Ｊ併設高校の再編構想でも、「国際社会の到来に向けて<u>英語教育を重視した進学指導</u>を行う高校」、「中高一貫して<u>国際理解教育や情報教育</u>に力点を置

---

[4] ただし、秋田Ｋ併設高校では、前身校において定員割れが多かったため、入学者数でいえば若干増になっている。

いた高校」、「学科間の連携や複数のコース設定により、**多様な進路実現と国際化・高度情報化社会に対応できる人材**を育成する高校」と記述されており、商業科の専門性は前面に出されていない。

　ただし、秋田J併設高校では、やはり伝統ある商業高校として地域に高卒労働力を供給してきた前身校の特性を活かし、実質的には商業科である国際情報科を、普通科と併設させるという形がとられている。また、図表6－4からわかるように、2005年の開校時点から2009年度入学生までは、国際情報科の人数が普通科の人数を上回っていた。これは、国際情報科が3学級、普通科が2学級であったためで、教育委員会によれば、前身の商業高校の特徴に配慮したものであった。2017年度調査時点で2学科の比重が逆転した経緯については、次節で詳述する。

　3校に共通する特徴としては、コース分岐が挙げられる。図表6－3から、ほぼ全ての学科において、2年次から学科内でコースが分岐するようになっていることがわかるが、これは、前身校の特徴を反映し、生徒の幅広い関心や進路に対応するためのものである。例えば、秋田K併設高校では、複数校の統合によって進路多様校化しており、コース分岐によって、「もともと（筆者注：統合前）の4校のニュアンス」を「クラスごとに2年生から完全に分けていくみたいな感じ」であると語られている。

第3節　学科併設校3校のケーススタディ

　本節では、第2節で検討した3校の概要と再編整備の経緯をふまえ、各校における就職やキャリア教育、進路指導の体制において、再編整備、ならびに学科を併設する総合制高校であることの影響がどのように見られるのかを詳細に検討していく。

1　前身校時代からの企業との関係
（1）企業との関係の継承

　秋田G併設高校、秋田J併設高校、秋田K併設高校の3校すべてにおいて、再編統合の影響として、前身となった学校から、企業との関係を継承しているということが語られている。

　秋田G併設高校では、前身校の工業科時代からの企業との関係はもちろん、生活科学科から福祉系、加えて普通科から事務系の職種についても関係を継承しており、そのため管内の企業の多くが、OBが勤務している繋がりのある企業である。

　秋田J併設高校も、前身となったのが伝統的商業高校であるため、近隣の企業でOBが出世しており、また、再編後の現在も、「同窓会が一緒ですので、地域の方々に支えられて**就職の環境に関しては非常に恵まれている**」という。

　この点については、2007年度調査（労働政策研究・研修機構 2008）でも語られており、再編後も企業とのつながりにおいて前身校の財産を享受し続けてきていること、秋田J併設高校に行けば高卒就職が有利になるという認識が継続されてきていることがわかる。

「下手に大学に行っても就職がうまくできないという噂があり、それよりだったら、この学校に入って、そこそこ安定した職についた方が良いという意向もあったみたいです。」

「ありがたいことにそういう会社（筆者注：就職支援員が開拓してくる企業）にはみんな卒業生がいて、同じ採用するなら本校からとおっしゃって、指定求人で出してくださいますので。」（2007 年：秋田 J 併設高校）

　秋田 K 併設高校では、主に前身の農業科から、繋がりのある企業との関係を継承している。また、普通科についても、全員が進学していたわけではないため、求人があった企業については、統合後も求人を出してもらったり、学校に挨拶に来たりといった関係が維持されている。数多い求人のうちでも、先輩の企業見学の報告書や受験報告書があるため、やはり先輩が就職していっている企業が人気であり、7〜8 割以上は例年就職者がいるような企業に落ち着いていく。実績関係のある企業は経年的にほとんど変わっていない。

　なお、企業との関係という点からは逸れるが、秋田 K 併設高校の前身の農業科では、特に環境土木科において、公務員志向が強かった。統合後もこのような公務員志向は受け継がれており、1 学年 220〜230 名程度に対して、公務員志望者が 30 名程度と多くなっていることが語られている。企業（県外が多い）の許可を得て、公務員と民間企業を「両にらみ」で受けるという珍しいケースも見られている[5]。

　このように、統合後も専門学科としての形を維持することで、従来からの企業との関係性が継承され、高卒就職者の出口確保という面でも、地域への高卒労働力供給という面でも、メリットが生じているのである。

（2）生徒減による企業との関係維持の困難

　企業との関係の継承は、個々の学校レベルでの再編統合の影響であるが、景気の好転や就職希望者の減少といったマクロな構造的要因の影響として、企業との関係維持が徐々に困難になってきていることが挙げられる。

　秋田 K 併設校では、生徒数が減少の一途をたどっているため、前身校から繋がりのある企業の求人があっても、以前と比較して全てに応えられる状況ではなくなってきており、企業との関係が希薄化したり、途絶えてしまったりしたケースが生じている。

　これは、学校が統合される以前から語られていた問題である。2007 年度調査において、秋田 G 併設高校の前身である秋田 I 工業高校では、指定求人について次のような語りがなされている。

---

[5] 2017 年度調査対象校の中で、公務員と民間企業の併願が実際に行われているというケースは、秋田 K 併設高校のみであった。

「**今までは、付き合いのある会社をまず埋めてから、他のところ**という感じでした。最近は、求人が多いので、希望者もしくは、適性の合う人物がいない場合は、**無理に出さなくてもいいのではないかという方向**で進めています。その分、生徒の希望や条件に割と柔軟に対応できるようになり、それが元でまた求人が増えるという状況が続いています。**学校の生徒の定員も減り、今後、付き合いのある企業も含めてどのように対応していくべきなのか、悩み事になっている状態**です。」（2007 年：秋田 I 工業高校）

　第2節の1でも触れたように、第2章では、秋田県において、2007 年と比較して求人数の増加ならびに就職希望者数の減少によって、求人倍率が大幅に上昇していることが示されていた。10 年前に語られていたように、求人状況が必ずしも良くない状況のもとでは、「付き合いのある会社」との実績関係維持が優先されていたが、求人が多くなるとこうした方針を緩和することができ、「生徒の希望や条件に割と柔軟に対応できる」というメリットも生じる。しかし、生徒数が減少すれば、当然ながら就職希望者の母数も減少するため、「付き合いのある企業」を中心として、生徒を送り込み、関係を維持できなくなる可能性が生じてくる。2007年時点からさらに求人数が増え、そして就職希望者数が減少している現在、この可能性はより高まっていると考えられる。

　むろん、新規高卒就職をめぐる景気は変動するため、今後、求人倍率が低下すれば、再び実績関係企業へ優先的に生徒を送り出すという方針へと転換するかもしれない。しかし、2017年度調査時点では、従来と比較して、全体的に、高校が生徒の適正や能力から生徒にマッチングする企業を割り当てるのではなく、生徒自身に実際に企業を見学させ、志望する企業を選ばせる、という方針への転換が観察されている（第3章を参照されたい）。第7章で述べられているように、これは、就職希望者数が減少し、教員が就職指導に際して一人一人により手をかけられるようになったことや、生徒と企業のミスマッチによる早期離職を問題視する流れが強まったことによるものである。このことに鑑みると、今後も「付き合いのある会社をまず埋めてから、他のところという感じ」という以前のような指導に回帰していく可能性は低いのではないだろうか。

　生徒減が進行する中で、企業との関係をいかに維持していくかという問題は、今後の高卒就職においてさらなる課題となっていくだろう。

2　進路指導部の体制への影響

　前項で述べたような状況の中で、学校と企業との関係維持において重要な役割を果たすのが、企業と直接繋がりを構築する進路指導部である。それでは、再編統合により、学科併設高校となったことは、進路指導部の体制という教員側の要素にどのような影響を及ぼしているのだろうか。

　秋田 K 併設高校と秋田 J 併設高校で共通して語られているのは、就職担当の教員が「毎年

のようにころころかわる」ことに対する懸念である。

　秋田Ｋ併設高校の教員は、学校と企業との関係について、築いた関係を引き継いでいける
システムや、ある程度長く就職に携わる人材が必要であると指摘する。「就職に関しては、企
業さんはそのとき対応した人でその学校を見ているので、毎年のようにころころ変わるので
はだめだ」という思いがあるためだ。

　秋田Ｊ併設高校では、より明確に、商業科単独の高校から普通科併設の学校となったこと
による影響で、商業科時代の進路指導部の体制のあり方が維持できなくなったことが指摘さ
れている。

　「簡単に言うと、普通科がある学校なので、<u>普通科の雰囲気が強いんですよ。そうする
　と、普通科というのは学年で動きますので、（略）普通科の考え方なんですよ。（略）普
　通科のシステムで動いていて、人が毎年入れかわる。</u>」
　「<u>理想としては、多分ずっと就職担当で企業とつながる職員がいるのが理想</u>だと思うん
　ですけれども、それが多分<u>学校事情として許さないとか、人が足りない</u>」
　「（筆者注：進路指導主事が）就職の会社の方とはできる限り会うようにしています。ほ
　んとうに<u>実際的に動く就職担当は毎年かわってしまうので、できるだけ会社の人と顔つ
　なぎをして、仕事をその担当の人にやってもらうというスタイル</u>にするしかないのかな
　と」（2017 年：秋田Ｊ併設高校）

　学科併設高校では、専門学科を学科として残存させたことで、3−1で述べたように企業
との関係が基本的に継承されている。また、詳細は3−4で後述するが、秋田Ｊ併設高校で
は、専門学科の縮小を経ても、生徒の就職に対するニーズは不変であったと語られているな
ど、高卒後に地元就職を希望する生徒の志向も変わっていない。しかし、学科併設高校とな
ったことにより、学校のシステムが上述のような影響を受け、教員の懸念事項となっている
のである。

　秋田Ｋ併設高校では、統合校として開校して以来、6年間連続して配置されている就職支
援員の存在がこうした問題における一つの助けとなっている。普通科と専門学科を併設する
ことで、学校としてのシステムが普通科寄りのものとなり、結果として就職担当の教員が企
業との関係を維持しづらいという問題が発生しやすくなるとすれば、就職支援員、キャリア
アドバイザー、ジョブサポーターといった行政側のサポートが、この問題をカバーしていか
なければならない。しかし、現行制度では、これらの非常勤職員が一つの学校に長期間配置
されるという保証はない。また、秋田県ではほとんどの県立高校に就職支援員が配当されて
いるが、そうではない都道府県も存在し、就職者が多い高校では教員に負担がかかっている。
今後、政策として検討していく必要があるだろう。

　対して、秋田Ｇ併設高校では、進路指導部全体の体制としては、普通科・生活科学科と工

業科の教員がバランスよく配置されているものの、工業学科が就職担当、普通科が進学担当という役割分担が大まかに存在している。就職に際しての面接指導についても、工業科は各科での指導だが、普通科と生活科学科では生徒一人に担当教員が一名ついており、学科によって異なる指導体制が組まれている。

　この点については、二つの可能性が考えられる。第一に、併設されているのが工業科であるということ、つまり工業という学科の特性が強く影響しているという可能性である。たとえば青森B工業高校のケース記録に見られるように、工業高校では科長が就職指導において重要な位置づけにあるなど、科ごとの指導という体制が強い。第二に、秋田G併設高校が未だ統合2年目であるために、システム面での統合が進んでいないという、期間的な問題が大きい可能性である。次項で詳述するが、秋田G併設高校では、秋田I工業高校時代の方針を受け継ぎ、進路指導に活かすという活動が行われている。統合からさらに時間が経過したとき、そうした方針が功を奏し、秋田K併設高校や秋田J併設高校とは状況が異なってくる可能性も考えられるため、今後の検証が待たれる。

3　キャリア教育・就職指導のあり方
（1）学科併設による「相乗効果」

　秋田県の統合校において、複数学科の併設という形がとられることの狙いには、異なる学科同士の相互作用に対する期待があり、実際に、統合校の教員からは学科間の「相乗効果で非常にいい」という評価が出ている。例えば、秋田G併設高校からは、次のような声が教育委員会に上がってきているという。

　「今までは別々の学校だったものですから、それぞれの学科の特徴とか、よさがわからなかったんだけれども、同じ学校になることによってすごくその動きがわかる。工業科って何やっているのかわかる。すると、こんなこともやっているんだって新しい発見がどんどん出てくるし、うちらも負けていられないぞというふうな形で競争意識も出てくるし、すごくいい感じだ」（2018年：秋田県教育委員会）

　各学校において、異なる学科が前身校時代の実践を持ち寄り、統合校全体にプラスの影響を与えている具体例として、以下のようなものがある。

　秋田G併設高校の前身校の1つである秋田I工業高校では、2007年調査で、就職指導における教員の実践について、次のように語られている。

　「かなり前から、学校独自に会社訪問を実施してきました。実際に工場等の現場を先生方に見てもらって、そこで感じた工場や会社の雰囲気を、三者面談のときの保護者への説明時に活用してもらっています。」

「担当している生徒が、2年生等の早い段階から、この会社に行きたい、このような職種で働きたいと考えが決まっている場合は、担任に、生徒が希望している会社を訪問させるようにしています。」

「同じ会社に何回も見学に行っている先生を訪問させても、意味がない。付き合いのある会社で卒業生が働いている場合でも、前回とは違う先生が訪問するようにしています。要は、進路指導は特定の先生方がするものではないので、いろいろな先生方に現場での経験を積ませ、活きた進路指導ができるようにしています。」(2007年:秋田I工業高校)

　2017年度調査において、秋田G併設高校では、進路指導部の教員はもちろん、担任も積極的に県外企業も含めた企業訪問を実施し、企業について知ることで就職指導に活かしていることが語られている。工業科の教員だけでなく、普通科の教員も、現場や工場を見学し、感心して帰ってくるという。これは、工場のシステムはどんどん新しくなるので、足を使っての勉強が必要だという考えや、教員も自分の目で見ているほうが、リアルな指導ができるという考えに基づいている。

　こうした実践は、前身である秋田I工業高校で見られたものと非常に類似しており、これを統合後も引継ぎ、さらに他学科にまで広げることで、「相乗効果」が得られていると考えられる。

　秋田K併設高校では、前身となった農業系学科のキャリア教育の方針を、統合後、他学科にも適用している点として、就職者への応募前企業見学の奨励を挙げている。企業と生徒とのミスマッチを防ぐため、複数の企業を見学に行くという方針である。これについては、統合後に試行錯誤があったことも語られている。統合後、例年、スケジュール的に複数社見学に行くことが難しいという課題が見られていたが、それは初動の遅さに起因するということで、2017年から求人票の集中閲覧期間を設け、生徒側の求人票閲覧の利便性を高めることで対応している。

（2）学科によるキャリア教育の差異化と地元企業

　前項までで検討したように、再編統合後の3校においては、複数の学科を併設していることが、就職指導やキャリア教育に対してプラスの影響を及ぼしている。しかし、進路傾向の異なる（図表6-5参照）学科が併存している状況で、どのようにキャリア教育を行うかという点からみると、3校の中にも差異が見出される。

　結論を先取りすると、秋田K併設高校、秋田J併設高校では、職業系の学科と普通科を差異化せずに、基本的に共通のプログラムを実施している。これについては、第2章で示されていたように、人材流出地域である秋田県では、地元就職を促進する取り組みが行われていることと連動し、地元企業が一つの鍵になっていると考えられる。対して、秋田G併設高校では、就職率が高く職業教育的性格の強い工業系学科と、普通科・生活科学科との間に一線

を引いた語りが見られたのである。

　まず、複数学科に対して共通のキャリア教育プログラムを実施している2校について検討していく。

　秋田K併設高校は、前身の農業学科で行っていたキャリア教育に、「普通科の生徒であっても、まず同じ学校におりますので」、普通科を積極的にタイアップさせるという方針をとっている。

　秋田J併設高校も同様に、国際情報学科と普通科とでキャリア教育の内容を差異化しておらず、1年次から国際情報学科も普通科もおおむね共通のものを実施しており、オープンキャンパスなど進学系のイベントにも両方の学科が参加する。このような方針の基盤となっている考え方について、秋田J併設高校では、以下のように語られている。

　「**進学者もいずれ社会人になる**ということと、その社会人になって就職先を考えるときに、地元のことはあまり見えてこないだろうと。大学に行くということは、ほぼ県外に行くということなので、我々にとっては。**県外に行って就職しながらUターンすると考えようとする子もいるんだけど、多分そのときに地元のことをよく知らないだろうと**」

　「（筆者注：地元企業のことを）ちょこっとだけでも知っておいて、**あとはそれをきっかけに帰りたい人は自分で道を開けるように**」（2017年：秋田J併設高校）

　こうした考えから、1年生の11月に地元企業へ会社見学に行き、地元企業の魅力について知るというプログラムを、最近2〜3年で新規に立ち上げた。また、1、2年生の2月には職業人講話を実施し、「地元で働いている社会人（筆者注：学校OB、OGが多い）の方から、会社の紹介を兼ねながら自分のキャリアを語ってもらう」ことにしている。

　同様に、秋田K併設高校でも、自校を会場として地元企業を呼び、生徒に地元企業とその魅力を知る機会を提供するというプログラムを2年前から開始している。

　地元企業を生徒にもっと知ってもらうという方針は、県としても特に注力しているところで、教育委員会の考え方は、次のようなものである。

　「やはり学校というのは、子どもたちを育てていく上で、そこの子どもたちにどういう気持ちで教育していくのか、**地域のよさをどう伝えていくのか**、これからもっともっと重要になってくると思うので、**統合に当たっては、そういういろんな仕事が選べるし、いろんな機会があるんだよということも知ってもらいたい**」（2018年：秋田県教育委員会）

　「進学者もいずれ社会人になる」ということを念頭に置いたキャリア教育を行うとき、秋田県の地元に戻ってくる人材を増やすために、地元企業と連携し、その魅力を伝えることが

必要となる。学科を隔てないキャリア教育の実践においては、地元企業が一つの鍵になっていると考えられる。秋田県の調査対象地域において、地元就職を推進する試みが10年前と比較して盛んになっているという全体的な趨勢と、秋田K併設高校、秋田J併設高校が専門学科を含む学科併設校であるという学校レベルの要因が、このようなキャリア教育のあり方につながっているのである。

　対して、秋田G併設高校では、より職業色の強い工業系学科と、普通科・生活科学科を区別した語りが見られる。工業系の三学科（機械、電気、土木建築）では、行われている教育そのものがキャリア教育のようなものであり、わざわざそれ以上のことをする必要はなく、むしろ普通科の生徒にこそキャリア教育が必要である、という教員の認識が示されている。加えて、2年次に行われるインターンシップの受け入れ先企業の確保についても、普通科や生活科学科の生徒が課題であると語られている。これらの学科からは事務職や販売職の希望が多いが、これらの職種でたくさんの実習先が確保できない状態であり、保育所や福祉事業所などに頼ることになっているというのだ。

　キャリア教育や就職指導をめぐるその他の点についても、工業科の生徒と普通科・生活科学科の生徒との差について、秋田K併設高校や秋田J併設高校にはないタイプの語りが見られる。

　例えば、工業科の生徒は希望する企業が重複してしまった場合に自己調整を行うが、普通科の生徒はできるだけ希望を通そうとするという傾向がある、という違いが指摘されている。就職に向けての意識の差異や困難についても、工業科の生徒のほうが初動が早く、また、応募前企業見学の際、普通科や生活科学科の生徒に、企業を「見学に行った後、合わないということで変更する者もいる」と述べられている。2年次のインターンシップでも、普通科と生活科学科、特に事務や販売系を希望する生徒が、なかなか受け入れ先の企業を確保できないという困難が生じているという。

　秋田G併設高校において、こうした学科間の差異が明示的に語られることについては、第3節の2で述べた進路指導部のあり方と同様に、工業科の特性の影響と、統合から2年目であるという時期的な影響の二つが混在していると考えられる。

　第1節でも述べたように、工業科は専門学科の中でも地域産業構造との関連が深い学科である。G併設高校でも、工業系学科からの就職者のうち半数以上が、製造業・建設業へ就職していっている。応募先企業の決定などについて、初動が特に早いというのも、工業科の特徴である[6]。

　今後、これらの点についても学科間の「相乗効果」が生じ、工業科の長所を取り込んだ同質化が進行して、高卒就職のあり方に影響を与えるのか、10年後の次回調査を待って検証する必要がある。

---

[6] たとえば、青森B工業では、求人票解禁以前に生徒が希望する受験先企業を決定していると述べられている。

（３）学科のバランスと高卒就職に対する生徒のニーズ

　第２節で述べたように、2017年度調査対象の３校の中で、秋田Ｊ併設高校は、他２校と再編の経緯が異なる。

　就職との結びつきが強い商業学科を前身としながらも、普通科色の強い中高一貫校化を企図したことによって、秋田Ｊ併設高校では、進学・就職と学科間のバランスをめぐり、学科併設校ならではの興味深い現象が観察された。具体的には、2010年以降、普通科と国際情報科の学級数が逆転し、就職者が多い国際情報科の生徒数が減らされたが、普通科志向を高めるこの方針は、必ずしも意図通りには機能しなかった。むしろ、国際情報科の母数減少を補うように、普通科からの就職者が増加するという現象が生じたのである。

　第２節で検討したように、秋田Ｊ併設高校の再編構想では、中高一貫校化、進学校化という方針が強く押し出され、専門学科としての商業学科色は強調されていなかった。ただし、前身が就職に強い伝統的商業高校であったことを勘案し、2009年度までは普通科２学級：国際情報科３学級という編成になっていた。図表６－５からは、実質的な商業科である国際情報科の就職率は６割程度と、普通科を大きく上回っていることがわかる。就職者は基本的に国際情報科を選択しており、また、国際情報科からの進学も、商業高校枠を利用した入試やビジネス系専門学校など、商業を活かしたものである。

　秋田県教育委員会によれば、国際情報科の学級数が普通科の学級数を上回っていたのは、前身となった商業高校の就職率の高さに配慮してのことであった。しかし、「中高一貫教育校の魅力は、高校入試がなくて、ゆとりある学校生活の下、６年間の計画的・継続的な教育活動の展開により大学進学を目指す」ことであり、中等部入学生を中心として「全体的に普通科志向が強い」ことから、「学校内のバランス」を考慮し、普通科３学級：国際情報科２学級に逆転させた。

　しかし、教員によれば、国際情報科を主とする就職者の母数は学級減により必然的に減少傾向にあるが、同時に普通科からの就職者が増加してきているという。図表６－５は、秋田Ｊ併設高校の学科別就職状況を、学科ごとのデータが入手できた2013年度以降について示したものである。

　図表６－５をみると、普通科の就職者数が少ないため解釈には留保が必要ではあるが、普通科からの就職はおおむね増加傾向にある。また、人数が少ないために値の変動が大きくなっているものの、県内就職についても、2013年度は０％であったのが、ある程度の割合で生じるようになってきている。

　同時に、中等部からの内部進学者についても、学級編制の変更を境とした変化が見られている。従来は基本的に普通科へと進学していっていたのが、普通科と国際情報科に半々で進学するようになったという。

図表6－5　秋田Ｊ併設高校における学科別就職状況の推移

	県内就職率（％）		就職率（％）		就職者数（人）	
	普通科	国際情報科	普通科	国際情報科	普通科	国際情報科
2013年度	0.0	48.7	5.1	49.4	6	39
2014年度	12.5	64.7	6.9	63.8	8	51
2015年度	75.0	59.5	10.6	61.7	12	37
2016年度	36.4	59.5	10.3	62.7	11	42

※学校提供資料より著者作成

　これは、高校卒業後、地元に就職したいという「<u>（筆者注：生徒側の）地域のニーズは変わっていない</u>ということ」を意味している。学科のバランス変更の意図は、中高一貫教育校としての魅力をより高めるため、普通科のウェイトを大きくするというものであった。しかし、実際には、学級数変更以前から変わらない、高卒就職に対する生徒側の「地域のニーズ」の存在を教員は認識している。その結果、本来意図された変化とは対極的な、普通科からの就職者増加という代替現象や、中等部からの国際情報学科進学といった傾向が生じたと考えられる。

　ここから示唆されるのは、高卒就職において地元の生徒が持つニーズの強固さと、複数の学科が併設されている場合、行政は、学校全体の進路動向だけでなく、学科ごとの状況の変化を検討していく必要があるということである。

第4節　結論

　本章では、少子高齢化による生徒減を受け、高校の再編整備を先進的に進めている秋田県を事例とし、まず、高卒就職において重要な要素である学科のあり方は、地域の高卒労働市場との関係の中で、どのように規定されているのかを検討した。

　続いて、学科併設校3校のケーススタディを通じ、再編整備によって1つの学校に複数の学科が設置されていることは、進路指導やキャリア教育にどのような影響を及ぼしているのかを検証した。

　これらの検証の結果、次のことが明らかになった。

① 　生徒減、高校減が著しい秋田県では、地域に貢献する若者を育成するため、高校の再編整備にあたって、専門学科を学科という形のまま維持することを重視している。

　　よって、秋田県における高校の再編整備では、学校規模を確保するため、複数校を統合する際にも、1つの学校に複数の学科を併設した学科併設高校にするという方針がとられている。

② 　2017年度の調査対象校3校のうち、前身校が工業系学科、農業系学科だった学校については、統合後もそれらの専門学科において、地域に貢献し、地域産業を担う人材を育成するという方針が明らかである。

③　3校に共通して見られるのは、前身校時代からの企業との関係を継承していることが、就職において有利に働いているという点である。しかし、生徒減のさらなる進行に伴い、企業との関係をかつてと同等に維持することはますます困難になっていくと考えられる。

④　普通科と専門学科が併設された学校になることによって、学校全体が、校務分掌が短いスパンで変動しやすい普通科寄りのシステムになり、結果として、就職担当の進路指導教員が、企業との関係構築・維持に支障をきたしていることが指摘されている。こうした問題に対応するため、進路指導については担当教員のサイクルを再検討するか、就職支援員などの行政側のサポートをより手厚くしていく必要がある。なお、1校では、進路指導部に限定せず、広く教員に企業との関係を構築させるための実践が前身校から継承されているが、こうした方策が上述の問題の解決策となるかどうかは、次回調査で検証する必要がある。

⑤　前身校からは、企業との関係性だけでなく、各学科が有していたキャリア教育や進路指導のあり方も継承されている。これによってプラスの効果が生じるといった学科間の相乗効果が、学科併設のメリットとして挙げられている。

⑥　統合により、進路状況の異なる複数の学科が共存するようになった学校は、キャリア教育の方針として、全体に共通のプログラムを実施するというスタンスをとるケースと、学科間の差異を強調するケースに分かれている。前者では、進学者であってもいずれは就職するという認識に基づき、Uターンに備えて生徒に地元企業を知ってもらうという発想が鍵となっている。後者では、より職業的な性格の強い工業系学科とそれ以外とが区別されて語られる傾向にあったが、工業系学科の特殊性の影響と、当該高校が統合2年目であるという時期的な影響が混在しているため、次回調査での検証が待たれる。

⑦　商業高校を前身とする併設高校では、大学進学を重視した中高一貫校としての特性を重視し、普通科のウェイトを高めるという転換が行われた。しかし、教員は、実際には高卒就職に対するニーズは不変であったため、普通科からの就職者増など、本来の政策意図と逆行した現象が生じたと認識している。これは、高卒就職において地元の生徒が持つニーズの強固さと、行政が学校全体だけでなく学科ごとの進路動向も把握・検討していく必要があるということを示唆している。

参考文献

秋田県教育委員会、2005、「第五次秋田県高等学校総合整備計画」。

秋田県教育委員会、2016、「第七次秋田県高等学校総合整備計画」。

中央教育審議会、1991、「新しい時代に対応する教育の諸制度の改革について（答申）」。

中村高康編、2010、「進路選択の過程と構造」、ミネルヴァ書房。

労働政策研究・研修機構、2008、「「日本的高卒就職システム」の変容と模索－資料編－」。

斎藤剛史、2003、「高校再編計画の変遷と動向」、月刊高校教育 36(13)、20-23、学事出版。

第7章　新規高卒採用に関する企業の認知と行為
——定点観測的インタビューの分析から

第1節　問題の所在と本章の目的

　「高卒就職研究会」は、1997年→2007年→2017年（今回）と10年おきに、全国数カ所の地域において、公共職業安定所、高校、企業を対象にインタビュー調査を実施してきている。本章は、こうした定点観測的インタビューをもとに、企業が、なぜ・どのように新規高卒者を採用（の抑制・停止を）しているのかを明らかにする。

　定点観測的インタビューの強みは、行為者（ここでは企業）レベルのミクロ・ヒストリーに定位しながら、行為者の認知と行為を、経済・社会・行政レベルのマクロ・ヒストリーとの関係性のなかで、より明瞭に把握できることであろう。言い換えれば、経済・社会・行政のマクロな変化のなかで、調査対象がどのように企業活動を展開し、どのような理由づけをもって新規高卒者を採用したりしなかったりするのかが、相対化されて見えてくるということである。

　この「相対化」とは「歴史的相対化」であり、本章の方法論的なカギに他ならない。新規高卒就職に関心のある研究者は、「高校生は将来的にいつまで・どのくらいの規模で採用されうるのだろう？（採用してほしい、高卒就職は無くなるべきではない）」という出発点的な問い（と、おそらく、願望的な背後仮説）をもっている。この問いに答えようとすれば、新規高卒求人の増減が、循環的変動によるものなのか構造的変動によるものなのか、見極める必要がある。ただしこれは、長期的趨勢を調べることで、ようやく事後的にわかってくることだし、しかも、「少なくとも現時点では」という留保付きの見極めでしかない。「歴史的相対化」とは、このような意味である。

　より具体的に説明するため、過去の調査を取り上げてみよう。まず1997年調査について。新規高卒求人の直近のピークは1992年の1,673千人、しかるに1997年は518千人（第1章の図表1－4, p.9）。わずか5年で、なんと7割もの減少を見たうえに、求人数は底を打つのか、もっと下がるのか不透明であった。加えてインタビューでは、新規高卒就職者の資質に関して否定的な見解が多く語られた。かくして当時の「高卒就職研究会」が、構造的変動——海外生産比率の上昇と技術の高度化、および高学歴・中途・非正規代替——ゆえに、今後の新規高卒求人は質量ともに回復は見込めないであろう、との見通しをもったのは（日本労働研究機構1998）、当然といえば当然であった。

　ところが、いざなみ景気（2002年2月～2008年2月）のなかでなされた2007年調査では、小さな変化ながらも、新規高卒採用の再開や回帰が確認された（筒井2008a）。求人規模は合計333千人と1992年の2割程度でしかないが、当時では求人数の底（219千人）を打った2003年から、求人倍率とともに徐々に回復の途にあった（上記の図表1－4）。

　つまり好況期になされた2007年調査で私たちは、不況期になされた1997年調査を相対化

し、プラスの変化を観察した。不況期の新規高卒採用抑制（中途・非正規代替）のため、従業員構成の高齢化が進み技能継承への懸念が高まってきており、新規高卒採用を再開する企業が出ていた（筒井2008a）。構造的変動に見えたものが、実は循環的変動であった。

　では、新規高卒採用は、循環的変動によって増減するにすぎないものなのか、それとも、企業は新規高卒就職者を積極的に意味づけ、新規高卒採用への回帰を選択しうるものなのか。2007年調査では、2000年以降は大卒と専門学校卒へと切り替えていた東京C社（ホテル）が、大卒の玉石混淆化と専門学校卒の量的縮小を理由に、「4年間やっても極端な話、18歳と変わらないんだったら、18歳から会社として育てたほうがいい」と判断して、高卒採用に回帰していた（筒井2008a, p.103）。このような「戻り現象」（筒井2008a, p.104）は、構造的に定着しうるものなのだろうか。

　この問いは、10年（以内）といったタイムスパンでの比較では解明できまい。構造とは、「諸要素間の相対的に定常的な関係パターンから成る全体」（森岡・塩原・本間編集代表1993, p.428）である。相対的定常性といっても、決まった時間的な長さがあるわけではない。それは研究対象に依存している。それゆえ私たちは、長期的趨勢を定点観測的に調べ続けることの重要性を痛感した。もっといえば、これは半永久的作業になるのかもしれない。社会的変化に関する趨勢命題に、差し当たりにせよ「決着」をつけるには、かなりの長期的スパンで現象を観察することが不可欠である。かくして「高卒就職研究会」のプロジェクトは、ある点で歴史研究化しつつある。

　私たちは、以上のような問題意識をもって、2017年調査に臨んだ。前回と今回の調査のあいだには、2008年のリーマンショック、2009年の政権交代（民主党）、2011年の東日本大震災、2012年の政権再交代（自民党・公明党）、2013年の東京オリンピック（2020年）開催決定、2016年の熊本地震といった、新規高卒労働需要に大きな正負の影響を与えるイベントが多々生じた。2011年の新規高卒求人総数は197千人と、2003年をさらに下回ったが、2016年は2007年水準へと復活し、求人倍率も2倍を超えている。なお18歳人口については、都市部と地方部とでは大きな違いをともなって変化が進行中である——こうしたタイミングの調査であったことを確認しておく。

　調査対象企業は、図表7－1，7－2，7－3に示す14社である。このうち、1997年→2007年→2017年と3時点調査となったのは秋田C社、東京B社、秋田G社、I社、埼玉E社の5社。2007年→2017年の2時点調査は山陰E社、残る8社は2007年→2017年の2時点調査となっている。また、今回の調査では、10年前さらには20年前に対応してくださった方から、お話を伺うことができた（秋田A社、秋田C社、長野A社、東京B社）。定点観測的インタビューの醍醐味といえよう[1]。

---

[1] いずれも50前後～60代の方であった。今回のインタビュー内容を、前回・前々回の反訳やケース記録と比較すると、自身と企業の半生をふり返るような語り、そして次世代への育成的なまなざしが印象的であった。これは、「人間は次世代の育成をとおして、自分のなかに歴史を読み込めるようになる」、つまり、社員や「子ども…

なお、筆者は「高卒就職研究会」には 2007 年からの参加であり（労働政策研究・研修機構 2008a）、以下の分析では、2007 年調査と 2017 年調査については反訳・ケース記録・入手資料、1997 年調査についてはその報告書（日本労働研究機構 1998）をデータとしている。

　本章の構成は以下のとおりである。次の第 2 節は、新規高卒就職者をなぜ採用しているのかを、続く第 3 節は、どのような新規高卒者をどのような手法で採用しているのか・それはなぜかを明らかにする。最後の第 4 節は、知見を整理し、今後の高卒就職研究の枠組みについて考察を述べる。

第 2 節　新規高卒就職者をなぜ採用しているのか

　新規高卒就職者をなぜ採用しているのか。その理由は、「どんな職種に」と「誰を就けるか」という 2 つの次元において整理できる。すなわち、第 1 に、技能職・現業職か、あるいは、技術職・総合職か。第 2 に、新規高卒者か、他学歴新卒か、中途採用者か、非正規従業員か。比較考量の結果、「高卒が適している／適していない」と判断される。これら 2 つの次元について、順に見ていこう。

1　「どんな職種に」という次元

　結論を先取りして述べると、技能職・現業職か、技術職・総合職か、という点では、圧倒的に前者が観察された。彼らが従事することを予定されている技能職・現業職（直接工、間接工、現場監督、販売、理美容）の仕事の性質・レベルは、ほとんど変わっていない。

　製造業：まず製造業（産業廃棄物処理業・機械等修理業含む）を見ると（図表 7 － 1）、2017 年度の採用活動において、いずれの企業も、機械オペレータ、現場技能職、ライン工などの求人を出しており、それは 2007 年あるいは 1997 年においても、同様であった。かつ、それら技能労働の性質・レベルはほとんど変わっていない。たとえば秋田 A 社（鋼材加工、金型製作、鋼造物施工など）は、次のように述べている。

　「やはり基本的には OJT が中心・・・そういった OJT としては・・・大まかに秋田 A 社のなかには、溶接と、あとは機械のオペレータ、この 2 つの職種に限定されているんですよ。そういった面では、溶接は溶接の資格を取っていただく」（2007 年）
　「まず工場に配属されれば、技能者として、個々の、溶接とか機械加工の技量を高めていくというふうなかたちになります」（2017 年）

を育てることによって自他の違いや共通点に驚きつつ、ああ、自分の成長や生きてきた時代とは、かくかくしかじかのものだったんだ、という解釈がすうっと入ってくる。いままでとは違った人生の風景が見えてきて・・・子世代のことを理解するようになっていく」（筒井 2016, p.60）ということなのではなかろうか。人材育成のまなざしの変化については、第 3 節で言及する。

いみじくもドラッカー（1993=1993, p.112）は「・・・技能は緩慢に変化し、しかも稀にしか変化しない。石工の技能をもつあのソクラテスが、今日生き返り、石切り場で働いたとしても、違いは、ギリシアの神ヘルメスの柱石の代わりに、十字架をもつ墓石を刻まなければならないということぐらいである。道具も電動になっているだけで基本的には同じである」と指摘した。石を切削・彫刻するという、労働者がなすべき動作は変わっていないのである。

　これは、溶接や機械加工（鉄の切削や折り曲げ）にも当てはまる。道具はさまざまに進歩しているが、労働者がなすべき動作は不変である。それゆえ、秋田A社が社員に取得を要請する（日本溶接協会の）溶接資格は、ほとんどが手溶接技能のそれである[2]。島根B社（パッキン、樹脂製品製造）の旋盤技能についても同様にほとんど変わっておらず、自動機で削るのか、手動機で削るのかの違いだけである。

　また長野A社（電線、電子部品製造）が指摘する、機械オペレーション職場で求められる動き方も、2007年と2017年とで変わっていない。

　「どうしても製造業で・・・［工程が］長い製品がありますので、工程がやはり長くなって、結局、チームワークで仕事をするということになります」（2007年）
　「製造の作業指示書どおりに如何にルールを守ってきちんと製造するかということ、それが品質保持につながりますので・・・そういったこと［自分の失敗など］を素直にきちんとお互いのチームワークのなかで伝える・・・ということが一番のポイントになります」
　（2017年）

　ここに変わらず表明されているのは、ひとつには作業指示（書）にしたがうこと、いまひとつには、それを前提としたチームワークとコミュニケーションの重要性である。前者については、これもドラッカーが「工場の機械オペレータは、指示によって動く。何をするかだけでなく、いかにするかも、機械が規定する」（1993=1993, p.123）と指摘している。したがって、指示内容を理解したうえで自身の動作をそれにアジャストするのがオペレータのなすべきことである。それは、高知A社が説明するように、「実務職としてラインのなかでチームの一人として仕事を」こなす「現場のルーティン作業」（2017年）であるため、「大卒の技術職ポストに高校生［新規高卒就職者］が後でなることはない」（2007年）[3]。

---

[2] 日本溶接協会のウェブサイトを参照（2018年2月18日）。http://www.jwes.or.jp/
[3] ただし、興味深いことに、高知A社は、この能力評価を変更し、大卒の技術職ポストに新規高卒就職者を抜擢する制度の運用を開始している。第3節を参照。

図表7−1　インタビュー対象企業一覧（製造業（廃棄物処理業・機械等修理業含む））

企業	事業内容	1997年	2007年	2017年
秋田A社	鋼材加工、金型製作、鋼造物施工など	＜聴き取り無し＞	①溶接や機械加工オペレータなど技能職、体力重要、②製造企業はある程度長期的視野に立った採用が必要、③高卒は毎年、技能工を採用してきた。④現場のOJTが中心、各人は年間目標を設定、⑤ものづくりへの関心と適性が重要。筆記試験は漢字と四則計算程度。	①溶接や機械加工オペレータなど技能職、②業況上向きによる人手不足の解消、③リーマンショック後に採用を手控え高校と関係が切れ、現在腐心、④育成は各事業部任せ、⑤漢字の読み書きと計算問題、適性検査。元気・やる気重視。
長野A社	電線、電子部品製造	＜聴き取り無し＞	①機械オペレータ、②2002年に大規模リストラ、最近業況上向き。③2000年を最後に2007年3月卒(4人)までは採用なし。業況を見つつ人数は慎重に考え採用していく、④OJT中心、製造品目の異なる職場への異動はほとんど無し。一人前の目安である夜勤は、早くて半年、平均して一年。⑤学科不問、適性検査と作文、面接。受け答え、チームワーク力。	①機械オペレータ、②業況好調、で人手不足、また20代が手薄、③事業再編成終了の2014年3月末までは飛び飛びの採用、④一人前(夜勤をこなせる)になるには1-3年、班長は30代前半、係長は30代半ば、⑤適性検査も行なうが、コミュニケーション能力、チームワーク力は品質保持の基本、ゆえに人柄重視。
島根B社	パッキン、樹脂製品製造	＜聴き取り無し＞	①機械オペレータと生産技術、②団塊世代の退職開始、20代がほとんどいない、技能継承の必要性、③バブル崩壊後、高卒採用手控え、2001,2002年、2007年と採用。2007年入社者と来年度以降は生産技術＝CAD設計など。高卒でまだ大丈夫、選択肢がそれのみ。④生産技術の育成には10年かかる。技能工は基本的に同一職場で機械オペレーション、⑤面接とSPI,どちらといえば面接重視。	①ライン工と、資格・技術の必要な技能工(旋盤や合成ゴムの配合など)、②需要拡大の見込める産業ロボットの開発生産に注力、業況好調ゆえ人手不足、③リーマンショック後採用ゼロの年もあったが、継続的に新規高卒者を採用、大卒シフトは考えていない。④従来どおりの等級制度を継続。⑤素直さ・元気が成績よりも重要。
山陰E社	家具・内装材の製造・施工	①機械オペレータ、②若年者の地元定着を目的に誘致された経緯ゆえ、地元高校からの採用中心、③年齢構成考え、毎年10人高卒採用が目標だが、15年ほど前と比べると著しく基礎学力が落ちた。ゆえに、IorUターン、ポリテクから技能工とりたい、④⑤一般常識(物理・数学・社会・国語・英語)、面接、適性検査。	＜聴き取り無し＞	①機械オペレータ、②2008年に廃業、従業員が出資し現会社設立。2015年に在大阪商社の100%子会社に。③高卒は2015年に1名採用、業況厳しいが技能継承の必要があり、今年度も高卒求人を出している、④年齢や学歴により決まったキャリアルートがあるわけではない、⑤＜不明＞
高知A社	農業機器・部品製造、金型製造	＜聴き取り無し＞	①現場技能職、大卒技術職ポストに後々高卒が就くことはない、②50-60代が多く退職が続くので若手採用・育成が必要、③毎年、2校から指定校推薦で計2名程度採用。高校が、企業ニーズに合わせ優秀な生徒を送り込んでくれている。質は落ちていない。④部署内でローテーション、一人前になるには3-5年。一人前になるには10年必要。⑤面接、確認程度。	①現場技能職、チームの一員としてルーティン作業、②ここ10年、売上は微減、経常利益は横ばい。設計技術者不足気味、今年度より、O→G転換制度開始。若い高卒社員4-5人が転換、期待通り。③毎年、指定校推薦(近隣工業2校)で2名程度採用、④30代前半で専任班長、⑤評定平均4点台、高校が優秀な生徒を送り込んでくれる。

企業	事業内容	1997年	2007年	2017年
秋田B社	産業廃棄物処理	<聴き取り無し>	①産業廃棄物焼却炉のオペレータ。②鉱山閉山による廃業企業の従業員吸収が母体で、新卒採用は定年退職者補充中心、③この10年で10人程度、今年の採用は無し、来年、再来年は出す予定。④一人前になるには4-5年、早い者は6-7年目で班長。⑤四則計算や漢字の書き取り、元気のいい生徒。とはいえ危険物乙4合格のため基本的には頭のいい人を。	①産業廃棄物焼却炉のオペレータ、②昨年新御炉が稼働開始、2015〜16年度に多くを採用（高卒と一般）、③そのため今年度は募集なし、④技能習得はOJT中心。班長は30代前半くらい。近年、昇進テンポが落ちている、⑤現場作業＝オペレーションに向く者を採用。ただ、危険物乙4は合格してほしい。
東京A社	車両と駅設備のメンテナンス	<聴き取り無し>	①車両メンテナンス技能、②2000年代前半、一時採用をやめていたが、技能継承重要、中断しないように採用していく、③高卒を採っているが、基礎学力低下を憂慮、一部大卒技能工に代替する可能性あり、④OJT中心、職場内ローテーションをしていく、⑤面接、クレペリン、四則計算・漢字の筆記試験。面接最重要視、油まみれを厭わず、我慢強いこと。	①車両メンテナンス技能、②大卒技能工（現場技術職）の処遇が難しくなっている、③首都圏では高卒採用は久しぶり、鋭意努力中、④資格取得支援制度あるが、技能習得はOJT中心。班長は30代前半くらい。⑤学力試験は足切り程度、面接・人物重視。

①採用職種、②高卒採用・非採用・再開の経緯など、③採用実績・採用予定、④技能形成・キャリア形成、⑤採用試験、重視する資質など。

建設業：建設業の現場監督職はどうだろうか（図表7－2）。秋田C社は、「図面の作成はコンピュータとかCADが進んで」きていること以外には、「建築業の仕事自体が何十年も前からあまり変わっていない」（2017年）と述べる。つまり、「見積もりの作成、業者への連絡」をはじめ、「工事段取りを遅滞なく管理して遂行して」いく（2017年）という現場監督の仕事に変わりはない。最初は上司が作成し、後には自身が作成する工期管理書にのっとったうえで、各所・各人とのコミュニケーションをとりながら工事を進捗させるのが仕事である。それゆえ現場監督の適性としては、「簡単な漢字の読み書きと一般的なところ［＝一般常識］」ができることを前提に、「元気がある」ことが重要となる（2017年）。この点は10年前も同様で、「リーダー的な素質」（2007年）と表現されている。

埼玉A社の語りも、秋田C社との共通性が大きい。現場監督の仕事は、「現場に出て、外でする仕事」だが、「つるはし持って、スコップ持って」といった「肉体労働」ではなく、施工管理に他ならない（2017年）。それゆえ、資質としては、「明るくて、やる気のある子が一番」で、適性検査の学力的部分は「よほどひどくなければ」大丈夫、と判断している（2017年）。10年前も同様で、「勉強よりは、やる気、元気の良さ・・・ハキハキしていたり、受け答えがしっかりしている」ことが重要である（2007年）。

図表7-2　インタビュー対象企業一覧（建設業）

企業	事業内容	1997年	2007年	2017年
秋田C社	土木・建築	①現場監督、②&③質の問題があり、1994年入社を最後に高卒から大卒・短大卒に切り替え。④かつての高卒は4年間教育したら一つの現場をもてるくらいになったが、現在はもう少しかかる。3-4年が教育期間、3年目に土木or建築施工管理技士合格を目指す、これが一人前の目安、⑤＜非該当＞	①現場監督、②2002年に民事再生、20代が不在となり危機感、若手の採用と育成が重点課題に。無理をしてでも毎年1,2人を採用していきたい、ただ、短大程度を一番採用したい、③1998年より高卒は非採用。2002年より大卒・短大卒も非採用。④一人で現場をもてるには6年程度かかる、⑤現場監督としての高卒採用を考えているが、具体化はしていない。リーダー的素質が必要。	①現場監督、②2011年の合併を機に新卒採用再開、やる気があれば学歴・学科ともに不問。③この6年で男性10人。④建築業の仕事自体、何十年前から不変、一人前になるには5-8年、年に10現場ほどこなし工期管理を覚える。⑤簡単な漢字の読み書きと四則計算、元気であることが適性としてまず重要。
埼玉A社	土木	＜聴き取り無し＞	①現場監督、②バブル崩壊後、高卒は完全に手控え、有資格者を中途で。だが社員高齢化是正の必要が出てきた、③2006年より高卒採用復活、だが売り手市場、そもそも土木科・建築科の高校生が少ない。④土木施工管理技士2級は高卒だと5年の実務経験必要、つまり採用後育成必要であり重要、⑤勉強よりは元気が良く受け答えがハキハキした者がよい。筆記試験は無し。	①現場監督、②現会長の息子が大手建設より2003年に戻って以来（社長就任は2015年）、新規高卒を積極採用へ、③高卒採用は2007,08、それから2013,14,15,16,17、。大卒・短大・専門と同じ扱いで採用、学歴差はあまり感じない、④まずは土木施工管理技士2級取得のために専門学校に通わせる（5年の実務経験必要）、会社負担、⑤現場監督の資質としては、学力より人柄重視。

　小売業、理美容業：続いて、小売業、理美容業を確認しよう（図表7-3）。東京B社での仕事には、工場でのパン・ケーキ製造と店舗（パン窯がある）での販売とがあるが、ここでは後者を取り上げる。秋田G社、東京B社、I社は、少しずつ業態が異なるものの、職務は接客・販売という点で共通する。

　秋田G社は、「誰もが店で"客扱い"をやってもらう」仕事（日本労働研究機構1998, p.181）、「小売業というのは、やはり接客」（2007年）、「年上の方々と話す」のが「秋田G社に入ったときに一番使うコミュニケーション」（2017年）と、一貫性がある。東京B社も、「パンを通してどういうことができて、お客様が喜んでくれるのかなということをみんなで考えようという」「ホスピタリティ」が重要（2007年）、「パン好きな君たちがパン好きなお客様にどういう対話をして、自分が目標設定はどうやりながら頑張っていけるかということを…しっかり考え」ることを重視している（2017年）と、変わりがない。

　I社は、新規高卒採用は2004年まででその後は大卒・短大卒へとシフトしたが、「販売の職業には向き不向きがある」（日本労働研究機構1998, p.203）、「やはり人柄で勝負…もうそれが何と言っても強み、もうサービス・小売業の大きな財産、それだけで能力が高いということになる」（2007年）、「そんなに難しい職業じゃない」が、「表現力」豊かに、かつ、「問われたことに対して如何に回転よく、端的に答えられるか」（2017年）という技能が不可欠の仕事である。

図表7－3　インタビュー対象企業一覧（小売業、理美容業）

企業	事業内容	1997年	2007年	2017年
秋田G社	スーパーマーケット、ショッピングセンター	①販売職、②県内のみならず東北地方全体に店舗数増加中、③毎年30人は高卒がほしい。最近、大卒採用が叶うようになった（数名採用）。④部門アシスタントを2年ほどで部門長代理、そこで2-3年すると部門長、そこで3-10年すると店長（代理）、スーパーバイザー、バイヤー、⑤筆記（漢字の書き取り、値引き計算など）、作文、面接。明るくハキハキした受け答え、身だしなみ、つまり営業・接客の適性を見る。	①販売職、②毎年の定年退職者、また30代が手薄であることを勘案し、毎年、専門卒、短大卒、大卒を15〜20人採用。ただし、未充足の場合は高卒でもよいかもしれない、③高卒は2003年入社が最後。離職率が高い。また、ポスレジはスキル不要、パートナー社員で可能（その比率アップを進めてきた）。正社員には管理業務(店長、スーパーバイザー、バイヤー)を、ならば、大卒。④大卒は1-3年で部門長、さらに5年程度で本部のマネジャーやバイヤー、スーパーバイザー、⑤大卒採用は、筆記40%、面接60%、合格ラインは70%. 接客に向いているか。	①販売職、②大卒採用の未充足が続き、パートナー社員の補充も困難、また、娘・息子のいるパートナー社員が高卒採用に期待。なお、これまでの大卒中心の採用で育成制度を整備したら、2011年入社の高卒は辞めていない。③高卒は2003年入社を最後に一旦途絶え、2010, 2011年と採用、しかし再び途絶えて2017年度再開、④店舗での販売を6〜7年、その後、部門長となり、さらに5年程度で本部のマネジャーやバイヤー、スーパーバイザー、⑤適性検査と四則計算、面接では自分の考えをしっかり話せるかを見る。
東京B社	パン・ケーキ製造・販売	①パンとケーキの製造販売(工場or店舗)、②大卒採用は駆け引きが有りコスト大きい。我が社には高卒で活躍できる仕事が多い。高卒の質が落ちたとは感じていない、③設立の1985年は25人、以後10人台の採用を継続、④製造では、最初の2-3年に7部門を経験、次の4-5年で工程管理のできる工長(一人前)、その上が職長、副工場長、工場長。店舗では、高卒だと、最初の2-3年をすぎると店長補佐、そこから3-4年で店長。大卒は1年で店長、⑤一般常識、適性検査、面接。面接重視、パン・ケーキ作りの意欲を見る。	①パンとケーキの製造販売(工場or店舗)、②近年、売上げ増加、大型店舗の出店が続いてきた、③来年は高卒25、専門卒と大卒で10人採用したい、④2006年4月より職務階梯を変更、8つの機能別にProfit Unitを置いた。殆どのユニット長を2-12年目の若手が担当。店舗では、大卒だと1年、高卒だと早くて（小規模店で）2年で店長、⑤面接重視、心根や明るさが重要。会社の理念・特長に関する独自の穴埋め試験もする。ある程度の偏差値は必要。100点満点で20点とかでは困る。	①パンとケーキの製造販売(工場ないし店舗)、②従来どおり高卒が主力、今後も採用、③ここ10年間、毎年10〜20人台で採用、④一人前とは、工場なら一通りの工程が出来るようになった段階でJBMAのB検定受検推奨、約3年を想定。店舗なら、高卒で早いと2年で店長。⑤一般常識と、会社の理念・特長に関する独自の穴埋め試験。挨拶などあたりまえのコミュニケーション能力が重要。
I社	百貨店	①百貨店での販売、②今後10年くらいしか高卒をとらなくなるだろう。高卒を減らして短大卒を増やしていく。高卒採用は不自由、大卒・短大卒はいろいろ吟味しての採用可能。短大卒は回転が速くて人件費抑制できる、③④高卒は2年でひとまず戦力となり、ひとつの売り場を任せるとなると5-6年＝チーフ(係長の下)となる、⑤高校の成績はあまり重視しない、販売適性を見る。	①百貨店での販売、②2002年に閉鎖した支店と子会社の従業員を一部吸収、かつ業績も低迷。今後は定年退職を非正規で入れ替えていく、③高卒販売職は2004年が最後、大卒と短大卒で毎年数名ずつ。女性の勤続が10年へと伸びた、逆に新卒採用絞り込み、④3つの売り場を3-4箇所経験し、係長に。10年程度。⑤＜非該当＞	①百貨店での販売、②業況不芳、不人気業種、③高卒販売職は2005年の5人を最後に採用していない、大卒と短大卒のみ、今後も高卒は採らない、「地元の好きな良い子」が地元の短大から来ている。④異なる売り場をローテーションしていく、⑤＜非該当＞
埼玉E社	美容院	①理容師・美容師(の見習い)、②高卒を採用する、理美容が高卒は採らない、③理美容見習い40人、④一人前になるのに6年。その後は店長やエリアマネジャーなどに昇進する。日常の挨拶など、常識を知らないので、それを前提に躾から教育訓練が必要である。⑤面接のみ、学校の成績はあまり重視しない。技術を覚える仕事だから芯の強い子を選んでいる。	①理容師・美容師(のアシスタント)、②高卒採用が中心であることは40年以上不変、専門卒は賃金高くクセが付いている。③グループ会社の専門学校あるいは通信教育を併用、それぞれ30人(就職進学)、10人、④キャリアパスも従来と同様。アシスタント2年、ジュニアスタイリスト3〜5年、スタイリストで一人前。その後は店長やサロンディレクター（複数店舗管理）や本部、あるいは10年余で独立、⑤面接のみ。受け答えを見る。ただし、国家試験合格のため、高校の評定平均は5段階で3くらいの成績は必要。	①理容師・美容師(のアシスタント)、②高卒採用が中心であることは50年以上不変、③だいたい、理容アシスタント30人、美容アシスタント10人、という規模できた、グループ会社の専門学校あるいは通信教育を併用、④キャリアパスも従来と同様。アシスタント2年、ジュニアスタイリスト3〜5年、スタイリストで一人前。その後は店長や本部など経営側、あるいは独立、⑤評定平均は2点台に下がった、その分、入社後の研修を手厚くしている。

もちろん、秋田 G 社、東京 B 社、I 社のいずれも、対面的な"客扱い"だけできればよいのではなく、いずれはバックヤードのさまざまなランクの業務をこなしていくことを期待されていることはいうまでもない。

　理美容業はどうだろうか。埼玉 E 社の語りを見てみよう。「重要なのは美容師理容師になりたいという本人の気持ち」で、「器用さはあまり関係がない」（日本労働研究機構 1998, p.144）、「技術は練習して、誰でもある程度できるようになる・・・問題は接客のほう・・・やっぱり人あたりだったり、話し方であったり、表情であったり、そういうところが大事な要素ではあります」（2007 年）、「ほんとにこの業界は、主役はそこで働く人間なので、機械で物をつくるというわけにはいかないので、そこでの技術を身につけて」いく（2017 年）。興味深いのは、ある一定水準の技能の修得には、もともとの素質よりは練習のほうがずっと重要だという点である。なおもちろん、接客業であるがため、ホスピタリティは不可欠である。

　以上確認したように、直接工、間接工、現場監督、販売、理美容といった技能労働の性質・レベルは、この 10 年ないし 20 年、ほとんど変わっていない。それを反映して、一人前になっていくルートもまた、大きくは変化していない[4]。たとえば、秋田 G 社（スーパーマーケット、シッピングセンター）では、部門（精肉や野菜など）への配属→部門長代理→部門長→店長・スーパーバイザー・バイヤーというルートをたどっていくことに、1997 年→2007 年→2017 年と変わりがない。またたとえば秋田 B 社（産業廃棄物処理）では、産廃物受け入れの補助→受け入れ→廃棄処理各工程のローテーション→班長、といったルートを、2007 年も2017 年もとっている[5]。

2　「誰を就けるか」という次元（他労働力との比較考量）
　このように、技能労働の性質・レベルがほとんど不変であるとしても、新規高卒労働力がそれに適すると判断するか否かは別問題である。ましてや、技術職・総合職となるとなおさらであろう。では、「適していない」と判断されるのはどのような場合か。インタビューデータからは、さしあたり 3 つ考えられる。

　(a) 新規高卒労働力があたうとしても、不況期や事業再編成期にあるため採用抑制が必要で、中途・非正規代替を行なう場合
　(b) 新規高卒労働力が能力的に低下していると認識し、高学歴代替を行なう場合
　(c) 技術職・総合職はやはり、一定レベル以上の訓練を積んだ高学歴者が相応しいと見

---

[4] ただし、一人前（その定義は企業で異なる）になるまでに要する時間については、やや長期化していると認識している企業もある。
[5] 秋田 B 社のインタビュー対象者は、班長への昇進は時間を要するようになっている、と指摘した。2007 年には、早い者は 6〜7 年つまり 20 代半ばで班長になっていたものが、2017 年には、早くても 30 代前半ということだから、7〜8 年程度遅くなっている勘定だ。

なす場合

　（a）では、好況期の訪れや事業再編成の終了によって、再び新規高卒者が採用される。つまり循環的な変動である。（b）は構造的な変動で、1997年・2007年インタビューで多く観察された。ただし、新規高卒回帰という「戻り現象」も、ホテル業の東京C社で観察された。興味深いことにこの「戻り現象」は、2017年インタビューで増えていたのである[6]。なお（c）では、この認識を変更して技術職に高卒者を抜擢して就けるという選択をとった企業が今回の調査で1社観察された。

図表7－4　新規高卒労働力と他労働力と比較考量した結果としての採用行動（概念図）

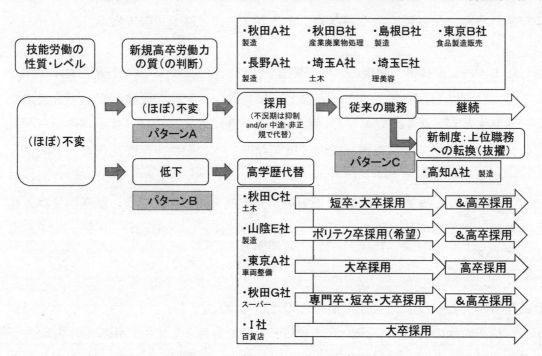

　（a）（b）（c）それぞれの流れをふまえて展開しているものをパターンA、パターンB、パターンCとし、その全体像を図表7－4に示した。パターンAは7社、パターンBは5社、パターンCは1社である。以下では、いくつかの事例を挙げながら説明していきたい。パターンAについては長野A社（電線、電子部品製造）を、パターンBについては秋田G社（スーパーマーケット、シッピングセンター）と東京A社（車両と駅設備のメンテナンス）を、パターンCについては高知A社（農業機器・部品製造、金型製造）を取り上げる。

---

[6] 残念ながら東京C社は、業務多忙のため、2017年調査ではインタビューが叶わなかった。

長野 A 社：循環的な採用変動（パターンA）

　2007 年の聴き取りでは、同社は 1990 年代後半、IT 産業の進展を背景に、光ケーブルの生産などで売り上げを伸ばしていたが、2001 年 3 月期になると「IT バブル」が崩壊、急激で大幅な業況悪化を経験した。そこで取られた対応は、国内工場の東南アジア移転、それにともなう大幅な人員整理（2002 年、早期退職優遇制）、新規高卒採用の抑制（2000 年 4 月入社を最後に 2007 年 4 月入社まで採用なし）、であった。また 2017 年の聴き取りでは、リーマンショック直後の 2009 年と、2011〜2013 年の 3 か年度に再び、早期退職優遇制度を初めとした事業再構築を実施、この間も新規高卒採用を抑制している（資料編のケース記録 p.322 を参照）。

　一般に業況低迷期には、コスト削減が最優先される。それゆえ雇用に関しては、人材育成コストを削減する観点から中途採用者の雇用が、また、当座をしのぐという観点から非正規従業員の雇用がなされることが多い。2000 年代から 2014 年くらいまでにおける長野 A 社についてもこのことが当てはまる。この時期に増加した非正規従業員は、公共職業安定所のトライアル雇用と製造派遣による技能工であった。当時のインタビューによれば、製造派遣は、「やはり早期退職優遇制実施の 2002 年から 2003 年ごろから」であり[7]、「それまでは事務系の派遣ぐらいしかなかった」。ところがこのあと、製造派遣は急増していく。同社の直近の有価証券報告書を確認すると、正規従業員数と平均臨時雇用者数との比率は、2013 年 3 月期の 3：1 から、2017 年 3 月期の 3：2 へと、後者が急増している。

　業況低迷を背景とした事業再構築は 2014 年度 3 月期をもって終了したものの、その取り組みは比較的長期にわたったため、正規従業員構成の高齢化によって技能継承に課題が生じてきた。製造派遣への依存に限度があることもさらに意識されよう。40 代に手薄感のある同社では、いま新規高卒を採用しないと 20 年後が心配であるという。加えて、再び業況が上向いて労働力需給が逼迫している。それゆえ、現時点では新規高卒就職者の採用を積極的に進めていくことが適切であると判断されている。

　このように、不況期には新規高卒採用を抑制し、好況期には再開・拡充して、拡大した業務に対応したり、技能継承がスムーズに進むよう対処することは、長野 A 社以外にも、秋田 A 社、秋田 B 社、島根 B 社、東京 B 社、埼玉 A 社、埼玉 E 社に確認される行動（パターンA）である。

秋田 G 社：変化した因果推論のまなざし（パターンB）

　秋田 G 社は 1997 年→2007 年→2017 年と 3 時点でインタビューができている。1997 年には、毎年 30 人は高卒がほしい、他方で大卒採用が数名叶うようになった、と述べられている。これが 2007 年になると、高卒採用は 2003 年 4 月入社が最後である、とのことだった。

---

[7] 製造派遣の解禁は 2004 年からである。

採用停止の理由は、高卒者の離職率が高いこと、ポスレジはスキル不要でパートナー社員で対応できること、また他方で毎年、専門卒・短大卒・大卒を15〜20人採用できていることが挙げられていた。つまり、1997年から2007年にかけて、高卒超学歴者の採用が容易になり、かつ高卒者よりも労働力として高い評価を付していた。2017年のインタビューになると、2010年、2011年と高卒採用を再開したものの、再び途絶え、2017年度に再開したことが述べられた。

2017年度の再開の理由としては、大卒採用の未充足が続き、パートナー社員の補充も困難なことが大きい。では、この新規高卒採用の再開は「やむを得ない」といった消極的理由による選択なのであろうか。新規高卒就職者は離職率が高く、高卒超学歴者のほうが能力が高いけれども、採用できないのだから仕方がないという消極的選択は、できれば避けたいと思うのが、これから取ろうとする（高卒採用という）行動を自他に対して納得させたい・正当化したいと思うのが、人間の性ではなかろうか。

秋田G社の事例が興味深いのは、同社が、2011年度入社の高卒者は就労継続していることを見出し、その原因を推論し、次のような積極的な認知に至ったことである。曰く、彼らの定着は、大卒中心の採用にシフトして以来、研修やメンターの制度を整備し、上司の指導の在り方を見直してきたことの結果である、と。つまり、キャリア形成意識が高卒者よりずっと高い（と見なされる）大卒社員が増えていくプロセスで、育成の手順や段取りを可視化するという作業に取り組んだ。育成の流れが可視化された職場は、高卒社員にとっても働きやすい職場である。それゆえ2011年度入社の高卒者は辞めていない——こうした因果推論がなされた。すなわち秋田G社は、高卒者の離職率が高いのは彼らの属性というよりは、むしろ人的資源管理体制に原因があったという認識を得た。これは新規高卒就職者を積極的に意味づけるものであるといえよう。

東京A社：大卒技能工（＝現場技術職）の処遇の難しさ（パターンB）

2007年調査では、東京A社は、2000年代前半は一時採用を停止していたが、技能継承のためには中断のない採用が不可欠なため、新規高卒採用を続けていく、と語っていた。しかし同時に、彼らの基礎学力低下をきわめて憂慮しており[8]、一部は大卒技能工へと代替する可能性があることも述べられた。当時の処遇制度は、大卒が総合職、短大卒・専門卒・高卒は一般職、という二本立てであったが、大卒総合職の適性には欠けるが現業職としてなら充分採用可能という大卒者の採用と処遇の方途を模索中であった。

かくして当時の私たちは、10年後の2017年調査を待ち望んでいたのだが、それでどうなっていたかというと、指摘された可能性どおり、技能工の大卒代替が進められ、首都圏では

---

[8] 2007年調査のケース記録には、採用されている生徒は、筆記試験で「四則混合算や分数の足し算引き算、$\sqrt{\ }$の計算といった問題が、半分以上できている、というレベルである。できない生徒も少なくない」（労働政策研究・研修機構 2008b, p.304）と記されている。

ほとんど高卒採用を行なっていなかった（したがって、2017年度は首都圏で久々の高卒採用活動となった）。また、大卒者の採用（すべて技術系）は、ポテンシャル採用（総合職）とプロフェッショナル採用（現場技術職）とに分れられており、後者は技術改善などで現場のリーダーシップをとっていくことが期待される。就職希望者は3:7の割合でプロフェッショナル採用（現場技術職）が多く、かつ、近年は上位校の学生の採用割合がかなり増え、能力やモチベーションの点でポテンシャル採用（総合職）との差がなくなってきている。

　つまり、2007年に語られた、大卒総合職の適性には欠けるが現業職としてなら充分採用可能という大卒者の割合が減ってきたのである。こうなると、現場技術職の大卒の処遇が難しくなる。卑近な表現でいえば、「オーバースペック」ゆえの課題が生じてくる。この課題を解決すべく、東京A社は新規高卒採用への注力に方向転換をしたのであった。

　しかし依然として、かつて憂慮が示された基礎学力の著しい低下は課題のままであろう。にもかかわらず新規高卒者に回帰するには、基礎学力の低下というデメリットに対抗する理由づけが必要であろう。そこで採用再開の根拠としては、工業高校で実技・実習をこなしているためスタート時に一定のスキル的優位や慣れというアドヴァンテージがあることを東京A社は挙げている、と考えられる。

高知A社（農業機器・部品製造、金型製造）：より上位の職種へ（パターンC）

　パターンAの企業が、従来と同様の性質・レベルにある技能労働を継続すべく新規高卒を採用（再開）しているのに対し、高知A社では、高卒技能工を技術職へと抜擢する新しい人事制度の運用を2017年度から開始した。これは、新規高卒者の能力評価を上げているという点で注目に値する。

　同社の人事制度では、現場技能職のOコース、事務職のCコース、総合職（技能職、営業職）のGコース、管理職のMコースがある。2007年のインタビューでは、「大卒の技術職のポストに高校生が後でなるというのも、これもないんですか」との質問に、「それはないです」、「ある程度の基礎知識と技術がないとだめ・・・やっぱり、高卒と大卒で・・・違います」と明言されていた。

　2017年のインタビューでも、生産ラインでみんなで仕事をするOコースと、個人の裁量で目標管理をしながら仕事をするGコースとでは、求められる能力（と、したがってその評価方法）が異なることが指摘された。つまり、ラインのなかで現場のルーティンをこなす仕事と、設計や品質管理といった自ら設定した課題を解決していく仕事とでは大きく違う。

　しかし他方で高知A社は、技術職が不足気味（大卒理系の採用難）であると同時に、工場のフルオートメーション化によって技能工は従来ほど必要ではないという課題状況にある。これに対応すべく、同社で採用している高卒者の「基礎的な能力は高い」ため、OコースからGコースへの抜擢を実施することにした。運用初年度の2017年度には、4〜5人の高卒者が抜擢され、期待どおりであるという。

このように、高卒の上位職種への転換（抜擢）制度の開始は、従来の新規高卒者の能力評価を上げているということであり、大きな変更である。ただし、これが可能になるのは、高校との強い実績関係を維持し続けることができているということが大前提であろう。

第3節　どのような新規高卒者をどのような手法で採用しているのか・それはなぜか
1　欲する人材スペックと採用方法

すでに前節で指摘したように、新規高卒就職者が従事する技能労働は従来とほとんど変わっておらず、必要とされる能力は漢字の読み書きや四則計算といったレベルの基礎学力と、周囲とコミュニケーションをとる力や明朗さといった人格特性であった。これらを確認する方法としては、筆記試験・作文と面接が実施されており、これも従来どおりである。

しかし他方で、2017年調査で痛感された変化が2点ある。第1は、企業訪問や職場体験やインターンシップが「標準」となっていることである。積極／消極の濃淡はあるにせよ、すべてのインタビュー対象企業が、何らかのかたちで企業訪問や職場体験やインターンシップを実施している。それらは、地域の経済団体や行政（都県の産業部局や教育委員会、公共職業安定所）の事業を活用してなされている場合がほとんどである。

こうした「標準」化は、生徒が実際に企業現場を見て納得すること、企業が面接以外の場面で生徒の人となりを掴むことが極めて重視されるようになったことの反映であろう。このような変化は、1990年代の進路未決定者の増加（苅谷・粒来・長須・稲田1997）、「七・五・三」転職と表された若者の高い離職率（黒澤・玄田2001）、その解決方法の模索といった（堀田2007）、ここ20余年間のいわば「選抜からマッチングへ」という試行錯誤の結果であると考えられる。

2017年調査で痛感された第2の変化は、人材育成のまなざしの変化である。それは、若手（自分より下の年代）に対する上司の接し方や育成方法についての語りに現れている。「叱るのではなく、褒めて伸ばす」「冗談の一言も言って笑わせて、じゃあ何かいい方法を一緒に考えようかというようなやり方に変わっている」「昔と違って、どなったらすぐ来なくなるから・・・教えるほうも気をつかってやってもらっている」「打たれ強いか打たれ弱いかということよりも、いかに本人のやる気を引き出して前向きにきちんとやってもらえるようにするか・・・に力を注いでいる」——などなど。

このような変化には、若者側の要因もあろうが、上司の世代的変化が大きいのであろう。現在の上司世代は、「人生100年時代」といわれるように、以前の上司世代よりも、人びとの寿命がより長期化した時代の壮年（成人）層である[9]。寿命の長期化は壮年（成人）期の長期

---

[9] イメージしやすさのために、仮に第一次ベビーブーム世代（1947～1949年生まれ）と第二次ベビーブーム世代（1971～1974生まれ）とで比較するならば、1997年調査と2007年調査時点で第一次ベビーブーム世代は48～50歳と58～60歳、第二次ベビーブーム世代——多くが1994年の「就職氷河期」を経験している——は2017年調査時点で43～46歳である。

化をもたらす。エリクソン（Erikson=Erikson, 1997=2001, pp.88-89）を援用していえば、生殖性や生産性や創造性の発揮によって充実しながらも、徐々にその停滞や喪失を受容していかなければならない壮年（成人）期という人生の時期を、より長いこと過ごすのである。自分が何かを達成していくことは、いわば頭打ちになっていく／なったことを痛感せざるを得ない、長い時期を過ごすのだ。

だとすればなおさら、「生殖性対停滞という対立命題から現れる新たな「徳」、つまり「世話」は、これまで大切に（care for）してきた人や物や観念の面倒を見る（take care of）ことへの、より広範な関与」によって「次の世代の強さを育む」ことは、重要性を増すであろう。人材育成の構えの変化は、このような世代／人生の構造的変化の文脈で解釈することができる。

2　企業優位の選抜の困難──循環的要因と構造的要因

第2節で確認したように、1997年あるいは2007年調査では、新規高卒者の能力不足を理由に大卒など高学歴者の採用へと切り替えていた企業のなかにも、新規高卒採用へと回帰するところがあった。しかし昨今の現状は、好況のため労働市場はいっそう逼迫し、全般的にいって新規高卒者の採用自体もなかなか叶わないというものである。卑近な言葉でいえば、企業は「あまり選り好みはできない」、「来てくれたら御の字」という状況なのである。これは1997年調査において、厳しめの言葉で語られた、高卒就職希望者の能力評価と対照的だといえる。

このように、好況期は企業優位の選抜が困難となり、不況期はそれが容易になる。たとえば理美容の埼玉E社だと、次のようである。1997年調査では、理美容学校卒よりも高卒が良いと述べる一方で、挨拶など常識を知らないので躾から教育訓練が必要だと強調していた。2007年調査では、国家資格試験合格のため高校の成績は評定平均で3は必要であると述べていたが、2017年調査では、人手不足が続く近年では入社者の実態は2点台に下がっており、下がった分は入社後の教育訓練を手厚くすることで対応している、とのことだった。このように、「企業は、人手が足りているときは求職者の能力水準の低さを強調し、人手が足りないときは「入社後の教育訓練で育てる、育つはずだ」という「意欲と信念」を強調しがちである」（筒井 2008b, p.120）。好況期は人材スペックの要求水準が下降し、不況期は上昇するのである。

しかしながら、人材スペックの要求水準は景気という循環的要因のみならず、構造的要因によっても左右されている。構造という概念は多義的であるが、なかでも人口構造が重要である。高卒就職をテーマに人口構造というと、すぐに18歳人口の減少が思い浮かべられようが、産業人口構造に行政が影響を及ぼしている点を見逃すべきではない。以下では、土木建設業者の高卒採用難の原因には、国土交通政策の変化が建設業界のありようを変えたことがあることを述べる。そのあとに、18歳人口の減少について地域差にふれながら説明する。

変化した国土交通政策の建設業界に対するインパクト

2017 年調査でインタビューをした土木建設会社は、秋田 C 社と埼玉 A 社である。また、秋田 A 社にも建設部門がある。いずれも、高卒・専門卒・大卒の如何を問わず超売り手市場で採用が困難を極めている（「いくら探してもいない」）とのことであった。

これは好景気であることだけが要因なのではない。国土交通政策の変化も、等閑視してはならない要因である。公共事業関係費を 1978 年度から見ていくと[10]、当初予算は 5.5 兆円から増加基調で推移し、1997 年に 9.8 兆円でピークを迎え、2012 年度（民主党政権から自公政権へ）の 4.6 兆円まで減少基調で推移、その後再び増加しているものの 6 兆円程度となっている。

続いて図表 7 − 5 に、建設投資、建設許可業者数及び建設労働者数の推移を示す[11]。建設投資のピークは 1994 年度の約 84 兆円で、これが 2014 年度の約 41 兆円にまで落ち込んでいる。建設許可業者数のピークは 1999 年度の約 47 万業者で、2013 年度末には約 37 万業者へと減少している。建設労働者数のピークは 1997 年度平均の 685 万人で、2013 年度平均では 499 万人へと落ち込んでいる。

図表 7 − 5　建築投資、建築許可業者数及び建設労働者数の推移

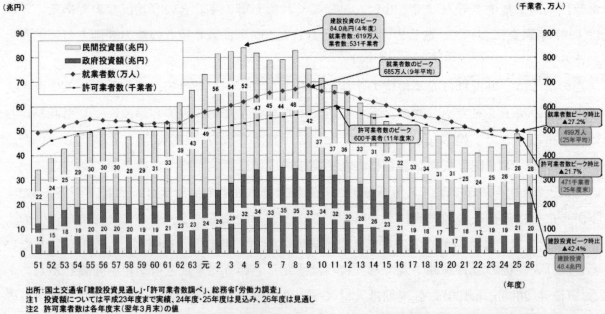

出所：国土交通省「建設投資見通し」・「許可業者数調べ」、総務省「労働力調査」
注1　投資額については平成23年度まで実績、24年度・25年度は見込み、26年度は見通し
注2　許可業者数は各年度末（翌年3月末）の値
注3　就業者数は年平均。平成23年は、被災3県（岩手県・宮城県・福島県）を補完推計した値について平成22年国勢調査結果を基準とする推計人口で遡及推計した値

資料出所：国土交通省「建設業の課題と今後の対応について」平成 23 年 5 月 25 日　CI-NET/CADEC シンポジウム資料

[10]　「公共事業費について」平成 26 年 5 月 17 日　麻生議員提出資料
http://www5.cao.go.jp/keizai-shimon/kaigi/minutes/2015/0519/sankou_02.pdf
[11]　国土交通省「建設業の課題と今後の対応について」平成 23 年 5 月 25 日　CI-NET/CADEC シンポジウム資料
http://www.kensetsu-kikin.or.jp/symposium/110225/02singikan.pdf

つまり、建設業界自体が、1990 年代後半から 2010 年にかけて一旦大幅に縮小したために、ここ数年の建設投資増加に業界として追いつかない状況にある。秋田 C 社や埼玉 A 社や秋田 A 社の採用難の背景には、このような政策による産業人口構造の変化が存在することを見逃してはならないだろう[12]。

18歳人口の減少とその地域差

　18 歳人口の変動は地域差が大きい。したがって、日本全国をまとめて見るのではなく、地域差を確認しながら論じないといけない。図表７－６－１と図表７－６－２に、2017 年調査の対象地域における高校卒業者（全日制・定時制）数の推移を示した。首都圏とそれ以外では人口規模が大きく異なるのでグラフを分けている。厳密にいえば 18 歳人口と高校卒業者数は異なるが、ネグリジブルと見なす。

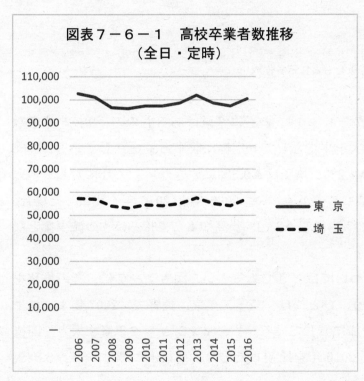

資料出所：文部科学省「学校基本調査」各年度版をもとに筆者作成

---

[12] 考えてみれば、「長期の好況の後は必ず、道路、橋、港湾、公共建築物、公共の土地などのインフラが荒れている」（Drucker 1993, p.273）のだし、日本の国土は地震や豪雨豪雪や火山噴火を初めとした自然災害を宿命とする（これを初期値とした行政・社会づくりが不可欠であることを、私たちが強く心に刻んだのが、東日本大震災であった。私たちの生命観・人生観はフェーズが変わったのだ）。だから、災害復旧や緊急修繕や耐震工事のニーズは後を絶たない。しかも、バリアフリーの設計に基づく再開発や空き家のリノベーションの推進なども重要である。したがって、建設現場における建設生産の要である建設技能労働のなり手を、関係諸学校から輩出していくことは喫緊の課題といえよう。

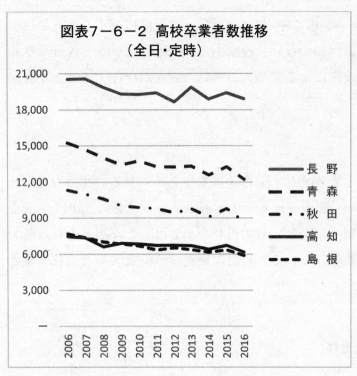

図表7-6-2 高校卒業者数推移
（全日・定時）

凡例：
長　野
青　森
秋　田
高　知
島　根

資料出所：文部科学省「学校基本調査」各年度版をもとに筆者作成

　首都圏の東京と埼玉を見ると（図表7-6-1）、ともに増減はあるものの、高校卒業者数は、それぞれ9万9000人と5万5000人を平均として一定幅に収まって推移している。2006年と2016年を比較した場合、東京は▲2.2％、埼玉は▲0.3％にすぎない。これに対して地方部では（図表7-6-2）、いずれの県も減少が著しい。2006年と2016年を比較した場合、長野▲7.9％、青森▲17.7％、秋田▲23.3％、島根▲23.3％、高知▲17.2％というの減少幅となっている。

　では、高卒求職者（就職希望者）についてはどうであろうか。図表7-7に、その推移を示す。変化は2パターンに整理できよう。ひとつは、埼玉、東京、長野で、2007年より減少基調にあったのが、2011年から単調増加に転じている。リーマンショック以降、大きく回復していることが確認される。2006年と2016年を比較した場合、東京＋2.8％、埼玉＋8.8％、長野＋19.2％である。

　これに対して遠隔県では、高卒求職者の減少が進行している。縦軸の目盛りの関係上、緩やかな減少に見えるが、2006年と2016年を比較した場合、青森▲12.1％、秋田▲20.1％、島根▲17.4％、高知▲19.2％という著しい減少幅である。

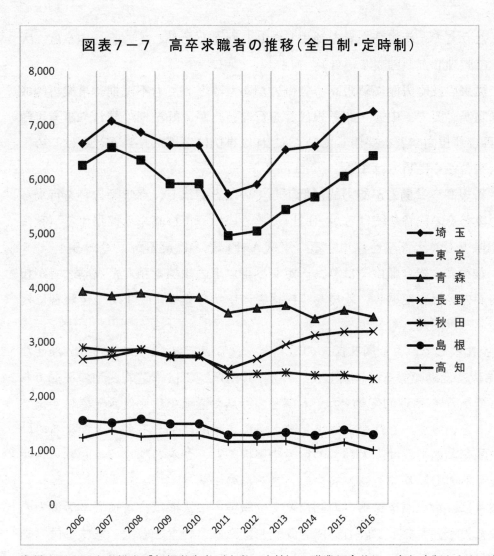

図表7－7　高卒求職者の推移（全日制・定時制）

凡例：
- 埼玉
- 東京
- 青森
- 長野
- 秋田
- 島根
- 高知

資料出所：厚生労働省「新規学卒者（中学・高校）の職業紹介状況」各年度版をもとに筆者作成

　以上、3つの図表を合わせると、青森、秋田、島根、高知の遠隔県では、高校卒業者（≒18歳人口）が2割前後減少しつつ、かつ、高卒求職者も1〜2割減少するという、著しい二重の減少が進行中だということがわかる。すでに述べたように、企業優位の選抜は好況／不況という循環的要因に左右されるものだが、このような著しい二重の人口減少が進む地域では、選抜の困難が恒常化していかざるをない。卑近な言葉でいえば、「来てくれる人を採って育てるしかない」のである。否、これからの新規高卒就職者の育成においては、「育てざるを得ない」という消極的意味づけではなく、秋田G社や高知A社のように、「育てよう」という積極的意味づけへと転換できるかどうかが重要なポイントとなるであろう。

第4節　本章の結論

1　構造的変動の契機としての能力評価（認知）の変更

　以上、本章は、定点観測的インタビューをもとに、企業が、なぜ・どのように新規高卒就職者を採用（抑制・停止）しているのかを明らかにしてきた。企業は、新規高卒労働力を他

労働力と比較考量したうえで、新規高卒者を採用したりしなかったりしている。本章は、大きく3つのパターンに整理した（図表7－4）。

　パターンAでは、従来の技能労働に新規高卒労働力があたうとしても不況期や事業再編成期にあるため採用抑制が必要で、中途・非正規代替を行なったが、好況期の訪れや事業再編成の終了によって、再び新規高卒者を採用していく。これは事例に挙げた長野A社をはじめ、インタビュー対象企業の多くに当てはまる。

　パターンBでは、新規高卒労働力が能力的に低下していると認識し、高学歴代替を行なったことがあり、その後もその代替を続けるか（Ｉ社）、あるいは、再び高卒も採用する（秋田G社、秋田C社、山陰E社）／高卒を採用する（東京A社）ことに戻るか、である。

　パターンCでは、技術職・総合職はやはり、一定レベル以上の訓練を積んだ高学歴者が相応しいという従来の能力評価を変更し、新規高卒採用者の中から見極めた上で上位職種に抜擢するというものである（高知A社）。

　パターンA, B, Cを比較して、より興味深いのはパターンBとCのほうであろう。なぜなら、パターンAは循環的変動であるのに対して、パターンBとCは構造的変動の契機であるかもしれないからである[13]。構造的変動とは、人びとの行為や選択を超えた次元での変化ではある。しかしだからといって、それを自然現象のように自動的に生じるものと捉えるのは間違いである。構造的変動の契機は、人びとの行為や選択のもとである認知（＝知覚＋意味づけ）の変更に存在するのであり、そこが面白いところなのである。

　本章で見てきたように、新規高卒採用への回帰と上位職種への抜擢は、新規高卒労働力の能力評価（認知）の変更をともなっている。能力評価を変えるということは、意味づけ（価値判断）の根拠を変えるということに他ならない。つまり、それまでは、「○○には□□ができない・無理である・難しい」とか「○○は劣っている」などと評価していたのを、ある意味前言撤回的に変更するのである。だから、そこには正当化の理由づけが要る。

　秋田G社では、新規高卒者は離職率が高いし、大卒のほうが能力的にも高いからと言って大卒を採る方にシフトしていたが、大卒の採用困難が問題となって、新規高卒者の高離職率は自社の人的資源管理体制にあったがそれは改善されたという認識をもとに、新規高卒採用へと回帰した。高知A社では、新規高卒就職者には大卒技術職の仕事に従事させなかったのが、大卒理系の採用困難と技術者不足を解決するため、高卒者は「基礎的な能力は高い」のだから専門的研修を受けさせれば上位職種への転換（抜擢）は可能だと判断した。東京A社では大卒の現場技術職の「オーバースペック」問題を解決すべく、在学時の実技・実習で現場技能を磨いていることにアドヴァンテージがあることを評価して、新規高卒採用へ回帰した。

　以上のように、企業は、ある属性をもつ労働力（ここでは新規高卒労働力）の能力評価を、

---

[13] 「構造的変動の契機であるかもしれない」と控えめに言明しているのは、この新規高卒回帰が定常化するか否か、まだわからないからである。

それ単体だけでなしたり変更したりするわけではない。企業は、関連する他の人材課題を解決しようとするなかで、それと整合性のある正当化をなそうとして、能力評価の軸をつくり変えていくのである。したがって、インタビュー対象者が語った能力評価の言説は、これまでにとった選択肢・これからとる選択肢を自らと周囲に納得させるための正当化の行為と見なしてよい部分がある。

2　〈構造－機会－行為者〉という認識枠組みで新規高卒就職を分析する必要性

　このように考えてくると、これまでの「高卒就職研究会」では、構造的変動がダイレクトに行為者の行為に影響を与える（を制約する）という認識枠組み——〈構造－行為者〉という認識枠組み——が、暗黙裏に前提とされていたといえるだろう。つまり、工場の海外移転→高卒需要の縮減、高等教育進学率の上昇→高学歴代替、といった変化をあたりまえのように捉えがちであった。もちろん、大筋としてはこのようなことが生起してきたのである。

　しかし、この〈構造－行為者〉という認識枠組みには行為者の反作用を挿入する余地がない。たしかに構造とは、人びとの行為や選択を超えた次元のものである。しかしだからといって、行為者がその環境にはたらきかけていく術は無いとか、わずかな決まった反作用しかないということにはならない。そこには多様な行為の自由の余地がある。言い換えれば、行為者は機会のなかで行為する。

　したがって必要なのは、〈構造－機会－行為者〉という認識枠組みである。機会とは、行為者がその目的を達成しようとして活用する諸資源の集まりである。その活用は行為者の認知に依存している。つまり、何を目指して諸資源をどのようにどう使うかは、行為者の知覚と意味づけ次第である[14]。

　循環的変動と構造的変動の組み合わせによっては、企業はその点を鋭く問われることになる。2017年の調査でいえば、18歳人口のさらなる減少（とりわけ遠隔県）が続くなかでの好況というのが、その組み合わせである。これは、新規高卒者から代替したはずの高学歴者の採用がままならない事態をもたらした。しかし、企業活動を継続・拡充すべく、人材補充は不可欠である。ではどうするか。たとえば秋田G社は、近年の大卒を意識した人材育成の制度化を、新規高卒採用回帰の根拠として用いたのであった。

　本章冒頭で、定点観測的インタビューの強みは、経済・社会・行政のマクロな変化のなかで、調査対象がどのように企業活動を展開し、どのような理由づけをもって新規高卒者を採用したりしなかったりするのかが、相対化されて見えてくるということだと述べた。この強みを発揮するのに必要なのが、〈構造－機会－行為者〉という認識枠組みなのである。

　すでに指摘したように、著しい二重の人口減少が進む地域では、選抜の困難が恒常化して

---

[14] 機会のこうした捉え方は、政治的機会構造論（Tarrow 1998=2006）のそれに倣っているが、社会運動研究に限らず、マクロな構造とミクロな行為主体を、機会や場といったメゾレベルの概念で結びつけて説明する枠組みは、政治経済学や経営学など多様な研究分野で用いられている。

いかざるをない。そのような地域でこそ、企業が機会すなわち諸資源をどのように知覚し意味づけ、人材補充・育成という行為を展開するかが、より注目されよう[15]。

　次回の 2027 年調査までに、日本社会はどのような循環的変動と構造的変動を経験しているであろうか。現在の好景気も 2020 年の東京オリンピックまでだといわれている。人口構造のさらなる少子高齢化という量的変化は、自然災害の頻発をともないつつ、人びとが世代・人生の意味づけを変えることを推し進めるであろう。こうした諸々の経験が、企業の認知と行為をどのように影響し、新規高卒採用を左右していくであろうか。今回の調査で観察されたパターン B と C が、構造的変動の契機であるかもしれないという可能性の状態ではなく、構造的変動であったか否かを明言するためには、そのときが不況期であればなおさら、新規高卒採用回帰の何たるかが、はっきりするであろう。「高卒就職研究会」は、このような視点と問いをもって、10 年後の調査に備えて待つべきだろう。

引用文献

Drucker, Peter F.（1993=1993）*Post-Capitalist-Society*, 上田惇生・佐々木実智男・田代正美訳『ポスト資本主義社会——21 世紀の組織と人間はどう変わるか』ダイヤモンド社

Erikson, Eric and Joan Erikson（1997=2001）*Life Cycle Completed*, 村瀬孝雄・近藤邦夫訳『ライフサイクル、その完結〈増補版〉』みすず書房

堀田聡子（2007）「採用時点におけるミスマッチを軽減する採用のあり方--RJP(Realistic Job Preview)を手がかりにして」『日本労働研究雑誌』49(10) pp.60-75.

苅谷剛彦・粒来香・長須正明・稲田（1997）「進路未決定の構造：高卒進路未決定者の析出メカニズムに関する実証的研究」『東京大学大学院教育学研究科紀要』第 37 巻 pp. 45-76.

黒澤昌子・玄田有史（200）「学校から職場へ：『七・五・三』転職の背景」『日本労働研究雑誌』43(5), pp.4-18.

森岡清美・塩原勉・本間康平編集代表（1993）『新社会学事典』有斐閣

日本労働研究機構編（1998）『新規高卒労働市場の変化と職業への移行の支援』

労働政策研究・研修機構編（2008a）『「日本的高卒就職システム」の変容と模索』

労働政策研究・研修機構（2008b）『「日本的高卒就職システム」の変容と模索—資料編—』

Tarrow, Sidney（1998=2006）*Power in Movement: Social Movement and Contentious Politics, second edition*, 大畑裕嗣監訳『社会運動の力——集合行為の比較社会学』彩流社

筒井美紀（2008a）「企業による新規高卒者の位置づけはなぜ・どのように変動するのか？」労働政策研究・研修機構編『「日本的高卒就職システム」の変容と模索』pp.97-132.

---

[15] 新規高卒者の就職後の育成は、とりわけ二重の人口減少が進む地域では、企業の「内製」方式では必ずしも充分とはいえないだろう。なぜなら彼らには、地域で暮らしていくことの難しさや意味やビジョンを含めた広義の育成が（いっそう）大切だと考えるからである。すわなち、職業スキルに焦点化するだけではない、生涯学習的な育成が不可欠であり、その展開には多様な組織の関与が必要である。したがって学術的にも、このテーマは、教育社会学、経営学、社会政策学といった学際的アプローチが要請されよう。

筒井美紀（2008b）「個別教育システム間での不整合――高等学校と中小零細企業との関係を事例に」青島矢一編『企業の迷走／教育の迷走――人材育成の「失われた10年」』東信堂 pp.119-150.

筒井美紀（2016）『殻を突き破るキャリアデザイン――就活・将来の思い込みを解いて自由に生きる』有斐閣

参照ウェブサイト（すべて2018年2月18日を最終日として確認）

「公共事業費について」平成26年5月17日　麻生議員提出資料

　　http://www5.cao.go.jp/keizai-shimon/kaigi/minutes/2015/0519/sankou_02.pdf

国土交通省「建設業の課題と今後の対応について」平成23年5月25日　CI-NET/CADEC シンポジウム資料　http://www.kensetsu-kikin.or.jp/symposium/110225/02singikan.pdf

厚生労働省「新規学卒者（中学・高校）の職業紹介状況」各年度版

　　https://www.e-stat.go.jp/stat-search/files?page=1&toukei=00450222&tstat=000001020421

文部科学省「学校基本調査」各年度版

　　https://www.e-stat.go.jp/stat-search/files?page=1&toukei=00400001&tstat=000001011528

日本溶接協会 http://www.jwes.or.jp/

終章　政策提案

　本章では政策提案に関わる知見を要約し、政策提案を行う。最後に高卒就職の将来像について述べる。

第1節　知見の要約

　各章の詳細な検討についてはそれぞれの章末にまとめられているので、ここでは政策提案に関する知見のみ紹介する。

　この 20 年間の高卒労働市場は大きな景気変動にさらされてきた。本調査研究の強みは長期にわたる事例調査によって、好況期・不況期の双方が視野に入っている点である。2017 年調査は人手不足感が強い状況下で行われた。

　第1章ではこの 20 年間の概況を示している。現在の高卒の求人増加は、建設と介護の需要の増加で説明でき、製造業求人はあまり伸びていない。また高卒就職者の4割は普通科出身者であり、少子化により専門学科が総合学科に再編され、特に商業科出身者が減少している。男性の就職先職種は工業科ではほぼ生産工程等であり、普通科は半数が生産工程である。女性は商業では事務職が半数弱、普通科はサービスと生産工程となっている。

　景気回復は県外就職に結びつくものであったが、今回は地元定着が進んだ。これはリーマンショック以前の好景気の時期とは対照的である。輸出型製造業にかわって、今回の高卒求人を押し上げているのは建設・介護であり、地域を超えた求人が少ないという労働力需要の違いがある。

　第2章では、今回対象となった7地域にフォーカスしている。7地域は過去の研究において①県外移動、②需給状況、③求人内容の3点から、流入地域（東京・埼玉）、バランス地域（長野）、流出地域（秋田・島根・青森・高知）の3類型に分類されてきたが、今回においてもこの類型は妥当とみられた。いずれの地域でも人手不足状況にあったが、流出地域では求人が増加するだけでなく求職者も減少していることが求人倍率を引き上げていた。流出地域でも建設・介護の求人が増加して相対的に製造業求人の割合が低下しており、建設や介護求人の増加は地元完結型の就職を増加させることが見込まれる。

　また県外就職率は全体として下がっており、流出地域での地元定着傾向が進んでいる。県内就職を促進するため「（流入地域より遅い傾向があった）地元企業の求人票提出時期を早める働きかけ」が行われたことが効を奏した側面もある。

　第3章では、高校と企業との関係、校内選考、一人一社制について分析した。同時にかけもち（複数応募）できない地域ごとの申し合わせである一人一社制について、例外はあるもののおおむね継続していた。また校内選考については成績による厳密な校内選考を行う高校は少数派となっており、希望が重なったら選抜せずにそのまま送り出すという指導が中心と

なっていた。高校と企業との関係の継続性を、観察期間中に「1回限りの単発の採用ではなく、複数回採用のあった企業の割合」を「非単発採用企業」比率として算出し3時点の変化を測ったところ、商業で最も継続性が低下、普通科はもともと継続性が低かったがさらに低下が見られ、工業科では下げ止まりの傾向が見られた。

第4章では、商業高校について、応募先決定までの職業情報や企業情報の獲得過程の変化を長期的に探った。かつて商業高校は厳格な校内選考を実施し、生徒が企業を直接知る機会は限られていたが、現在は様々な手段を通じて生徒と企業との接触を図って地域の労働市場を知る機会を増やしており、特に流出地域やバランス地域の商業高校で熱心であった。

第5章は、最大の就職者数を輩出する工業高校を対象にこの10年間の変化を探った。2000年代は流出地域の工業高校の県外就職率が全般的に高まったが、リーマンショックを挟んでその後の状況は分かれた。県内企業の求人のタイミングは早まったが、工業高校では県外企業の採用方法および求人の量と質によって、県外就職者割合は左右されていた。また生徒の多様化に伴い、就職指導では個別的な指導の必要性が強く感じられるようになっている。

第6章は、単独校から様々な学科が設置されている併設校に再編された高校を取り上げ、学校再編が就職指導に与える影響を探った。併設校の場合には前身校が持っていた企業との関係が維持されているが、就職という面においては校務分掌が短いサイクルで交替する普通科寄りになり、結果的に就職指導担当の継続性が低くなっていた。近年の学校再編は総合学科化ないしは併設化によって行われており、総合学科に比べてカリキュラムの点において学科の特徴が残りやすい併設校であっても、継続性が重要な就職という面においては課題がある。

第7章は、企業調査から高卒の採用パターンを3つに整理した。パターンAは高卒者の「質」には問題ないが、景気変動によって採用を抑制することもある企業であり、事例の多数を占めた。パターンBは高卒者の「質」が低下していると認識し、そのまま採用を抑制した企業と、にもかかわらず採用を再開（しようと）する企業がある。採用を再開（しようと）した企業には、大卒技能工を採用したところ処遇が難しく高卒者に回帰しようとする企業や、大卒採用の未充足等により採用した高卒者が企業の人材育成方針のおかげで定着していることから、より積極的に高卒者を採用している企業があった。パターンCはよい大卒者の採用は困難だが「質」の高い高卒者を採用できているという認識から、高卒技能職を技術者へと抜擢するという新しい人事制度を作ったというケースであった。なお企業の採用が全体として「選抜」から職場と生徒との「マッチング」に配慮する方向にシフトしており、景気循環により選抜に傾くことはあるとしても、とりわけ流出地域では少子化の進展により選抜の困難が継続することが推測された。

第2節　政策提案

① 「日本的高卒就職システム」の変化を踏まえた労働政策の展開

　本研究では「日本的高卒就職システム」を「推薦指定校制」「一人一社制」に基づき、高校と企業との継続的・安定的関係である「実績関係」の中で生徒が就職を決定していく仕組み、として定義してきた。本研究からはこの20年間、「日本的高卒就職システム」は時代に合わせて相当に調整（アップデート）されてきたと総括できる。

　調整の内容について詳細に述べるなら、「推薦指定校制」、「一人一社制」という仕組みはおおむね維持されながらも、高卒就職のマッチングプロセスは生徒の納得性を高め、早期離職を避ける方向に変化している。この変化は主に事前の校内選考の限定化と、応募先選択における多様な情報提供から把握できる。

　第一に事前の校内選考の限定化については、2002年の文科省・厚労省の最終報告が示したような、成績などによる事前の厳密な校内選考を経て生徒が受験するような就職指導はかつてと比べると格段に減少している。希望が重なった場合には以前であれば事前に校内選抜を行っていたが、現在はそのまま送り出すのが主流であり、かつてのように介入をしなくなっているのである。希望した企業を受験できるという点においては、格段に生徒の納得度は高まる方向にあろう。また企業側においても高校から送られた生徒を採用するかどうかは企業の採用戦略に拠っており、確実に生徒を採用する企業は一部にとどまっている。

　第二の応募先選択における多様な情報提供という点については、生徒と企業との接触機会を増やし、生徒に応募先を選ぶ材料を提供すること（インターンシップ・校内での企業説明会・経済団体主催の生徒と産業界との交流会等・キャリア教育）を重視するようになっている。企業は生徒が企業についてよく知ることによって納得度が高まるだけでなく、早期離職の回避に効果があることを期待していた。

　したがって序章で述べた2003年の文科省・厚労省の最終報告においての懸念事項である生徒の納得度や適性についての課題は相当に払しょくされたと言えるだろう。しかし後述するような問題はもちろん残っており、特に金融危機直後のような急激な新規高卒労働市場の冷え込みが今後生じた場合の対応については、高校と企業との継続的・安定的関係が弱体化しているため相当に危惧されるところではある[1]。いずれにしても労働行政はアップデートされた「日本的高卒就職システム」を前提にして、新規高卒者に関する労働政策を組み立てていくことが求められる。

---

[1] 高校と企業との継続的・安定的な関係は学科によって差異はあるものの、この20年間において弱まってきた。就職希望者の絶対数が小さくなっているため高校側は毎年安定的な供給ができなくなっており、企業側においても景気後退期に採用が途絶えた場合の安定的・継続的な関係の復活は簡単ではないといった、高校・企業双方それぞれの要因が今日の関係の弱体化に結びついている。

② 学校やハローワーク経由以外の職場情報の読み方に関する支援

　生徒や保護者はインターネットやSNS、ライン等を通じて受験先企業の情報収集を行っており、出所が必ずしも明らかでない情報が生徒の応募先決定に一定の影響を及ぼしていることがうかがえた。近年は労働行政も青少年雇用情報を通じて生徒に企業の職場情報を提供してきたわけだが、インターネットを通じた情報収集経路の影響力はさらに強まることが予想される。生徒はもとより、保護者も職場等情報の判断力を身につけることは難しい。真偽が定かでない情報の読み方についての知識をハローワークが提供したり、あるいはキャリア教育との連携により、職業選択を支援するための重要な手段となることが期待される。

③ 生徒が企業に直接接触できる機会の充実に対するハローワークの支援の拡大

　同時に、生徒が様々な機会に直接企業に接触することにより、自ら情報収集を行って納得して応募先を決定することの有効性もうかがえた。また企業側にとっても、今回調査が人手不足の時期に実施されていることを差し引いても、企業の採用は単に選抜するのではなく、高卒者と職場との適合性を高めることを強く意識していた。高校側からも企業側からも接触の機会が求められている。ただし企業見学のセッティング等は高校の先生方にとってかなりの負担になっており、就職支援員等の加配がない地域においては特にそうであった。高校の先生方の負担を減らし、高校生と企業との効果的な接触機会を増やすため、ジョブサポーターが積極的な役割を果たすことが期待される。

④ 特別な支援を要する生徒への対応の拡充

　発達障害等の可能性が考えられ支援を要する生徒や、あるいは外国にルーツのある生徒の就職については特別な支援を要するケースが多くみられるが、高校ではこうしたノウハウは蓄積されてはいない。すでにハローワークにて対応がなされているとの事例もあるが、今後新規高卒者の支援においては重要性を増す領域になるものと考えられる。

⑤ 高校の就職指導担当者の変化に対する補完的支援の充実

　少子化による高校再編により、多数の就職者を送り出してきた工業・商業のような専門学科の割合が減少している。今回の秋田の事例のように専門学科の遺産が併設校（総合制）高校に受け継がれる場合もあるが、総合学科のように科目選択が幅広いため専門性が薄くなる再編が行われる場合もある。その結果、高校側の就職指導担当者が就職指導を担当する任期が短縮化され、力量にバラツキが生じやすくなっている。ジョブサポーターは高校就職指導担当者の力量を見極めて支援を行う必要がある。

最後に10年後の次回調査を見据えて、高卒就職の将来像について述べておきたい。

今後の景気循環により一時的な変動はあるかもしれないが、高卒就職者の割合は卒業者数の 15−20％を推移するものと思われる。しかし 18 歳人口の減少により、高卒就職率が同水準を保ったとしても、高卒就職者数の絶対数が減少することは間違いない。他方で 18 歳の若者がすべて高等教育に進学するということも考えられないので、絶対数が少なくなったとしても高卒就職支援のニーズが残り続けることもまちがいのないところであろう。ただし少子化による高校再編により十全な職業教育を受けた高卒者が減少することは、長期的に日本の人材育成に影響を及ぼす可能性がある。また高卒者の地元定着の高まりは広域的な人材需給調整を一層難しくし、産業構造の変化によって労働力の地域移動が求められる事態が起こった場合に対応できる可変性の高い柔軟な労働力が減少することも含意している。それゆえ今後は稀少化する新規高卒者に対する支援について、労働行政は都道府県の高校教育政策について注視しながら、公立高校を所管する都道府県等の自治体や高校との連携をさらに深め、包括的な検討を進めていくことが求められる。

　本研究において 20 年間用いてきた「日本的高卒就職システム」という概念が捉えられる範囲も狭まりつつある。しかし「日本的高卒就職システム」は特定の時期や特定の地域においてみられた日本社会の一つの成功体験であり、この成功体験は今日においても研究者や調査対象者である高卒就職にかかるアクターの対象認識の枠組みや規範的判断のありようを大きく規定している。それゆえ次回調査においてもこの概念を用いて研究を行うことになるだろう。

資料編

目　次

補論　秋田県の高校再編整備の方針：
生徒減少期における学科のあり方と高卒就職

　本補論では、第6章の分析の事例である秋田県について、県全体の方針として、高校再編・統合をどのような考え方で進めているのか、また、そこで地域における人材育成や高卒労働力の供給はどのように考慮されているのかを明らかにする。

　第6章の第1節でも述べたように、高卒就職において、学科は生徒の進路や就職のありようを規定してきた重要な変数である。生徒減に伴う高校再編期、特に「新しいタイプの高校」が設置された1990年代後半以降は、どのような学科をどのように配置するのかが重要な検討課題となっている。詳細は後述するが、専門学科が減少しやすい傾向にあったり、総合学科が、その科目選択という特性が複数校の統合と親和的であるために、再編整備のドライブ要因になったりするからである。しかし、再編整備の状況や方針には都道府県による差が大きいこともあり、高卒労働市場において大きな意味を持つにもかかわらず、労働研究では特に、学科の規定要因は着目されてこなかった。

　第6章では概要のみを述べたが、本調査において流出地域に分類される秋田県は、高卒就職を意識し、地域への人材供給のため、専門学科を可能な限り維持するという再編整備方針をとっている。このような事例に着目することは、今後さらなる生徒減が進行するなかで、高卒就職をみすえた学科のあり方を検討するうえで有用であると考え、県教育委員会へのヒアリング調査データを中心とし、秋田県の再編整備方針について詳述する。

　生徒減少期にあって、専門学科は基本的に再編対象とされやすい。中央教育審議会(2011)は、答申「今後の学校におけるキャリア教育・職業教育のあり方について」の中で、「少子化が進み、生徒数が減少する中、各都道府県では公立高等学校の再編が進められているが、普通科と比べ、専門学科が再編の対象の中心となる傾向にあることがうかがえ、専門学科が軽視されているのではないかという課題も指摘されている」(p.44)と述べている。これは、原(1987)や竹内(1995)が指摘してきたように、日本では高校階層構造、すなわち学力による一元的尺度に基づく学校間の序列の中で、専門学科が下位に位置する傾向にあることや、専門学科の設置・維持コストが高い（後述）ことの影響であると考えられる。

　調査対象の都道府県についても、この傾向がみられる。図表補－1は、前々回調査、前回調査が行われた1997年度、2007年度、ならびに2017年度について、2017年度調査の対象となっている都道府県で、専門学科率がどのように推移してきたかを示したものである。図表1からわかるように、特に1997年時点で専門学科率が高かった都道府県で、専門学科率は大きく減少している。対して普通科率は、図表は割愛するが、埼玉県で5ポイント程度減少しているのを除き、1〜3ポイント程度の減少にとどまるか、もしくは増加している。

図表補－1　2017 年度調査対象都道府県における専門学科率の推移

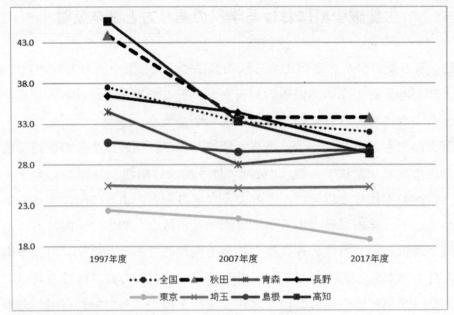

※学校基本調査より著者作成
※「その他学科」は除く

　秋田県の専門学科率は、1997 年時点で 43.9％と高く、2007 年度までに約 10 ポイントと大きく減少している。しかし、高知県や長野県とは異なり、2007 年度から 2017 年度にかけて専門学科率は減少していないため、2017 年度時点では、調査対象都道府県の中で最も専門学科率が高くなっている。少なくとも 2007 年以降は、専門学科の比率が維持されるような方針がとられていると考えられる。

　なお、専門学科の生徒数の推移に着目すると、やや様相が異なる。図表補－2 は、1997 年の専門学科の生徒数を 100 としたときの 2007 年、2017 年の値を示したものである。図表補－2 から、生徒数に着目した場合、秋田県における専門学科生徒数の減少は調査対象地域の中で最も大きいことがわかる。図表補－1 とあわせて考えると、秋田県では、他県と比較して、専門学科の生徒数はより大きく減少しているが、学科の配置バランスにおいては、特に近年、専門学科のウェイトを相対的に高く保っているといえるだろう。

　この点について、秋田県教育委員会の高校教育課へのヒアリング調査からより詳細に検討していく。秋田県では、少子化に伴う高校再編に際して、地域の産業構造、高卒求人の状況、高校の管内就職率、県内就職率、県外就職率などについて、業種ごと・地区ごとの状況やこれまでの変化を教育委員会が取りまとめ、今後の状況を推測して再編計画を策定している。

　「地域産業がどういった人材を求めているのか」というニーズを把握するため、県として産業教育審議会等からの意見聴取のほか、各学校でも取りまとめを行っている。特に工業学科では、「地域連絡協議会」が設けられており、これは、地域の企業が高校を視察し、高校からは生徒がインターンシップに出向くというような連携を行い、人材育成について協議するものである。ただし、これらは工業学科がメインとなっており、その他の学科においてはあ

まり行われていない実情もある。

図表補－2　2017 年度調査対象都道府県における専門学科生徒数の推移
（1997 年度＝100）

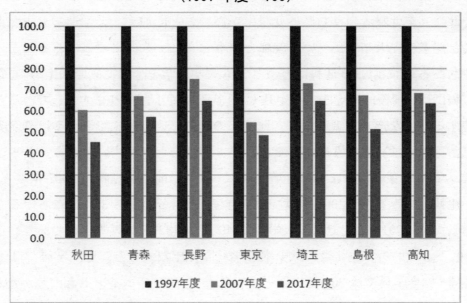

※学校基本調査より著者作成
※1997 年の生徒数（秋田県 13,719 人、青森県 20,812 人、長野県 18,185 人、東京都 49,794
　人、埼玉県 32,499 人、島根県 8,857 人、高知県 7,457 人）を 100 としたときの割合
※「その他学科」は除く

　こうした取り組みを通じ、高卒就職をとりまく様々なデータに基づいて、全体としてどのような学科をどのようなバランスで配置するのかを判断している。この点について、教育委員会は次のような方針を語っている。

「地域を維持していくというと、普通科だけではやはり成り立っていかないので、地域に残って地域の経済活動に貢献できる子どもたちを残していかないといけない」
「やっぱり専門系の学科はお金がかかる（略）基礎データをもとに裏づけのある話をしないと、財政課は納得しない」

　地域で活躍する若者を育成するためには、専門教育を行うことができる専門学科を維持する必要があるが、専門学科は維持コストが高いため、そのぶんの予算を確保するには、「裏付けのある」データを提示し、財政側を説得する必要がある、ということだ。よって、高校教育課では、地域高卒労働市場に関するデータを把握し、「10 年間こうだし、この先はこういうふうになるだろうし、だから、この学科が必要」であるという点を提示して、予算を獲得している。

　秋田県の高校再編整備の方針として象徴的なのは、上述のように、地元への人材供給を確

保するため、基本的には専門学科を他学科やコースなどの形に改編せず、専門学科という形のまま維持するという考え方である。少子高齢化の進行が著しい地域では、デスクワークだけでなく、現場での作業を支えられる若者を育てる必要があり、専門学科は重要な役割をもつ。こうした方針は、県の基幹産業である農業・工業で顕著である。

　秋田県では、高卒就職者のうち県外就職率が高いことに加え、大学進学もまた県外流出を意味することが多く、大卒者が「いざ就職というときに、県内に戻ってくることが難しい」という問題もある。この点、「普通科はどうしても大学進学を念頭に置いた指導」を行うため、高校再編の際には、積極的に専門学科を残し、「若干の縮小はありますが、<u>できるだけ現在の学科を継続するような形</u>」で調整する。地域との連携という意味でも、やはり企業との関係等の蓄積がある専門学科という形にしたほうが、連携をとりやすいというメリットがある。

　2017年度の調査対象校が含まれる地域全体について、前回調査時の2007年度と2017年度で生徒数を比較してみると、2007年度では入学者2368名のうち32.9%にあたる780名が専門学科であったが、2017年度では、入学者1746名中482名が専門学科であり、その割合は27.6%まで低下している。生徒数の減少率を学科間で比較すると、専門学科では38.2%であるが、普通科・総合学科では20.4%にとどまっており、約18ポイントもの差がある。専門学科における生徒減は特に著しいが、それでもなるべく専門学科という形が維持されているのである。

　専門学科維持を重視するこのような方針から、秋田県における高校の統合は、基本的に次のようなものになる。まず、統合校の規模としては、学校の活力を維持する[1]ため、また、「新たな統合校をつくったら、50年ぐらいは続いてもらわないといけないので（略）、<u>できるだけ将来的な少子化に対応した形で統合</u>する」。その際、専門学科を学科という形で残すため、1つの高校に複数の学科を併設するという形態が採用されており、「<u>それぞれの高校の特徴のある学科をまとめた総合制の学校</u>」となる。統合後は、当面学級減で対応するが、定員割れについては、「<u>若干の定員割れはあっても、学科の重要性から継続するべき</u>」という方針である。

　複数の学校を統合し、複数の学科を1つの学校にまとめる際には、学科を併設するという形の他に、前身校の設備等を活かし、専門科目を選択科目として生徒に履修させる総合学科への再編という形も考えられる。新しいタイプの高校が制度化されて以降、新制度を採用した高校の整備は、再編整備を牽引してきた（屋敷2013）。1994年に制度化された総合学科はその中核的存在であり、幅広い選択科目を設け、生徒の興味関心に応じた選択履修を旨としている。総合学科が有するこの特性は、複数の学校、ひいては複数の学科の統合に際して、親和的なものである。2017年調査でも、長野県Dハローワークが、「現在は高校の合併で、

---

[1] 秋田県教委では、学校としての活力を維持するためには、「多様な個性との出会いや社会性の育成に加え、教職員数の確保による教育課程の充実など、高校としての教育校化を最大限上げるという視点から、1学年4〜8学級を適正規模とする」（「第七次秋田県高等学校総合整備計画」）としている。

専門高校が減り総合学科が増えているため、企業は工業や商業などの専門学科出身者を取りたくても難しくなってきているという問題がある」ことを指摘している。しかし、秋田県では、生徒減に伴う高校の再編統合という文脈においては、総合学科は設置されていない。

秋田県では、1995〜1998 年と、制度化からあまり間を空けずに、「先駆け」として総合学科を3校設置している。これは、県北、県南、県央に「バランスよく」1校ずつ配置することを意図したものであった。その後、総合学科は新設されておらず、生徒減に伴う高校の再編統合に伴う総合学科の設置がなされたことはない。主な理由として以下の二点が挙げられる。

第一に、総合学科では専門性の獲得が十分にできないという議論の存在である。上述の総合学科3校は、いずれも農業高校をベースとして設置されたが、設置後、「総合学科の課題を検証してみますと、どうしても**専門性の深まりが浅い**のかな。生徒が自由に科目選択することも重要なんですけれども、**人材育成、子どもたちの育成の過程では深い専門性を身に付けさせたい**というふうなことから、総合学科はこのままでよいのだろうかという議論がやはりありました」という。卒業後の状況についても、教育委員会でとっているデータでは、高卒就職者の離職率が、専門学科では低いのに対し、総合学科は普通科に次いで高いという結果が出ている。

第二に、さらなる少子化の進行に伴い、統合校でも学級減で対応していくことが見込まれており、その場合、総合学科の「メリットがなくなってくる」という問題である。学級数が減少すれば、必然的に教員数も減少し、本来は総合学科のメリットであるはずの科目選択の幅も狭くなる。よって、総合学科では「5クラス、6クラス以上の学校でなければ、子どもたちにとってもメリットがない」という観点から、統合校を総合学科にするという方針は、生徒減への対応策として適切とはいえないと考えられている。

現在、県北地域で工業高校と総合学科高校の統合校設置が進められているが、統合校では、総合学科を前身である農業系の専門学科に戻すことが計画されている。この計画は、秋田県の高校再編整備における学科設置の考え方を端的に反映したものといえるだろう。2016 年度学校基本調査のデータから全国的にみても、秋田県は、専門学科の設置率[2]が 32.9％と平均的であるのに対し、総合学科の設置率は 4.2％と 47 都道府県中 7 番目に低く、今回の調査対象県の中でも最低となっている。

ここで、専門学科と地元への人材供給について補足しておきたい。本節で検討してきたように、秋田県の再編整備方針においては、専門教育を受け、現場を担う若者を育成し、地元で活躍してもらうために、専門学科を学科として維持することが重視されている。むろん、そもそも専門学科がなくなってしまえば、そうした人材を育成・供給すること自体が困難になるため、基本的な方針としては妥当である。しかし、注意しておかなければならないのは、

---

[2] 都道府県別学科数のうち、「その他」を除く専門学科の学科数が占める割合を指す。

地元定着という一点についていえば、専門学科を保持することが必ずしも県内就職に直結するわけではないという問題である。

　第2章では、秋田県を含む人材流出地域でも県外就職率は低下しているが、データを見るとそれは県内就職が増加した結果とはいえず、数値上雇用情勢が好転していても、中長期的にみれば労働市場のあり方に多くの課題があることが指摘されていた。たとえば工業科では、製造業求人比率が低い人材流出地域においては、かなりの生徒が県外に就職していくという傾向がみられている。人材流入地域か流出地域か、また、学科やそれに対応するメインの職種は何かによって多分に状況が異なるため、あくまでも単純な参考値にすぎないが、2017年度学校基本調査データから、専門学科率と県外就職率についてピアソンの積率相関係数を算出すると、約0.35と弱い正の相関がある。つまり、雑駁な議論ではあるが、全体としてみればむしろ、専門学科の割合が高いと県外就職率が高い傾向にある。図表は割愛するが、2017年度調査対象校について、学科別の県内就職率データが入手できた部分のみ見てみても、普通科と比較して専門学科の県内就職率のほうが明らかに高かったのは秋田 K 併設高校のみ（第6章3－4の図表6－7参照）で、他は学科間の差がないか、工業科ではむしろ普通科より県内就職率が低かった。

　ただし、進学も含めて考えると、秋田県においては大学進学による県外流出のほうが相対的に深刻であり、2016年度学校基本調査によれば、県外就職率は35.2%であるのに対し、県外の大学への進学率は76.6%にのぼる。秋田県教委の語りにもあるように、普通科が基本的に大学進学を前提とした指導を行うことに鑑みれば、地元定着を意図するとき、専門学科の維持を重視するのは当然であろう。

　地元就職の促進について、第2章では、若年人口の減少を受け、かつてのような製造業の大型雇用創出よりも、建設業や医療・福祉などの新たな求人を新規高卒者にとって魅力ある就職先とすることや、これらの分野に対応した高校教育のあり方を検討することの必要性が指摘されている。今後、専門学科を通じた地元への高卒人材定着を推進するにあたっては、2017年度調査でしばしば見られたような、高校生の地元企業に対する認知度を高める取り組みに加え、求人構造の変化に対応した学科・カリキュラム編成を検討していくことも効果的であるかもしれない。

参考文献

中央教育審議会、2011、「今後の学校におけるキャリア教育・職業教育のあり方について」（答申）。

原正敏、1987、「現代の技術・職業教育」、大月書店。

竹内洋、1995、「日本のメリトクラシー」、東京大学出版会。

屋敷和佳、2013、「再編整備の進捗状況と今後の展開」、月刊高校教育 46（13）、pp.22-25、学事出版。

ケース記録

1. ハローワーク編

（1）東京都Ａハローワーク

実施日：2017年7月21日

1. 管内の概況

　都内3区を管轄。人口157万人、事業数約6万、従業員数67万人という規模。都心に位置する区では大規模事業所、住宅地の多い区では小規模事業所が多く、また、業種にも地域差がある。全体として製造業は工場が外に出て減少傾向にあるが、印刷業が集積する地域が残っている。大きなターミナル駅を抱え、求人・求職ともに多いタイプの所である。

　管内の新規高卒求人数は2016年度（2017年3月末）3,283人、2015年度比で1割強、2014年度比で3割強の増加である。求人数でみると、Ａハローワーク管内は東京労働局管内全体の求人数（44,574人）の約7%のシェアである。東京全体と比較して、職業別にみると販売の職業が多く、産業別にみると小売業、宿泊業、飲食サービス業等の比率が高い（図表1）。

　若年者関係業務に関しては、ヤングコーナーを設けてはいるが、同じくターミナル型の大規模所である他の都心2所（新卒応援ハローワークやわかものハローワークを設置）と比べて若年者の来所数は少ない。

2. 新規高卒労働市場の状況

（1）求人・求職状況

　管内高校の2017年3月末新卒者数は11,303人、うち学校またはハローワークの紹介を希望する求職者数は695人、うち3月末現在内定者数は694人（内定率99.9%）である。都内就職者626人、都外就職者68人と9割が都内で就職している。

　ここ数年、右肩上がりで求人が増えており、特に建設業の求人が急増。高卒求人を10年ぶりぐらいに再開した企業、初めて出すという企業もあるが、特に建設業については、就職希望者が少なく、充足が極めて難しい状況。

　合同企業説明会は、Ａハローワーク単独での開催はしていないが、東京局として実施しており、2017年度は7月27、28、31日の3日間で行われた。3日で75社参加、生徒は3日間1000人ぐらい。このほか多摩地区（立川）で1回開催される。10月、1月にも開催される予定。

（2）最近の特徴的な動きがみられる業種

　前年度、久々にＡ百貨店からのまとまった求人があり（店舗限定で17名）、よい結果が得られたとのことで、今年も同数程度の求人が出ている。他の百貨店からも求人が出てきてい

る（こちらは全国求人）。昨年度はＡ百貨店の求人時期が遅く、9月の面接開始には間に合わなかったが、公務員志望や進学予定からの進路変更者の応募などもあり、充足できた。店舗及び職務（販売、インフォメーション、設備）限定で期間社員（3年）であるが、転換制度もあり、研修や資格取得への支援が正社員と同様に受けられる点も人気の理由となった。就職者は男女ほぼ半々であり、男子の近場志向も根強い。

「高校生としたら、正社員になってしまうと全国転勤の場合もある。ちょっとそれはハードルが高いということで、勤務地がなるべく近いほうがいいというニーズはある。そこで遅い採用時期であったとしても何とか確保ができた。」

販売、サービス、介護といった求人が増え、製造業等の定型的な仕事の求人が減っていることにより、コミュニケーション力に課題のある生徒の受け皿がどんどん少なくなっている。建設業も、新卒で取る場合は、ゆくゆく現場を束ねるリーダーとして育てることを期待しており、やはりコミュニケーション力は必要とされる。

「先生方のほうからも、『工場職で部品の検査とか商品管理のような仕事はありませんか』、『ほとんど人と話をしなくても大丈夫なところはありませんか』等のご要望をいただきます。事業所の立場からすると、そのような職種はどんどん減ってきていて、パートさんや外国人の方に流れていっているので、高校生を採用した場合にはそういう人たちを管理する職種で採用したい。逆にコミュニケーション力が必要という、その辺のちょっとミスマッチがあります。」

建設業では、大卒求人と高卒求人を同時に出し、採用できるならどちらでも、というケースも多く、技術力の高い企業からの求人も増えているが、なかなか応募者がいない。都内で土木・建築関係の学科が減ってきていることもあり、普通科、定時制にも募集を広げるようになっているが、求人者には厳しい状況が続いている。高卒者は大卒者より職人的志向が強く、現場で認められれば力を発揮するケースも多いといった評価もあり、近年高卒求人が見直されてきているようだ。

「大卒が採れなかったので高校生を採用してみたら、純粋に頑張るし、育てられるということがわかった。あと高校生の立場からすると、自己肯定感が低い子たちが現実的に多いんですけれども、会社で、『こんなにできるようになったね』と認めてもらってすごく頑張って力を発揮する子が多かった。その結果、ぜひ来年も高校生をということで毎年（求人を）出していただくようになった成功例も多くあります。」

観光客の増加を背景にホテルからの求人も増えている。大卒と高卒のキャリアコースの差が小さく、将来的にブライダルにも行けるといったことで特に女子生徒からの人気が高く、充足する。

3. 学校との連携

高校の指導は、①7月上旬に求人票を見ながら生徒と相談し、7月20日の終業式までに企

業見学先（3社）を決めさせる（希望が決まったら、保護者の了解も取る）→②企業見学をしてお盆明けまでに1社目を決める→③9月5日の推薦開始、といった流れ。9月中は1人1社制で好きな所を受けさせ、ここで60％ぐらい決まる。10月以降は2社応募可という申し合わせである。

進路指導主事との連絡会議は年4回開催し、20校程度が出席する。

ジョブサポーターは学校担当制で、今年度は5人で就職の多い学校を分担している。2016年度は高卒担当ジョブサポーター（4名）による高校訪問件数が195件、ジョブサポーターが講師を務めるセミナー等の開催回数が30回であった。今年度は都内4か所のサテライトが廃止され、Aハローワークでも大卒担当ジョブサポーターがいなくなり、全体として8名から5名に削減された。このため高卒の求人受理が集中する時期に外に出ることができなくなり、これに伴って業務運営を前年度までとは変更している。面接指導なども、これまでのように学校に出向くのではなく、希望する生徒を所の会議室に集めて8月後半に実施する予定。10月以降は未内定者に個別に対応していくこととしている。

中退者についても個別相談により対応している。高卒求人を出している企業、既卒応募可の求人企業等が受け入れてくれる。通信制高校についても、生徒の相談に応じることがある。

4. 企業、求人者への働きかけ

2017年度は求人受理が6月1日からに早まったため、企業の来所が集中せず、返戻までの時間的余裕もあり、企業とゆっくり話ができた。求人受理時の事業所指導としては、求人数が適切か（規模に対して過大な人数になっていないか）という点を見るようにしている。

「求人数というところがすごく大切だと思うので、高卒、大卒できちんと採用計画を立てていらっしゃいますかというのは必ず確認しているんですけれども。例えば（従業員）10人の事業所様で、欲しいといって5人、6人ともし書かれても、誰が研修するんだという話にもなりますので。」

定着支援はジョブサポーターが1人10社程度を受け持ち、事業所を訪問している。管内高校からの就職先を優先しているが、地方所からの依頼や、企業から「辞めそうだから来てほしい」といった要請があって出向くこともある。

若年法による情報公開等については、昨年度からの制度なので、今年は企業も慣れてきている。青少年雇用情報については、特に、教育・研修について書く欄（職業能力の開発及び向上に関する取組の実施状況）が設けられたことで、企業にとっても、どのような取組みが必要かわかりやすくなったという効果があるようだ。他社と比べて見劣りしないように資格取得支援を充実するという企業も出てきている。

「一番よかったなと思うのは教育のところなんですけれども、今まで教育的なことというのは、どこまでやればいいのかというのがわからなかったという事業所さんが多くて、実際にこういうふうに、どんな研修をやっていますかとか、メンター制度ありますかとか、キャ

リアコンサルティングありますかというのを書かなければいけなくなったので、ここまでやらなければいけないんだなというのがわかったので。ここを書くということは、ほかの事業所さんもこれに対してやっぱり取り組んでいるということだから、うちだけ『なし』というわけにいかないよねということで、そこの意識がすごく事業所さん変わったかなと。」

　管内のユースエール認定企業は２社。助成金を使えるメリットはあるが、書類が多くて大変という声があり、数値基準も厳しく、若者応援企業に比べてハードルが高いようである。

5．最近の新規高卒就職に関する課題

①　生徒が職業を知らない。高卒求人は現場職が中心であり、仕事の幅が広い大卒求人と比べて仕事内容が明確で、売り手市場の中で選べる状況であるが、職業について知識がない生徒への対応が難しい。３年生だと遅い。１年生からの取組みが必要。

　「高卒求人は現場職なのですごく職種がたくさんあるんです。なので、そういう意味では職種を選べるんです。売り手市場プラス職種も選べるというところで、すごく恵まれている状況なんですが、悲しいかな職業を知らないので、より若い年齢への職業興味を持たせるアプローチが重要ということで中学生対象の職業講話を本年度はさらに数多く行っています。」

②　職業意識が希薄な生徒、コミュニケーション力の不足や発達障害がみられる生徒、外国籍で在留資格の確認が必要な生徒など、個別対応が求められるケースが増えている。

　「やめてしまう子たちというのはほとんど４月、５月にやめてしまうので、その子たちの就労意欲の低さだったり、働くことのイメージ不足だったり、あと、学校、また、私たちから勧められてというと、人任せで進路を決定してしまった子たちが一定いるので、（中略）キャリアガイダンスプラス個別面談的なところがとても重要だと思っています。」

③　保護者の理解を進めるための対策が必要になっている。親世代の就職時とは労働市場の状況が違っており、また、保護者が非正規の場合、正社員就職にこだわらず、非正規のスパイラルになることもある。

　「職業選択もなんですけれども、定着のところで保護者の方からの見守り、アドバイスがとても大事。保護者セミナーも実施はさせていただいているのですが、（中略）保護者セミナーをさせていただいている学校に限りがあるので、ここも課題かなと思います。」

図表1　新規高卒求人の推移と構成（職業別・産業別求人数、規模別求人事業所数）

	管内				東京全体	
	2016年度	構成比(%)	充足率(%)	2015年度	2016年度	構成比(%)
求人数　合計	3283	100.0	37.3	2890	44574	100.0
【職業別】						
A, B　専門的、技術的、管理的職業（01〜24）	284	8.7	25.7	256	4740	10.6
C　事務的職業（25〜31）	197	6.0	63.5	180	3565	8.0
D　販売職業（32〜34）	746	22.7	48.0	589	6208	13.9
E　サービスの職業	861	26.2	34.4	791	11882	26.7
理容・美容師等（38）	88	2.7	13.6	77	2343	5.3
調理師見習等（39）	305	9.3	19.0	366	2606	5.8
飲食店店員等（40）	352	10.7	61.6	249	3136	7.0
その他（35〜37・41・42）	116	3.5	7.8	99	3797	8.5
H, I, J, K　技能工、採掘、製造、建築の職業（49〜78）	1153	35.1	31.0	1048	16816	37.7
① 製造・製作の職業（49〜64）	434	13.2	54.1	413	7448	16.7
② 定置機関・建設機械運転（69・72）	268	8.2	6.0	205	2225	5.0
③ 採掘・建設・労務の職業（70・71・73〜78）	358	10.9	21.8	324	5998	13.5
その他（65〜68）	93	2.8	30.1	106	1145	2.6
F, G　その他の職業（43〜48）	42	1.3	33.3	26	1363	3.1
【産業別】						
A,B 農・林・漁業（01〜04）	2	0.1	0.0	2	29	0.1
C 鉱業, 採石業, 砂利採取業（05）	0	0.0	—	0	60	0.1
D 建　設　業（06〜08）	585	17.8	24.1	490	6199	13.9
E 製　　造　　業（09〜32）	415	12.6	61.4	398	6003	13.5
うち食料品製造業（09）	101	3.1	86.1	66	1976	4.4
うち印刷・同関連業（15）	108	3.3	64.8	114	430	1.0
うち化学工業（16）	17	0.5	76.5	22	294	0.7
うちプラスチック製品製造業（18）	39	1.2	38.5	62	140	0.3
うち金属製品製造業（24）	25	0.8	68.0	31	389	0.9
うちはん用機械器具製造業（25）	30	0.9	63.3	26	277	0.6
F 電気・ガス・熱供給・水道業（33〜36）	1	0.0	0.0	31	217	0.5
G 情報通信業（37〜41）	86	2.6	39.5	99	877	2.0
H 運輸業, 郵便業（42〜49）	115	3.5	25.2	128	4037	9.1
I 卸売業, 小売業（50〜61）	828	25.2	41.7	601	7406	16.6
卸売業（50〜55）	177	5.4	44.6	143	2250	5.0
小売業（56〜61）	651	19.8	40.9	458	5156	11.6
J 金融業, 保険業（62〜67）	1	0.0	0.0	4	134	0.3
K 不動産業, 物品賃貸業（68〜70）	46	1.4	21.7	33	612	1.4
L 学術研究, 専門・技術サービス業（71〜74）	37	1.1	24.3	27	1101	2.5
M 宿泊業, 飲食サービス業（75〜77）	611	18.6	41.2	610	4805	10.8
宿泊業（75）	279	8.5	76.0	207	815	1.8
飲食サービス業（76,77）	332	10.1	12.0	403	3990	9.0
N 生活関連サービス業, 娯楽業（78〜80）	133	4.1	29.3	121	3320	7.4
O 教育, 学習支援業（81,82）	6	0.2	16.7	1	174	0.4
P 医療, 福祉（83〜85）	139	4.2	10.8	127	3852	8.6
Q 複合サービス事業（86,87）	1	0.0	100.0	0	160	0.4
R サービス業(他に分類されないもの)（88〜96）	275	8.4	32.7	218	5534	12.4
S,T 公務, その他（97〜99）	2	0.1	100.0	0	54	0.1
【規模別】						
29人以下	1306	39.8	19.7	1005	16304	36.6
30〜99人	912	27.8	32.2	972	11633	26.1
100〜299人	450	13.7	54.4	442	7476	16.8
300〜499人	315	9.6	58.7	276	2300	5.2
500〜999人	158	4.8	49.4	94	1731	3.9
1000人以上	142	4.3	116.9	101	5130	11.5

提供資料に基づき作成

（2） 埼玉県 B ハローワーク

実施日：2017 年 7 月 14 日

1. 管内の概況

埼玉 B ハローワークの管轄区域はさいたま市の 10 の行政区のうち 5 区、管内人口は約 66 万人である。管内には官公庁が多く所在するため、官公需が大きい。雇用保険適用事業所数でみると全体の半数近くをサービス業が占め、次いで建設業、卸売・小売・飲食業などが主要な業種である。

有効求人倍率は 2014 年度の 0.78 から 2015 年度には 1.00、2016 年度は 1.32 と急速に上昇してきた。最近の人手不足状況で、求人が増えているだけではなく、求職者が減っているということが感じられている。

「単純に求人だけ増えているのではなくて、求職者が減っていることで、景気が安定してきているのもあって、なかなかやめる方が少なくなってきたというのと、最近、企業側が従業員の方を大事にし始めて、コンプライアンスも含めてしっかりしてきたかなというのはあります。」

2. 新規高卒労働市場の状況

（1） 求人・求職状況

報道発表資料により埼玉労働局管内全体の新規高卒者の求人・求職の推移をみると、求人数は 2012 年 3 月卒以降増加を続けており、求職者数は 2017 年 3 月卒では微減となったものの、2011 年 3 月卒から 2016 年 3 月卒まで 6 年連続で増加している（図表 1）。求職者数は 20 年前の約 6 割に減少しているが、10 年前を若干上回り、リーマンショック後の底から 3 割近く回復している。2017 年 3 月卒の求人倍率は 2.04 と 1994 年 3 月卒の 2.09 以来の高水準である。

B ハローワーク管内の状況をみると、2017 年 3 月末時点における埼玉労働局管内全体の求人数 14,625 人、求職者数 7,194 人に対し、B ハローワーク管内分はそれぞれ 1,267 人、472 人であり、県内シェアは 8.7%、6.5% となっている。地域の労働市場はハローワークの管轄内では完結しておらず、県内就職の割合は 52.5%（248 人／472 人）と半数強であるが、そのうち管内就職は 60 人に過ぎない（図表 2）。

県外就職の多くが東京。地元志向が強いが、県内の離れた地域に行くより、通勤の便や賃金等の条件がよい東京に向かう傾向がある。

管内の新規高卒求人を産業別にみると、複合サービス（郵便局）をはじめとするサービス業求人が多く、次いで建設業、サービス（他に分類されないもの）などの求人が多い（図表 3）。就職者は製造業（県外求人が多い）や卸売業、小売業などが中心。管内で完結する求人

が少なく、充足数562件のうち自管内からの充足は47件である。

数年前から局全体で取り組んでいる「未就職ゼロ作戦」の成果もあり、2017年3月卒業者の内定率は100％となった。11～12月ぐらいからジョブサポーターが未内定者のいる学校を回って対応している。

直近の状況としては、高校回りをすると、景気の安定により保護者の経済状況が好転しており、進学希望者が増え、その分就職希望者が減っているという話が聞かれる。

「卒業する生徒さんたちの動向を聞くと、景気が安定してくると、ご家庭の金銭面とかについてもある程度安定してきているので、進学のほうに力が入っているのかなと。」

（2）新規高卒関係業務の実施状況

高校生向け企業説明会は7月、就職面接会は11月と2月の2回、局全体の取組みとして開催されている。企業説明会は地元新聞社に委託して実施されており、参加枠の2倍以上の企業から申し込みがあるが、参加できるのは約200社。生徒の参加は、2016年は3080人、2017年も3000人程度来場したとのことであり、2016年度の県全体の求職者数（最終）が7185人であるので、約4割が企業説明会に参加したことになる。就職面接会への企業の参加は80～90社ぐらい。

高卒求人のルールは、9月中は1人1社制、10月以降は事業主の了解があれば複数応募を認めることとなっている（原則2社まで）。

6月から求人受理を開始し、7月1日（今年は月曜日の3日）から事業所に返戻するが、返戻初日は、できるだけ早く高校に持参するために事業所が朝早くからハローワークに並ぶ。

若年者関係業務は本所の求人部門・学卒担当で実施しているが、「就業支援サテライト」にも「わかもの支援窓口」及び「新卒コーナー」が設けられている。前回調査の平成19年以降の動きとして、平成23年に「ヤングキャリアセンター（ハローワークコーナー）」及び「新卒応援ハローワーク（サテライト）」が設置され、平成25年に「就業支援サテライト」内に移転、それぞれ「わかもの支援窓口」、「新卒コーナー」に変更された。

3. ハローワークの活動や役割

（1）学校との連携

管下の16校（特別支援学校を含む）に就職希望者がいる。ジョブサポーター（本所に3名、サテライトに2名）が手分けして高校を回っている。学校担当制はとっていない。

進路指導主事会議を年2回開催。学校とのコミュニケーションは比較的取れていると考えている。進路講話は依頼があれば出向くが、年1～2回ぐらい。就職者の多い学校（定時制など）で実施。

未内定者については学校と連携しているが、中退者に関しては今までのところ実績はない。通信制については、学校本部が他県に所在する場合もあり、3年次で就職希望者への支援が

要請されることもある。

(2) 企業、求人者への働きかけ

　管轄地域に設置されている雇用対策協会（約100事業所加入）の枠組みで情報交換会を年1回開催している。

　景気がよくなって何年ぶりかに採用を再開し、世代の空白があるという企業も少なくない。同年代がいなくて新人が寂しくなり辞めてしまうといった問題も出ている。このため、企業からの要請があれば、ジョブサポーターが企業に出向き、若年社員の話を聞いて定着支援をしている。

　「定着の関係でいえば、氷河期というか採らなかった時期が今、反動があって、ここで一気に入れている会社もあるんですけど、一気に入れられなくて1人ずつ入れると、3、4年間誰も採っていなかったわけですよ、そうすると、ぽつんとラインに入ったとしても、同年代がいないから昼休みなんかも話ができなくて、うまくいかずにやめていくというケースもあったらしいです。そんなときに定着支援ということで、ジョブサポーターをつかせてもらって、何かあったら連絡くださいとお話には回っているので。」

　ユースエール認定企業について、機会をとらえてPRしているが、管内ではまだ1社も出ていない。助成金を使わない限りメリットがない、数値基準が厳しい、書類がたくさん必要で大変、といった声が聞かれる。

4. 最近の新規高卒就職に関する課題

　介護事業所からの求人は多いが、就職希望者が少ない。生徒本人より保護者の反対が強いことが影響している。

　「体力も使いますよね。そういうのを考慮して、どうもあんまり勧めないようなんですよね。本人が行きたいとなっても、親御さんのほうで。・・・希望すれば、多分100％就職は可能だと思うんですが、そういうところでなかなか・・・。」

　（問題点ではないが）女子生徒に以前のような企業ブランド志向が薄れ、求人票で育休実績などをしっかりみる生徒が増えてきたという話を教員から聞いている。

　「私が今週回った学校では、女子高生が今まではブランド名で、ああいうところで働きたいとか名前を言っていたんですけど、求人を見て、育児休業をちゃんと取られた実績があるかどうかとか、そういうところを見る女子学生が徐々に増えてきていると。」

図表1　埼玉労働局管内新規高卒者の求人・求職状況の推移（各年6月末）

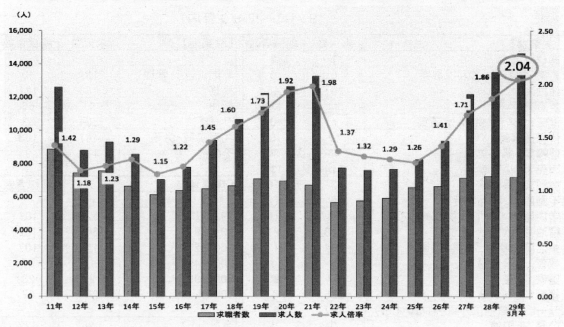

資料出所：埼玉労働局報道発表資料より転載
「平成29年3月新規高等学校卒業者職業紹介状況（平成29年6月末現在)」

図表2　2017年3月新規高等学校卒業者職業紹介状況（Bハローワーク管内）

項目		平成28年度(3月末)			平成27年度同月比	平成26年度同月比	平成25年度同月比	平成27年度(3月末)			平成26年度(3月末)			平成25年度(3月末)		
		計	男	女				計	男	女	計	男	女	計	男	女
求人件数		302			12.7 %	22.8 %	61.5 %	268			246			187		
求人数		1,267			0.4 %	14.7 %	79.7 %	1,262			1,105			705		
求職申込者数		472	245	227	▲ 1.5 %	▲ 16.3 %	▲ 16.6 %	479	265	214	564	324	240	566	348	218
就職内定者数		472	245	227	▲ 1.5 %	▲ 16.3 %	▲ 16.0 %	479	265	214	564	324	240	562	346	216
県内	管内	60	39	21	17.6 %	▲ 15.5 %	17.6 %	51	29	22	71	49	22	51	37	14
	管外	188	91	97	▲ 4.6 %	▲ 28.2 %	▲ 30.1 %	197	109	88	262	148	114	269	163	106
県外		224	115	109	▲ 3.0 %	▲ 3.0 %	▲ 7.4 %	231	127	104	231	127	104	242	146	96
内定率(%)		100.0%	100.0%	100.0%	0.0 P	0.0 P	0.7 P	100.0%	100.0%	100.0%	100.0%	100.0%	100.0%	99.3%	99.4%	99.1%

資料出所：Bハローワーク「平成29年度 第1回 高等学校就職担当者会議」資料より転載

図表3　2017年3月新規高校学校卒　産業別・職業別・規模別　求人、就職内定者数

（Bハローワーク管内）

【産業別】	求人数	就職者数	【職業別】	求人数	就職者数
農・林・漁業	1	2			
鉱業, 採石業, 砂利採取業	0	0	専門・技術・管理	131	40
建設業	207	45	事務	138	121
製造業	93	121	販売	91	66
電気・ガス・熱供給・水道業	4	0	サービス	334	53
情報通信業	12	6	生産工程・労務	461	183
運輸業, 郵便業	43	34	その他	112	9
卸売業, 小売業	114	116			
金融業, 保険業	3	16	【規模別】	求人数	就職者数
不動産業, 物品賃貸業	5	12			
学術研究, 専門・技術サービス業	13	13	29人以下	525	101
宿泊業, 飲食サービス業	158	21	30～99人	308	132
生活関連サービス業, 娯楽業	134	13	100～299人	158	107
教育, 学習支援業	1	1	300～499人	11	37
医療, 福祉	57	23	500～999人	21	28
複合サービス事業	235	1	1000人以上	244	67
サービス業(他に分類されないもの)	187	47			
公務, その他	0	1	合計	1,267	472

資料出所：Bハローワーク「平成29年度 第1回 高等学校就職担当者会議」資料より作成

（3）秋田県 C ハローワーク

実施日：2017 年 8 月 9 日

1. 管内の概況

C ハローワークは秋田県北部の 2 市 1 村を管轄する。2017 年 4 月の人口は約 10 万 7 千人で、この 10 年で 2 万人近く減少した。管内の主要産業は、従来の木材木製品関連産業、鉄工業に加えて、県や市が誘致した医療機器、電機・精密機械器具等製造業、金属・家電等のリサイクル事業である。近年は、医療・福祉業が拡大している。

管内雇用状況の最近 10 年の変化を見ると、有効求人倍率はリーマンショックを受けた 2009 年度の 0.39 倍を底に 2016 年度は 1.36 倍まで改善している。新規求職者数は 2008 年度をピークに減少しており、とりわけ 30 歳未満の新規求職者の減少は顕著で、10 年で半数以下になった。一方で、雇用保険被保険者数は増加しており（この間に同保険の適用拡大があったことも背景要因の一つではあるが）、若年人口の減少と同時に雇用の安定化も進んでいることから求職者が減少していると思われる。

求人数については、2009 年度が底で 2016 年度には 2009 年度の 1.5 倍程度まで増加した。増加率が大きいのは、建設業、医療・福祉業、製造業である。しかし、雇用保険データから見ると、この 10 年で事業所数は 15％減少している。減少したのは主に建設業、製造業、卸小売業であり、増加したのは医療・福祉業のみであった。

また、職種別の求人倍率を見ると、サービス職(主に介護) や専門・技術職では 3 倍前後、生産工程の職業では 1.5 倍程度と高くなったが、事務職のみは 0.54 と新規需要が特に小さい状況が続いている。

2. 新規高卒者の求人・求職状況

「秋田県学校卒業者就職問題連絡協議会」における申し合わせにより、新規高卒者については、公募・推薦開始の段階から 1 人 3 社まで応募・推薦を認めることとし、また、民間企業と公務員の両方合格した場合の進路の選択については生徒の意志を尊重することとしている。管下の高校の職業安定法取扱区分は、すべて 27 条による。

10 年前の調査時には高卒求人の共有化を進めるため「ブロック・センター方式」（通勤可能な一定範囲の安定所管下を 1 ブロックとし、この範囲で受理した求人について、ブロック内すべての高校に対して、10 日ごとにまとめた冊子情報と毎日のファクスによって、ハローワークから情報提供をする）をとっていたが、高卒就職情報 WEB 提供サービスにより、どの高校も全国の求人情報を入手できるようになったため、現在ではこの方式はとっていない。また、10 年前には、7 月 1 日の求人開示後の新たな求人については、インターネット公開と同時にファックスで各校に情報配信をしていたが、これも今は行っていない。ただし、学卒

ジョブサポーターが新規求人の一覧を各校に届けることはある。

　管内の新規高卒求人数は 2010 年 3 月卒以降増加し、2014 年 3 月卒以降は就職者を上回るようになっている。学校卒業者は減少しているが、就職者数は 2010 年 3 月卒以降、それほど大きな変動はなく、卒業者に占める就職者の割合は増加している。なお、未内定卒業者は 2010 年と 2011 年にそれぞれ 6 名（卒業後の 6 月時点）出たが、それ以外はほとんどいない。

図表 1　C ハローワーク管内の求人数と高校卒業者数、就職者数、県内就職率の推移

	2007年3月卒	2008年3月卒	2009年3月卒	2010年3月卒	2011年3月卒	2012年3月卒	2013年3月卒	2014年3月卒	2015年3月卒	2016年3月卒	2017年3月卒
高卒求人数	271	276	253	237	259	261	319	339	400	506	539
①高校卒業者数	1,289	1181	1,126	1,123	1,160	1,095	1,133	1,046	1,014	975	952
②就職決定者数	408	399	351	311	331	318	329	305	329	307	329
就職者割合(%、②/①)	31.7	33.8	31.2	27.7	28.5	29.0	29.0	29.2	32.4	31.5	34.6
管内卒業者の県内就職率	44.4	47.4	45.3	52.7	60.7	56.3	63.5	55.4	63.2	59.9	62.3

　県内就職率は漸増している。背景に、若年人口流出への危機感から、県を挙げての県内就職促進を図っていることがある。県・労働局から主要経済団体に、早期の求人申込をするように申し入れをし、また、市町村広報誌やテレビ・ラジオでの PR、商工団体等に依頼しての求人申し込み周知ポスター配布などに取り組んでいる。

　こうした取り組みの効果もあって、地元企業からの求人の受理は早まっている。10 年前に C ハローワーク管内の高卒求人の 3〜5 割が 10 月以降に受理されていたが、本年度は、6 月末で、昨年の最終申し込み数の 9 割に達している。

　県内求人も同様の前倒しがおこっているとみられ、2017 年 3 月卒の場合、最終県内求人数は 3,816 人であったが、その 92％にあたる 3,515 人が 9 月末までに受理されていた。10 年前の調査時には県外大企業からの早い時期の求人に応募が集まり、遅れて申し込まれる地元企業からの求人は応募者がいないという事態が指摘されたが、県内求人の早期化によってこの問題は現在ではほぼ解消されたといえる。図表 2 には、3 年生の 6 月時点での県内就職希望者数と最終的な県内就職者数の推移を示した。2007 年 3 月卒の場合、県内就職者数は当初の県内就職希望者数の 75％まで減っているが、最近では 100％近くで推移している。就職活動中に県内希望から県外希望に変わることはほとんどなくなったと思われる。

　なお、男女別には、秋田県の 2017 年 3 月卒高卒就職者 2,342 人のうち男性は 1,395 人、女性は 947 人であり、県内就職率は男性 64.7％、女性 67.9％となっている。2007 年 3 月卒では、同 57.7％、60.0％となっており、女性の方がやや県内就職率が高い点は変わらない。C ハローワーク管内高校卒の県内就職率は、2017 年 3 月卒高卒就職者（329 人）では、男性 59.0％（171 人）、女性 65.8％（158 人）で、2007 年 3 月卒の男性 44.4％、女性 44.3％よりいずれも高まっているが、女性のほうが伸び幅は大きい。

図表2　秋田県内高校生の県内就職希望者数（3年生の6月時点）と県内就職決定者数

	2007年3月卒	2008年3月卒	2009年3月卒	2010年3月卒	2011年3月卒	2012年3月卒	2013年3月卒	2014年3月卒	2015年3月卒	2016年3月卒	2017年3月卒
3年生6月時点県内就職希望者	2,217	2,076	1,932	1,631	1,632	1,750	1,865	1,703	1,580	1,608	1,616
県内就職決定者数	1,666	1,705	1,448	1,247	1,483	1,533	1,602	1,508	1,594	1,546	1,545
県内就職希望達成率	75.1	82.1	74.9	76.5	90.9	87.6	85.9	88.5	100.9	96.1	95.6

　こうした地元求人の早期化は内定時期の早期化につながっている。ただし、Cハローワーク管内では、大企業の一部の求人が例年10月なので、2017年3月卒では、9月末内定率は49.5％で10月末に87.9％まで高まっている（2013年3月卒では、9月末38.5％、10月末66.5％で、全体として早まっていることは確かである）。

　管内求人には、製造業の事業所からの生産工程の職種が多く、販売や事務系は少ない。分類区分が変わっているため、厳密な比較はできないが、10年前に比べれば、販売、事務、サービスは増えており職種の幅は広がっている。女性の県内就職率の増加はこうした管内の求人職種の広がりが影響していると思われる。

図表3　Cハローワーク管内の新規高卒者求人の産業・職業

		2017年3月卒 実数	2017年3月卒 構成比	2013年3月卒 実数	2013年3月卒 構成比		2007年3月卒 実数	2007年3月卒 構成比
求人事業所数		154		134			84	
求人数		539	100.0	319	100.0		271	
主な産業	うち 建設業	104	19.3	58	18.2			
	製造業	241	44.7	120	37.6			
	卸小売業	42	7.8	29	9.1			
	宿泊・飲食サービス業	6	1.1	6	1.9			
	医療・福祉	63	11.7	33	10.3			
	サービス業	40	7.4	45	14.1			
主な職業	うち 管理・専門・技術・事務	77	14.3	51	16.0	事務系	16	5.9
	販売	32	5.9	26	8.2	販売系	14	5.2
	サービス	85	15.8	45	14.1	サービス系	14	5.2
	生産工程	247	45.8	118	37.0	生産技能系	198	73.1
	建設・採掘・運搬等	37	6.9	24	7.5			

　求人の事業所規模別については、県内受理求人全体での把握になるが、その構成は10年前と大きな変化はなく、約半数は29人以下で500人以上規模は数％にとどまる。求人数においても、3分の2は100人未満の事業所からの求人である点は変わらない。

　求人充足（県内求人）についてみると、この間充足率は低下している。産業では、建設業、サービス業、医療・福祉、職業では建設・採掘・運輸等、サービスで低い。

図表4　秋田県内受理求人の事業所規模別の状況

		2017年3月卒				2007年3月卒			
		求人事業所数		求人数		求人事業所数		求人数	
		実数	構成比	実数	構成比	実数	構成比	実数	構成比
		1262	100.0	3816	100.0	812	100.0	2540	100.0
事業所規模	29人以下	642	50.9	1369	35.9	392	48.3	799	31.5
	30～99人	425	33.7	1271	33.3	253	31.2	830	32.7
	100～299人	146	11.6	666	17.5	116	14.3	506	19.9
	300～499人	26	2.1	187	4.9	25	3.1	254	10.0
	500～999人	14	1.1	145	3.8	18	2.2	145	5.7
	1000人以上	9	0.7	178	4.7	8	1.0	106	4.2

3.　高校への働きかけ

　管内の高校は統廃合が進み、現在は本所管内で県立の全日制4校、定時制1校となっている。全日制のうちうち1校は特別支援学校であり、また1校は就職者数名の進学校である。残る2校のうち、1校は工業高校と普通高校を統合した工業科、普通科、生活科学科を持つ高校であり、もう1校は商業科と普通科を統合した国際情報科と普通科を持つ学校である。この2校に比較的多くの就職者希望者がいる。出張所管内に県立の全日制2校があり、うち1校は特別支援学校の分校である。もう1校は農林科と普通科を統合した、生物資源科、緑地環境科、普通科を併設する学校で就職希望者は多い。

　学校に対しては、5月と2月に進路指導担当者を対象とした「高等学校職業指導連絡会議」を開催し、高卒労働市場の概況などを伝える（市、県の地域振興局及び商工会議所も出席）。併せて、労働法の改正などについて解説する労働法セミナーも開催している。

　7月には、「新規高卒者求人求職情報交換会」を開催する。地元企業がブースを設置し、教員、および生徒がそれぞれ直接接点を持って情報収集する（管内の事業所で求人を出していることが条件、今年は63社が参加）。一人3社は回るように教員から生徒に促してもらっている。2016年度も企業数は同様であった。参加生徒は3年生196人。このほかに学校内での「地元企業説明会」を2、3月に実施した。本所管内の高校では19社が参加し1，2年生441人が参加。出張所管内の高校では12社が参加し生徒は2年生228名が参加した。保護者の参加もあった。参加企業は学校の希望による。進学先を卒業後の選択肢として地元企業を知ってもらう狙いから、進学希望者も対象としている。

　意識啓発支援事業として、職業講話を生徒や保護者対象に実施している。インターシップ協力企業名簿作成のため、同事業協力の意向についての調査を「採用意向調査」（後述）に合わせ行う（名簿作成は労働局）。インターンシップ前の基本マナー講習及び就職ガイダンスを昨年度は1校で実施。これらは学校の要請があれば行う。

　なお、ジョブサポーターは2人おり、50歳代半ばと50歳前後。勤続は長く7年目と9年目になる。学校での職業講話や事業主に対する職場定着指導などにあたっている。

4. 管下企業、求人者への働きかけ

当該年度の高校生採用に関しての「採用意向調査」を被保険者数 5 人以上及び求人提出実績のある企業に対して実施している。若者応援企業宣言・ユースエール認定制度の周知に努めているが、ユースエールはなかなか増えない。管内では 1 社のみで、企業からはハードルが高いといわれている。若年法による青少年雇用情報の作成については特に問題はない。教育訓練の情報は会社の PR にもなるし、また、これを契機に取り組もうという企業もあるので、いい制度だと思っている。

昨年度は職場定着指導のために学卒ジョブサポーターが学卒採用事業所延べ 178 社を訪問した。入社 6 か月後および 12 か月後に対象者 170 名に対してアンケートを実施した。6 カ月後調査は 112 名に配布でき 43 名から回答。26％が離職を考えたことがあるとしていた。

5. 最近の新規高卒就職に関しての問題点

現時点では、景気の回復基調等により新規高卒者の求人数は増加しているが、今後の景気変動の備えとして、未充足となっている求人者との信頼関係の構築に向けた対応が重要であると認識している。

また、高校卒業後 3 年以内の離職率（42.7％）が、全国平均（40.9％）を上回っている本県の状況等を踏まえて、最近は職場定着指導にも力を入れている。

ほか、県内他市と同様に、出生率の低下に伴う人口の自然減に加えて、新規学卒者の県外流出による社会減が相まって、人口減少と少子高齢化が深刻な状況となっている。

このため、従来から県と連携し新規学卒者の県内就職促進に取り組んでいるところであるが、管轄 1 市とこうした課題と現状を共有し、より効果的な連携を図るため、平成 29 年 2 月に「雇用対策協定」を締結し、新規学卒者や若者等を対象とした地元企業への就職促進に向けた支援体制を整え、高校 2 年生向けの企業説明会、求人・求職情報交換会等の各事業を行っている。

しかしながら、少子化に伴う生徒数の減少、大学等への進学率上昇もあり、新規高卒者の就職希望者数自体が減少しており、県内就職促進にあたり今後は県外大学等へ進学した学生に比重を置いた効果的な取り組みの検討が必要と考えている。

（4）長野県 D ハローワーク

実施日：2017 年 7 月 26 日

1. 管内の概況

　D ハローワークは長野県北部の 1 市 2 町 1 村を管轄し、管内人口は約 26 万 8 千人である。管内の主要産業は第三次産業が中心となっており、事業所数・従業者数ともに約 8 割を占める（2014 年度経済センサス-基礎調査）。特に、卸・小売業、飲食店・宿泊業、その他サービス業が占める割合が高い。第二次産業は事業所数の約 2 割を占め、第一次産業はわずかである。

　管内の雇用状況の最近 10 年の変化を見ると、有効求人倍率はリーマンショックを受けた 2009 年度の 0.55 倍を底に、2016 年度は 1.65 倍まで改善している。求人数については、2009 年度を底に 2015 年度には約 2.2 倍まで増加した（2016 年度には 2015 年度より 12.0％減少）。新規求職者数は 2008 年度をピークに減少しており、雇用保険の一般求職者給付の受給実人員延べ数も 2009 年度から 2016 年度までに約 1 万 1 千人減少した。人員整理の状況を見ても、2008 年度には 1794 人であったのが、2016 年度には 0 人となっている。景気の回復を受け求人数の増加と雇用の安定化が進んでいる状況がうかがわれる。

　長野県内の 2017 年 9 月の新規求人のうち正社員の割合は 35.9％、正社員有効求人倍率は 1.06 倍にとどまる。D 管内においても同様の傾向が見られ、2017 年 5 月の新規求人のうち正社員の割合は 32.6％であった。

2. 新規高卒者の求人・求職状況

　高等学校卒業者の就職に関する応募・推薦のあり方に関しては、「長野県高校就職問題検討会議」における申し合わせにより、以下の 4 点が決定されている。①「1 人 1 社制」については、10 月 15 日までは 1 人 1 社の応募・推薦とし、10 月 16 日からは 1 人 2 社までの複数応募・推薦を認める。②「指定校制」については、特定の技能を必要とする場合を除いて原則廃止する。③「校内選考」については、生徒の志望を尊重することを基本とし、特定企業への応募の集中を防いだり、生徒の適性等を見極めたりする面から、適切に対応する。④企業は速やかに採否結果を応募者に通知し、応募者は内定を受けた場合速やかに「内定受諾書」を提出する。管下の高等学校の職業安定法取扱い区分は、すべて第 33 条の 2 による。

　10 年前の調査時においては、北信地域の 4 箇所のハローワークは、通勤圏が重なっていることもあり、求人情報の共有化を進めるため 4 所の求人をまとめた冊子を作成し、各学校の就職希望者全員に配布していた。しかし、この仕組みは本年度からなくなった。求人増と青少年雇用情報の追加で冊子が分厚くなること、職業安定協会の協力でまかなわれていた印刷費用の支出が厳しくなったこと、高卒ウェブシステムで大半の求人閲覧できるようになった

ことなどによる。

　管内の新規高卒求人倍率は 2014 年 3 月卒以降上昇し、2017 年 3 月卒においては 2.5 倍となっている。リーマンショックの影響で全国的に大幅に求人が減った 2011 年 3 月卒でも、求人倍率は 1.5 倍を超えていた。求人が堅調なことから、管内就職率は 50％前後、大半が自宅通勤圏内である県内就職率も 90％前後で推移しており、(地元志向は強いといえる。なお、卒業者に占める就職希望者・就職者の割合は、ともに 2010 年 3 月卒を底に上昇傾向にあり、特に男性で増加の幅が大きい。就職内定率は一貫して 90％台後半の高い水準で推移している。

図表1　求人数・倍率と高校卒業者数、就職者数、管内就職率・県内就職率の推移

	2008年 3月卒	2009年 3月卒	2010年 3月卒	2011年 3月卒	2012年 3月卒	2013年 3月卒	2014年 3月卒	2015年 3月卒	2016年 3月卒	2017年 3月卒
高卒求人数	600	568	395	414	419	503	528	716	799	851
高卒求人倍率	2.31	2.20	1.80	1.56	1.53	1.75	1.68	2.13	2.39	2.50
①高校卒業者数	2,838	2,809	2,699	2,808	2,687	2,854	2,800	2,800	2,832	2,709
②求職者数	260	258	219	262	274	287	315	336	335	340
③就職決定者数(計)	259	249	216	256	272	282	307	329	329	333
男	150	155	128	175	188	185	198	208	211	228
女	109	94	88	85	84	97	109	121	118	105
就職者割合(%、③/①)	9.1	8.9	8.0	9.3	10.1	9.9	11.0	11.8	11.6	12.3
管内卒業者の管内就職率(%)	51.4	53.4	57.4	60.9	44.5	48.9	49.5	50.5	51.4	48.3
管内卒業者の県内就職率(%)	89.6	92.4	92.1	91.8	86.0	93.3	92.2	97.9	92.7	87.1

　2017 年 3 月卒者向けの管内求人は、産業別には、建設業、製造業、サービス業が多く、また、規模別には 299 人以下が 8 割を占める。一方、管内高校生の就職先の産業は製造業の割合が大きく、また、職業別には技能工等が 6 割、企業規模は 300 人以上が半数を占める。管内産業は第三次産業が中心であるが、自宅通勤圏内の近隣地域には規模の大きい製造業も多く、県内（管外）のこうした企業に就職する者が多いことが示唆される。また、求人の経年変化をみると、分類区分が変わっているため厳密な比較はできないが、求人が大幅に落ち込んだ 2012 年卒では、好況期の 2008 年卒に比べ、卸小売業・飲食店、サービス職、29 人以下企業の割合が増え求人の質が変わっていた。景気が回復した 2017 年卒向けの求人は 2008 年に近い構成であるが、当時に比べて建設業が多く、事務系が少ないなど、産業・職業構造の変化が垣間見られる。

図表2　新規高卒求人の産業・職業・規模

		2017年3月卒				2012年3月卒		2008年3月卒	
		管内企業求人		管内高卒者就職先		管内企業求人		管内企業求人	
		実数	構成比	実数	構成比	実数	構成比	実数	構成比
	計	851	100.0	333	100.0	419	100.0	600	100.0
主な産業	建設業	175	20.6	55	16.5	72	17.2	106	17.7
	製造業	205	24.1	147	44.1	117	27.9	192	32.0
	運輸通信業	38	4.5	21	6.3	11	2.6	48	8.0
	卸売・小売業*1	105	12.3	41	12.3	61	14.6	58	9.7
	サービス業*2	258	30.3	50	15.0	116	27.7	192	32.0
主な職業	専門・技術、管理、事務	182	21.4	69	20.7	136	32.5	180	30.0
	販売	82	9.6	25	7.5	36	8.6	40	6.7
	サービス	120	14.1	30	9.0	77	18.4	79	13.2
	技能工等	323	38.0	193	58.0	149	35.6	251	41.8
事業所規模	29人以下	260	30.6	24	7.2	169	40.3	188	31.3
	30～99人	201	23.6	58	17.4	89	21.2	194	32.3
	100～299人	171	20.1	82	24.6	83	19.8	126	21.0
	300～499人	30	3.5	39	11.7	5	1.2	19	3.2
	500～999人	51	6.0	56	16.8	29	6.9	30	5.0
	1000人以上	138	16.2	74	22.2	44	10.5	43	7.2

注：*1　2008年、2012年は卸売・小売り・飲食店
　　*2　2017年は、学術研究・専門技術サービス、宿泊業・飲食サービス業、生活関連サービス、教育学習支援業、医療福祉、サービス業の和

3.　高校への働きかけ

　管内には14校の高校がある。高校担当の学卒ジョブサポーターは3人で、学校担当制をとっている。就職希望者のいない高校も対象である。ジョブサポーターは担当の学校と連携し、職業講話や個別相談、就職ガイダンス等を行う。職業講話は2、3年生を対象に行い、個別相談は3年生の6月終わりごろから始め、求人の出る前から、就職希望者の意向を確認する。企業説明会については、現在は必要がないと判断しており、卒業までに決まらない生徒がいれば、個別にジョブサポーターが支援する。応募前の職場見学は、ほとんどの求人が随時可能となっており、生徒を行かせるか否かは各学校に任せている。他には、ジュニア・インターンシップの支援をしており、昨年度は中学校1校、高校4校が実施した。

　なお、本年から求人情報を掲載した冊子が印刷されなくなったことから、Dハローワークとして独自に管内求人情報を印刷し、各学校（各クラス分と進路担当教員分）に配布している。

4.　企業、求人者への働きかけ

　新規高卒者への求人の受理に当たっては、専門技能を要するために学科指定にする場合以外は、公開とする方針で指導している。受理時のチェックは厳しくなっている。特に休日数や、固定残業代、賃金の問題が多い。新設された青少年雇用情報のシートについては、企業に改めて記入や確認を求めることも多い。他の企業が100％記入している中で、無記入が多ければ「オープンにできないから入れてないと思われますよ」と指導するが、「制度上、3項

目について１つ書けばいい」と、それ以上の情報提供は拒まれることがある。

　企業への採用手続き説明会では、大卒等と違って、高校生は学校推薦があって応募してくるので、そのことを考慮した上で選考するようにお願いしている。企業の中には、募集が１人であっても２人応募があれば、「特にはっきりした基準がなければ、全員採用する」というところもある。地元企業として心情的に、落としかねるということだったが、また、それは後々一定の割合で退職者が出ることを見越しての採用でもあった。ただし、現在では退職者が減っていることもあり、企業からＤハローワークに採用人数の厳格化の相談を持ちかけられることがある。Ｄハローワークとしては、退職者が出そうな際は定着指導の一環として辞めさせないよう指導を行う立場であることを説明している。

5.　最近の新規高卒就職に関しての問題点

　現在は高校の合併で、専門高校が減り総合学科が増えているため、企業は工業や商業などの専門学科出身者を取りたくても難しくなってきているという問題がある。

　また、学校では、障害者手帳は持っていない発達障害などが疑われる生徒の就職が課題となっているようで、学卒ジョブサポーターへの相談が多くなっている。県としても専門のセンターを設け、セミナーなども実施しているが、Ｄハローワークとしてもそうした関係機関と連携して、切れ目ない就業支援に当たっている。

(5) 島根県Eハローワーク

実施日：2017年8月7日

1. 管内の概要

島根県Eハローワークは、2市を所管区域とし、その総面積のうち78%以上が林野である。国勢調査によれば、管内の人口は2015年で7万9千人であり、10年前に比べて9千人程度減少している。過疎化、高齢化の進展が激しい地域である。

産業も大きく変化しており、かつて日本有数の水揚げ高を誇った漁港があるが、現在は漁獲量の減少とともに漁業や水産加工は衰退の一途を辿っている。さらに、瓦など窯業が地域の製造業を牽引してきたが、和瓦の販売不振により最近10年は倒産が目立った。建設業従事者も従来から多いが、若年層からの入職が少なく求人充足が困難である。代わって介護やサービスといった産業・職種の存在感が増してきた。

2016年度を通じた有効求人倍率は1.38倍。全国平均と同程度まで上昇してきたが、新規求人数が伸びているというより新規求職者数が減少してきたことの影響が大きい。

2. 新規高卒労働市場の状況

（1）求人状況

新規高卒就職に限ってみると、2017年3月卒業者対象の管内求人数は264人であり、最近10年のうちの底であった2011年（128人）に比べて倍以上増えた。ここ数年の求人倍率は管内求人だけで4倍前後と、ここ20年でみても最高水準で、新規高卒労働市場は明らかに豊かになってきている。

学校指定求人はもともと多くなく、現在も少ない。正社員以外の求人はほとんどないと言ってよく、その他問題のあるような求人も見られない。

（2）管内の高校の概要

管内には高等学校が全部で10校あり、そのうち全日制では普通高校4校、商業高校、工業高校、水産高校がそれぞれ1校、定時制・通信制課程が1校、特別支援系高等部が3校である。普通高校からの就職者は概して少なく、専門高校を中心に高卒就職者が輩出されている。

図表1　新規高卒者の求人状況

	求人数			求人倍率		
	計	管内	県外＊	計	管内	県外＊
2008年3月卒	758	155	603	3.7	2.5	4.2
2009年3月卒	710	152	558	3.0	2.3	3.2
2010年3月卒	465	136	329	2.6	1.7	3.3
2011年3月卒	411	128	283	2.3	1.8	2.7
2012年3月卒	319	148	171	1.9	2.1	1.8
2013年3月卒	201	201	—	2.3	2.3	—
2014年3月卒	182	182	—	2.6	2.6	—
2015年3月卒	222	222	—	3.0	3.0	—
2016年3月卒	252	252	—	4.3	4.3	—
2017年3月卒	264	264	—	3.9	3.9	—

＊県外＋県内の管外
※2013年3月卒システム変更となり県外求人のデータなし。

（3）就職状況

　図表2によれば、管内の新規高卒就職は、製造業、建設業を主な就職産業としながらサービス業、卸売・小売業、医療・福祉、運輸業・郵便業も重要な就職産業となっている。建設業は管内求人構成比に比べて同産業就職者の構成比が高くなっている。しかし、とくに男性就職者の県内比率は5割に満たないことから、管内建設業の求人充足には程遠い。逆に、Eハローワークで存在感が増しているという医療・福祉の管内求人構成比に比べると、同産業就職者の構成比は低く、高卒就職者の就職先としての存在感は相対的に低いといえる。

　高卒者の就職地域をみると、この10年で管内就職率も県内就職率も顕著に上昇してきた

図表2　管内における産業別・職業別・事業所規模別求人数と就職者数（2017年3月）

			管内事業所求人		管内高卒就職者		うち男性		うち女性	
			求人数	構成比	就職者	構成比	就職者	県内比	就職者	県内比
産業別	A, B	農、林、漁業	3	1.1	5	3.5	5	100.0	0	
	D	建設業	30	11.4	24	16.7	23	47.8	1	100.0
	E	製造業	90	34.1	53	36.8	34	70.6	19	68.4
	09	食料品製造業	18	6.8	6	4.2	1	0.0	5	100.0
	10	飲料・たばこ・飼料製造業	2	0.8	2	1.4	0		2	100.0
	11	繊維工業	22	8.3	7	4.9	2	100.0	5	100.0
	12	木材・木製品製造業	6	2.3	1	0.7	1	100.0	0	
	14	パルプ・紙・紙加工品製造	8	3.0	7	4.9	7	100.0	0	
	15	印刷・同関連業	1	0.4						
	16	化学工業			1	0.7	1	0.0	0	
	18	プラスチック製品製造業			5	3.5	4	50.0	1	0.0
	19	ゴム製品製造業	12	4.5	1	0.7	1	100.0	0	
	21	窯業・土石製品製造業	7	2.7	1	0.7	1	100.0	0	
	22	鉄鋼業	3	1.1	3	2.1	2	50.0	1	0.0
	23	非鉄金属製造業	2	0.8	2	1.4	2	50.0	0	
	24	金属製品製造業	1	0.4	3	2.1	2	100.0	1	0.0
	26	生産用機械器具製造業			1	0.7	0		1	
	28	電子部品・デバイス製造業			2	1.4	2	100.0	0	
	31	輸送用機械器具製造業	8	3.0	11	7.6	8	50.0	3	33.3
	F	電気・ガス・熱供給・水道業			1	0.7	1	0.0	0	
	G	情報通信業	1	0.4	1	0.7	1	100.0	0	
	H	運輸業、郵便業	6	2.3	12	8.3	10	20.0	2	0.0
	I	卸売・小売業	26	9.8	15	10.4	5	60.0	10	60.0
	50〜55	卸売業	9	3.4	6	4.2	4	75.0	2	50.0
	56〜61	小売業	17	6.4	9	6.3	1	0.0	8	62.5
	J	金融業・保険業	1	0.4	2	1.4	0		2	100.0
	M	宿泊業・飲食サービス業	9	3.4	3	2.1	1	0.0	2	50.0
	75	宿泊業	2	0.8	2	1.4	0		2	50.0
	76.77	飲食サービス業	7	2.7	1	0.7	1	0.0	0	
	P	医療・福祉	53	20.1	11	7.6	6	66.7	5	100.0
	Q	サービス業（他に分類されないも	45	17.0	17	11.8	11	54.5	6	33.3
職業別	A〜B	専門・技術・管理	25	9.5	14	9.7	13	61.5	1	0.0
	C	事務	19	7.2	13	9.0	3	66.7	10	60.0
	D	販売	16	6.1	11	7.6	2	100.0	9	66.7
	E	サービス	68	25.8	11	7.6	3	66.0	8	87.5
	H〜K	技能工等	119	45.1	77	53.5	60	60.0	17	64.7
		製造・制作の職業	95	36.0	57	39.6	41	65.9	16	68.8
		定置機関・建設機械運転	5	1.9	8	5.6	8	50.0	0	
		土木・採掘・運搬・清掃・包装	19	7.2	12	8.3	11	51.4	1	0.0
	上記以外の職業		17	6.4	18	12.5	16	40.7	2	0.0
規模別	29人以下		70	26.5	25	17.4	17	52.9	8	87.5
	30〜99人		107	40.5	41	28.5	30	66.7	11	72.7
	100〜299人		69	26.1	40	27.8	31	61.3	9	100.0
	300〜499人		18	6.8	12	8.3	8	62.5	4	100.0
	500〜999人									
	1000人以上				26	18.1	11	27.3	15	13.3
	合　計		264	100.0	144	100.0	97	57.7	47	63.8

（図表3）。2011年ごろの県外求人減少期に管内・県内就職率が上昇したが、その後全国的に求人が回復した後も、管内・県内就職率は維持・上昇している。

　この背景には求職者である生徒やその保護者の意識の変化があっただろうが、地元就職率を高めるために行ってきたＥハローワークの取り組みも看過できない。従来は地元企業からの求人が出るのが遅かったが、ここ数年6月までに求人を出してもらうよう様々な方法で周知徹底した結果、7月1日時点で学校に提供することのできる地元求人が格段に多くなったのである（図表4）。Ｅハローワークは、県外企業に比べて県内企業は「とにかく求人のスタートが遅い」ことを問題視し、「遅くても4月上旬には、"そろそろ検討を始めて下さい"という文書とアンケートを送付しています。アンケートには大学、高校別に採用予定の有無を記載してもらい、"提出予定あり"という企業には、（略）学卒ジョブサポーターが求人受理開始前の5月から6月にかけて訪問し、求人提出書類一式を手渡し、求人の早期提出を呼びかけています」。こうした取り組みを行ってきた結果、「求人提出が7月1日の解禁に間に合

図表3　管内高校卒業者の就職状況

	卒業者数	就職者数					管内就職率	県内就職率 *2
		計	就職者比率	管内	県外 *1	うち管外		
2008年3月卒		204		61	143	12	29.9	35.8
2009年3月卒		239		66	173	19	27.6	35.6
2010年3月卒		181		80	101	10	44.2	49.7
2011年3月卒		177		73	104	14	41.2	49.2
2012年3月卒		165		69	96	17	41.8	52.1
2013年3月卒		176		87	89	10	49.4	55.1
2014年3月卒		141		70	71	21	49.6	64.5
2015年3月卒		174		73	101	22	42.0	54.6
2016年3月卒	669	156	23.3%	59	97	15	37.8	47.4
うち男性	369	111		38	73	12	34.2	45.0
うち女性	330	45		21	24	3	46.7	53..3
2017年3月卒	745	144	19.3%	67	77	19	46.5	59.7
うち男性	410	97		43	54	13	44.3	57.7
うち女性	335	47		24	23	6	51.1	63.8

＊1　県外＋県内の管外
＊2　管内＋県内の管外で就職した率

図表4　高卒求人の月別求人受理状況

（人）

県内求人受理数	6月	7月	8月	9月	10月～3月	3月末累計
平成25年度 県内求人受理数	684	468	176	140	255	1,723
平成26年度 県内求人受理数	976	546	185	109	247	2,063
平成27年度 県内求人受理数	1,143	515	179	81	172	2,090
平成28年度 県内求人受理数	1,509	528	144	83	147	2,411

月別求人受理割合	6月	7月	8月	9月	10月～3月	3月末累計
平成25年度 月別求人受理割合	40%	27%	10%	8%	15%	100%
平成26年度 月別求人受理割合	47%	26%	9%	5%	12%	100%
平成27年度 月別求人受理割合	55%	25%	9%	4%	8%	100%
平成28年度 月別求人受理割合	63%	22%	6%	3%	6%	100%

わないと"話にならない"というのが地元企業に浸透しつつある」。数年に渡る取り組みが功を奏し、県内求人の出足が早くなった結果、7月段階での県内企業の選択肢が大幅に増加したのである（ここ数年は県外求人の増加に影響を受け、県内就職率には変動がみられる）。

（4）高卒就職についての申し合わせ

　高卒就職に関する求人・求職は、島根県の関係機関・団体により定められた『新規学校卒業者採用の手引き』や「高等学校卒業予定者の複数応募に係る申合せ」などに従って行われている。後者の申合せによれば、10月31日までは一人一社のみの応募・推薦とし、11月以降は一人二社までの複数応募を可能としている。しかし、管内の高校の進路指導担当教員は、県外企業の場合は複数応募させる場合もあるが、管内企業に応募する場合には11月以降であってもほとんどの場合一人一社を原則とし、生徒の内定辞退を防止するよう努めている。

3. Eハローワークが果たしている役割

　管内高校の3年生や教員を対象に、学校からの要請に応じて職業講話や就職ガイダンス、地元企業との情報交換会などを企画・実施している。基本的には3年生向けのメニューであるが、1〜2年生対象のメニューも用意し学校からの希望に応じて実施するようにしている。

　企業への働きかけでは、10人以上かつ5年以内に高卒採用実績があるような、若年者を育てる能力や環境を期待できる企業に対して、4月に新卒採用予定の有無を尋ねるアンケートを実施し、「採用予定あり」の企業には『新規学校卒業者採用の手引き』を渡している。また、一般求人を提出する企業のうち、高卒者に紹介するのに適切と判断された場合、新卒求人での提出をEハローワーク側から打診する場合もある。

　若者雇用促進法により求人票の「三枚目」を提出してもらうようになったことについて、問題は生じておらず、高卒就職に与える影響はまだ不透明である。

4. 最近の新規高卒就職に関しての問題点と対応

　担当職員の印象として、就職環境の改善により切迫感を欠く者や、インターネット上に流れる「あの企業はブラックだ」などの偏った情報を鵜呑みにする者の増加、早期離職者が一定数いることや自身の適性・能力より保護者の意向を優先しがちである点に、現在の生徒の問題がある。また、保護者が過干渉で、生徒本人の意向を優先せず保護者の価値観を押し付けることや、発達障害が疑われる生徒の就職支援において、学校ごとに温度差があることなども問題視されている。事業所は求人を充足できない問題を抱えているが、支援機関としては、地元就職を奨励しながらも県外就職を過剰に問題視しないよう、注意をはらっていく必要がある。

（6）青森県Gハローワーク

実施日：2017 年 10 月 30 日

1. 管内の概況

　Gハローワークは、青森県1市3町1村を管轄。人口29万人のうち、市の人口が27万人と大部分を占めている。この市は卸・小売業、サービス業を中心とした商業都市で、就業人口の83%が第三次産業従事者、15%が建設業・食料品製造業・木材製品製造業などの第二次産業従事者であり、第一次産業従事者は2%にすぎない。一方で、3町1村は第三次産業従事者が53%、第一次産業従事者（主に漁業）が25%となっており、地域差が大きい。新規高卒求人数は平成29年度（3月末）932人で、平成28年度（3月末）822人から1割強増加している。青森労働局の発表によれば、県内全体の求人数は平成29年度3月卒で4332人となっており、Gハローワーク管内はそのうち約22%を占めている。

　管内雇用状況全体の変化を見ると、求人数は増加傾向で、2016年度の新規求人数は2011年度から64%増となっている。新規求職者数は減少傾向にあり、2016年度の新規求職者数は、2010年度から約34%減となっている。有効求人倍率は、2010年度が0.41倍であったのに対し、2016年度は1.42倍と改善している。2017年度の求人倍率は8月時点で1.65倍となっており、職業別にみると、上述の中心的な市の産業構造を反映して、販売やサービスの求人数が多く、求人倍率も高い（販売2.08倍、サービス3.12倍）。また、建設も有効求人倍率3.46倍と高くなってきている。対して事務職は0.49倍と、唯一1倍を割り込んでいる状況である。

2. 新規高卒者の求人・求職状況

　特別支援学校等を除く管内の高校19校（うち私立6校）のうち、職業安定法第27条に基づく学校が13校、同33条の2に基づく学校が6校という区分となっている。WEB公開可の求人については、学校に求人番号をFAXで通知している。学校指定の求人については、昨年までは求人票の控えを学校に郵送していたが、今年から廃止し、事業所が学校に直接郵送または持参することとした。一人一社制については、申し合わせにより、11月からは2社応募が可能となっているが、高卒求人への応募の場合併願希望者数自体が少なく、実際に併願するケースはあまりみられない。

　昨年度から今年度にかけての新規高卒就職に関する状況は図表1のとおりである。全体の傾向と同様、卒業者数の減少とともに就職希望者数も減少傾向であり、また、求人数や求人倍率等の値に見られるように、全体として求人は活発な動きが継続している。しかしながら、9月末時点での就職内定率（45.8%。なお、10月末時点では70%程度となる見込み）は、昨年度から5ポイント程度上昇しているものの、5割以上が未内定となっており、昨年度から

の改善はみられるものの、未内定者に占める県内の割合が 65%以上と高い。

図表1　新規高卒者職業紹介状況

	2018年3月卒 （9月時点）			2017年3月卒 （9月時点）		
	男女計	男	女	男女計	男	女
卒業者数 （2018年卒は予定者）	2967	1575	1392	2997	1535	1462
就職希望者数	675	398	277	728	401	327
うち県内の割合	53.8	50.5	58.5	65.7	61.3	70.9
うち県外の割合	46.2	49.5	41.5	34.3	38.7	29.1
管内求人事業所数	197	—	—	180	—	—
管内求人件数	328	—	—	303	—	—
求人数（県内）	1005	—	—	934	—	—
うち管内の割合	87.1	—	—	85.2	—	—
うち管外の割合	12.9	—	—	14.8	—	—
求人倍率（県内）	2.77	—	—	1.95	—	—
管内	2.41	—	—	1.67	—	—
就職者数	309	196	113	298	201	97
うち県内の割合	37.5	33.2	45.1	43.6	40.3	50.5
うち管内の割合	30.7	26.5	38.1	32.9	31.3	36.1
うち管外の割合	8.1	6.6	7.1	10.7	9.0	14.4
うち県外の割合	62.5	66.8	54.9	56.4	59.7	49.5
就職内定率	45.8	49.2	40.8	40.9	50.1	29.7
県内	32.0	32.3	31.5	27.2	32.9	21.1
県外	61.9	66.5	53.9	67.2	77.4	50.5
未就職者数	366	202	164	430	200	230
うち県内の割合	67.5	67.3	67.7	80.9	82.5	79.6
うち県外の割合	32.5	32.7	32.3	19.1	17.5	20.4

これは、就職が全体としては好調な反面、事務職をはじめとして、希望の多い職種や業種の求人も同調して増加しているわけではないため、ミスマッチが多いことを反映している。

管内就職の場合、県内の同規模程度の市と比較して工場が少ないため、コミュニケーションをとることが苦手なために精密機械の製造等を希望する者が、業種を転換せざるを得ないという傾向がある。その場合、女子は食品関係の製造等の受け皿もあるが、男子は機械系の希望が多く、業種転換が困難な状況が見られる。

　もともと地元就職の希望が強い地域であったが、徐々に県外就職希望者が増加し、県内・県外希望の差は縮まってきていた。2017 年 3 月卒では県内就職希望者が大きく増加したが、2018 年 3 月卒では再び県内・県外希望の差は縮まった。実際の就職者に占める県内・県外の割合を見ると、県外就職の割合のほうが高くなっている。全国的に就職状況がよく、同じ職種でも県外の賃金水準のほうが高いため、県外へ若者が流出しがちであることは、県でも大きな問題となっており、新規学卒者とその保護者向けに地元就職を勧めるパンフレットを配布するなど、地元就職の推進に取り組んでいる。なお県内就職は、大部分が管内就職である。

図表2 産業・職業別 管内求人数と構成比

		2017年3月卒 (3月時点)	
		実数	構成比
	合計	930	―
産業別	建設業	124	13.3
	製造業	88	9.5
	卸小売業	208	22.4
	金融・保険業	46	4.9
	宿泊・飲食サービス業	112	12.0
	生活関連サービス業・娯楽業	90	9.7
	医療・福祉	137	14.7
	サービス事業（他に分類されないもの）	53	5.7
職業別	管理・専門・技術	57	6.1
	事務	109	11.7
	販売	128	13.8
	サービス	319	34.3
	生産工程	150	16.1
	輸送・機械運転	13	1.4
	建設・採掘	76	8.2
	運搬・清掃・包装等	50	5.4
	上記以外の職業	28	3.0

管内求人について、2016年3月卒の求人を産業別・職業別に示したのが図表2である。産業構造を反映して、卸小売業の構成比が最も高く、増加傾向にあるという建設業、サービス業、医療・福祉の構成比も高い。しかし、建設や医療・福祉は、応募希望者が少なく、求人が充足しない状況である。平成29年3月卒では、建設業では13.7%、医療・福祉では13.1%が未充足であった。ただし、一人も採用がなかったものを「未充足」としているため、一部充足まで含めれば、未充足率はより高くなると考えられる。

事業所の規模別に管内の求人数ならびに就職内定者数を示したものが下の図表3である。管内求人では、29人以下、30〜99人規模の事業所が多く、小規模事業所の求人が大部分を占めている点が特徴的である。よって、就職内定者に占める県内・管内・県外比率をみると、300人以上の規模の事業所では、県外比率が7〜8割と非常に高い。

図表3 事業所規模別 管内求人数と就職内定者数

	求人数（管内）※9月時点		就職内定者数 ※9月時点							
			合計人数		県内比率		管内比率		県外比率	
	2018年3月卒	2017年3月卒	2018年3月卒	2017年3月卒	2018年3月卒	2017年3月卒	2018年3月卒	2017年3月卒	2018年3月卒	2017年3月卒
29人以下	327	327	60	64	55.0	53.1	51.7	51.6	45.0	46.9
30〜99人	314	274	66	59	54.5	54.2	39.4	49.2	60.6	45.8
100〜299人	156	122	75	59	46.7	50.8	40.0	45.8	53.3	49.2
300〜499人	34	32	19	17	15.8	17.6	15.8	11.8	84.2	82.4
500〜999人	41	41	21	24	28.6	29.2	19.0	12.5	71.4	70.8
1000人以上	3	0	68	75	19.1	32.0	1.5	5.3	80.9	68.0

3. 高校への働きかけ

管内高校の進路指導の教員を集め、職業紹介業務担当者会議を毎年行っているが、今年度初の試みとして、上述の建設・福祉の未充足状況をふまえ、仕事について正確なイメージを持ってもらうため、会議を二部制とし、第一部で建設・介護について扱った。業界団体に声をかけ、仕事のやりがい等について講演してもらうという内容で、いずれは生徒に直接聞い

てもらえれば考え方が変わるのではないかという印象を持った。

　今年度は、高校からジョブカフェへの依頼の一部を請け負う形や、直接の依頼を受けて、高校生を対象としたセミナーを行い、求人票の見方などを指導している。一部の私学や普通科高校では、学校側の就職指導に対する意識が低く、生徒の就職活動も遅れがちであるという課題があり、未内定者が多い高校には直接セミナー実施を提案している。

　地元企業について生徒に知ってもらう試みは今後の課題であるが、企業見学会は以前から実施しており、バス代も県が負担する。高校への周知はしているが、実際には就職率の高い商工業系高校を中心として、毎年特定の高校が参加しているのが現状である。教師にとって、訪問先企業の選定は負担感を伴うものであり、訪問先企業リストを要求されることもままあるが、企業見学会の趣旨に鑑みて各校の自主性に委ねているため、現状では作成していない。

　3年生の7月に行われる企業説明会は、効果の大きいイベントであり、管内企業、一部管外企業が参加し、他管内の生徒も参加して事業内容などの説明を受ける。3年の11月・12月には、未内定の生徒を対象とした就職相談を行っている。生徒にとってハローワークに出向くのはハードルが高いため、学校で出張相談を行う。企業面接会も実施しており、企業のブースが50～60程度設けられるが、好景気で未内定者が少ないため、昨年は来場した生徒が60人程度であった。こうした現状をふまえ、今後は、2年生を対象としたイベントを開催し、業界団体に依頼して地元企業の話をしてもらうことを考えている。できれば保護者にも参加してもらいたいので、土・日曜日に開催できないかと検討している。

　定着指導については、求職登録の際、ハローワークから就職後の連絡可否を記入してもらい、よいと回答した生徒についてのみ、3ヶ月後、6ヶ月～1年後を追跡している。

4.　管下企業、求人者への働きかけ

　高校生、特に商工業系高校生は夏休み前にだいたい応募先を決めてしまっており、9月に求人を出しても生徒が残っていないということを事業所が知らないこともあるため、管下の企業には、求人を早期に出すよう働きかけてきた。年々その効果があらわれてきており、月別求人数をみると、平成30年3月卒求人の6月時点での求人数は663件と、同時期の平成29年3月卒求人数394件の約1.7倍にのぼる。

　募集時の学校指定については、できるだけ指定をせずに幅広く求人を出してもらいたいというハローワークの意向は変わっていないが、技術系を中心に工業高校等を指定して求人を出し続ける事業所も少なくない。中には学校指定で求人を出した結果、あまり応募がないといった事業所も存在する。

　また、応募者がいないとの理由で求人者から求人取消を依頼されるケースをはじめ、新規高卒者の募集・採用に関するルールの理解不足が原因と思われる事案が度々発生していたことを踏まえ、制度の周知徹底を図るため、求人受理時や求人票の返送時など、複数回にわたって高卒求人特有の留意事項を記載した文書を交付するようにしている。

5. 最近の新規高卒就職に関しての問題点

　第一に、年度途中で進学や公務員から就職へ進路変更した生徒に対し、学校や担任によって支援内容に差がある。特に進学者を主とする学校では、進学者が優先され、就職相談や高卒求人の情報提供等の支援への意識が低調なケースも見受けられる。生徒がハローワークに来るのは冬休みになってからになることが多く、支援が後手にまわり就職に時間がかかってしまう。

　第二に、コミュニケーション能力の低い生徒や一般常識の意識が低い生徒などに対する支援が課題である。発達障害等の疑いのある生徒で手帳を所持している場合は専門援助部門に誘導できるが、そうでない場合、就職活動に消極的であったり、応募しても不採用になったりするため、未就職のまま卒業してしまう生徒が毎年のようにいる。

（7）高知県 K ハローワーク

実施日：2017 年 8 月 24 日

1. 管内の概要

　K ハローワークは高知県の中央部に位置しており、県庁所在地を含む 4 市 3 町村を管轄している。その範囲は面積にして県全体の 4 分の 1（1,800 ㎢）、人口にして県全体の 6 割強（437,000 人）に及び、県の産業・経済・文化等の中心となっている地域である。

　2016 年度『業務概況』によれば、K ハローワークの管内適用事業所は約 8,800 事業所で、卸売・小売業のウェイトが高く（20.2%）、製造業のそれが低い（9.4%）。また事業所の多くが中小零細企業である。

　管轄地域は、他地域と同様に少子高齢化、人口減少が進んでいるが、同時に県の産業振興計画の推進や国の経済政策により雇用情勢は改善している（2015 年 11 月に高知県としてはじめて有効求人倍率が 1 倍を超えた）。こうしたなか、多くの業界で人手不足感が高まっており、安定雇用の定着や正社員雇用の増大、職業相談・紹介サービスが必要になっている。

2. 新規高卒者の求人・求職状況

（1）求人状況

　2010 年代に入ってから新規高卒者対象の求人状況は持ち直してきた（図表 1）。とくに、県内求人が 2000 年代後半に比べて倍増している。とはいえ、県外求人にもかなりの回復傾向が認められるため、求人全体における県内求人の割合はここ 5 年間で大きく変化せず 5 割前後で推移している。2000 年代前半まで新規高卒者の県内就職率は 7 割程度だった。しかし、それが 5 割を割り込むようになった 2000 年代後半、県内就職率の低下に行政も危機感をもっており、マスコミでも騒がれるようになった。知事を筆頭として県内企業に求人要請をしたり、求人提出の時期を早めたりしてもらうなどの取り組みに努めた。その結果、8 月末までに受理した県内求人の比率は顕著に高まり 2016 年度では約 9 割に達するとともに（図表 2）、県内就職率も徐々に上昇してきた（図表 1 において、2007 年度は 48.6% であったのに対し、2016 年度は 60.9%）。

　近年の興味深い動向として指摘されることは、これまで主に大卒者を採用してきた地元銀行が、高卒採用にも取り組むようになり、高卒求人を出すようになった点である。図表 3 に示した 2016 年度の金融・保険業の県内求人数（28 人）は、2015 年度のそれ（14 人）に比べて倍増している。これまで指定校の欄に書かれなかったような普通科高校（進学校）へ指定校求人を出し、実際に数名がそうした高校から就職したという（とはいえ、それらの求人が完全に充足されたわけではない）。なお、求人側である企業には、後述の応募・推薦にかかる「一人二社制」をもっと活用すべきという立場と、内定を出しても辞退されることを懸念す

図表1　新規「高等学校」卒業者求人・求職・就職内定状況（県全体）

卒業年	求人数			求職者数		就職内定者数			県内求人／県内求職者	就職内定率
	合計	うち県内	県内比率	合計	うち県内	合計	うち県内	県内比率		合計
2008年3月卒	2,300	813	35.3%	1,255	656	1,138	553	48.6%	1.24	90.7%
2009年3月卒	2,166	813	37.5%	1,278	669	1,127	538	47.7%	1.22	88.2%
2010年3月卒	1,173	552	47.1%	1,163	650	999	514	51.5%	0.85	85.9%
2011年3月卒	1,193	640	53.6%	1,157	709	1,075	632	58.8%	0.90	92.9%
2012年3月卒	1,228	758	61.7%	1,160	701	1,087	631	58.0%	1.08	93.7%
2013年3月卒	1,786	938	52.5%	1,152	712	1,100	666	60.5%	1.32	95.5%
2014年3月卒	2,045	1,035	50.6%	1,041	644	1,008	616	61.1%	1.61	96.8%
2015年3月卒	2,567	1,318	51.3%	1,146	696	1,132	682	60.2%	1.89	98.8%
2016年3月卒	3,235	1,592	49.2%	1,000	623	995	619	62.2%	2.56	99.5%
2017年3月卒	3,390	1,570	46.3%	1,017	621	1,009	614	60.9%	2.53	99.2%

各年6月末日現在

図表2　月別求人受理状況（新規高卒者対象求人、県全体）

卒業年	卒業前8月末		卒業後6月末		8月末までに受理した求人の比率	
	県内	県外	県内	県外	県内	県外
2008年3月卒	538	1,382	813	1,487	66.2%	92.9%
2009年3月卒	604	1,271	813	1,353	74.3%	93.9%
2010年3月卒	387	583	552	621	70.1%	93.9%
2011年3月卒	389	491	640	553	60.8%	88.8%
2012年3月卒	533	418	758	470	70.3%	88.9%
2013年3月卒	688	693	938	848	73.3%	81.7%
2014年3月卒	799	899	1,035	1,010	77.2%	89.0%
2015年3月卒	1,067	1,057	1,318	1,249	81.0%	84.6%
2016年3月卒	1,375	1,486	1,592	1,643	86.4%	90.4%
2017年3月卒	1,407	1,678	1,570	1,820	89.6%	92.2%

る立場が併存しているという。

(2) 管内の高校の概要

　管内には全日制高校が21校、定時制高校が6校、通信制高校が2校、看護専攻科が2校ある。これらのうち、卒業者の進路が進学をメインとし、就職者がほとんどいないような普通科進学校は7校である。それ以外の14の高校には、一定数の民間就職希望者がいる。

(3) 求職状況・就職状況

　県内求人の回復（図表1）や求人受理の早期化（図表2）により、県内就職率が一定程度回復してきているが、他の要因として高校生の県内志向の高まりも指摘しておきたい。数値は記載していないが、図表1より求められる求職者に占める県内希望者の割合は、2007年度の52.3%から2016年度の61.1%まで約10ポイント上昇している。

こうした求職傾向のなか、建設業の求人が増えているものの、充足率が低い。建設業界は10年前は厳しかったが、景気回復と業界内での淘汰によって残った会社が人手不足となり、また従業員の高齢化に悩まされている。しかし、小規模で零細な建設会社が多いためか、高卒者には人気があまりない。建築系の工業高校生は進学する者が少なくなく、そのまま県外流出していく傾向が強い。さらに、高知県の場合は全求人に占める製造業求人が他県に比べて低いため、工業高校のかなりの生徒が県外就職していくという実態もある。

高校生の職業希望として、事務希望者は多い。なかでも県内事務職として一番人気なのは「公務」である。普通科高校や商業高校に事務希望者が多い。県内の民間事務職も人気であり、求人は充足される。他方で、前述した銀行は普通の事務職とは違って"帰りが遅い""ノルマがある""転勤が多い"等のイメージが親世代に広まっており、「銀行はやめておきなさい」という保護者の語りや敬遠意識がある。

保護者の積極的な情報収集や父兄ネットワーク、あるいは学校やクラブでのネットワークで企業の評判などもすぐに広まる。離職した先輩の体験談など、必ずしも客観的事実とはいえない企業情報が田舎ゆえにすぐ拡散し、「ちょっとした情報が出たら、もうそこは敬遠される感じに」なるという。地域ネットワークの強さは、企業の縁故採用も促進している。中途・新卒に限らず、ハローワークに求人を出しておきながら縁故で、従業員の知り合いで雇ったという話は度々聞かれることである。

図表3　新規高卒者対象求人の受理状況

		2016年度 計	県内	県外
	農、林、漁業	53	32	21
	建設業	569	302	267
	製造業	645	333	312
	食料品	120	83	37
	繊維工業	54	36	18
	木材・木製品	22	18	4
	パルプ・紙・紙加工品	61	52	9
	印刷・同関連業	12	2	10
	化学工業	13	1	12
	プラスチック	27	13	14
	窯業	13	7	6
	鉄鋼業	42	10	32
	非鉄金属	11	0	11
	金属製品	32	4	28
産	はん用機械器具	35	18	17
業	生産用機械器具	61	43	18
別	電気機械器具	17	3	14
	輸送用機械器具	77	16	61
	その他の製造業	13	7	6
	電気・ガス・熱供給・水道	20	6	14
	情報通信業	25	5	20
	運輸業	210	37	173
	卸売・小売業	398	222	176
	卸売業	120	69	51
	小売業	278	153	125
	金融業・保険業	29	28	1
	不動産業・物品賃貸業	51	11	40
	学術研究・技術サービス	65	32	33
	飲食店、宿泊業	470	115	355
	宿泊業	156	73	83
	飲食店	314	42	272
	生活関連サービス事業・娯楽	318	137	181
	医療・福祉	310	198	112
	複合サービス事業	39	35	4
	サービス業（他に分類されないも	174	72	102
	合計	3,390	1,570	1,820
	専門的、技術的、管理的	405	232	173
	事務的	207	149	58
	販売	349	196	153
	サービス	1,052	406	646
	理容・美容師等	167	54	113
	調理師見習等	213	40	173
職	飲食店店員等	367	138	229
業	その他	305	174	131
別	技能工、採掘、製造、建	1,259	512	747
	製造・制作	705	322	383
	定置機関・建設機械運転	128	42	86
	採掘・建設・労務	348	138	210
	その他	78	10	68
	上記以外の職業	118	75	43
	合計	3,390	1,570	1,820

2017年6月末現在。産業別のうち求人数の少ない区分は割愛した。

（4）高卒就職についての申し合わせ

　県や労働局、県教委、経営者団体協会などによる「新規高等学校卒業予定者の就職に係る申合わせ事項」において、主な規定として次のものがあげられる。すなわち、選考開始日（9月16日）から9月30日までは一人一社の応募・推薦に制限されているが、10月1日以降は事業所の了解のもと一人二社までの複数応募を可能とする。さらに、校内選考について、「学校の行う校内選考については、事業所からの要望もあるので、引き続き実施する」と規定されている。Kハローワーク担当者としては、“ある求人に対して、希望者全員に学校推薦を与えて応募させるのではなく、求人に適合する生徒を応募させるのが進路指導でしょう、進路指導をしっかりやってください”という意味合いで、規定しているという。この申合わせはこれまでも継続的に使われてきており、規定内容もしばらく変更されていない。ただし、ある高校では、非指定校の求人について事業所と生徒本人らの了承のもと、複数人の生徒（希望者全員）を応募させたケースもあった。

3.　Kハローワークが果たしている役割

　高校での進路ガイダンスや進路講話を行っているほか、12月には未内定者ガイダンスを実施している。2016年度の登録者は42名で、そのうち約半数が最終的に内定を獲得した。残りの半数は、専門学校進学、定時制高校の生徒でアルバイト継続、音信不通などである。

　求人開拓は、景気が回復し、以前よりも求人が集まりやすい状況になっていることから、ここ数年に比べると2017年は減らしており、求人依頼文書を送付している。若年法による有休取得実績や離職率などの情報は、学校からは好評である一方、“離職者数を書きたくない”という企業がないわけではない。設立間もない会社だと勤続年数が必然的に短く、印象が悪くなるのではないかと危惧する声もある。

4.　最近の新規高卒就職に関しての問題点と対応

　早期離職の問題がある。県内就職者の早期離職率はいつも全国平均を上回っている（県外就職者については、必ずしもそうとはいえない）。企業側でも早期離職防止のサポートをする、職場定着促進のための業界セミナーをするなど対応しているが、基本的には学校教育の問題とみなされている。そこで県教育委員会が早期離職の理由に関する企業アンケートを行った結果、もっとも大きな理由として挙げられたのは「勤労意欲の欠如」であった。

　生徒にとっての“就職するために必要な最低ライン”が下がっているように感じられる。以前は「ここまでは頑張っておかないと就職できない」という意識があったが、最近は何もしなくても「なんとかなるだろう」との考えや、アルバイトでも“実家にいればなんとかなる”との意識をもつ生徒が増えている。

2. 高校編

（1）東京Ａ普通高校

実施日：2017年8月3日

面談者：進路担当5年目

・ 進路担当2年目

1. 学校の概要

　昭和50年開校の普通科高校で、現在の規模は一学年250名程度となっている。進路の状況は、以下の図表1のとおりである。

図表1　卒業年度・男女別　進路状況（数値は人数）

卒業年度	性別	四大	短大	専門学校	就職	浪人・その他	計
2007年度	男	51	0	21	2	26	100
	女	37	17	36	12	10	112
2008年度	男	59	1	33	6	10	109
	女	32	10	31	10	21	104
2009年度	男	51	1	33	6	13	104
	女	27	11	30	4	19	91
2010年度	男	52	1	24	7	21	105
	女	27	6	33	5	30	101
2011年度	男	36	0	30	8	34	108
	女	21	3	41	5	25	95
2012年度	男	55	1	32	9	18	115
	女	33	13	36	9	10	101
2013年度	男	54	0	30	16	18	118
	女	36	16	27	6	14	99
2014年度	男	60	1	34	7	30	132
	女	29	11	42	6	24	112
2015年度	男	65	2	43	10	10	130
	女	39	12	45	10	16	122
2016年度	男	66	1	27	14	26	134
	女	40	9	39	8	24	120

　図表1からわかるとおり、男子は5割程度、女子は3割程度が四年制大学に進学している。浪人するケースもあるので、希望者だけでいえば5割強が四年制大学進学を希望する。就職率は、男女ともに5〜10％程度で推移している。

2. 進路指導・キャリア教育の体制

　進路指導部の体制は、専任が5名、非常勤が2名の計7名。進路指導部の業務はかなり多忙であるが、非常勤は退職した元教諭で、授業を担当していないので「ここで進路指導に本腰を入れてくれる」ため、「何とか回っている」。

入学時点では、希望進路について「まずここ（筆者注：A高校）に入ってきてよかったっていうところで（略）、その先のところについては、入ってきた時点では全く考えていない」状況である。そこで、次のような計画で進路指導やキャリア教育を行う。

　まず、1年次では、1学期にオリエンテーションや進路説明会（総合学習の時間やLHRの時間をあてて頻繁に行う）を行い、7月に職業人講話を実施する。職業人講話では、7名の職業人（職業経験があり、リタイア後、主に専門学校で講義を行っている方など）を各クラスに割り当て、2回ローテーションで「自分の希望する職業とはかかわりないかもしれませんけれども、職業人として、社会に出て働くというのは、こういうことだよという話をしてもらう」。

　2年次では、7月に分野別説明会、9月に選択説明会があり、冬には「自分のやりたい仕事とか、やりたい学問というものをだんだん絞り込んでくる時期」となるので、四大・専門など進路別に進路説明会が行われている。

　3年次の春に行われる進路希望調査以降は、進学者は学校選択、就職者は職種や業種を選択していく時期に入る。そのため、「去年の求人票を見たりして、どういう職種が自分に向いているのかとかいうようなことを、話を、説明会をかなり頻繁にやります、就職については。頻繁にやって、一つ一つ、そして、夏の職場見学、それから、秋の就職試験に向かってという、そういうプログラムを組んで」いる。説明会には必ず出席するよう指導をしているので、生徒が説明会に来ないといった状況は生じていない。3年生対象の就職説明会は4月～8月で計15回開催され、夏休み前だけで8回開催される。4月当初は、「進学することと就職試験、何か違いもよくわからない生徒も多い」ため、自己分析シートを記入（4月）させたり、求人票の見方を説明（5月）したりしている。求人票の見かたについては、前年度やそれ以前のものを進路室に見に来させ、どのような仕事があるのかという点なども確認させている。一般常識テスト対策も4月から開始され、模擬試験の作成・実施・採点や生徒への問題集の紹介などもすべて進路指導部の教員が行う。5月にはハローワークの講演会を開催し、「就職するとはどういうことなのかとか、今後、どんな手順で、いつ何をすればいいのかとか、求人票をどんなふうに見るのか」といったことについて話をしてもらっている。6月には、就職活動一本でやっていくということについて保護者の同意書を提出させている。また、同時期に、就職に関するアンケートを生徒にとっている。このアンケートではアルバイト経験についてもたずねているが、これは仕事選びの参考にしてもらうことや、アルバイト未経験者は仕事のイメージが十分に持てていないことがあるため、よりサポートを手厚くするといったことを意図している。また、「部活をきちんと頑張ってやっていたっていうことはアピールポイントになる」が、生徒は意外とその事実を知らないため、アンケートに記入してもらうことで、進路指導部のほうでもアピールポイントを検討することができる。勤務地の希望もとっているが、ほぼ自宅からの通勤を希望してくる。ここで人気の職種は、女子は販売、ブライダル、ホテルで、男子では、先輩がいる配送関係などである。事務やブライダルなどは

実際には求人が少ないのだが、現実的なラインに希望が落ち着くのは、応募する企業を選択する段階になる。6月時点ではアンケートに希望職種を記入することができない生徒もおり、アンケートを通じ、「自分も、まだよくわからない、考えていないというのがわかって、これを書いた後に、進路室に来なさい、求人票を見て、考えさせます。何か、言葉だけで言っていると、何だかちっともピンと来ないようなので」というように、就職について具体的に考えさせる指導につなげている。

　7月には面接の全体練習を行い、「実際に会議室で、生徒全員集めて、みんなの前で順にやらせます。そうすると、自分もできないというのが、すごくわかって、ちゃんとやらなきゃだめなんだという動機づけにもなる」。その次の説明会では面接練習DVDを鑑賞するが、「最初に自分ができないのを確認した後なので、結構、一生懸命」観ている。その後、2回目のハローワークによる講演会が行われ、「具体的に、どうやって仕事を選んだらいいのかとか、あと今後の面接の話とかも、面接のポイントとかも含めて」話をしてもらう。7月中最後の説明会では、会社見学のやり方について、面接と同様、全員の前で1人ずつ練習させ、マナー等を指導している。8月後半に開催される7回の説明会では、履歴書の作成や面接練習といった個別指導を細かく行うという形となっている。

　会社見学については、まず7月中旬から8月末にかけて、求人票を見て興味のある仕事や見学に行きたい企業を考えさせ、見学願いを提出させる。学校のスタンスとして、「なるべくたくさん、興味のあるところ、どんどん行きなさいということなので、多い子だと5、6社、5社ぐらい行っています。数社行くようにということで、平均すると4社、3、4社ぐらい」見学に行っている。見学のアポ取りは教師の仕事である。見学に際しても、ふるまいや服装などの指導を行い、見学後には報告書を提出させる。企業見学は重要であり、企業のことをわからずに採用され、就職したとしても、ミスマッチですぐにやめると考えている。見学を通じ、「いろいろ見て、聞いて、考えて、それで受験先を決める」ことが肝要である。こうした流れを経て、夏休み中にどの企業を受けるかを決め、8月後半以降の指導を迎え、保護者の同意を明記した就職希望申込書を提出させている。

　以上が全体的なスケジュールではあるが、途中で就職にシフトする生徒もいるので、「いつからでも出発できるように」体制を整えている。希望変更の時期はさまざまで、年によっても異なるが、昨年は4月時点、夏休み前、10月の時点でそれぞれ数名が進路希望を変更した。今年は昨年より多い3〜4名が夏休み前に就職や専門学校へシフトしている。こうした生徒の進路変更について、「今まで、漠然と専門学校でもと考えていたのが、やはりお金の話とかもありますし、親の意向や本人希望、よくよく考えてみたら、やはり進学より就職にしたいということで、変更ということが多いんだと思います。（略）ほんとうは、早いうちから、きちんと活動していたほうがいいので、4月の段階で決まっていればいいんですけれど、多分、その時期には、あまりよく考えていないかった生徒が、こういう状況になってきてるんだと思います。」という印象があるが、10月時点からでも就職希望の生徒を受け入れており、昨

年度も実際に就職を達成させている。

3. 就職指導の現状

　求人票はトータルでA高校宛に1000くらい来ており、今年は8月頭の時点で400弱きている。求人票は、職種ごとにわけて進路室にストックしておく。昨年は学校に送られてきた求人から選択する生徒が多かったが、今年はWEB求人（一覧をダウンロードし、求人番号で詳細な求人票を見る）から選ぶ生徒が多い。生徒が就職先を選択する一番の基準は職種だが、先輩や部活のつながりもある。毎年継続的に就職者がいる企業もあり、そういった企業からは人事部が7月ごろ挨拶にくる。その際には、どのような生徒を求めているかをたずね、生徒にも見られるような形にしておく。すると、企業の要望や職種と合致する生徒に話をしたり、企業選択のきっかけにしたりすることが可能になるが、あいさつに来た企業のほうが採用面で有利かというとそうではない。生徒には求人はすべて見せており、進路指導部でセレクションするということはしていない。教員が求人票を見て指導する際の基準は、職種、具体的な仕事内容、就業場所、離職率である。学校にくる求人の数は増えている印象で、今年初めて求人がきた企業のなかには、大手の百貨店など人気のある企業も含まれている。女子に人気の事務職は、昨年よりは求人がきているものの、やはり少ないのが現状である。

　生徒の希望が同じ会社で重複した場合、校内選考はせず、卒業見込みの立っている生徒であれば何名でも応募させており、実際に応募者が全員採用されるケースもあった。

　昨年の第一次内定率は7割程度と特によかった。その背景として、ここ3年ほどで上述のような進路指導・キャリア教育を整備し、「4月の頭から、ずっとやり続けていっていることが、それが一番大き」く、「生徒の資質が変わっているわけじゃなくて、それをやることによって、生徒のいい面の資質が、やっぱり引き出されている」。現在のようなプログラムを整備するきっかけは、4～5年前、夏休み後半から本格的に就職活動を始めていたのでは間に合わないという現状から、早期にスタートすることが必要だという認識に至ったことである。なお、第一次で不採用になっても、最終的には内定している。

　進路未定者は減少傾向にあり、学校からきめ細かく情報を出していることや、フリーターにさせない指導をしていることの効果であると感じている。フリーターになるのは女子が多く、無業というよりはアルバイト継続で、担任も指導に苦慮するところである。

4. 今後の課題と安定行政への要望

　ハローワークへの要望として、9～10月に登録してくる会社もあるため、求人票をアップした日時がわかるようにしてほしい。また、ジョブサポーターとは連絡を密にとる必要があるため、学校担当という制度をなくすという改変は本当に困るのでやめてほしい。

（2）東京 D 商業高校

実施日：2017 年 8 月 4 日

面談者：進路指導部主幹教諭

教員歴 30 年、本校 2 年目

1.　学校の概要と 10 年間の進路の状況

　昭和 15 年創立の伝統ある商業高校であり、「情報処理科」70 名と「商業科」140 名の計 210 名によって一学年が構成される。2018 年度からはこれら 2 科がビジネス科として統合される。男女比は、情報処理科が 8：5、商業科が 5：8 となっている。学校の特徴は、挨拶などの基本的なマナーの指導や資格取得の指導を重視していることである。全商情報処理検定 1 級、全商簿記検定 1 級に関しては、毎年それぞれ 20 名程度の合格者を出している。

　卒業後の進路の推移としては、図表 1 を参照されたい。

図表 1　卒業後の進路の推移

	2012年3月卒業	2013年3月卒業	2014年3月卒業	2015年3月卒業	2016年3月卒業	2017年3月卒業
卒業者数	178	188	184	187	200	187
就職者数	60	75	73	101	114	88
進学者数	78	76	72	76	80	91
四年制大学	24	27	30	34	36	40
短期大学	3	4	2	3	3	6
専門・各種	51	45	40	39	41	45

注：各年の就職者数は、「進路の手引き 2015 年度」「進路の手引き 2017 年度」「平成 27 年度卒業生（第 71 期）進路先一覧」「平成 29 年度学校要覧」のうち、より数が多いものを記載した。また、進学先未定者等については省略しているため、就職者数と進学者数の合計と卒業者数は一致しない。

　就職者を見ると、年ごとにばらつきがあり、求人数が増えるとよい就職先が増えるため就職が多くなるという流れがある。進学か就職かという進路選択は 3 年生以降もある。求人票を見て進学に変更する生徒もいれば、経済的な制約で進学から就職に変更する生徒もいる。進学から就職への切り替えは一般には難しいと思われるが、東京 D 商業では就職と進学が半々なので他の高校よりも円滑に切り替えられやすい。成績上位者は就職を選ぶことが多い。もしくは、経済状況などの観点から大学進学が可能な生徒は指定校推薦などを利用して進学する。情報処理科は進学者と就職者が半々くらいで、商業科の方が就職者は多い傾向にある。今年の就職希望者は、8 月時点で 94 人だという。

2.　進路指導・キャリア教育の体制

　進路指導の専任の先生は合計で 7 人。うち一人は嘱託の先生である。どのような先生が進

路の担当になるかについては校長先生の裁量によって決定される。

　生徒に対するキャリア教育・進路指導については、①担任の先生、②各学年の学年主任、③進路指導の専任の先生の3者によって行われる。このうち進路指導の専任の先生は、年間行事の編成や小論文対策、面接対策などの進路に関わる指導を一手に担う。

　進路指導の流れについて概説する。1年次は、進路行事や適性検査が行われる。進路行事では、①職業・職種の紹介、②（進学者の場合は）学部についてとそれぞれの進路に応じた説明が行われる。

　2年次は、適性検査のほか、昨年度以前の求人票の閲覧、「卒業生を囲む会」の開催、インターンシップ（2月）が行われる。「卒業生を囲む会」では、2つ上のOG・OBから1年間働いてみての所感について話を聞く機会が設けられている。インターンシップは、現在は希望者のみの参加だが、今後は生徒全員に参加させる予定であり、商工会議所と打ち合わせて準備を進めている。

　3年次は、予備志望票を提出させ、就職か進学かを決定してもらう。6月にはこの予備志望票にもとづいて進路指導部教員による就職希望者個別面談を行う。今年度の7月の求人公開では、7月中の4日間に集中して生徒に求人票を見せる時間を確保し、進路指導の先生が指導を行った。また、保護者との面談を行った後に、第3希望まで進路希望を書いてもらった。この進路希望をもとに、成績や出席状況等による就職推薦選考会議を行う。この選考結果を踏まえて、企業見学先を決定する。見学先は1社としている。基本的には見学に行った企業に応募し、就職する（「とにかく1人1社、必ずそれを見に行って、そこは受験するという昔ながらのやり方ですね」）。受験を希望した生徒が企業側の希望と必ずしも合わないのではないかと思われる場合でも、生徒が希望した場合には希望を尊重してそのまま送り出している。

　その他、2〜3年次にSPIの模擬試験をして練習させている。また、先生たちは適宜、卒業生に対して聞き取りを行ったり、4〜6月の時期に卒業生が就職した企業を訪問して様子を把握したりしている。これらによって、「どの企業が面倒見が良いのか」等を学校側で把握するようにしている。企業訪問は卒業生を採用してもらったお礼と挨拶回りを兼ねており、企業と学校との信頼関係を構築する機会として位置づけている。

3. 就職指導

　4月から6月に教員が企業訪問を行っている。「企業さんのほうにもやっぱりお礼をして、今後ともお願いしますということを。どうしても、成績だけでは切れない、やっぱり信頼関係が求人ですので」。

　学校に来る求人数は、2017年8月時点では1012件である。リーマンショック後の2010年時のインタビューの際には8月9日時点で287社であったので、大幅に増加している。求人内容としては、数の多いもので事務125件、販売230件、サービス300件、製造96件である。サービスの中では介護の求人が増えている。事務職を志望し就職する生徒が例年30％程

度おり、昨年度は31%だった。東京の求人はかなり数が多いが、その中でも、伝統校ということもあって地元企業からの求人が多い（「ここら辺、ここ自体は、伝統校なので、地元の就職も抱えているので、そこはほんとうに底力があるというか、そういうことがありますね」）。生徒に提示する際は、教育的に見て好ましくない求人はあらかじめ除外する。

　生徒の企業の選び方を見ると、人気があるのは、企業規模が大きいところや、卒業生がきちんと継続して働いている会社である。老舗の大手デパートや信金の人気が高い。生徒たちは、基本的には実家から通える範囲の企業を希望し就職する。最近では、大手小売の求人が復活した。高卒採用が復活しているのは、景気が良くなり人材育成についての余裕が生まれたため、大学生のバイトよりも高校生を正規で採用してきちんと4年育てた方が会社の発展に寄与するという企業が考えているためではないかと思う。

　これらの求人票は先生の手によって、職種ごとにファイルにまとめられている。求人票のコピーを取り、全クラスにファイリングされたものがワンセットずつ配布される。インターネット求人を生徒が見ることはなく、きちんと紙で求人を送ってくれる企業しか扱わない（生徒に見せない）ことにしている。来校して説明を行う企業は、2017年8月時点で180社以上である。求人の一覧表が作成されており、企業名、求人職種、求人数、就業場所、資本金、給与のほか、来校した企業かどうか、また企業説明のパンフレットを持ってきてくれたかどうか等についてまとめられている。また、企業がどのような人材を求めているかについて記録された面会票が作成され、コミュニケーション能力や事務処理能力など、必要となるスキルについてのメモが作成されている。学校としては、生徒を就職させたいのは、きちんと育成し、かつ本人が納得して働ける企業である（「面倒を見ていただいて、育てていただける会社ですよね。それに対して、本人が気に入っているということですよね、納得して。その2つがやっぱりマッチングしない限り、就職先になりませんから。どっちかでも欠けたら無理ですので」）。教員間の情報交換や、「囲む会」に出席してくれる卒業生からの情報提供により、育ててくれそうな会社を把握している。

　指定校求人が多いこともあり、9月の1回目の選考での就職率は約8割に上る。なかなかすぐには決まらない生徒も、2〜3社の面接を経て卒業までには全員の就職先が決まる。伝統校としての定評が高く、就職が決まりにくいということはない。昨年度は学校の就職あっせんで就職した生徒が100%であり、はじめからフリーターになる生徒はいない。家庭の経済的状況を背景に、進学してくる時点で将来のことをきちんと考えている生徒が多い。また、来校して説明を行う企業は、生徒が応募すればほぼ採用する。得意先企業は10年前と比べて増えている。

　ハローワークの利用については、進路主任は月1回ハローワークにて打ち合わせを行っているが、今のところジョブサポーターは特に必要としていない。10〜11月の、1〜2年生の指導の際に来校してもらうことは検討している。

4. 今後の課題と安定行政への要望

　高卒就職の困難さとしては、大学生との競合があるため、高卒では立場が弱い。求人を見ただけでは大卒も募集しているのかどうか分からないため、応募しても大卒が採用されて落とされてしまうことが挙げられた。大卒との競合を避けるため、ハローワークの方で出された求人において大卒との競合があるかどうか把握し、企業に対して指導するといった対応を求めたいという意見が述べられた。

　学校としては、今後はインターンシップを充実させ、自分が目指したい業種をきちんと学べるような体制の構築が課題とされる。

　また、情報科と商業科が都の決定によってビジネス科に一本化されるが、従来企業からは「情報科の生徒だから採用したい」という声があったため、今後どのように対処するか考える必要がある。現在の体制の長所をいかに残しながら次に発展させるかが今後の課題であるとされ、来年度以降に予定されている選択科目群は、これまでの商業科・情報科を発展的に改編させたものになっている。

（3）東京 B 工業高校

実施日：2017 年 8 月 3 日

面談者：進路指導主任　本校 5 年目

1. 学校の概要

　戦前からの歴史のある工業高校で定員は 175 名。2 年生から機械科、電気科の類型に分かれ、さらに機械設計、制御、自動車、電気、電子情報の 5 類型に分かれる。中退者数は年によってばらつきがあり、入学時に定員割れしていたかどうかと関連があるようだ。デュアルシステムを導入している。昨年の「その他」3 人のうち、2 人はセンター試験を準備中、1 人は就職試験に内定をもらっていなかった生徒であり、それ以外は自分の進路先が決定した。進学か就職かは景気に左右されるわけではないが、公務員か民間就職かは景気に左右される。進路選択については、「中学校時代から、小学校時代から自分がある程度どういうふうにつきたいのかということが見えてくる子供に関しては就職もやっぱり早いですし、決定が早いのかなとは思いますので。高校でまだ迷っている状態だとやはり長くなってしまう可能性はあると思います。」

図表 1　進路の推移

	2009	2010	2011	2012	2013	2014	2015	2016
学校斡旋	61	66	78	66	77	85	84	100
縁故	5	6	4	4	7	2	1	5
自営	0	0	0	1	0	1	0	0
官公庁	0	1	0	0	2	6	1	3
就職者計	66	73	82	71	86	94	86	108
専門学校	14	19	12	11	11	9	17	20
職業能力開発センター	9	9	6	7	2	3	3	2
職業能力開発大学校	0	0	0	1	0	0	0	0
大学・短大	9	5	14	9	8	8	10	6
進学計	32	33	32	28	21	20	30	28
その他	7	8	4	8	6	4	3	3
合計	105	114	118	107	113	118	119	139
就職者割合	62.9	64.0	69.5	66.4	76.1	79.7	72.3	77.7

2. 進路指導・キャリア教育の体制

　進路指導部は 7 名と各クラスから 5 名で計 12 名。工業科の教員だけでなく、普通科目の教員もいる。

　2 年生の時に進路希望調査をする。授業を通じて先輩の就職先を知らせたり、OB 訪問を積極的に活用したりするなど、早くから進路選択を促している。進路講話を先輩にしてもらう進路座談会を 1、2 年生向けに開催している。3 年生の 5 月に三者面談をしておよその方向性を決め、就職の場合にはまず前年度の求人票をみるように指導している。

また SPI の試験を 2 回ほど経験させ、また 2 年生で自己表現の仕方を学ぶ外部の専門家による授業、さらに 3 年生の 7 月にはビジネスマナーを学ぶ機会も提供している。2 年生の時に全員ジュニアインターンシップ（3 日間）行くことになっている。

3.　就職指導

　求人解禁後、3 年 7 月に希望調査をして（第三希望まで出せる）、希望が重なっている場合には校内選考によって受験者を絞り込む。「第一希望で決まった子に関してはそのまま行きますけども、第二希望、第三希望になった場合には必ず担任から本人に連絡をとって。本人と保護者で確認をとってオーケーであればそちらに行く」。「当然第一で決めていくのは本人の意思、何を受けたいか、どういうことをしたいかということを第一優先に考えるべきであって、第一優先を成績だとかというべきではないと思います。」

　しかし競合してしまった場合には成績や欠席が基準になる。「欠席が 10 日以上についても順番があとになります。まず、赤点をとっていないことが 1（筆者注：第一の基準）、2 個目に（筆者注：二番目の基準として、欠席が）10 日以上になっていないか、欠席が多い（筆者注：多いと選考上不利）か。校内選考は必ずやっています。」

　希望を出す以前に 4 月から担任や進路指導部の教員から積極的な働きかけが行われている。「5 月の三者面談のときにはある程度こういう方向で行きましょうねということを保護者と本人と担任で話をして、その方向はもう出てきます。ですので、（本人が求める会社と）あんまりマッチしないよということはないかなと思います。」

　企業見学は一人一社。9 月 1 回目では 5−6 割が合格する。企業の採用はシビアだが、1 回目の結果で内定が出なくても生徒に積極的に働きかけて次の企業に挑戦させるので、昨年度に担任したクラスは 11 月にすべて決定した。来校する求人は求人ファイルに来校者求人面会票をとじ込んでいる。来校する企業は積極的ではあるが、必ずしも採用されるわけではないので、生徒には気を抜かぬよう準備をさせている。

　生徒の希望は「やっぱり機械整備系、それから、鉄道系というのがやはり人気。あと自動車系のところはやはり人気があります。卒業生が就職をさせていただいて、今年もという形でいくことも。あと、多いのが、クラブの先輩がその会社にいて、たまに土日に来ますよね、彼らが、卒業生が。たまにクラブの試合だというときに来たときに話をするらしくて、そのときに自分も行きたいよといって行く子供も中にはおりますので。ある意味いろんな方向からアプローチをかけられるので、我々もどういった形で来ているのかということは常に話をしないと。だから、必ず 1 クラスに進路指導部の先生が 1 人つく。」

　生徒には自分で選んだという意識を持たせるため、生徒が持ってきた求人に別の求人をぶつけることもある。

4. 求人について

　今年は届いた求人票の入力やファイリングをして生徒に開示したのは10日、20日過ぎには会社見学先（おおむね受験先となる）を決定するので、2週間あまりで生徒は検討しなくてはならない。「前年度の求人票をいただける会社様というのは次の年もいただける確率は高いですよね。ですので、前年度の求人票を大体6月終わり1週間ぐらいまでは置いておいて」、生徒が自由に見られるようにしている。

　昨年度は求人が860から900社だったが、今年はインタビュー時に955社（1591職種）に増加した。うち学校訪問があるのは約300社であり、来校者求人面会票を作成して、教員だけでなく生徒にも情報を共有してもらうようにしている。来校の際にはどんな生徒を求めているか、試験、資格等を尋ねている。企業は元気で活発で明るく、クラブをやっている生徒を求めることが多い。

　近年の求人の増加は建設の求人増加のためだが、東京オリンピックにむけてビル管理・エレベーターなど電気関係も増えている。建築科は本校にはないが、学んだ内容と直接関連はなくとも、生徒の選択の幅が広がるのでよいと思う。

　求人は基本的に東京の会社であるが沢山あって覚えきれないので、「自分が受け持っているクラスにどういうのがいるか、また、どういうのを狙っているかというのが把握し切れるのがやっぱり1クラスがいっぱいいっぱいかな。」よい求人は、「入社してからも指導していただける企業。今ほとんどOJTなので、1人1人に先輩がついていただいてという企業様が多いので、そういう意味では安心しているのですが、「おい、やれ」じゃなくて、一から細かく、要するに、先輩に話を聞きやすい状況をつくってくれる企業様が僕はいいのかなと。」見分けるポイントは求人票の離職率と特記事項（教育係をつける等）である。

　人材派遣等、学校としてはあまり好まない求人も来るがリストに入れる。生徒が希望した場合には説明はするが、決めるのは生徒だと思っている。インターネット求人はメインには使わないが、販売など学校に来ていない求人を生徒が希望した時に使っている。

5. 今後

　ハローワークのジョブサポーターにはビジネスマナーについて講義をしてもらったり、色覚障害や発達障害のある生徒、あるいは外国籍の生徒、学校に来ない求人を希望する（アパレル販売）生徒など、個別のケースについてとてもよくしてもらっている。ただ人員が絞られているようなのが心配である。また東京都からの支援もある。外部の支援者が来ることで、生徒の教員の発言に対する信頼性が増したり、教員にとっても改善点が見つかったりよい効果があるが、学校教育というものを理解できる団体に来てもらいたい。

（4）埼玉 D 普通高校

実施日：2017 年 7 月 28 日

面談者：進路指導係　本校 5 年目

1.　学校の概要

　1980 年代創立の全日制普通科高校。40 人 8 クラスが基本で、転校や中退等の進路変更が毎年 10〜20 人前後である。部活が盛んで 8 割近い生徒が参加している。過去 10 年間の民間企業就職者数は数人から 13 人とばらつきがあり、今年は 4 人の予定。景気が良いから就職するということはなく、個別の理由でたまたま多かったり少なかったりする。入学時にはみな進学希望だが、家庭の事情等で就職というケースが多いようだ。進学と就職が揺れ動くケースはそれほどない。「その他」はほとんど浪人で予備校がほとんどを占める。

図表 1　進路の変化

	2011	2012	2013	2014	2015	2016
大学	173	188	180	181	197	181
短大	20	35	23	19	19	11
専門学校等	62	71	48	62	67	66
看護医療	24	20	24	23	18	25
就職民間	7	4	12	3	18	12
公務員	0	3	3	3	3	6
その他	32	32	17	26	31	18
生徒数合計	318	353	307	317	353	319
就職者比率	2.2	2.0	4.9	1.9	5.9	5.6

2.　進路指導・キャリア教育の体制

　進路指導専任は 2 名。進路指導部は 3 年生から 4 人、1 年生から 2 人、2 年生から 3 人と、再任用の先生が 2 人いる。就職指導担当者は全体の仕事のバランスの中で決定されるが、就職指導担当者は年によって変わることが多い。

　キャリア教育は総合学習の時間を使って実施されている。プログラムは 10 年前とそれほど変わっておらず、2 年生の時に進学のためのバスツアーや一日大学を開催している。インターンシップはやっていない。

　就職者については 3 年生の春頃から希望がはっきりし始めるので、進学者とは別の指導を行う。4 月上旬に進路ガイダンス（前年の求人票を紹介）、5 月上旬に進路相談会「就職・公務員分科会」、5 月末進路用写真撮影、6 月上旬クレペリン検査・一般・職業適性検査、7 月 1 日求人票受付、7 月上旬求人票公開・就職ガイダンス・模擬面接指導開始、7 月中旬就職斡旋選考会議、夏季休業開始後に会社見学開始という流れになっている。

3. 就職指導の現状

　求人票は7月初めに学校に届いた求人の中から、継続的に生徒を送っている企業や、毎年見学の希望が多い企業を教員が選び出して、求人票の一覧を作成する（「過去に結構継続的にお世話になっている会社とか、お世話になれなかったけれども見学希望が多い会社なんかを中心に選んでいます」）。昨年度は119件を選んだ（うち製造技能が57件）。生徒は求人一覧を見て希望を出してくるが、生徒が希望する求人票は多くても4、5枚程度である。インターネット求人は使わない。

　毎年のように送っている求人が2社あるが、今年は残念ながら希望者がいないので送れなさそうである。「そこ（継続的な企業）は毎年で、今年はでも希望者がいないので消えてしまいます。（1年送らないと求人がなくなってしまうことはありますか？）それはないと思うんですけれども、ちょっとわからないですね」。継続的な関係がある企業は数社で「実際、人数もそんなにいないですから。」

　「受けるのはもちろん、それは1社です」という一人一社制であり、希望が重なった場合は原則として校内選考をする。成績や欠席日数、部活や生徒会活動などを指標とする。ただし「受ける場合も、先方が1人と言ってなければ、複数で受けるとは思います」。企業見学は1人2社としており、受験希望の企業に行く。就職の推薦の基準は卒業見込みが立っていることであるが、欠席日数が10日を越えると多いと感じる。

　生徒には職種や労働条件を見ながら保護者と相談するように指導する。生徒には販売や鉄道が人気のようであるが、鉄道の場合技能職というよりは駅員などの接客を希望することが多い。

4. 求人について

　求人票は郵送が多い。学校訪問するのは数社であるが、「来られるところは、ほんとにぜひ欲しいと言ってくださるところもあります。例えば○○さんとかは毎年行っているので、わざわざ来てくださって、今年もいませんかということ、残念ながらほんとに今年は（送れない）。」企業訪問には手が空いている教員が対応している。その際にどんな生徒を求めているかを聞く機会もあるが、それほど多くはない。求人開拓はしていない。昨年度の第一次内定率はほぼ100%であった。

5. 今後

　今のところ従前通りキャリア教育や就職指導を行っていく予定。ハローワークやジョブサポーターを使う機会はほとんどなく、今のところは高校で間に合っている。教員は企業情報について深く知らないこともあるが、生徒とのつながりで指導していけるのがよい点だと思う。

(5) 埼玉 F 商業高校

実施日:2017 年 8 月 8 日

面談者：進路指導主事　本校で主事としての就職指導 4 年目

1.　学校の概要

　伝統ある就職名門校。商業科 5 クラス、情報処理科 2 クラスであり、ここ数年は進路変更や中退等はきわめて少ない。10 年前は服装の乱れ等があったが、現在は服装指導にも力を入れている。例年は就職と進学が 6 対 4 だが、今年は就職希望者が半数と少ない。景気との関連というわけでもなく、理由は不明である。なお事務職割合は前回調査の 2006 年度には72.4％と高かったが、その後は景気悪化・求人数減少などに伴い再び下がったものの、2017年度卒業者は 7 割弱(11 月中旬の段階で 66.4％)と回復傾向にある。

図表 1　進路の推移

	2007	2008	2009	2010	2011	2012	2013	2014	2015	2016
就職	127	128	103	121	117	145	138	148	128	144
大学	41	41	38	35	52	34	30	34	39	31
短大	6	5	10	6	4	15	12	2	7	6
専門	29	44	41	44	44	56	39	48	55	55
その他	18	5	37	18	18	16	14	5	3	6
合計	221	223	229	224	235	266	233	237	232	242
就職者割合	57.5	57.4	45.0	54.0	49.8	54.5	59.2	62.4	55.2	59.5
1社目内定率	75.6	79.1	66.7	62.4	58.2	66.2	65.8	83.7	81.8	74.6
事務職割合	64.7	69.2	66.9	56.9	61.5	57.6	56.6	60.0	65.3	65.5

2.　進路指導・キャリア教育の体制

　進路指導部は 9 名(主事は学年から外れる)。初めて就職指導を担当する教員のための特別な研修はないが、部内では週に 1 度の会議を通して、進路に関する知識や情報を伝え、確認している。また、全教員対象に面接指導者セミナーを年 1 回実施。別途、変化が激しい今日、指導する教員に対して情報提供・意識改革を目的とした研修会を本年度から実施している。

　進路希望調査は毎年すべての学年で行っている。3 年生は、卒業後の進路決定に向け、春の希望調査を軸に、希望する進路分野別に指導を進めている。進学は AO や推薦が多い。5 月末に進路懇談会を実施し、卒業生を招き、分野別に講話をしてもらう。5 月中旬から 6 月中旬に、進路指導部の教員が分担し、過去に卒業生を送った企業 70 社あまりを訪問する。その際に今年の採用予定や卒業生の動向、求める人材などを聞き取り、報告書形式にして、進路部や学年の教員で共有する。また 3 年担任に対する求人説明会を行い、求人の有無や求める人材像等の最新の情報を伝えている。SPI は意識付けに受けさせているが、指定校求人ではあまり使われていない印象である。

3. 就職指導

　求人票の公開は毎年 7 月 10 日前後から行う。保護者にも土日を含め数日間求人票を見ていただく機会を設け公開している。7 月 20 日前後に第 1 回の希望を締め切り、見学のための選考会議を行う。企業見学は基本的に受験する企業に行く。8 月末に受験先決定会議がある。

　現在「就職申込書」には 4 社まで希望を出すことが出来る。希望の度合いによって、第 1 希望だけ書く生徒や枠を超えて第 6 希望まで書く生徒もいる。希望が重なることはよくあるが特に希望が重なりやすいのは金融等の事務職である。しばらく高卒採用を停止していたが、近年高卒採用を再開した企業もある。「私も銀行など会社訪問をさせていただきます。その際に採用担当者から伺うこととして、採用計画が近年、商業高校生に戻っている傾向にあるということです。高校から入社した生徒の 4 年後と大学から入社した学生を比べると、商業高校から入社して、4 年間キャリアを積んできた社員のほうが、意識も高くよいと評価されています。」

　ただし金融系のニーズは大きく変化した。「銀行で求められるものとしては、要は窓口、人との接客で数年後には外勤にも出てほしいと。昔は総合職、一般職で、高卒は一般職として、銀行の中の窓口にいましたけど、今は、高校生に対して求められるものの、水準が上がってきており、仕事ができるようになったら、銀行内部から外に出て外勤をしてほしい。希望する社員は総合職に転換してどんどん責任ある仕事がしていけるようになってきている。資格を取らせるに当たっても、商業高校生は、計画的に資格取得へ向けた学習になれているので、一時期、高卒から短大等へ採用をシフトしていた企業が、高卒は意欲もあり、素直で育てがいあり、伸び代もあるというようなところから採用を再開した。やはり企業は、今まで働いている卒業生の実績を見て求人する学校を決めているようです。」

　かつては校内選考において成績を最重要視していたが、近年は成績だけではなく企業の希望を加味して生徒を送り出すようにしている。「成績は普通程度でいいと言うところもあり、それよりも対外、対人的な部分や、部活動を一生懸命やってきたとか、ぜひそういった前向きな生徒をお願いしたいというのは、どちらの企業からも言われます。」また希望が重ならない場合、生徒が希望すれば、企業が求める人材の場合、基本的に推薦をしている。「希望する生徒の成績を見て、例年推薦している生徒に満たなくても、企業が求める人材であれば基本的に推薦していきます。以前の考えだと、○○会社は評定平均が 4.2 以上とかありました。しかし本校では、そのような選考はしていません。仮に 3.9 であっても、部活動を一生懸命やってきたとか、何かほかに光るものを持っているとすると推薦させていただき、内定・採用していただいています。大手企業を訪問させていただいた際も、どちらも同じことを言われました。成績がよくても、電話をとることすらできないのでは採用できないといわれます。企業は、総合的に求められる人材というところを評価しています。」指定校で求人をいただいている場合は、その人数まで絞り込んで生徒を推薦している。

　地元企業への希望が多いが、求人票の職種などを見て、都内の求人に移る生徒もいるよう

だ。以前に学校で行った離職調査の結果を見ても、先輩が働いている企業の定着がよい。先輩のいる企業の場合、生徒にとって、就職後に相談しやすいことなどを考えているからだと推測される。生徒には、自分の希望する条件に合えば、先輩が働いている企業の求人票をまず見てはどうかと話している。

4. 求人について

　生徒は学校にある約200台のパソコンでじっくり求人票を見られるようにデータ化している。具体的には、学校に来た求人票は一覧表にして、さらにPDF化している。以前はクラスに求人票をコピーして、その束を1冊ずつ置くなどしていたが、現在はパソコンを利用することによりじっくり検討できるようになった。「求人がいっぱいある中で選ぶのは大変かもしれない。その際は、先輩が入社している企業から見て、条件など検討してみたらどうかと指導しています。」「私もいろいろな会社を訪問させていただいて、先輩たちがつながっている会社は定着率も良いと実感しています。先輩たちも、全く顔を知らなくても、F商ということで後輩を気にかけいくれますし、後輩も、頼れる方がいるという、いい意味での縦のつながりができています。結構、本校の卒業生は後輩の面倒見がいいんです。後輩たちが入社してくると様々な面で気にかけてくれています。」F商業高校に来る求人だけで1000件を超えている。

　「合同企業説明会」には就職希望者は全員出席する。生徒には希望企業だけでなく、企業人事の方とお話できる貴重な機会だと考えて、積極的に様々な企業のブースに訪問するように推奨している。中には説明を聞いた生徒が人事の方に気に入られてF商業に求人を出したいと言われこともある。

　また表（進路の推移）によると、2011年には9月1回目の合格率が58.2%に下がったこともあったが、近年は7割5分から8割強が合格している。「指定校といっても、企業の人材にマッチしなければ、いくら指定校であっても、お断りされます。企業の採用基準はわかるときもあるし、わからないときもあります。」できる限りマッチングはするが、絶対はないと認識している。確実だと思った生徒が面接でうまくいかずに不採用になったり、不安を持って送り出した生徒が合格することもある。9月1回目でうまくいかなかった生徒については、インターネット求人を使うこともある。

　長年見てきた高校と企業との関係について、金融や大企業の事務職は指定校を好むようになってきたような印象があり、採用人数が増えた時には学校数は増やさず1校あたりに依頼する人数を増やすようになったと感じている。高校生は何度も面接できるわけではないので、学校を絞り込むことで精度を高めているのではないかと推測する。

5. 今後

　商業教育は資格取得重点主義に傾いた時期があったが、現在は資格を持っているだけでは

なく、プラスアルファがないと難しくなっている。

「資格取得を中心に考えるときがありました。その資格をどう使うか、それこそ、プレゼン能力やコミュニケーション能力なども身につけさせる指導が必要です。しっかりと、自分で大人として意識を持ち、人との間で活かしていけるか、そういう知識を商業としてやっていかなければなりません。ただワープロの資格を取りました、お手本通りの文書が打てます。それだけの技能では求める人材になりません。資格取得にプラスして、物事の多方面に目を向ける、情報を収集しまとめる、それをしっかりとプレゼンなど発表する。原価意識を持って仕事を行うなどといったところを身につけていかなければと感じます。」

ジョブサポーターにお願いする機会は、今のところほとんどない。

（6）埼玉Ｅ工業高校

実施日：2017年10月17日

面談者：進路指導担当　本校での就職担当4年目

1.　学校の概要

　機械科2クラス、電気科2クラス、設備システム科1クラス、情報技術科1クラスで構成されており、10年前と変化はない。ただし情報技術科以外は実情に合わせてコース制はなくした。就職者割合はおおむね7割前後を推移している。フリーターは最近はほとんどいない。中退者は年によって上下があり、入学時に定員を下回った年は中退率が高い傾向がある。

図表1　進路の推移

	2007	2008	2009	2010	2011	2012	2013	2014	2015	2016
卒業生	177	161	197	176	187	179	209	188	197	182
四年制大学	13.0	11.7	9.0	16.0	9.4	11.5	12.2	10.1	7.6	10.4
短大	0.0	0.0	0.6	0.5	0.0	0.5	0.0	0.0	0.0	0.5
専門学校・高技専	13.0	16.8	11.9	12.8	7.8	14.8	11.1	13.0	14.6	21.4
学校紹介	62.7	59.9	63.3	63.1	72.9	63.6	71.3	70.7	71.6	65.0
自営・縁故	7.5	9.1	6.8	5.3	3.9	4.3	3.2	3.7	5.1	2.2
公務員	1.9	1.5	0.0	0.0	0.0	0.5	0.0	0.0	0.5	0.5
未定	1.9	1.0	8.5	2.1	5.0	5.0	2.1	2.2	0.5	0.0
就職者割合	72.1	70.5	70.1	68.4	76.8	68.4	74.5	74.4	77.2	67.7
求人数	1671	1749	1007	880	731	801	998	1671	1712	1977
来校求人社数	386	412	190	202	146	129	202	386	296	441

2.　進路指導・キャリア教育の体制

　進路指導部は10名（各科から4名、各学年から1名、フリー3名）。

　1年次にレディネステスト、2年次に職業適性検査、クレペリンがある。生徒が企業について知る機会として、1、2学年（3月開催のため）で業者を通じた進路ガイダンスを実施しており、大学や専門学校、企業が来校する。2年次には企業団体と生徒が話をする情報交流会、商工会議所と連携したバスツアーによる企業見学会があり、3日間のインターンシップも全員が行っている。3年次5月にも職場見学会を行っており、二者面談、SPI対策や面接指導が行われる。

　2年次に前年度の求人票を見て生徒に就職先について具体的に考えさせるという手法は10年前とは変わらない。生徒には1年次から『進路の手引き』を配布し、「ある程度なじみの企業さんや、先輩が行っているなどのつながりを確認する。例えば電気科なら電気科の部分、担任がホームルームで、自分の学科が行っている企業を抜き出してみる。その企業をインターネットを使って調べてみる。別にその企業を勧めているとかではなく、学科としてどんなところに行っているか、その会社はどういうことをやっているかなど。2年のときに、実際に来た去年の求人を見て、僕、ここへ行く、あそこへ行くというのを決めていく。」

とはいえ決められない生徒はおり、「科担当が、毎年お世話になっている企業について、『何、迷っているの。じゃ、ここへ行きな』という指導を以前は行っていました。（現在は）こちらから勧めるということはあまりない。」特に二次募集については、「自分たちで何回も足を運んで決めさせたほうが、定着するんじゃないかという部分があって、あまり悩み過ぎている子に、具体的な企業を紹介することは、今はそんなにやらない。」

3. 就職指導

卒業まで一人一社制をとっている。採否がかなり遅れる場合には同時に複数応募も特別なケースとして対応している。同時に複数応募することについて生徒に尋ねられた際には、複数社の志望動機をまとめることが難しいことを説明する。保護者に複数社同時に受験できるかどうかを尋ねられたこともあるが、一人一社ということを説明すると納得してもらえており、詳しい説明を求めてくる保護者はこれまでいない。

もし複数社を同時に受験する生徒が増えると、「ずっとうちの学校からの学校推薦ということで、ある程度の信頼関係で結びついている企業さんも、あそこは内定してもやめちゃうしというような感じになってしまうと、今まで築いていた部分も崩れるのでやめています。生徒によってはこの子はちょっとと思っていても、学校のつながりがあって先輩もいっぱいいるから、何とかやっていけるかなということで採っていただいているんだと思う部分があるので、ほかが受かったので行きますなどということがあると、信頼が崩れると思います。」

過去には就職については科担当が主に担当していたが、現在では担任主導になっているのが10年前からの大きな変化である。最近は保護者の意見が強いので、昨年度より担任、保護者、生徒の三者面談を中心に、企業との調整は科担当が行うという役割分担をしている。「（生徒に情報を提供して）選んでいくような形に、だんだんというか、今もシフトしていますけど、ここから元には戻らないのかなと思います。科担当という制度も、企業さんとの結びつきが強いので、この先生の言う生徒だからぜひという面もありますけど、公立高校なので先生方の異動とかがあります。果たして、それで今後やっていけるのかどうかという部分も。それだったら、情報提供をするという部分に関しては今までどおりやりましょうと。保護者の方の意見が強くなってきている部分も踏まえて、選んでいただいて、そこに一生懸命がんばらせるというような指導に変わってきています。」

6月の三者面談が終わった後、昨年の求人票に基づき1人3社まで希望を出してもらい、廊下に（生徒の）名前を出さずに受験希望先企業を張り出して生徒に状況を知らせる。

今年は校内選考をしたのは2－3社であった。「（重なるのは）大手さんというところでありますけど、そこはでそうだよという話をすると、生徒のほうから僕やめますとか、うまいぐあいに、こちらから圧力をかけているわけじゃないんですけど。」という調整が事前に行われているようである。また生徒の志向も有名企業や高い給与から、自宅に近いことや自分の時間が持てることを重視するようになってきている。「生徒のほうが最近、大手志向ではなくて

自宅から通いやすい。あとは自分の時間が欲しいので、休みがとれる会社であれば、お給料はあんまり気にしませんとか、最近、結構変わってきていますよ。会社の名前を見て決める。あと、お給料がいいところで頑張りたい。野心があるというよりは、自分の時間を持ちたいというような形態に変わってきていますね。そういう意味で、あまりかぶらないですね。」校内選考は成績と欠席日数で行っている。

　他方で重ならない場合には例年送っている生徒の成績を下回っても「希望すれば推薦しますし、企業さんのほうも、学校の成績はいいですと。とりあえず、うちで育てますと。多分、売り手市場な面もあって、会社も四の五の言っていられないという部分があるんでしょうけど、あとは教育。今は教えてあげて、褒めてあげないと、定着しない。受け入れ側の考え方も若干変わってきているのかなというのと、ここへ行きたいというのに行かせないといったときに、明確に答えられない。大学であれば、評定平均幾つの推薦ということは明確なんですけど、企業さんはそうじゃないから。就職の場合、もし仮に成績が足りないから受けさせないといった場合に、保護者の方が成績はどこに出ているんですかと。受けられないって、おかしくないですかと言われたときには、明確にこちらもだめとは言えないです。会社のほうで選考するんだから、成績だけでだめとは言えない。」

　６月までに受験企業をほぼ絞り込み、７月にきた求人で最終的に受験企業を１社に決定する（昨年度の求人票に基づき選んだ求人が解禁になっても来なければ問い合わせる）。７月は求人待ちであり会社選びの状態ではないので、７月の合同企業説明会には参加しない。

　企業見学は原則一人一社で受験する企業を見学するが、複数社の見学を希望する場合には他に希望者がいた場合にそちらを優先することとしている。女子は設備が整った大手企業からの需要が多い。

　生徒は部活つながりやインターネット上の情報に影響を受けるようになっている。「やっぱり生徒というのはどうしても、教員からここの会社というよりは、先輩がラインで、うちの会社はいいよとかというと、ここにします、先輩がいるので。部活の先輩、後輩というのが大きいですね。」最近はフェイスブックや掲示板を見て、ブラック企業ではないかと教員に聞きに来ることも多く、インターネットの情報に左右されやすくなっている。インターネット上の情報については、生徒だけではなく保護者からの問い合わせもある。

4. 求人について

　毎年４月に企業が来校し、就職した生徒の状況について情報交換する。

　求人票公開後、各クラスの進路係が毎日企業から送られてきた求人票を取りに来てクラスごとのファイルに閉じる。クラスに１冊おいてある冊子を見て、生徒がコピーを進路指導室に取りに来る。生徒は平均で５社くらいのコピーをもらっていく。来校求人には印をつけている。教員としては採用する意欲が強い企業が多いとみて、生徒には説明している。

　９月末の第一次合格率は近年８割近い。10年前は６割程度であったので上昇している。た

だし第一次合格率をどう考えるかは難しい。「年によっては難しい試験をする企業さんにみんなチャレンジしたら、それは合格率は下がりますし、今年に関しても、ある学科さんは大体5割ぐらいで、ある学科は8割、9割というふうに、学校内の学科で見てもばらばらです。水ものじゃないですけど、あけてみないとわからない。かなり複合要因かな。」

5. 今後

　企業情報を面談表だけでなく、動画を活用すると生徒に企業の魅力が伝わるのではないかと考える。「企業さんがいらして面談をするんですけど面談メモというのがあって、面談票を全部ためているんですけど、生徒に伝わりづらいんですね。私が個人的に思うのは、じかに生徒が聞いたほうが。そういった部分の動画を上げたら、こういう子が欲しいんだ、うちの会社はこうなんだという部分が生徒に伝わったほうが。特に思うのは、中小の企業さん、名前がそこまで世の中には売れていないですけど、いいものをつくって、教育もしっかりしているような企業さんを勧めても、保護者の方も知らない、生徒も知らない、紙の情報で、思ったより給料もそんなによくないとしたら（選ばれない）。でも、人事の方とかが来て話しているそぶりを見たり、その雰囲気ですよね。人事の方がこれだけ教育に力を入れているんだというのが、こう話すとわかってくるものもあるんじゃないかなというのは思いますね。」

　若者雇用促進法の情報については、もっと生徒に分かりやすい表現にした方が良いと思う。例えばメンターという言葉を生徒は知らない。ジョブサポーターを使う機会は今のところない。

（7）秋田県教育委員会

実施日：2018 年 1 月 26 日

面談者：高校教育課　高校改革推進班　副主幹

1.　高卒労働市場のニーズの把握と再編整備計画への反映

　秋田県では、少子化に伴う高校再編に際して、地域の産業構造、高卒求人の状況、高校の管内就職率、県内就職率、県外就職率などについて、業種ごと・地区ごとの状況やこれまでの変化を取りまとめ、今後の状況を推測して再編整備計画を策定している。

　「地域産業がどういった人材を求めているのか」というニーズを把握するため、産業教育審議会等からの意見聴取のほか、各学校でも取りまとめを行っている。特に工業高校では、「地域連絡協議会」が設けられており、これは、地域の企業が高校を視察し、高校からは生徒がインターンシップに出向くというような連携を行い、人材育成について協議するものである。ただし、こうした取組は工業高校がメインとなっており、その他の学科や総合学科においてはあまり行われていない実情もある。

　その理由として、まず、地域の産業構造として製造業や建設業が主であることが挙げられる。工業高校では、専門学科の分野的と就職先の職種との関連度が高い。例えば農業高校では、「農業を学んでも農業にすぐ自営する生徒はほとんどいない」ため、専門から「ちょっと外れた部分での産業構造を担っていることに」なる。すると、どの産業の企業と双方向の連携をすべきか、「分野が幅広くなるので、ちょっと絞り切れない部分もある」。

　このように、各学校における産業界との連携について学科による差はあるものの、全体としては、上述のように高卒就職をとりまく様々なデータに基づき、どのような学科をどのようなバランスで配置するのかを判断している。これは、「地域を維持していくというと、普通科だけではやはり成り立っていかないので、地域に残って地域の経済活動に貢献できる子どもたちを残していかないといけない」反面、「やっぱり専門系の学科はお金がかかる」ため、「基礎データをもとに裏づけのある話をしないと」、「財政課は納得しない」ためである。よって、県教委の高校教育課改革推進班で地域高卒労働市場に関するデータを把握し、「10 年間こうだし、この先はこういうふうになるだろうし、だから、この学科が必要」であるという点を提示して、予算を獲得している。

2.　高校再編・統合の方針

　秋田県における高校の統合等再編整備では、前節末尾で述べたように、地域で活躍する若者を育成するため、専門学科を維持することが重視されている。専門教育を受けた高卒人材確保の必要性に加え、「普通科はどうしても大学進学を念頭に置いた指導」を行うが、秋田県において大学進学は県外流出を意味することが多く、大卒者についても「いざ就職というと

きに、県内に戻ってくることが難しい」という問題もある。よって、統合校の設置に当たっては、積極的に専門学科を残し、「若干の縮小はありますが、できるだけ現在の学科を継続するような形」で調整するという方針がとられている。地域との連携という意味でも、やはり企業との関係等の蓄積がある専門学科という形にしたほうが、地域連携をとりやすいという。

　統合校の規模としては、学校の活力を維持するため、また、「新たな統合校をつくったら、50年ぐらいは続いてもらわないといけないので（略）、できるだけ将来的な少子化に対応した形で統合する」。その際、1つの高校に複数の学科を併設するという形態が採用されており、「それぞれの高校の特徴のある学科をまとめた総合制の学校」となる。統合後は、当面学級減で対応するが、定員割れについては、「若干の定員割れはあっても、学科の重要性から継続するべき」と考えている。

　少子高齢化の進行が著しい地域では、デスクワークだけではなく、現場での作業を頑張って支えられる若者を育てる必要があり、専門学科はそうした人材を育成するという意味でも重要な役割をもつ。生徒にとっても、不本意入学の問題はないとはいえないが、「入ってから何ができるか。何を目標に頑張れるかだと思うので、そういう目標が専門系の学科では見つけやすいと思うんです。資格を取るでも、授業もいろいろあるでしょうし、そういう目標があると頑張れるのかなって思いますよね。それに先生方も生徒を褒めることができるし、頑張ったなっていうことができる」というように、専門学科で学ぶことがモチベーションにつながると捉えている。

　なお、今回の調査対象校が含まれる県北地区について、この10年間の変化をみると、2007年度では入学者2368名のうち32.9％にあたる780名が専門学科であったが、2017年度では、入学者1746名中482名が専門学科であり、その割合は27.6％まで低下している。生徒減は著しいが、それでもなるべく専門学科という形が維持されているのである。

　この方針ゆえに、これまで、統合校を総合学科にするという基本構想がとられたことはない。総合学科が制度化され、設置が始まったのは1994年であるが、秋田県では1995～1998年と、制度化からあまり間を空けずに、「先駆け」として総合学科が3校設置されている。これは、県北、県南、県央に「バランスよく」1校ずつ配置することを意図したものであった。その後、総合学科は新設されておらず、生徒減に伴う高校の再編統合という文脈において総合学科は設置されていない。主な理由として以下の二点が挙げられる。

　第一に、総合学科では専門性の獲得が十分にできないという議論の存在である。上述の総合学科3校は、いずれも農業高校をベースとして設置されたが、設置後、「総合学科の課題を検証してみますと、どうしても専門性の深まりが浅いのかな。生徒が自由に科目選択することも重要なんですけれども、人材育成、子どもたちの育成の過程では深い専門性を身に付けさせたいということから、総合学科はこのままでよいのだろうかという議論がやはりありました」という。卒業後についても、教育委員会でとっているデータでは、高卒就職者の離職率が、専門学科では低いのに対し、総合学科は普通科に次いで高い。

第二に、さらなる少子化の進行に伴い、統合校でも学級減で対応していくことが見込まれており、その場合、総合学科の「メリットがなくなってくる」という問題である。学級数が減少すれば、必然的に教員数も減少し、本来総合学科のメリットであるはずの科目選択の幅も狭くなる。よって、総合学科では「5クラス、6クラス以上の学校でなければ、子どもたちにとってもメリットがない」という観点から、統合校を総合学科にするという方針は、生徒減への対応策として適切とはいえないと考えられている。

　現在、県北地域で工業高校と総合学科高校の統合校設置が進められているが、総合学科高校では入学者が70名強に減少しており、「2クラスだけで総合学科は無理ですし、工業高校も総合学科にするつもりはない」ため、総合学科を前身であった農業系専門学科に戻し（農業系学科の増設は「全国でも珍しい」）、農業科2クラス、工業科3クラス、計5クラスの「専門系統合校」として設置する計画である。統合校では、ロボット技術やICTを活用した農業、植物工場など、農業と工業の学科間連携を生かした取組を進める。

3.　統合校における学科併設の影響

　複数学科を併設した統合校には、異なる学科同士の相互作用が期待されていたが、実際に、統合校の教員からは学科間の「相乗効果で非常にいい」という声が上がってきている。例えば、G高校では、普通科、工業科、生活科学科が併設されているが、「今までは別々の学校だったものですから、それぞれの学科の特徴とか、よさがわからなかったんだけれども、同じ学校になることによってすごくその動きがわかる。工業科って何やっているのかわかる。すると、こんなこともやっているんだって新しい発見がどんどん出てくるし、うちらも負けていられないぞというふうな形で競争意識も出てくるし、すごくいい感じだ」という評価が現場でなされているという。

　教育委員会としても、「やはり学校というのは、子どもたちを育てていく上で、そこの子どもたちにどういう気持ちで教育していくのか、地域のよさをどう伝えていくのか、これからもっともっと重要になってくると思うので、統合に当たっては、そういういろんな仕事が選べるし、いろんな機会があるんだよということも知ってもらいたい」と考えている。

　総合制高校では、学科間のバランスが検討され、変化することもある。例えば、普通科と商業系学科を併設する中高一貫校のJ高校では、前身となった商業高校が就職実績豊富な伝統校であったため、商業系学科3クラス、普通科2クラスで設置されたが、「中高一貫教育校の魅力は、高校入試がなくて、ゆとりある学校生活の下、6年間の計画的・継続的な教育活動の展開により大学進学を目指す」ことであり、中等部入学生を中心として「全体的に普通科志向が強い」ことから、「学校内のバランス」を考慮し、商業系学科2クラス、普通科3クラスに反転させた。

　地域における専門教育の確保という点については、再編整備計画にも記されているように、県立校であり、かつ県の基幹産業である工業系、農業系の高校について、特に注力されてい

る。再編整備計画では、これらの分野における地域の専門教育を中心的に担う高校として、総合制高校ではなく単独学科の専門高校が挙げられているが、これは総合制高校が設置されるような県の北部、南部ではどうしても人口が少なく、学科の規模が小さくなってしまうことによる。

　また、総合制高校では、大学科ごとにくくり募集を行い、入学後に学科やコースに分化させることがある。本来、専門性の確保という点からいえば、「資格取得のためにはもう1年生からその単独で募集したいという気持ちはあるのは十分わかる」が、「統合当初はやはり十分に学科の特色が中学生に周知されているのかという部分もありますので、まずはくくりでいきたい」と考えている。

4. 高卒就職に関する施策

　秋田県では、「地域に求められる学校として、地域産業とのつながりを大切にし、いろんな意味で考えてやっていかないと、本当に大変になってきます」、「そこを卒業したら、どの学科を卒業したら何になれるのか、どこにいけるのか、どういった進路があるのか、それがちゃんとしないと子どもたちも入ってこないし、難しくなってきますよね」といった考えから、高校の「出口」保障に注力している。

　よって、就職支援員やキャリアアドバイザー、離職防止のための支援を行う職場定着支援員といった高卒就職に関する支援を行う非常勤職員が、ほとんどの学校に配置されている。こうした職員は、企業訪問をして県内職場開拓を担い、進路相談等により生徒の特性を把握し、自身の経験もふまえ、企業とのマッチング支援も行う。

　高校教育課の事業として、キャリアアドバイザーに全高校を回ってもらい、地域の魅力的な企業を紹介するふるさと企業紹介事業という取組も行っている。この背景には、保護者も生徒も「どういった企業があるかわからない場面がたくさんあるので、とにかく知ってもらいたいという気持ち」がある。地域の企業についての情報が不足していると、保護者が生徒に企業の給与や待遇について否定的な見解ばかり伝えてしまうケースが見られるため、こうした事業の実施に加え、現在2年生で行っているインターンシップについても、可能であれば「1年生のうちからやらせたり、インターンシップの回数増やしたりするなど、更なる充実を図っていきたい」と考えている。

（8）秋田 K 併設高校

実施日：2017 年 8 月 8 日

面談者：進路担当 3 年目　本校 4 年目

1. 学校の概要

　2011 年に「第五次秋田県高等学校統合整備計画」に基づいて 4 校の高校が統合され、市で唯一の高校として設置された。普通科と農業学科が併設されており、農業学科は生物資源科と緑地環境科が各 1 クラスで構成されている。生徒数は、図表 1 に示したように、特に普通科の学級減が行われた 2015 年度からやや減少傾向にある。

　各学科内にはさらにコースが設けられており、分岐の時期は学科によって異なる。農業学科のうち緑地環境科は、1 年次から森林環境コースと環境土木コースに分かれる。普通科は1 年次から特別進学コースと探究コースにわかれており、特別進学コースは入学前に希望者を募っている。特別進学コースは学級減により当初の 2 クラスから 1 クラスとなっており、希望者数が 1 クラスに満たない場合には、教師のほうから声かけをして特進コースに誘うこともある。普通科のコースは 2 年次にさらに細分化し、特進文系コース、特進理系コース、探究文系コース、探究理系コース、探究キャリアコース、探究スポーツコースにわかれる。これらのコースは生徒の進路と対応したものとなっており、「もともと（筆者注：統合前）の4 校のニュアンス」を「クラスごとに 2 年生から完全に分けていくみたいな感じ」である。

　全体的な進路の傾向として、例外もあるが基本的に男子は就職率、女子は進学率が高くなっている。就職には家庭の経済的な事情が関係しているケースが多い。進学の場合、私大を含めてほぼ推薦枠で入試を受けており、センター試験受験者は 30 人程度である。

図表 1　入学年ごとの学級・生徒数と就職率・進学率

入学年	普通科				農業科				生徒数総計	就職率		進学率		
	学級数	男	女	計	学級数	男	女	計		男	女	男	女	四大進学率（全体）
2009	5	90	88	178	2	57	21	78	256	55.5	38.7	41.8	60.4	39.2
2010	6	91	120	211	2	55	11	66	277	60.4	40.6	36.7	57.8	44.8
2011	5	92	98	190	2	42	28	70	260	50.4	35.2	48.0	64.8	44.6
2012	5	85	94	179	2	42	23	65	244	54.2	41.7	44.1	56.5	48.7
2013	5	85	93	178	2	46	24	70	248	48.4	42.6	50.0	57.4	34.6
2014	5	85	114	199	2	35	29	64	263	60.5	51.5	39.5	48.5	42.3
2015	4	74	86	160	2	42	28	70	230	—	—	—	—	—
2016	4	55	105	160	2	38	32	70	230	—	—	—	—	—
2017	4	69	91	160	2	35	28	63	223	—	—	—	—	—

※就職率・進学率は、当該年度入学者の卒業時の就職・進学割合を示している。

2. 進路指導・キャリア教育の体制

　進路指導部は 15 名体制 で、同一の就職支援員が 6 年間継続して担当している。

進路指導関係の行事としては、4月に第一回目の進路希望調査と進路講演会、6月に3年生対象の進路ガイダンスがある。7月1日の求人開示後、生徒は企業見学の希望を第3希望くらいまで提出して、7月末～8月上旬にかけて企業見学へ行き、報告書を提出する。この企業見学は「ミスマッチだったり離職をやっぱり少しでも避けられる」ようにするため、また「離職せざるを得ないときの選択肢の幅」を広げるため、特に重視されており、県外就職を含め、「ここ3年ぐらいは多分、会社を見ないで受けているという子はいない」。今年は特に、複数の企業を見学できるよう、求人票の集中閲覧期間を設けて生徒の初動を早くするという工夫（次節で詳述）を行ったため、1人3社見学に行っているケースもある。企業見学を経て、8月下旬に第二回目の進路希望調査が実施され、校内選考が例年2回ほど行われてから9月5日の出願に至る。

3. 就職指導の現状

就職においては地元志向が特に強い地域であり、図表2に示したように、おおむね県外就職者は県内就職者の半数から三分の二程度となっている。

図表2　卒業年度別　就職者数と業種ごとの割合

		農林水産	建設	製造	運輸	卸売・小売	金融・保険	飲食・宿泊	医療・福祉	複合サービス	サービス	公務	その他	就職者数計
県内	2011	—	9.5	44.6	8.1	4.1	0.0	5.4	—	6.8	4.1	9.5	8.1	74
	2012	—	12.5	3.8	2.5	17.5	1.3	7.5	—	5.0	13.8	8.8	27.5	80
	2013	9.7	4.8	41.9	1.6	3.2	3.2	1.6	14.5	1.6	4.8	12.9	0.0	62
	2014	7.7	5.1	33.3	2.6	7.7	1.3	1.3	17.9	2.6	0.0	14.1	6.4	78
	2015	1.5	5.9	41.2	1.5	13.2	2.9	5.9	10.3	2.9	5.9	8.8	0.0	68
	2016	10.8	4.3	41.9	1.1	6.5	0.0	0.0	20.4	3.2	4.3	7.5	0.0	93
県外	2011	—	10.4	14.6	4.2	18.8	0.0	22.9	—	8.3	4.2	16.7	0.0	48
	2012	—	2.7	16.2	8.1	10.8	0.0	21.6	—	0.0	18.9	13.5	8.1	37
	2013	0.0	4.5	9.1	4.5	13.6	0.0	20.5	13.6	0.0	20.5	13.6	0.0	44
	2014	0.0	5.9	11.8	5.9	17.6	0.0	29.4	8.8	0.0	2.9	8.8	8.8	34
	2015	2.3	2.3	23.3	4.7	7.0	0.0	18.6	0.0	0.0	18.6	23.3	0.0	43
	2016	0.0	2.2	21.7	4.3	6.5	0.0	28.3	4.3	2.2	8.7	21.7	0.0	46

※平成23～24年度で空欄があるのは、平成25年度から業種の項目が変更されているためである。

女子の地元就職は「一番求人がボリュームゾーンとしてあるのは、やっぱり高卒の女子だと介護、福祉関連」で、毎年10人前後が就職しており、対人の仕事を望まない場合などは製造業などを希望する。以前は製造業といえば男子の職場だったが、最近は女子を採用する企業が増加しているため、女子が製造業に行く傾向にある。県外の民間就職は女子のほうが多い。なぜなら県外のほうが職種の幅が広いからで、伝統的に女子は出て行く傾向にある。経済的に進学が困難なケースで、かつ県内では職種が少ないということで、県外へ「ほんとに

決断していく子は女子のほうに多い」。公務員は、農林や土木関係の生徒や、学力は高いが経済的に進学が難しい生徒などが受験するが、全員が合格するわけではないため、公務員試験の結果が出るまで内定を保持することを「織り込みで受けられる会社」を「両にらみ」で受けるケースもあり、そうしたケースは「特に県外企業に多い」。その結果、毎年10人程度の公務員志望者が民間企業に就職していく。

　第2節で述べたように、ミスマッチ防止や離職後の選択肢拡充のため、複数の企業を見学に行くことが奨励されている。例年はそれもスケジュール的に厳しかったが、「何で複数（筆者注：企業を見学）できないかというと、準備が遅いからだということで、集中的に早くやればその分だけ早く進むんじゃないか」という考えから、求人票の閲覧方法を今年から変更した。具体的には、以前は教師が作成した求人票のファイルを各クラスに一部おいて随時閲覧させる形にしていたが、今年からは求人票の集中閲覧日を3日間程度設け、会議室に全クラス数ぶんの冊子をまとめて置いておくことにした。生徒は期間中にかなり求人票を見に来るようになり、結果として初動が早くなったため、複数の企業へ見学に行けるようになった。また、商工会議所主催のオープンオフィスというイベントも3年生の7月ごろに開催されており、集まった地元企業のうち見学に行きたい企業を選び、FAXで申し込めるシステムなども、その助けとなっている。

　先輩の企業見学の報告書や受験報告書があるため、やはり先輩が就職していっている企業が人気であり、7～8割以上は例年就職者がいるような企業に落ち着いていく。OBのつながりは前身校時代からのものを含めて大きいが、生徒数が減少しているため、求人に応じられないことが続くうちに関係が途切れてしまった企業もある。実績関係のある企業は経年的にほとんど変わっていないという印象であり、1つの企業が複数採用するケースを勘案すると、だいたい50～60社程度と思われる。

　今年8月初頭までに、学校に挨拶にきて面談した企業担当者は200人以上である。面談の際には、企業側が求める人材像や、担当者が何を強調していたかなどを記録し、名刺と共に綴じておくようにしている。企業の話を聞くなかで、「将来長く勤めていけるのかどうか」ということも、教師の立場としては「すごく気になる」点である。求人開拓については、県内就職では非常にまれであるが、県外就職では、5月ごろ関東の企業30社程度を訪問する際、生徒の希望に応じて新規開拓することがある。

　第一次で内定が出ないケースは、応募枠が1人の企業に複数人で応募した場合のみであり、1人の枠に対して1人だけ応募して不採用になったというケースはおそらくない。地元の民間企業はあまり人数を絞らない傾向にあるため、複数人受験させたり、学校からオファーして枠を広げてもらったりすることもある。ただし、枠を広げられないところでも、本人がそれを承知で希望すれば禁止することはできないため、2割程度は応募枠が1人の企業に複数人で応募するケースもあり、そのうち上記のように不採用になるケースが数例生じるということである。ただし、最終的に未定であるケースは現在ゼロである。

校内選考について、希望が重複している場合は、会社訪問の段階で暗に担任を通じて競争状態となっていることを生徒に伝え、絞って調整する。ただし、上述のように複数人で受験したり、枠を広げてもらったりすることが可能な地元企業が多いため、自動車関連の企業など、企業側が推薦枠一名を厳守するケース以外では、あまり学校内部での調整は行っていない。校内選考の基準は、「実際には成績では、本校の場合は、私の知っている範囲では見ていない」といい、「その会社の仕事をまず理解しているかというのと、わずかですけど、会社訪問に、数時間かもしれないですけど行ったりした中で、来年ここで働いているとイメージできますかと」いう点である。その背景には、「最近、学力で云々選別するみたいな民間就職の部分はやや減っているんじゃないかなという感触」や、学校に挨拶に来る企業との対話の中で求められる人材像を把握できるということがある。企業見学後、企業のほうから生徒の印象を婉曲に伝えられる場合もあり、それも校内選考の際の判断基準になる。ただし、おそらく成績が全く介在していないわけではなく、生徒間で事前に成績を基準とした自己調整が行われているため、進路指導部のほうで成績を基準とした調整が必要になる状況が生じていないのではないかと考えられる。また、成績だけでなく人物的な面でも、どのような先輩がどこの企業にいったかという情報が地域コミュニティ内で共有されており、「先輩のイメージと自分を比べて」判断するなど、生徒間で事前に「見えざる力」が作用している可能性がある。

4.　今後の課題と安定行政への要望

　高卒就職における今後の課題は、三点挙げられる。第一に、「合併で結構いろんなのを持ち寄って頑張ってやってきたほう」であり、景気の良さもあって就職については比較的安定しているが、やはりミスマッチや離職の防止、また離職時の選択肢確保のため、現在取り組み中の複数の企業見学という点をさらに推進していく。第二に、過去の進路指導の経験で、景気が悪く就職が決まらないという状況も「ついこの間」のこととして見てきているため、「多分あっという間にまたそうでもない（筆者注：景気が悪くなる）時期が来る」ことを見据え、「この子は頑張れる子だから学校としても推薦したいし、つながりもあるのでと、やっぱり率直に話できる企業さんとか、我々も自信もって、ここだったら頑張れる企業だよと、面倒見てくれるよというようなところを逆にちゃんとリストアップしておくという作業がこの時期にこそ必要」である。第三に、学校と企業との関係について、築いた関係を引き継いで行けるシステムや、ある程度長く就職に携わる人材が必要である。「就職に関しては、企業さんはそのとき対応した人でその学校を見ているので、毎年のようにころころ変わるのではだめだ」という思いがあるためだ。安定行政との連携については、地元の企業を学校に集めて生徒に紹介する試みを始めており、そうした機会を通じて企業とのつながりをより広げていければよいと考えている。

（9）秋田 J 併設高校

実施日：2017 年 8 月 9 日

面談者：進路担当 2 年目　本校 3 年目

1．学校の概要

　2010 年の第五次秋田県高等学校総合整備計画により、1962 年設立の伝統的な商業高校を母体とし、2005 年に中高一貫校として設置された。

　普通科と国際情報科の 2 学科が設置されており、現在、普通科 3 クラス、国際情報学科 2 クラスとなっている。詳しくは後述するが、普通科からの就職者が増加傾向にあるものの、普通科は基本的に進学を目指す生徒が多く、国際情報科は、進学・就職とも前身である商業高校の特性を強く受け継いだ学科である。2 年生からどちらの学科も 2 コースにわかれ、普通科は文理別コース（文理はほぼ半々で、1 クラスが文理混合の編成）、国際情報科は、大枠は変わらないものの、簿記等が中心の経営会計コースと、コンピューターの情報処理が中心の情報コースにわかれる。各学科における学級数・生徒数、ならびに就職率と進学率の推移は、以下の図表 1 に示したとおりである。

図表 1　学科ごとの学級数・生徒数と就職率・進学率の変遷

入学年	普通科				国際情報科				生徒数総計	就職率		事務職比率			進学率		四大進学率	
	学級数	男	女	計	学級数	男	女	計		普通科	国際情報科	男	女	県内女	普通科	国際情報科	普通科	国際情報科
2008	2	36	45	81	3	55	65	120	201	15.4	—	—	—	—	84.6	—	—	—
2009	2	25	57	82	3	54	53	107	189	23.3		—	—	—	76.7		—	—
2010	3	47	73	120	2	38	41	79	199	20.6		—	—	—	79.4		—	—
2011	3	39	82	121	2	40	41	81	202	5.1	49.4	9.5	12.5	20.0	94.9	50.6	74.1	52.5
2012	3	47	72	119	2	50	30	80	199	6.9	63.8	13.5	22.7	41.7	93.1	36.3	79.6	44.8
2013	3	50	66	116	2	32	28	60	176	10.6	61.7	10.3	50.0	50.0	89.4	38.3	61.4	39.1
2014	3	42	72	114	2	33	37	70	184	10.3	62.7	11.5	51.9	63.2	89.7	37.3	75.0	28.0
2015	3	53	68	121	2	36	35	71	192	—	—	—	—	—	—	—	—	—
2016	3	47	58	105	2	39	33	72	177	—	—	—	—	—	—	—	—	—
2017	3	41	64	105	2	34	31	65	170	—	—	—	—	—	—	—	—	—

※平成 2008〜2010 年入学者の空欄は数値が不明であるため、平成 2015〜2017 年入学者の空欄は在学中であるため。

　図表 1 からわかるように、2010 年度入学生から現行の学級編制となっており、2009 年度までは普通科 2 クラス、国際情報学科 3 クラスの構成であった。また、2015 年度まで 40 名であったクラス定員も、2016 年度から 35 名定員に移行している。普通科の学級増、国際情報科の学級減については、秋田県としての方針や、他校で普通科が縮小されたことなど、地域全体のバランスに起因するのではないかと推測される。

　この学級数の変化により、国際情報科を主とする就職者の母数は減少傾向にあるが、同時に普通科からの就職者が増加してきている。この傾向は図表 1 からもみてとれ、「要は地域のニーズは変わっていないということ」を意味している。中等部から内部進学してくる生徒に

ついても、普通科の学級増以前はほぼ普通科を選択していたが、外部から普通科への入学者が入ってくるようになり、現在は国際情報学科と普通科それぞれに半分ずつくらいで進学するようになった。

　前身となった商業高校は就職内定率がずっと 100％という非常に就職に強い学校で、現在も同窓会組織が同一であることから、再編後も「地域の方々に支えられて就職の環境に関しては非常に恵まれている」。国際情報科に入学・進学してくる生徒は基本的に就職を目指してきており、図表1からもわかるように、国際情報科の就職率は6割程度で推移している。国際情報科からの進学者のうち、四大進学者は図表1によると3～5割程度であり、商業高校出身者向けの入試を利用して国公立大学の商業科に進んだり、推薦入試を利用して私立四大に進んだりする。また、専門学校進学者も、公務員試験再チャレンジのための公務員専門学校やビジネス系の専門学校など、商業と繋がりの深い分野に進むことが多い。

2.　進路指導・キャリア教育の体制

　進路指導部は総勢 12～13 名程度で、生徒の全体的な進路傾向として進学者が多いため、進学担当と就職担当の割合は例年7：3程度である。

　キャリア教育のプログラムは、1年次から国際情報学科も普通科もおおむね共通のものを実施しており、オープンキャンパスなど進学系のイベントにも両方の学科が参加する。最近2～3年で新規に立ち上げたプログラムとして、1年生の 11 月に地元企業へ会社見学に行き、地元企業の魅力について知る機会を設けているが、生徒は特に知名度の高い企業以外を「意外に知らない」。1、2年生の2月には職業人講話を実施し、「地元で働いている社会人の方から、会社の紹介を兼ねながら自分のキャリアを語ってもらう」ことになっており、学校 OB、OG が多い。これらの目的は、「進学者もいずれ社会人になるということと、その社会人になって就職先を考えるときに、地元のことはあまり見えてこないだろうと。大学に行くということは、ほぼ県外に行くということなので、我々にとっては。県外に行って就職しながらUターンすると考えようとする子もいるんだけど、多分そのときに地元のことをよく知らないだろうと」いう考えから、地元企業について「ちょこっとだけでも知っておいて、あとはそれをきっかけに帰りたい人は自分で道を開けるように」するということである。

　インターンシップは、2年次に5日間（2日間の事前事後指導と3日間の企業でのインターンシップ）行うことになっており、これは秋田県共通の方針である。インターンシップ先の確保は教員の仕事で、だいたい 70 社程度を探さなければならないため、進路指導部全員で探す必要がある。そのぶん効果は大きく、生徒も「社会というのはしっかりしないと、責任があるところだと。あとは人と仕事をするとき、わからないことは聞いたりとか、声かけあってやらないと仕事はうまく回らないということだとか、まずね、我々がふだん大事にしていることを体験して帰ってくる」。インターンシップは、就職希望者にとっては「自分が就職したいという会社をその時点である程度目星をつけて、そこで経験させていただくと」いう

意味を持っているため、インターンシップ先の決定にあたっては、就職希望者の希望を最優先する。企業も、「インターンシップで来た子が応募されれば、ある程度わかっているからというのがある」ため、「あの子どうなりますみたいな感じで興味を持って」もらえるなど、最終的な採用とも関連している。

　3年次の企業見学は、志望している企業は必ず見学に行くことになっているが、2社程度見学している生徒も多い。地元商工会主催の「オープンオフィス」というイベントを利用して1社、さらに応募前職場見学でもう1社といった形である。

　生徒の進路希望は「1年生の夏ぐらいには就職、進学というのははっきり色分けされてきて、基本的にそれが3年の最後まで行く」が、公務員志望の生徒が再チャレンジのために公務員・ビジネス系専門学校や経済経営系、法学系の大学に進学するというパターンがまれに生じる。進学から就職へのシフトは経済的な事情があるケースである。

3. 就職指導の現状

　進路指導部における就職担当は、上述のように3割程度であるが、「普通科がある学校なので、普通科の雰囲気が強」く、「学校そのものは普通科のシステムで動いて」いるため、「人が毎年入れ替わる」。すなわち、「理想としては、多分ずっと就職担当で企業とつながる職員がいるのが理想だと思うんですけれども、それが多分学校事情として許さないとか、人が足りない」という状況が生じている。そのため、進路指導主事の教員は、「就職の会社の方とはできる限り会うようにしています。ほんとうに実際的に動く就職担当は毎年かわってしまうので、できるだけ会社の人と顔つなぎをして、仕事をその担当の人にやってもらうというスタイルにするしかないのかなと」いう方針で動いている。

　就職に際しての地元志向の強さはずっと継続している。求人票については、WEB公開の求人と学校に送られてくる求人の両方について、生徒から聞いている地域や職種の希望に合ったものをまずは優先的に出し、生徒が閲覧できる簿冊にする。関東までの求人はここに含まれているが、関東以西は生徒の必要に応じて閲覧させる。WEB求人ならびにこの簿冊以外の学校に送られてきた求人を再度確認し、それでも生徒の希望に応じた求人がない場合には、個別対応として求人開拓を行う。なお、学校にくる求人は、昔から繋がりのある企業に加え、それまで全く関係のなかった企業からのものもあるため、特にWEB求人と比較して生徒が就職しやすいといった傾向はない。また、郵送でくるか直接持参してくるかといったこともあまり関係ないが、直接企業と話す機会がある場合、業務内容や会社がどのような仕事を請け負っているか、などの点について聞き、企業の考えをより理解することができる。一昔前は、実績関係企業を生徒に勧めることも多かったが、近年ではそうした傾向はあまり強くない。

　9月の一次で就職はほとんど決まる。そこで決まらない生徒は、職種や企業の安定性などの面で「家族との意見があわない」ため、最初の段階で応募できないという生徒である。た

だし、9月に就職が決まらなかった生徒も、2回目で全員就職が決まっている。

　生徒の希望職種については、前身の商業高校からの流れもあり、事務職の希望が多い。そのため、「地元に残りたい事務職女子」の受け皿が不足している状況が生じており、昨年度は、十数人の事務職希望者のうち、実際に事務職に就いたのは半数程度であった。残る半数はそれ以外の職種、具体的には製造系のデスクワークなど生産事務や、CAD 設計などの仕事に就いている。本人の志向性がはっきりしているため、対人の仕事である販売には移行していかない。

　校内選考については、まず、よい生徒がいればできるだけ採用したいのか、校内で選考された1名に対して選抜を行いたいのかという企業側の意向を聞き、校内選考の必要が生じた場合には、推薦会議を教員間で開く旨を生徒に伝える。するとたいてい生徒の側で自己調整が行われる。推薦会議が開かれる場合、その選抜基準は「成績も含めた学校生活、人物とか、資格取得とか、出席状況とか、トータル」である。

4.　今後の課題と安定行政への要望

　上述したとおり、地元の事務職を希望する女子の受け皿の問題が課題となっている。国際情報科の生徒は「勉強していることがそういうこと（注：事務職との関連が深い）なので、そういう希望は生かしてあげたいけど、なかなか時代の流れとしては厳しいと」いう状況であり、「毎年綱渡り」であるため、「いろいろな会社さんを見させていただいて、自分の持っている視野を広げておくというのは大事」であると考えている。

　ハローワークからは、企業と生徒が話をする機会の設置や、インターンシップ受け入れ可能企業のリストの提供などを受けており、後者は生徒がインターンシップ先を探す際のとっかかりとしても役に立っている。ただし、事業所の本社が管内でない場合、地元勤務でもハローワークから求人が来ないため、WEB の公開求人から探すか、企業から直接送ってもらう必要が生じている状況である。

　また、県予算で学校に配置されるキャリアアドバイザーについては、進学や就職に関する「生徒の希望をきくというのもマンパワーが必要」であるため、学校にそうした外部からのサポーターが入ることは「プラス」であると考えている。

（10）秋田 G 併設高校

実施日：2017 年 8 月 8 日

面談者：土木建築科第 3 学年主任

1. 学校概要

　三校統合により 2016 年度（平成 28 年度）開校。図表 1 を見ると、三校合計生徒数は、H23 の三年生だと 348 人、しかるに、統合した H28 入学の一年生は 227 人入学だから、121 人＝3 学級分の生徒数減少である。普通科・生活科学科は、1 年次は合同で、2 年次より普通科 2 学級と生活科学科 1 学級に分れる。工業系は機械科、電気科、土木・建築科の三科体制で、入学時より分岐している。

図表 1　生徒在籍数の推移

	2011			2012			2014			2015			2016			2017(4/6現在)		
	1年	2年	3年	1年	2年	3年	1年	2年	3年	1年	2年	3年	1年	2年	3年	1年	2年	3年
秋田H普通高校	100	107	107	95	99	105	80	94	98	80	79	94						
秋田G普通高校	101	103	115	108	96	101	80	106	95	80	80	105						
秋田I工業高校	112	130	126	105	108	128	105	100	107	105	105	99						
＜三校合計＞	313	340	348	308	303	334	265	300	300	265	264	298						
秋田G併設高校													227	260	265	224	223	257
普通科														124	121		119	154
生活科学														33	39			
普通・生活科学													120			120		
機械科													35	35	35			
電気科													37	33	35	104	104	103
土木・建築科													35	35	35			

秋田県庁HP掲載「教育統計」より作成。H29については学校要覧より作成
秋田G普通高校（普通科と生活科学科）と秋田I工業高校は、2007年ヒアリング時の対象先である。

図表 2　平成 28 年度の進路実績

	普通科		工業科		生活科学科		合計		男女計	
	男子	女子	男子	女子	男子	女子	男子	女子		
四年制大学	5	16	9	2		4	14	22	36	13.7%
短期大学	1	5	5			4	6	9	15	5.7%
専門学校	5	29	12	2	3	5	20	36	56	21.3%
進学計	11	50	26	4	3	13	40	67	107	40.7%
就職	15	45	74	3	3	16	92	64	156	59.3%
合計	26	95	100	7	6	29	132	131	263	100.0%

　図表 2 に、統合・発足した昨年度の進路実績を示す。学校全体で見ると、進学 4 割、就職 6 割。進学のうち過半数が専門学校である。工業三科の就職比率は 7 割超と、普通科の 5 割、生活科学科 5 割強と比べ、かなり高くなっている。

　就職者の業種や職種を確認すると（図表 3）、学校全体では、製造業が約半分をしめ（48.7%）、これに建設業（14.7%）、卸売・小売業（12.8%）が続く。職種では、生産工程は 4 割強（45.5%）、

技術・技能職、販売職、サービス職がそれぞれ1割となっている。就職地は、県内が過半数をしめている。

図表3　就職者の業種・職種・就職地

		普通科		工業科		生活科学科		合計		男女計	
		男子	女子	男子	女子	男子	女子	男子	女子		
業種	建設業	1		21	1			22	1	23	14.7%
	製造業	9	15	39	2	2	9	50	26	76	48.7%
	卸売・小売業	1	13	3			3	4	16	20	12.8%
	飲食店、宿泊業		3	1			1	1	4	5	3.2%
	医療、福祉		3				2		5	5	3.2%
	公務・その他	3	1	2				5	1	6	3.8%
	その他	1	10	8		1	1	10	11	21	13.5%
	合計	15	45	74	3	3	16	92	64	156	100.0%
職種	技術・技能職		1	14	1			14	2	16	10.3%
	事務職		3	1	1			1	4	5	3.2%
	販売職	1	12				3	1	15	16	10.3%
	サービス		11	2		1	3	3	14	17	10.9%
	生産工程	9	14	36	1	2	9	47	24	71	45.5%
	その他	5	4	21			1	26	5	31	19.9%
	合計	15	45	74	3	3	16	92	64	156	100.0%
就職地	県内	7	29	33	3	2	9	42	41	83	53.2%
	県外	8	16	41		1	7	50	23	73	46.8%
	合計	15	45	74	3	3	16	92	64	156	100.0%

図表4　平成29年4月実施の進路希望調査結果

▼3年生；進学希望122名／就職希望136名／未定1名

	四年制大学		短期大学		専修学校	校種未定	公務員	民間就職			未定
	国公立	私立	国公立	私立				県内	県外	地域未定	
男	5	6	3	3	25	0	7	44	37	4	1
女	3	22	2	16	36	1	6	24	12	2	0
計	8	28	5	19	61	1	13	68	49	6	1

▼2年生；進学希望105名／就職希望101名／未定9名

	四年制大学		短期大学		専修学校	校種未定	公務員	民間就職			未定
	国公立	私立	国公立	私立				県内	県外	地域未定	
男	10	3	3	0	9	12	4	39	19	10	9
女	10	17	2	8	20	11	0	18	4	7	8
計	20	20	5	8	29	23	4	57	23	17	17

▼1年生；進学希望86名／就職希望73名／未定40名

	四年制大学		短期大学		専修学校	校種未定	公務員	民間就職			未定
	国公立	私立	国公立	私立				県内	県外	地域未定	
男	4	7	2	0	10	6	11	17	5	15	39
女	12	14	2	2	14	13	6	11	1	7	24
計	16	21	4	2	24	19	17	28	6	22	63

2. 進路（就職）指導・キャリア教育の体制とプログラム

　進路指導部の体制は、進路指導主任1名／同副主任2名／部員8〜9名、となっている（学校要覧より）。普通科・生活科学科と工業科の教員がバランスよく配置されており、2017年度については臨時講師2名も入っている。

　就職に向けての実質的な指導（筆記試験、面接、作文等への対策）については、全校体制で実施している。特に、面接指導は、工業科は各科での指導となるが、普通・生活科学科で

は生徒一人に担当教員が一名ついている。

　図表4に示す、2017年4月実施の進路希望調査によれば、3年生は52.3%が、2年生は47%が就職希望となっている。10数名いる公務員志望は、行政職からや公安系まで多岐にわたる。

　進路指導としては、年間を通したさまざまなイベントによって、進路決定・進路選択の意識づけをしていく。たとえば2年生は、3日間のインターンシップを経験し、12〜3月にかけては三者面談がある。この他にも、各種資格試験や検定、公務員模試などを頻繁に実施している。また、夏休み後から就職試験直前にかけて保護者、同窓会役員、ロータリークラブ員の協力を得てPTA等模擬面接を実施している。

　本校には就職支援員がおり、2年次末から3年次始めにかけての生徒との個別面談実施、就職試験に悩みのある生徒や不合格者への対応など、サポート体制ができている。

3. 就職指導の現状

　7月1日に求人票公開がなされたら、理美容など生徒が行きそうにもないところを除いて、管内／県内／県外に分けて、一覧表を作成、求人票とともに、進路指導閲覧室や生徒ホールに置いておく。そこには検索用のパソコンもあり、画面で一覧表を見て、気になる求人をクリックすると求人票にとべるように、情報科の先生がリンクを張った。

　生徒たちは、7月1日以前に既に、進路指導閲覧室や生徒ホールに置かれた、昨年度の一覧表と求人票をチェックしている。先輩が行っているかといった情報は重要なようだ。なお、直接知らない先輩でも、SNSで繋がって情報を得ているようである。県外就職を希望する生徒は、給与や労働条件の良い大手企業やその子会社を狙っている。生徒たちには、事前に感触をつかんでおくことが重要なので、受験希望の企業に見学やインターンシップに必ず行くように指導している。

　校内選考は、企業から絞ってほしいと要請されない限り、していない。たとえば1人の求人のところに3人が希望しても、そのまま受けさせる。ただ、企業には事前に、事情を説明する。すると、予定以上に採用してもらえたりする。景気がいいのでこういうことが起こりやすいのだろう（ただし、この景気がずっと続くとは思えない。バブル崩壊後の就職氷河期や2000年前後など景気が冷え込んだ時期に、教員が手分けして企業開拓に回ったことが思い出される）。もちろん、不合格となる生徒もいる。その場合には、企業に様子を訊いて本人に伝える。できることなら、校内で事前調整をして不合格となる生徒を減らしたい。

　昨年度の第一次不合格者は、15名くらい。就職者は156人なので、9割近くが第1次試験で合格となった勘定である。

4. 求人について

　2017年8月8日現在、理美容など生徒が行きそうにもない求人をのぞくと（上述のリスト）、管内163社、県内求人45社、県外741社、からの求人が来ている。管内求人件数（計

199 件）については、製造業 40 件と建設業 49 件とで 44.7%をしめている。事務職求人については、管内と県内で、地方銀行、農協、中小製造業などから、わずかながら出されている。なお県外求人は、首都圏が圧倒的で、製造業（とくに鉄鋼関係）と建設業が大半をしめる。学校指定のものもあれば、そうでないものもある。県外大手からの求人は、中卒程度の読み書き計算ができないと、合格は覚束ないという感触がある。

5. 今後の学校進路（就職）指導・キャリア教育について

　1 年次からの系統的・体系的な指導が必要である。また、その際には、早期離職やミスマッチを防ぐためにも保護者との情報共有と連携も重要である。

　工業 3 科については、学んでいることそのものがキャリア教育なのだから、わざわざこれ以上のことをする必要はない。むしろキャリア教育が必要なのは、普通科の生徒であろう。

　普通科や生活科学科の生徒向けのインターンシップ先確保も課題である。事務職や販売職の希望が多いが、たくさんの実習先が確保できない状態であり、保育所や福祉事業所などに頼ることになっている。

6. 企業との意見交換

　管内の企業はほとんどが知っている企業、繋がりのある企業である。企業開拓は重要なので、5～6 月にかけて、3 年生担当教員や進路指導部員が手分けをして、首都圏の企業を、一人 6～7 社程度、企業訪問を実施した。普通科の先生も、工場を見学して感心して帰ってくる。工場のシステムはどんどん新しくなるので、足を使っての勉強が必要だと考える。教師も自分の目で見ているほうが、リアルな指導が可能である。

　また、夏にハローワーク主催の地元企業情報交換会では、求める生徒像などを直接聞くことができるので、複数名の職員が出席している。

7. 公共職業安定所に期待すること

　新入社員へのサポートがあるようだが、そこで得られた情報について学校には入ってこない。離職してから生徒から報告を受けることが多く、情報共有することで早期離職対策にもつながるのではないかと思う。

　県の教育政策は、進学実績向上を掲げている。それは人材の県外流出を意味しており、地元に若者を残すべきだという主張と矛盾しているように思う。整合性のある教育政策・産業政策・労働政策を期待したい。

(11) 長野 K 普通高校

実施日：2017 年 7 月 31 日

面談者：就職指導担当教諭　本校 1 年目

1．学校の概要

　設立されて 40 数年になる長野市内では新しくできた県立高校。現在の規模は 1 学年 6 クラス、240 人（2017 年度全校生徒数 715 人、男女はほぼ半々）

　進路状況として、就職者は毎年 10 名（卒業者の 5%）前後。2017 年 3 月卒業者では、民間企業 4 名、公務員 5 名の計 9 名が就職。今年度は現時点で民間希望者が 8 名（男女半々）、公務員希望者が 6 名。公務員合格状況等により多少の変動はあるが、ここ 10 年ぐらいをみても進学者・就職者の割合等にあまり大きな変化はない。

2．進路（就職）指導・キャリア教育の体制とプログラム

　進路指導部門の中心となる教諭は 3 名、うち就職担当が 1 名。クラス担任を持たず、進路指導室に常駐している。ヒアリングに対応していただいた就職担当教諭は今年度当校に着任されたとのことである。このほかに学年進路係 6 名（各学年 2 名）がおり、学年ごとのキャリア教育等に関して、進路指導部門と学年との連携を図る役割をしている。

　1 年次からのキャリア教育のプログラムを策定し、実施している。1 年次には「しののめお仕事塾」として、職業講話等を実施している（「総合的学習の時間」の枠）。また、進学希望者を含め、医療・福祉に関心のある生徒も多いので、看護、介護、保育、作業療法、理学療法などの就業体験も実施している（「特別活動」の枠）。学年単位のキャリア教育のプログラムは、各学年の進路係がコーディネートしている。

3．就職指導の現状

　7 月上旬に文化祭があるので、実質的にはそれが終了してから、就職希望者が求人票を見て見学先企業を選び、7 月 27 日から 8 月 21 日ぐらいまでに 1 人 2〜3 社の見学を行う。本人が何をやりたいかを重視しているので、まずは自分で求人票を見て考えてくるように指導している。定まらない時には違う方向の見学先を示すことも必要だが、できるだけ自分で考えさせる。

　試験解禁後 1 か月間（10 月 15 日まで）は 1 人 1 社。7 月 27 日から企業見学が始まっているが、見学から戻った生徒からは報告書を提出させ、企業の感触も確認する。

　企業の求人は、高卒 WEB システムの求人票と、ハローワークが印刷して配っている冊子の両方を見ている。指定校で来る求人はない。就職者数全体が多くはないが、ある程度継続的に就職している就職先もある。

求人は数としては十分あるが、生徒が見向きもしないものも多く含まれており、希望が偏ると考えられるので、結果は試験の出来次第ということになる。業種に関してはあまり希望の偏りはなく、女子にも製造の希望者がいる。このほか、ホテル、鉄道、継続のところ（卒業生が就職した実績があるところ）などを希望することが多い。ほとんどが地元志向で、東京に出たいという子はいない。

　就職者数が少ないので、各クラスに点在することになる。クラス担任が生徒・保護者との三者面談で状況を把握するが、就職希望者については進路担当が全員と面談し、企業見学の調整、履歴書の書き方や面接の練習、就職試験までの日程確認などをする。

　1社目が不調であっても、進路変更等がなければ、学年末までにおおむね決まると考えている。昨年度は7月時点から卒業時までの進路変更の状況として、進学→就職4名、就職→進学3名、進学→進路未定2人、就職→進路未定1人であり、3月末に2名がハローワークに求職登録したと聞いている。中退者はほとんどおらず、問題になっていない。

4.　企業や他校との意見交換等の状況

　ハローワークが6月末に開催した企業と学校との懇談会に参加した。企業30社ぐらいと学校20校ぐらいが参加し、企業と学校が個別に面談する時間も設けられており、参加してみて有意義だと感じられた。

　前任校での経験も含めてだが、企業からは不合格になった生徒について、試験や面接で意欲が感じられなかったと言われることが多い。不調の場合はその理由を企業から聞き、次の対応を考える。

　他校とは、学校が集まる会議の場などで情報交換はするが、就職指導に関して学校サイドだけでの集まり等には参加していない。

5.　今後のキャリア教育、進路（就職）指導の課題など

　20年ぐらい前までの学校では、キャリア教育をここまでやっていなかった。「仕事塾」などの取組みは、社会に出てからの意識を肉付けする効果があると思っている。就業体験や見学、現役で働いている人からの話はインパクトがある。それぞれの生徒がどう受け止めるかによるが、少しずつ意識の積み重ねをすることが重要だと考えている。

　「自分で目的を持ってこういう方面に行きたいという生徒はもちろんいるんですよね。その一方でなかなか、後ろからちょっと背中を押してやらないとなかなかそれが見えてこないという。それには、当然そういう場合には、業種もそうですけど、その職種自体もなかなか不明なもんで、そこから具体的に話をして、実際に会社を見ることによって、仕事ってこういうふうにやっているんだとか、その仕事に関心があるかどうかは別として、仕事の進みぐあいとか、社員の動きだとか、そういうのを見ることも非常に有意義だと思いますのでね。」

　最近の状況として、求人が増えた代わりに、広く選択肢がありすぎて、選ぶのが難しい状

況にある。ただ、本人の希望がはっきりしているかどうかということと、希望通りに就職が決まるかどうかという結果が必ずしも対応するわけではなく、試験の内容や倍率次第という面もある。

就職に際してコミュニケーション能力が問われることが多くなり、自分の言いたいことをきちんと言えることが必要になっている。履歴書にせよ、面接にせよ、自分の言葉で伝えられるように、段階的に（まず親から、次に担任、進路指導担当教員、最後に校長が面接官になるなど）練習させるようにしている。

「やっぱり志望動機等も、当然履歴書に書きますよね。だからそれを棒読みにならないようにとか、書いたことをただ覚えるんじゃなくて自分の言葉で話ができる。それを相手に伝えるという、そういうことができないと、どこかつけた言葉で同じことをみんな言っているんじゃ、やっぱりまずいんだと思いますね。」

6. 安定行政との関係、要望など

就職希望者の状況の報告や求人票の配布などでハローワークとは連絡があるが、ジョブサポーターが定期的に来校することはない。企業説明会や面接会などにも参加していない。ハローワークの主催で企業と情報交換する機会は有意義だったので、今後もこのような機会があればよいと思っている。特に追加の要望等はない。

求人票の 3 枚目の青少年雇用情報の部分については、よい情報だと思われる。生徒には、賃金などの条件や福利厚生だけでなく、こういう情報についてもちゃんと見るように指導している。

図表1　長野 K 高校の進路状況

	四大	短大	専門学校	就職	その他※	合計
2017年3月卒						
男	64	1	31	6	19	121
女	39	26	43	3	7	118
男女計	103	27	74	9	26	239
2016年3月卒						
男	61	1	30	10	13	115
女	39	27	47	9	2	124
男女計	100	28	77	19	15	239
2015年3月卒						
男	53	2	36	5	10	106
女	38	39	44	3	6	130
男女計	91	41	80	8	16	236
2010年3月卒						
男	72	3	34	4	17	130
女	37	20	30	8	11	106
男女計	109	23	64	12	28	236

※その他：浪人、家居、留学等
　学校要覧に基づき作成

（12）長野 L 普通高校

実施日：2017 年 8 月 1 日

面談者：進路指導主事 1 年目

1. 学校の概要

　明治期に農学校として設立され、1980 年代後半に普通高校に転換した。97 年には 1 学年 5 学級あったが 2007 年には 3 学級になり、学校規模は小さくなっている。卒業者数 100 人前後のうち、就職者数は 30〜40 名前後を推移している。入学時にコース制を取っているが、コースと進路には今のところ関連はない。

図表 1　進路の推移

	2011	2012	2013	2014	2015	2016
大学	15	6	9	5	10	6
短大	9	9	4	8	7	8
専門	51	50	42	50	25	34
計	75	65	55	63	42	48
就職管内	19	23	20	29	21	26
就職県内	9	9	7	2	8	6
就職県外	2	1	2	0	2	0
公務員	0	0	0	0	0	0
計	30	33	29	31	31	32
家居・予備校・他	1	7	10	7	6	6
合計	106	105	94	101	79	86

2. 進路指導・キャリア教育の体制

　進路指導部は 3 名と学年から 1 名ずつの計 6 名。進路指導主事は学校長の指名。

　現在の 1 年生については夏休みにお仕事調べをさせている。就職希望者は 2 年生の時にジュニアインターンシップに行くことになっている。

　何度か進路希望調査をして 2 年生の 12 月までに進路決定をさせるように促しているが、進路が決まらない生徒もいる。就職は積み重ねなので、迷っている場合には就職希望として扱う。「とにかく迷っていたら就職の指導を受けなさいと。途中で進学に変える分にはいいよと」。

　3 年生の 4 月から過去の先輩の就職先リストを見せ、5 月から 6 月末に職種を絞る。7 月に求人票が解禁になった後、生徒は 7 月中旬までに希望を出す。希望調査を見て、成績と欠席日数を軸に事前に調整し、三者面談を経て、見学先を決める。見学は一人 2 社だが、1 社しかいかない生徒も多い。見学前指導もする。

　生徒が迷っている時には主として担任が相談を受ける。「本人の今までのこと、それもご家

庭のこと含めてわかっているのは担任なので。ただ、なかなか担任のところでは情報もわからなかったりするときにはこっちへ来て。ほんとうは何をやりたいのと。で、何やりたいのはなかなかわからないので、逆に嫌な、嫌じゃないことは何なのというところですかね。そこが大事だと思います。やりたいことというよりは嫌じゃないこと。嫌なことをカットして、嫌な分野を、これ絶対嫌だ、接客とか絶対嫌だ、製造、絶対嫌だ、カットして、カットして。自宅なのか、アルバイトは何をやっているかとか。そういうことも含めて。あと、先輩が行っている中で、こういう話、来ているけどどうっていう感じですかね。」

3. 就職指導

　教員が作成した過去の就職先リストを参考に、生徒は受験先を決定する。リストを作成する際にはハローワークのインターネットサービスと対応するように分類し、関心を持った仕事についてはインターネットで見られるようにしている。インターネット求人の見方も指導している。来校求人の情報は一覧表を作って担任に渡し、受験先として考えさせるように指導している。

　一人一社制で、希望が重なった場合には成績と欠席日数で校内選考をする。「企業さんによっては、欠席日数が多くても大丈夫というか、そんなに気にされないところもありますし、そういうところがちゃんとしていないとだめというところもあります。それは担任のほうで見ていただいて。地元のいわゆる優良企業と言われている……上場企業さんですよね。こういうところは非常に希望も多いですし、企業さんとしても、募集人員も多いですし、それなりにハードルも高いですので、それはまあ、基本的に3年間で欠席日数どのぐらいとか、成績はどのぐらいとか、そういったところで（採用を）やられますね。今までの採用状況、企業からの要望等を考えて、採用が難しいと思われる場合は、生徒が希望していてもちょっとほかのところに回ってくれというような調整をします。」

　生徒の希望は製造業が一番多い。「もちろん事務はないですし、販売もまあ、最近はいろんな販売、あるいはホテルさんであるとか、販売サービスもぽつぽつというか、結構多くある感じですけれども、この辺はやっぱり製造業もやっぱり手堅い企業さんも多いですので。製造業に行って、地味であっても、現場仕事でね、シフトがあっても長い間勤められるところのほうがいいよという、先輩もそういうところに行っているよという話を4月の段階からしていますので。先輩が行っているところは、長野L普通高校の人に来てもらいたいと思っている企業さんだから、こういうところを選んだほうが、頑張れば受かる可能性があるんだよということは、最初に言っちゃいます。夢とか何かは言わないです。」

　就職については後輩への影響もあるので他の指導とは異なる。「無理して行かせて、行く前にやめちゃったりとかね。そういうことがあると、後輩がまた困りますから。トータルで見て、その子だけのことではなくて、学校としてどうするか、長期的に見て、企業さんとの信頼関係を考えて、どうするかということです。」

4. 求人について

　学校訪問があるのは約 30 社であり、来校者リストを今年から作成して、進路と 3 年生の担任に情報を共有してもらうようにしている。来校の際にはどんな生徒を求めているかを尋ねている。来校する求人と郵送の求人とは対応が異なる。

　全体としては製造と建設の求人が多い。介護への就職もあるが、専門学校に行くほうがいいのか直接現場に入ったほうがいいのかは、専門学校と現場と言うことが違うので今のところよくわからない。

　9 月 1 回目では 8 割が合格するが、他の高校に比べて低いと認識している。

5. 今後

　ハローワークのジョブサポーターには面談などをしてもらっている。毎年あった求人一覧の印刷された冊子が今年はなくなったのがとても困っている。パソコンの台数は限られているので（現在 3 台）、ぜひ復活して欲しい。

　また高校生は地元企業に関する知識もないし、求人スケジュールに合わせて希望先を決めざるを得ない。大学生のようにもっとたくさんの情報から選べるといいと思う。

　ジュニアインターンシップは、本年度までは就職先としての選択肢にはならない職場がほとんどだったが、来年度からは、就職先につながる（本校の卒業生が就職している）職場の中から選んで行かせるようにしていきたい。

（13）長野 N 商業高校

実施日：2017 年 7 月 31 日

面談者：進路担当 2 年目　本校 6 年目

1.　学校の概要

　明治 33 年開校の伝統ある商業学科高校である。平成 25 年度から学級減により 6 学級となっており、平成 27 年以降の生徒数は図表 1 に示したとおりである。

図表 1　入学年ごとの学級数と男女別生徒数

入学年	学級数	男	女	計
2015	6	76	163	239
2016	6	82	157	239
2017	6	85	155	240

　以下の図表 2 は、平成 26 年度以降の卒業生の進路について、推移を示したものである。就職者については、平成 27 年度にいったん減少した就職率が、平成 28 年度にはふたたび 4 割を上回っている。また、事務職比率は就職者のうち 3～4 割を占め、男子よりも女子のほうが一貫して高くなっているが、平成 28 年度については女子の事務職比率が低い状況にあった。県内就職率も、平成 26～27 年度ではほぼ 100％であるが、平成 28 年度では依然として高い割合ではあるものの、9 割を下回っている。進学者については、上述のように就職率がやや低かった平成 27 年度において進学率が高くなっている。四大進学率は若干の上昇傾向にあり、対して専修・各種学校進学率は逓減している。短大進学率は、平成 27 年度のみ特に女子で高くなっており、平成 27 年度は女子の短大進学希望者が多かったためにこの 3 年間では進学率が高くなっていたが、平成 28 年度には再び就職に人数がシフトし、元にもどったと考えられる。

図表 2　卒業年度別　進路状況

		2014年度			2015年度			2016年度		
		男	女	男女計	男	女	男女計	男	女	男女計
	生徒総数	76	125	201	83	154	237	95	138	233
就職	就職者数計	34	52	86	33	55	88	38	58	96
	就職率	44.7%	41.6%	42.8%	39.8%	35.7%	37.1%	40.0%	42.0%	41.2%
	就職者内訳　事務職比率	29.4%	42.3%	37.2%	27.3%	49.1%	40.9%	31.6%	36.2%	34.4%
	（母数は就職者計）県内就職率	100.0%	98.1%	98.8%	97.0%	98.2%	97.7%	86.8%	89.7%	88.5%
進学	進学者数計	42	70	112	48	97	145	55	78	133
	進学率	55.3%	56.0%	55.7%	57.8%	63.0%	61.2%	57.9%	56.5%	57.1%
	四大進学率	34.2%	16.8%	19.9%	37.3%	13.6%	21.9%	31.6%	16.7%	22.7%
	短大進学率	3.9%	10.4%	11.9%	2.4%	22.7%	15.6%	5.3%	15.2%	11.2%
	専修・各種学校進学率	17.1%	28.8%	29.9%	18.1%	26.6%	23.6%	21.1%	24.6%	23.2%

2. 進路指導・キャリア教育の体制

　平成28年度は進路指導部が4名体制であったが、平成29年度は進学担当者と就職担当者を合わせて3名になったため多忙化している。就職担当は2名で、1名は公務員担当を兼務している。進路指導部の教師3名に加え、3年生の進路係の教師が1名常駐しており、計4名が進路指導室に常駐という形になっている。上述の3年生の教師以外、常駐はしていないが、1学年につき1名、進路係の教師がおり、年ごとの進路行事を企画・運営している。学年の進路係ではなく進路指導部が主体となって計画する進路行事は、2～3年生で各2回程度行われており、外部講師による講話や、地元企業を何社か学校に招いて生徒が自分の希望する企業の話を聞くといったものとなっている。1年生の進路行事については、基本的に学年の進路係が主体である。

　1年次から、基本的には学年主体で進路指導・キャリア教育を行っている。進路指導部が主体となる企画は、3年生で2回、2年生で2回あり、外部講師を招聘して講話を依頼したり、学校に7～12程度の団体を招き、生徒が興味に応じて企業の話を聞けるようにしたりしている。地元企業や近年就職者の多い企業、生徒の希望が多い看護・医療系の企業などに依頼しており、人事担当者が来てくれる（OBとは限らない）。話の内容としては、2年生対象の場合、企業のアピールというよりも、仕事の内容や、入社するために必要な勉強や能力といった「前向きな」観点からの話となっている。地元の企業についての理解を深めるため、様々な試みを積極的に導入している。2年生の2月には、県教育委員会の事業で、ハローワーク長野と連携し、学校に地元企業を呼んで話を聞くという機会があり、2年生の7月には、中小企業10社ほどに話を聞きに行くという企画も始めた。また、3年生の5月に、北陸3県16信用金庫が信用金庫の取引先の中小企業をマッチング・支援を目的として主催する「しんきんビジネスフェア」に参加した。企業が200社程度参加する大規模なものであり、生徒も「おもしろかった」、企業も「こんなに就職希望者がいるんだなというのがわかった」など、「いろんな形では、お互いによかったのかなと思ってい」るが、「3年生だとおそいのかどうなのか」、2年生を対象として「仕事について考える、地元の企業について理解を深めるという観点」からの行事としたほうがよいのではないか、という印象もあり、来年度以降の課題である。

　創立以来注力されている販売実習は依然として大きな存在であり、当該実習がやりたくて入学してくる生徒も圧倒的に多く、企業からの評価も高い。ただし、その影響で流通業を希望する生徒が増えるということはなく、希望職種と直接的に連動してはいないが、調理・栄養関係の進学も含めれば、何らかの関係はあるともいえる。

　インターンシップと企業見学について、部活が非常にさかんな学校であり、合宿や遠征、大会等に出て行く2年生が多く、春休み・夏休みに2年生全体としてインターンシップシップに取り組むことができない状況にある。そのため、「企業さんが来て、お話を聞くだとか、地元の企業について知ろうだとかいうことを、やっぱり積極的にやっていかないといけない

のかなというふうに」考えている。上述の「しんきんビジネスフェア」への参加等は、そうした認識に基づく試みの一環である。企業見学は、1人あたり最大で3社に行くという方針にしている。これは、以前は1人1〜2社を見学し、教師のほうから生徒に合いそうな企業を勧めることもあったようであるが、早期離職するケースを見聞きし、「3社という、少ない枠ではあるんですけれども、その中で、見て、自分で決めていくということが、なるべく長く、会社やめないで続けてもらう1つのあれなのかなと」いう考えに基づくものである。この地域では、企業見学に行ってから応募するという方針が徹底されており、見学に行った企業ですべて不採用になった場合、企業見学の段階からやり直すことになるため、企業見学に行く3社の選定も重要な意味をもつ。よって、人気企業への集中回避を目的として、1社あたりの人数制限をかけることも昨年度試行したが、「制約したことによっていろんな会社を発見」できたケースもあった反面、生徒の自己選抜により定員に満たない企業も出てしまったため、今年度は制約をかけていない。

3. 就職指導の現状

　図表2にもあるように、一昨年は85名が就職であったのに対し、昨年は96名が就職（うち6名が公務員）となっており、求人がよいため、就職者が増加している。ただし、「(筆者注：求人の) 数は多くなってはいると思うんですけれども、今年について特に言えることは、うちから行きたいところとミスマッチをしている」。特に女子において、「事務職や販売、サービス系という、女子のほうがやっぱり多い」職種の求人が、希望者に比して少ない状況にある。昨年度は福祉、ガソリンスタンド、警備保障といった求人が多く、OBとの繋がりのなかで、「何とか、事務職も多く就職ができた」という状況であった。今年は昨年よりもさらに事務職の求人が減少しており、さらに、在校生の男女比例年2:3程度であるが、今年の3年生は女子が圧倒的に多く、就職希望者107名のうち男子（33名）：女子（74名）＝1:2となっているため、女子の就職は厳しい状況になることが見込まれる。企業見学の時点で、既に希望見学先が決められないケースもみられており、「どこまで製造業だとか販売職だとかというのに希望を広げられたかによって、出す時期がみんなちょっとおくれたのかなという感じもしてい」る。

　事務職は「何とか現状維持はしながら、それでも減ってはきてい」る状態で、販売職もあまり求人が多いわけではないため、その受け皿になっているのは女子も含めて製造業、特に食品関係の製造業である。運輸も昨年の内定状況が良く、今年度も希望者が多い。観光の求人はあまり多くないが、そのうちホテル業界が女子に人気で、倍率が高くなっている。介護については求人が多くあり、昨年1人就職しているものの、待遇等を反映して基本的に希望者が少ない。

　第一次内定率は9割程度で、昨年は96名のうち90名が1社目で決まり、内定が出なかった6名は全員女子であった。男子については、運動部に対する需給の合致などもあり内定し

ていくが、女子は先述のように事務職を中心に需給のミスマッチがあり、企業見学希望の時点で希望の重複が多いが、実際には一人一社しか応募できないため、「1人に絞っていくところで、行き場を失ってしまう子たちもいて、なかなか行く場がない」という状況が生じてしまう。今年は上述のように事務職希望の女子が74名と多いため、「今年は難航しそうだなと思ってい」る。

　校内選考については、成績を基準としており、また希望が重複した場合は校内選考が行われることを生徒にも伝えているが、生徒内で自己選抜が行われることで、実際には「あったとしても3社くらい」にとどまる。公務員については、民間企業との併願はできないため、公務員一本で受験をする。そのうち2〜3割、不合格となり就職に切り替えるケースがあり、それ以外の生徒は専門学校の公務員コース等に進む。

　一人一社制について、10月16日以降は一人一社の制限がとれることになっているが、「やっぱり企業さんとの関係があるものですから」、「ほんとに来てくれるかどうかを疑ってしまわれるよりも、ここにしか出さずに、同じような形で一人一社という形で」対応している。

　大卒者との競合について、企業側の方針として、「大学生しかとっていなかった会社が、とれなかった分を高校生に求人を持ってきていただいているところもあるのかなと」いう印象があり、絶対的な高卒回帰というよりも、高卒と大卒の境目があまりなくなってきていると思われる。

4.　今後の課題と安定行政への要望

　N商業高校の生徒は、部活や上述の販売実習など縦社会の活動をしっかり行うことができ、挨拶もしっかりできるなど、企業から評価されるような長所を持っている。しかし、そうした素質を持っていても、「インターンシップをやっていないことによって、企業について知らない」という状況が生じ、「もっとほんとは、広く目を向けると、もっといい会社、実は求人票ある」にもかかわらず、「企業を知らなくて、何か、みんなが決める時期で決めていっちゃっている」ことで、「高校3年間の中で、2年生や1年生のころから企業について知ることをやらないと、早期にやめてしまうような方向にもなりかねない」。よって、「やっぱりインターンシップだとか、実際に、まだまだ早い時期から、ほんとはできればいいのかなという感じ」を持っており、その点を改善するため、第2節で述べたような企業との接点を増やし、早期から企業について知る機会を設けられるような行事を積極的に取り入れていきたいと考えている。

　教育委員会への要望として、1人3社の企業見学の依頼等、進路部の仕事量が人数に比して多い状況であるため、就職支援員を配当してほしいと考えている。

（14）長野 M 工業高校

実施日：2017 年 7 月 26 日

面談者：進路担当 2 年目

1. 学校の概要と 10 年間の進路の状況

　前身は 1918 年開校の県立工業学校で、2002 年以降、「機械科」「電気科」「工業化学科」「土木科」「建築科」「情報技術科」「環境システム科」の 7 学科 7 学級の構成で、入学定員 280 名で入学者数はほぼ一定（なお、定時制高校が併設されているがここでは省く）。生徒の大半は男子で、女子は 5～10％程度である。

　生徒募集は学科ごとであり、入試倍率が特に高いわけではない。生徒の学力低下が感じられ、資格試験の合格に苦戦する感があるが、補習の時間を増やして対応している。

　卒業後の進路の状況は図表 1 のとおり。就職者は、2000 年代始め頃から卒業者の 3 割前後で推移してきたが、リーマンショック後から増加し、2017 年 3 月卒では約 6 割になった。なお、職業安定法上の位置づけは、地域の他の高校と同様、第 33 条の 2 による。

　大学や専門学校への進学については、大半が指定校推薦や AO 入試により、一般受験での進学は数％にとどまる。

図表 1　卒業後の進路および求人状況の推移

	2009年3月卒	2010年3月卒	2011年3月卒	2012年3月卒	2013年3月卒	2014年3月卒	2015年3月卒	2016年3月卒	2017年3月卒
卒業者数	273	266	272	247	265	260	261	261	249
就職者	99	82	110	113	112	121	139	132	149
民間企業	93	76	103	110	107	113	134	128	141
自営・縁故	2	2	3	0	3	1	2	1	3
公務員	4	4	4	3	2	7	3	3	5
進学者	169	182	159	132	147	138	115	125	98
4年制大学	98	112	92	74	81	71	54	61	55
短大・高専編入	8	2	5	0	3	6	3	3	2
専修・各種・技専	63	68	62	58	72	61	58	61	41
その他（家居、進学浪人・アルバイト等）	5	2	3	2	6	1	7	4	2
就職者割合(%)	36.3	30.8	40.4	45.7	42.3	46.5	53.3	50.6	59.8
進学者割合(%)	61.9	68.4	58.5	53.4	55.5	53.1	44.1	47.9	39.4
求人件数	638	305	286	259	309	441	649	743	949
北信地区							244	279	295
その他の県内							17	35	49
県外							388	429	605

注:2013 年 3 月卒の進学の内数は合格校数であるため、進学者数とは合わない。

　なお、中途転・退学者は、入学直後の生徒数と 3 年後の卒業者数から推計すると、近年は 9％程度と若干増加傾向にある。

2. 進路指導・キャリア教育の体制とプログラム

　進路指導部は7人で、就職指導担当が3.5人、進学指導担当が3.5人（一人は、両方のデータ入力担当）。就職指導担当は職業科の教員が担当するようにしている。校務分掌の一つで、基本は3年の任期で交代。特に担当を決めるルールがあるわけではないが、生徒の将来にかかわる重要なポジションなので、経験のある者がなるようにしている。就職指導のノウハウは「クラス担任を一回やって、一人一人の進路について考えて、そうすると、進路って、こういうふうに進めていくのだなというのがわかってくるんじゃないですかね。あとは就職担当者が集まる会議に行って、ほかの学校の様子を聞くとか、講演会で企業の人事担当の話から、こんな人材が欲しいとか、そういうことを聞かせていただければ、だんだんとノウハウの蓄積というか、知識が蓄積される」という。ハローワークの行う企業との情報交換会には、近隣所を含めて出ている。企業情報と他の学校の指導状況について知る機会として重視している。

　キャリア教育は、学校として3年間を通した体系的なプログラムを作って行っている。1年、2年の夏休みで行う2～5日間の就業体験や秋の産業フェアを通じて、地元企業を知りキャリアプランを立てることを促す。「学校として考えなくてはならないことは、生徒にどうやって働くことの意義とか、どういう職業を選ばせましょうとかという方法と流れで、それを与えていくのは結構大変なのかなと。そこは担任と一緒に話し合いながら進めていかなければいけない。各科でもいろいろと企画をしていて、例えば土木建築科だと現場を見に行こうとか、企業とタイアップして舗装工事をしたりしている。」職業・職種についての知識を高め、進路の方向付けをするのは授業で培うことができる。これができていると、進路指導としては、具体的な求人をいくつか提示するだけでよい。

　目的意識を持たず、学業成績のみで工業高校に進学したというような生徒は何割かはいる。進学後に実習や企業体験などを通して、次第に方向づけられて、つきたい職種の希望や職業観ができてくる。「工業高校を含む専門高校で進路指導は授業の中で職業観とか、技術を磨いて、将来社会に役立てるよう考えさせることは前からやっていて、キャリア教育と言われ始めた時には、おれたちはすでにやっているという意識はあったと思う。」

　1、2年生に対しては進路ガイダンスを行う。就職と進学との志望わけは、2年生の10～11月ごろの調査による。就職に関しての進路希望調査は3年の5月。7月初めの求人票の開示までは、前年の求人票から具体的に3社程度選ばせて、特に職種、仕事内容の欄を見て仕事のイメージを持つように指導する。求人票の開示後は、進路希望について担任と相談し、会社への「見学希望申込書」を提出。1社への希望者が多い場合は、学年と進路係で調整する。夏休み中に応募前企業見学を原則ひとり1社で行い、ミスマッチを感じたら複数の見学をさせる。8月中旬に校内選考を学年と進路係で行う。求人数より希望者が多かった場合、および企業の求める求人内容に合わない場合を対象とする。

3. 就職指導の現状

求人数は、図表1に示した通り、近年大幅に増加している。特に、県外企業からの求人が増加している。「求人をいただいているのは、過去に就職実績がある企業や専門技術を持った生徒が欲しい企業で、土木建築系の企業だったら土木建築系だし、製造系だったらそれぞれの分野の製造系で求人をいただいている。福祉系とか、調理系とかも多く求人をいただくが、希望する子はほとんどいない。」毎年求人が来る企業は数えていないのでわからないが、生徒が希望すれば採用されそうな企業は、「例えば土木建築系の会社だと、ここ2～3年なら、まずほとんどの企業は希望すればとってくれると感じている。機械系とかも見て、地元企業で20～30社はあると思う。」

求人は、学校に直接届けられた指定求人を中心に提示する。ハローワークから届けられる公開求人の冊子は配布していない。生徒が志望先を決めるプロセスは、「職種を見て、先輩が行っているかどうかとかを見る。それで、家に行って相談するじゃないですか。親は知らない企業が多いので、この企業は知らないから、すぐ賛成するわけではない。いろいろな資料を見て、先輩が行っているからとか、会社の規模、勤務地などを見て、家の人も、まあ、いいんじゃないのという話になる。」保護者に対しても、卒業生の進路状況として就職先企業名などを随時知らせている。なお、生徒の希望がなさそうな職種・企業については求人リストから外しているが、相談過程で、そうした志望がある生徒がいれば提示する。

校内選考にかかるのは、昨年の場合は20人強。今年は、160人ぐらいの就職希望者がいるなかで、相談過程で10人程度は調整しているので、校内選考にかかる生徒はもっと少ないと予想される。保護者がどうしても受けさせたいと主張する場合もあるが、「2人行っても、どっちか1人しかとらないことが多いですしという話もしながら、まあ、理解していただいた」。今年は求人がたくさんあるので話しやすい。保護者は「交替制があるかとか、働き方がどのぐらい厳しいかとか」などを気にすることがあるが、そうした場合、具体的な情報で他社との比較を交えて説明する。

応募前職場見学は必ず行かせるが、これも応募するところ1社のみ。他の学校では複数見せるところもあり、「本当は2社、3社と見せて決めさせたほうがいいんですが、うちは160人いるので、最初から2社、3社だと、多分、日程の調整ができない。」例外的に、志望を絞れない生徒が1社目が思っていたのとは違うとして、2社目を見学することもある。企業側は、他校で複数行かせているところもあるので、特に気にしていないようである。

昨年だと9割の生徒が、1社目で内定を得ている。内定が取れなかった生徒も2社目で決まった。公務員試験を受けて合格しなかった生徒は民間就職に変更するが、その場合も試験結果の発表後すぐに就職先が決まった。

進学希望からの変更は去年は1、2名いたが、やはり9～10月の早い段階で就職先は決まった。進路変更は、「目的意識が持てていない子だと思うんです。それなら働きなさいと言われると、周りが就職試験モードになっているので、僕も働こうかなというので。」フリーター

希望の生徒はいない。「授業そのものもそうだし、実習で物をつくって過程と結果を経験することでおもしろいなと思っているとか、企業見学に行って、こういう仕事をするんだとかと思っていけば、やはり意識は漠然ではなくて、ある程度具体化されてくるので、職業観ということでそこは大きいと思います。」

就職から進学への変更はない。情報技術科では、高校生へのプログラマや SE の求人が少ないので、進学してその職種を目指す場合がある。ただし、これも教科の教員からそうした事情を早くから説明されているので、3 年時にはすでに進学希望であり、就職試験を受けてからの変更ではない。

地域移動については、近年は 9 割程度が自宅通勤圏で決める。地域間移動をする生徒は約 1 割で、ほとんどは有名大企業への就職者で、残りの半分は、都市に出てみたいといった希望での移動は思ったより少ない。

求人に当たって学校を訪問する企業は多く、今年は、7 月の開示日以降、1 週間以上にわたって毎日 20 社ぐらいが来訪した。その際、求める人材像などについて話をするが、どこでも「コミュニケーション能力」「意欲」を求める。「我々としては、それがない子の就職に困っているので、それを受け入れてくれる企業はないかなと探すほうが難しい。」運動部の経験者をほしいといった要望のある企業については、担任に伝えるようにしている。学校側からは、企業の業態等から心配があれば、労働環境や労働時間につい確認する。

求人開拓は特に行っていない。生徒が受けたいといってきた会社から当校に求人が来ていない場合には、会社に連絡をして状況を聞くとともに応募ができるように働きかけている。

4. 今後の課題と安定行政への要望

ハローワークのジョブサポーターには、生徒の面談をお願いするケースがある。昨年の例では、受容していない障害があると思われるケースで、音楽系の仕事がしたいとう本人のこだわりもあり、企業選びの相談に乗ってもらった。また、求人票の 3 枚目の青少年雇用情報については、「まだ見る余裕がないというんですかね。1 ページ目、2 ページ目を見るだけでお腹がいっぱいになっちゃうようで」と、現状では生徒が直接活用するのは難しいと見ている。

(15) 島根 P 普通高校

実施日：2017 年 8 月 7 日

面談者：校長

進路指導部長

1. 学校の概要

　1958 年（昭和 33 年）開校の県立高校。ピーク時は 1 学年 5 クラス、10 年前の前回調査時は普通科・英語科の 3 クラスであったが、少子化の流れの中で、減少する若年人口を近隣の学校と分け合う形となり、現在は 1 学年普通科 2 クラスで募集している。全校生徒 216 人。もともとは女子が多かったが、現在は男女半々。

　近隣の専門高校とのすみ分けで、進学を前提に入学してくる生徒が多いが、経済状況が厳しい家庭も増え、学力の幅が広がっていることもあり、近年、就職者数が若干増加傾向にある（図表 1）。最近の就職者の割合はおおむね 1 割前後。

2. 進路（就職）指導・キャリア教育の体制とプログラム

　進路指導部の体制は、教員が 5 名、実習教員（理科の実験のサポート等をする）が 1 名、PTA が予算措置する事務担当者 1 名の計 7 名である。就職関係は 2 名で担当している。学校規模に対して人員が多いようにみえるが、進路が多様なため、それぞれは少数でも、必要な指導や業務の種類が多く、教員の負担が大きいことによる。島根県では PTA 枠で進路指導の事務補助者を配置することが多い。

　P 普通高校は 2007 年度から 3 年間、文部科学省「高校におけるキャリア教育の在り方に関する調査研究」の指定校になっている。また、2013 年に「地域でつなぐキャリア教育モデル事業」の指定を受けている。これらの長年の取組みを受け継いで、1 学年次からの「進路シラバス」を策定し、3 年間を通して計画的なキャリア教育を行っている。

　キャリア教育の一環としてインターンシップにも取り組んできたが、方向性は少し変わってきている。限られた地域の中で小学校・中学校・高校とインターンシップを行うと、同じ企業に行って、「また来たか」と負担感を持たれるケースも生じる。このようなこともあり、現在は、職種を軸とするインターンシップではなく、学びとして地域の人々と関わりながら進路を考えるという方向で、地域を学ぶキャリア教育に組み立て直している。市役所でのインターン、県立大学との高大連携事業の中で地域貢献について学ぶ、小学生に勉強や遊びを教える、地域のイベントに参加する、保育園や幼稚園で実習するなど、広い意味でのインターンシップ的な取組みを実施している。

　「こういった地域ですとインターンシップの行き先がものすごく限られていて、（中略）現実考えると受け入れ先の企業さんも含めて、ちょっと負担感といいますかね、ということも

ありまして。（中略）なので、そういったキャリア教育ですか、地域を大切に生きるとか、地域に貢献するとか、そういったところにちょっと重点を置いて、キャリア教育を組み立て直していく中で、現在は、例えば市役所さんに協力してもらって、市役所のインターンシップをするということもあったり、あるいは市役所さんから紹介されて、（中略）仕事を体験するということではないのですけれど、地域でいろいろな企業さんがそれぞれ役割を持ちながら活動しておられるのを、見させてもらったりするような形ですね。」

　総合的な学習に位置付けられたキャリア教育は、「KAWARA（瓦）プロジェクト」として、2018年学校案内によると「進学先選択や職業選択だけでなく、社会の中での生き方、あり方について学び考え、深めていきます」とされている。

3. 就職指導の現状

　求人の検討は企業から学校に送られてくる求人票を中心に見て、担任と生徒・保護者の三者面談で相談して意思を固める。差し迫った事情がなければ、進路指導部で面談することはない。指定校求人はほとんどない。応募前見学は何社でも構わないが、基本的には応募先をだいたい決めてそこを見に行くので、1〜2社である。島根県では10月中は1人1社であるが、11月以降についても複数応募の例はほとんどない。P普通高校では1社目で落ちた例はほとんどない。

　「複数応募をする例って、全県的に見てもほとんどないですね。2社同時期に出すメリットもないし、ということです。（1社目でほとんど決まることについて）そういうところに応募をさせてもらっている、まあ、ライバルがいないということだと思います。」

　希望が競合した場合は校内選考をすることになるが、少人数なので、あうんの呼吸で応募先を決めており、競合することはほとんどない。

　就職先はほぼ地元。家計を支えるために就職する生徒がほとんどであり、地元でなければその目的は叶えられない。工業高校では、県外の大企業からの求人もあり、県外に出た方がよい条件で就職できる場合もあるが、普通高校の求人は県外求人（飲食、理美容、介護・福祉などが多い）によい条件のものがあまりなく、一人暮らしをするのが難しい。警察、消防など公務員の場合は県外に出ることもある。一昨年は寮のある広島の福祉施設に就職した例もあった。

　「いわゆる民間就職で（県外に）出たいというのはあんまりいないですね。もともとの動機づけが、家計を支えるということも含めて、やっぱり地元志向というか。あと、なかなか県外求人で、その、何というのでしょうか、一般的に言うとよいものはない。」

　企業との間では、学校訪問をしてくる機会を活用して意見交換を行っている。また、市役所がコーディネートして、市長、商工会と学校との懇談の機会が設けられた。ハローワークでも会議等の場がある。教員間では、進路指導協議会などの場で情報交換を行っている。

4. 今後のキャリア教育、進路（就職）指導の課題など

　生徒の学力が下に広がっている傾向や家庭の経済状況などを考えると、今後、就職者数が増えることはあっても減ることはないだろうと予想している。求人は多くなっているとはいえ、生徒が希望する職種に行けることはあまりない。工業高校は別として、専門高校でも、学んだことをリアルに生かせる求人は地元には少ないのが実態。公務系の職場に関しては、消防や郵便など、団塊世代後の世代交代の補充が続いており、10年前と比べて就職しやすくなっている。

　大卒後Uターンしてくる卒業生は結構いるが、この地域の企業には新規大卒を採用した経験のない企業が多く、一般の中途採用枠が受け皿となっている。進学者が戻ってこられない状況が続いている。県や市は、進学希望の高校生を主なターゲットにして、地元の企業を紹介する事業（セミナーや情報提供ホームページなど）を展開している。将来戻ってきてもらえるように、県外に進学する前に地元の企業について知っておいてもらおうという趣旨である。

　「進学で専門学校とか短大、大卒もかもしれませんが、一回外へ出て、出たんだけどやっぱり帰ってきたい、で、帰ってきて就職していると。だから本校から新卒は1人も行っていないのだけれど、中途採用ですよね、そういった形で帰ってくるという。（中略）帰ってきて、だから結局大卒採用とかではなくて、例えば高卒枠なのだけれど経験者とか、中途採用的な形で入っておられるので、会社でのその立ち位置というのはちょっと不明なのですけれど、そういった形での就職なんかもちょっと見えにくいのですけれど、あるかなと。それは地域独特といいますか。」

　正規・非正規の境界がはっきりしない働き方も出ている。正社員で派遣という求人があり、実際に就職者もいる。キャディや旅館の仲居として派遣されて働くが、行った先の職場での定着は案外よいようである。

　医療事務もほとんど派遣の職場になっており、希望者もいるが、専門学校ルートにシフトしており、求人があまりない。将来の仕事に困らないということで医療系の仕事を目指して進学する生徒は多いが、介護分野では人手不足が進み、資格取得は後回しにして、とりあえず働いてほしいという事業所のニーズが強くなっている。

　「福祉は、極端に人材不足でして、ちょっと本末転倒な感じなのですけれど、要は目の前の労働力がないので、とりあえず来て働いてくれと。そこから、お金をある程度支援するので、頑張って学校に行って資格を取りなさいというふうに、ここら辺の地方ではなっています。で、福祉の専門学校も地元はあるのですけれど、昔はみんなそこに行って、介護福祉士になってから就職したのですけれど、直接就職ができるとなると、やっぱり経済的なこともあるので、最初にそっちに行く道を選んでしまう子が結構出てきているなというふうに思います。（中略）ただ、リアルな話をさせてもらうと、なかなか難しいだろうなと。働きながら、まあそんな楽な仕事じゃないので。」

5. 安定行政との関係、要望など

　ハローワークとの間では、就職希望者の状況報告などで毎月連絡があり、ジョブサポーターが来校することもある。就職環境が好転している中でもジョブサポーターの配置が続けられているのは、活動が全国的に評価されているからではないかと考えている。

　就職希望者に対する面接や履歴書の書き方指導などは学校が行っているが、労働局の紹介により、ビジネス系専門学校の講師を招いて、ビジネスマナーや就職事情等に関する研修を実施した（専門学校進学希望者を含め約20名が参加）。

　求人票がネットで見られるようになり、便利になった。要望を言うとすれば、充足済み求人票は早めに取り下げるなど整理をしていただければ、学校側は無駄な検討をせずに済むので、ありがたい。また、高校生が見てもわかりやすい求人票になることが望まれる。生徒が気にするところは、主に、地元かどうか、職種、給与といったところだが、情報として、初任給だけでなく、30歳時や40歳時の賃金モデルなどが示されていれば、先のことを考える手がかりになるのではないかと感じている。

図表1　P普通高校進路状況

就職状況（最近10年間）

年度	就職者数	うち県内	県外	業種	職種
2007	5	4	広島	飲食2、卸売・小売2、電力	ホールスタッフ2、販売2、事務
2008	7	6		製造2、医療福祉、教育学習支援、運輸、宿泊、自衛隊	事務、介護、食品製造、スイミングコーチ、配送ドライバー、ホテルスタッフ、自衛官
2009	2	1		卸売・小売、自衛隊	販売、自衛官
2010	8	2	広島3、大阪、東京	製造、サービス、飲食、宿泊、卸売・小売、消防、警察、自衛隊	事務、弁当製造、販売、客室係、キャディ（派遣）、消防職員、警察官、航空学生、
2011	3	3		製造3	技能職2、ラインオペレーター
2012	5	4	愛知	製造、医療福祉、警察、自衛隊	オペレーター、介護、警察官、自衛官
2013	3	1	広島	卸売・小売、消防、自衛隊	販売、消防職員、自衛官
2014	5	5		林業、製造、警察、消防、郵便	森林作業員、製造、警察官、消防職員、郵便局員
2015	9	7	広島、大阪	卸売・小売、医療福祉2、建設、警察、消防、郵便、県立施設	コールセンター事務、介護2、建設作業員、警察官、消防職員、郵便局員、事務（有期）
2016	11	9	岡山	製造4、医療福祉3、消防2、郵便、自衛隊	技能職、ラインオペレーター、構内作業員、食品製造、介護3、消防職員2、郵便局員、自衛官

大学等合格状況（過年度卒を含む合格延数）

		2016年度			2015年度			2014年度		
		男	女	男女計	男	女	男女計	男	女	男女計
大学	国公立	8	5	13	7	5	12	9	11	20
	私立	8	11	19	14	15	29	25	44	69
短大	国公立	1	0	1	1	2	3	1	0	1
	私立	0	7	7	0	8	8	0	7	7
看護医療		6	9	15	5	9	14	1	10	11
各種専門		4	10	14	2	3	5	1	6	7
合計		27	42	69	29	42	71	37	78	115

提供資料（学校要覧、就職先一覧等）に基づき作成

(16) 島根R商業高校

実施日：2017年8月7日

面談者：進路指導部長、今年10年ぶりに本校赴任

1. 学校の概要と10年間の進路状況

（1）学校の概要

　当初は普通高校の商業科であったのが独立し、昭和40年に創立。最近10年間の学科構成などの変化として、2008年に「国際情報ビジネス科」を募集停止、2014年に「商業科」を1クラス減、現在は「商業科」と「情報処理科」の2学科が設置されている。同年より入学時に学科を分けない「くくり募集」を開始。現在の生徒数は230名で、10年前から半減している。部活動が盛んであり、体育系・文化系ともに全国大会出場者を毎年輩出している。

　他方で、中学校時代の「輪切り」の進路指導（たとえば、「あなたは学力的に島根R商業しか入れないよ」と言われるなど）によって入学してくる生徒も少なくなく、かれらのなかには劣等感がある場合もある。

（2）10年間の進路状況

　図表1の就職率をみてみると、2008年をピークとして、2000年代後半からの10年間はおおよそ4～5割台で推移している。2000年代前半（前回調査時）の就職率が3～4割台であったことを考えると、相対的にみれば就職率が上昇しているといえる。

　入学当初は多くの生徒が就職希望であり、進学希望は1割程度に過ぎない。その時点で進学とは、大学進学をイメージしている場合が多い。学年進行とともに、だんだんと専門学校の存在などを学習し、2年生までに進学へと希望を変更する生徒が少なくない。進学率は、2000年代半ばまでは上昇傾向にあったものの、この10年間は5割前後で大きな変動はみられない。

図表1　進路別生徒数と就職率の推移

	2007	2008	2009	2010	2011	2012	2013	2014	2015	2016
就職	67	89	78	57	53	42	49	44	44	30
進学	76	56	71	60	57	49	60	41	44	30
その他	4	2	5	1	2	3	2		1	5
合計	147	147	154	118	112	94	111	85	89	65
就職率	45.6	60.5	50.6	48.3	47.3	44.7	44.1	51.8	49.4	46.2
事務職比率	31.3	20.2	25.6	19.3	28.3	35.7	26.5	22.7	25.0	36.7
県内比率	32.8	33.7	56.4	56.1	60.4	57.1	53.1	61.4	63.6	73.3

注）学校提供資料より筆者作成

近年、IT 関係への就職を希望する生徒が多くいたが、なかなか実現できる生徒は少なく、結果的に販売職などに就く生徒が多かった。事務職比率は年によって波があるが、おおよそ2～3割台で推移している。

　以前、「就職せずに好きなことを見つけるためアルバイトをするということで、フリーターが割と話題になった時期」には、進路指導部と担任教員が3年生の4月段階で正社員と非正社員の違いについて集団指導を行うなどしていたが、最近はフリーター志望が問題になることはない。（2016 年度卒業生には「その他」がやや多いが、複数名の生徒が卒業後ダンス留学のために海外に出たためで、そうしたケースは特殊。）

2.　進路指導・キャリア教育の体制

　教職員24 名のうち進路指導部（就職指導）は5名であり、3年学年主任や実習助手などから構成されている。生徒数減・教職員数減にともない進路指導室が廃止されていたが、それでは進路指導ができないということで就職指導の時期には進路指導室を設けることにした。キャリア教育を推進するための学校体制は必ずしも十分でなく、「キャリア教育自体が、進路指導部の分掌の仕事だという感覚なので」「ほかの分掌の教員は、キャリア教育の研修会の案内をしても、自分の分掌の仕事ではないので、という感覚」。来年度の年間計画を立てて推進したい。

　進路指導・キャリア教育のプログラムは、進路講話や職業別・進路別のガイダンス、地元企業の説明会などに1、2年生が参加するよう計画されている。「3年生も2年生も1年生も含めて、教員のほうがすることもありますが、（略）業者の方に、進路ガイダンスということで、1 年生については職業についての理解を深めるということで、そういったガイダンス的なことをやっていただいたりとか。2 年生の段階では、実際にある程度方向性を決めて、今度その方向性を決めた学校とか企業さんとの話し合いを持つガイダンスみたいなことをやってという形で、今年度は組んでいる」。前述したように、中学校の進路指導を通じて高校入学時点で劣等感をもってしまった生徒もいるので、「進路をこうしなさい、ああしなさいというような指導はしませんと。生徒が自分たちで決めた進路に向かって取り組めるように、手助けをするというふうなことで自分は進路指導します」「『商業高校に来たので、就職せんといけんよ』というふうな考え方はやっぱりさせたくなくて」。「来年度からは、まず1年生の段階では職業調べということで、職業についての理解、たくさんの職業についての理解をするというような形のガイダンスをやっていこうかなというふうに思っています。」

　そうした進路指導・キャリア教育プログラムを進めながら、毎学年で進路希望を調査している。3年生では4月半ばまでに希望を把握し、その後の5月には地元企業説明会などに参加、7月からは履歴書指導や就職対策特別講座が始まる。7月末から企業への応募前見学に参加し、希望の応募企業を決めて推薦願を提出する。それをもとに8月後半に選考会議を行う（以前は8月上旬に選考会議を行っていたが、応募前見学をふまえて企業を決定させるため

に選考会議の時期を変更した。）

3. 就職指導

　求人数には、この 10 年でドラスティックな変化が観察される（図表 2）。県内求人は、2010 年代に入ってから右肩上がりで増加している。県外からの求人は、2009 年に大幅に落ち込んだ後、2010 年代を通じて回復し、2016 年には 2008 年時点と同程度の求人数まで持ち直した。進路指導担当者の認識によれば、福祉関連の求人が増加しているが、当該分野への就職者は減少している（労働環境に対する不安など、保護者の心配も大きく影響）。

　就職地域に着目すると、図表 1「県内比率」に示したように 2009 年に県内就職率が大きく上昇した。この背景には世界同時不況による県外求人の激減があると考えられるが、2010 年代の県外求人回復期にも県内就職率は緩やかに上昇し、2016 年は 7 割を超えた。

図表 2　地域別・職種別求人数の推移

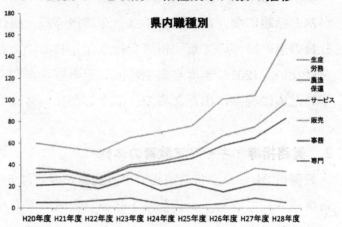

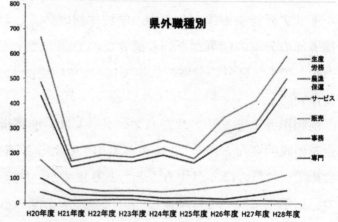

注）学校提供資料

　今年度は県外事務職を希望する女子生徒が多いが、生徒・保護者ともに県外に出ることにやぶさかでない。教員によれば「保護者のほうは（生徒）本人が県外に出たいと言えば県外にということで。ただ、県外でそのまま一生生活するという考え方じゃなくて、親御さんのほうは、『県外でちょっと経験を積んで、また帰ってくればいいわ』とかいう感じの考え方の方が多いんじゃないかな。」

　求人票は、進路指導部の教員が整理をし、すべてカテゴリ化して　通し番号をつけて生徒に検索しやすいようにして、クラスに常置している（いつでも見られる、検索できる）。

　進路指導担当教員によれば、生徒の進路に対する意思が弱くなっているという。「以前は、自分でこの仕事をしたい、事務の仕事をしたいっていうふうな希望をすごく強く持つ子が多かったんですけど、（略）今の生徒、一応希望があるんですけど、『でもそれで大丈夫？』って言われると『じゃあ、やめます』と」。他方で、保護者の意向や介入が強くなったと感じられている。「昨年度もあったみたいですけど、この辺ですと〇〇電力という会社があるんです

けど、結局本人も受けたくなかったみたいなんですけど、もう親御さんが『どうしても』ということで受験をして、学校のほうも『そこまでの力が（当該生徒に）ないので、多分だめだろう』ということで、とりあえず親御さんが『どうしても』ということで強引に受験をさせてみたんですけど、やっぱりだめだったみたいで。今年も3年生でそういうところがあって担任が困っていますけど。親御さんの意向がやっぱり非常に強くなってきたかなという感じですね。」

　求人開拓については、5月初めに教員が企業回りを行っている。4月初めの希望調査で学生が挙げた企業は、訪問するようにしている。2017年度は企業による学校訪問も多い。新規に求人を寄せてくれても学校訪問に来ない企業は、学校として警戒してしまうこともある。

　就職指導は「一人一社」制の原則に従って行われている。受験企業を調整する推薦会議（校内選考）は、2016年まで8月初旬に実施していたが、会社見学に行くなどの期間を確保するため2017年から8月末に行うことにした。選考基準は、数字で表せる成績（定期試験、小テスト、一般常識テストなど）をもっとも優先し、補足情報として部活動や出欠席の状況などを活用している。そうして学校推薦を与えた生徒が最初（多くの場合9月）の就職試験で合格しないケースは、担当者の認識によれば「ほんとう片手（で数えられる）ぐらいじゃないかな」という程度であり、第一次内定率はきわめて高い。

　企業からの学校指定求人は今年減ったが、その代わりにこれまで付き合いのある「実績企業」も、新規の県外企業もたくさん学校訪問に来られる。とくに後者の訪問が2017年は多い。実績企業は県外企業を中心に減ってきているが、少し回復した企業もないわけではない。推薦した生徒について、学力が低くて不採用だったケースもあるが、その後は生徒を推薦しないのではなく、むしろより成績優秀な生徒あるいは企業にマッチした生徒を送ろうという意識でお付き合いをしている。

4．今後の課題と職業安定行政について

　職安行政に対しては、地元企業を知る機会を増やしてくれることを期待している。若者雇用促進法により離職率や平均年齢が示されるようになったのは、生徒も知りたい情報なので助かっている。その情報によって就職を希望するかしないかが変わってくると思う。

(17) 島根 Q 工業高校

実施日：2017 年 8 月 17 日

面談者：進路指導部長　本校 4 年目

1.　学校の概要と 10 年間の進路状況

（1）学校の概要

　昭和 15 年に県立工業高校として開校。最近は生徒数の減少や、それにともなうクラス数の減少、学校の統廃合などが課題となっている。Q 工業でも、2017 年度 3 年生までは建築科・機械科・電気科の 3 クラス編成であるが、定員を大幅に割り込んでいる。2017 年度 2 年生から、学科改組により 2 クラスとなる。こうした流れにあわせて教員定数も減らされており、体系的かつきめ細やかな指導に困難が生じてきている。生徒が減っているので個別指導がしやすい一方、生徒一人ひとりの実態に合った支援が求められている。

（2）10 年間の進路状況

図表 1　進路別生徒数と就職率・県内就職率・求人数の推移

		2007	2008	2009	2010	2011	2012	2013	2014	2015	2016
卒業者数		81	92	89	84	67	93	51	89	76	79
就職内訳	県内	19	23	14	23	14	27	24	44	33	32
	県外	43	52	38	34	36	43	14	30	34	21
	公務員	1		2	2	1	3	1	1		1
	合計	63	75	54	59	51	73	39	75	67	54
進学内訳	四大	1	2	4	7			2	3	1	6
	短大		2		1					1	1
	高専編入										
	専門学校	13	8	22	15	15	19	9	8	5	13
	公共職能	4	3	9	2	1		1	2	1	5
	合計	18	15	35	25	16	19	12	13	8	25
その他			2				1		1	1	
就職率		77.8	81.5	60.7	70.2	76.1	78.5	76.5	84.3	88.2	68.4
県内就職率		30.6	30.7	26.9	40.4	28.0	38.6	63.2	59.5	49.3	60.4
求人数		673	653	269	371	255	299	459	636	649	769

注）学校提供資料より筆者作成。県内就職率は公務員を除く。

　最近 10 年間の就職率は、リーマンショック後の 2009 年、および 2016 年にやや低かったものの、おおよそ 7〜8 割程度で推移してきた。2009 年は求人数が前年比 4 割程度と厳しい時期であったが、最近は非常に回復してきた。県内就職率の上昇も、この 10 年間での変化として指摘しうる。

　進学者については、ここ数年は減少傾向にあったが、2016 年は大きく増加している。進学

者数が減少した背景について進路担当者は、求人が増えた側面と、事情により進学させられない家庭が目立ってきたことを強く感じている。7〜8年前には就職先を決めずに卒業する生徒もいたが、進路決定率100％の現在は問題になっていない。

2. 進路指導・キャリア教育の体制

進路指導部は5名体制。他の校務分掌との兼ね合いから2016年より1名減少した。進路指導部長は、広い視野で生徒指導やキャリア・カウンセリングのできる教員に担当してもらい、分掌業務を充実させたいと考えている。

生徒の進路希望の把握として入学時に新入生進路意識調査を行っており、半数程度の生徒が就職希望で入学してくるという。進路決定に向けての進路希望調査は各学年で、学期ごとに1回実施され、最終の希望提出が3年生の7月に行われる。

進路指導・キャリア教育のプログラムとしては、1年生から進路講話や進路ガイダンスを実施したり、工場見学に行ったり、2年生では県内外での工場見学、企業とのワールドカフェ、連携授業などの交流活動を行ったりしている。2年生の11月には、インターンシップとして3日間の企業実習も行っている。今後は、そうしたさまざまな進路行事やイベントをどのように日常の教育活動とつなげていくかが、キャリア教育上の課題であると考えられている。

そのために進路指導部長は、1年生のときから進路学習のためのホームルームの時間を定期的に設定し、生徒の進路意識を「揺さぶりたい」という。「揺さぶるというのは、学期の調査をふまえながら、将来何をするとか、強みはどこか、自分の課題は何だと思うかとか、生徒にボールを投げるんです。当然、すぐ答えは出ないんですけれども、生徒も親御さんも悩みながら、もやもやするんですけれども。こっちが聞いてやらないと考えないですね。いざ3年生になって、何するかと聞いても、なかなか決められない。（ボールを早い段階から）できるだけ投げるように、はい」。「何年か前は、"インターンシップをした、見学へ行った、業者任せのガイダンスをした、キャリア教育だね"で終わっていたのが実際なんですよ。（略）よくあるケースだと思いますけど。じゃなくて、次のステップとか、深めたり、（略）イベントも大事なんですけれども、それをどう一環として使っていくかということだと思うので、そこを見直そうとしている」。現在は集団指導で揺さぶりをかけているが、今後は個別指導の充実が課題である。また、他の高校などではキャリア教育が活発にやられている例があり、いかに学校を開いていくか、地域とつながっていくかも今後の課題であるという。

3. 就職指導

2016年度の求人倍率は約15倍で、2017年度もきわめて「売り手市場」である。3〜4年前は飲食業やサービス業が増加傾向にあったが、最近その割合は減少し、かわりに建設業、製造業、介護福祉職の求人の割合が増加してきた。介護福祉の求人は県外などの遠方からも寄

せられてくる。建設業、工事業の業界では「土木小町」「電工女子」などといって、女性人材を求める動きも見受けられる。

　生徒の進路意識はというと、入学当初、生徒の半分は就職希望で、残りの半分は、"未定・分からない"。3年生の1学期になり、ようやく進路のことを考え出すようになるという。ただし、生徒数の2割を占める女子生徒については、進路意識は高めで、努力したりコミュニケーションをとったりすることが得意な生徒が多いという。「"電気工事がしたい""建築士になりたい"という明確な目標をもって入ってきているんです。今度の就職試験で、それが達成できる可能性があるんですけれども」。女子生徒で進学をする場合にも、専門を生かした学校に進学するケースが多い。

　具体的な就職指導としては、3年生1学期に地元企業説明会や三者面談などを開催し、8月初旬に受験先の最終希望を提出する。この時期には、一人一社を原則として企業への応募前見学を行っている。8月お盆前には、進路指導委員会で生徒個々の推薦先が決定する。島根県のルールにより、10月まで一人一社の原則で受験させるため、生徒の希望が競合した企業について求人数まで希望者を絞りこんでいる。選考のかなりのウェイトを占めるのは学業成績だが、同程度だった場合に資格取得、部活動、特別活動の実績などを加味して、総合的に選考している。

　図表1から明らかなように、2010年代に入ってから県内就職率が高まってきている。島根Q工業高校が所在する地域は、従来から「一度は県外に行ってこい」という保護者が少なくなく、また教員の勧めに応じて県外企業に就職する生徒も多かった。現在もそうした雰囲気は残存しているが、一方で「実家に残ってほしい」「遠くはちょっと…」という意向を示す保護者が増加し、二極化が進んでいるような印象を受けるという。「生徒が、遠くに行って働きたいと思っていても、最後、親御さんがあまりいい顔をしなくてというケースがだんだん増えてきた」。「生徒が、"自分はこういう理由で頑張るんだ"ということを主張するのをやめて、以前だったら、ケンカしてでも（県外に）出るということはあったんでしょうけど」。「"親が言うなら近所のあの会社にする"とかが目立つようになってきましたね」。「（保護者の）意向に沿ったような。それがだめというわけじゃないかもしれませんけれども…」。

　こうした県内志向の高まりにより、県外求人に生徒を送り出せない年が続いて、指定校求人を寄せてくれていた県外の実績企業から求人が来なくなってしまう、という状況も生じている。逆に、県内企業からの指定校求人は増加し、熱心に学校訪問に来るようになった（2017年度の学校訪問企業数は、2016年度に比べて倍近く増加している）。しかしながら、総じていえば、極端な激減というほどではないものの生徒数の減少にあわせて実績企業からの求人は減ってきた。これまで付き合いがあり、信頼関係を築けている企業との関係性はなるべく維持したいので、そうした企業にはできるだけ生徒を送りたい。それが関係維持のために大事であるとも認識されている。進路指導担当者の感覚によれば、学校推薦を得て実績企業を受験した生徒の第一次内定率は、8〜9割である。（これまで付き合いのない企業を受験する

生徒は、年によってバラツキがあるが、おおよそ1割くらいだろうと認識されている）。

企業からの求人は、ものづくりや専門性をいかせる求人とそれ以外で分類はするが、すべて公開する原則で生徒に提供している。好ましい求人かどうか、好ましい職種かどうかなどで分類、提示はしていない。就業地が県外と県内で分類して求人票をファイリングしたものを教室に置くとともに、求人一覧を作成して生徒に配布している。そのうえで、実績企業については、生徒との個別の進路相談のなかで選択肢の一つとして教員から生徒に積極的に提示するなど、意識しながら指導を行っている。

企業と学校が意見交換を行う場は、雇用推進協議会などを中心に多くある。2017年4〜6月の間に、3〜4回はそのような会に出席した。また、県の施策で近隣の商工会議所への挨拶周りも行っている。そういう活動の中で、企業からは"生徒と喋る機会を設けてほしい"という要望を聞いたり、情報交換を行う。やんわりと若者批判を受けたりすることもある。

進路指導担当者として、就職にあたり「覚悟ができない」生徒が増えた印象がある。以前だと教員からの助言（この企業に行ってみたらどうだ、こういう仕事をやってみたらどうだ）を受け入れる生徒が比較的多かったが、最近は決心がつかない生徒が少なくない。県外就職を希望する者が多かった以前に比して、「実家から通勤したい」、「地域に貢献したい」と地元志向が近年上昇していることが影響しているのかもしれない。また、最近の流れなのだろうが、働きやすさ（特に会社の雰囲気）や待遇面を気にする生徒や保護者が増えた。

4. 今後の課題と職業安定行政について

地元企業ガイダンスを最近やってくれて助かっている。しかし、学校の事情が勘案されないままスケジュールが組まれて、行事と重なるなどの問題が生じた。今後は学校と連携しながら計画・実施することで、学校の指導との相乗効果が期待できる。

また、求人票の見方を指導する立場の教員自身が、求人票をトータルに見ることができない場合がある。そのため、求人票の見方に関する教員向け研修も必要である。若者雇用促進法にともなう追加情報など、活用方法はこれからの課題なので理解を深めていく必要がある。生徒向けには、履歴書の書き方セミナーの開講も有効である。もちろん学校でも指導しているが、志望動機など平凡な内容になってしまいがちである。企業目線でどのような内容がよいのか、自己実現にむけて、どうアピールしていくことが大切なのか講座をしてもらえるとよい。

（18）青森Ａ商業高校

実施日：2017年10月31日

面談者：進路担当2年目　本校5年目

1. 学校の概要

　明治35年開校、県下で最も古い伝統ある商業高校で、地元就職率も高い。1学年は240人程度でこの10年間安定している。男女比は男子：女子＝1：2程度。

　平成21年までは、商業科、会計科、情報処理科の3学科が設置されていたが、平成22年度から会計科の募集を停止し、くくり募集を開始した。くくり募集により、入学時には学科が分かれておらず、1年間は共通の商業科目を学び、インターンシップ等を経て2年次から学科（商業5学級、情報処理1学級）・コースに分岐する。会計科募集停止の経緯は以下のとおりである。会計科は日商簿記2級等を取得し、将来的には税理士や会計士を目指す学科であるが、高校入学時にそうした興味や目標よりも学力を基準として入学してくるケースが多く、「目標とするところに到達しない」状況が生じていた。よって、2年次から商業科の会計コースとして1学級（40名）分岐する形式にしたところ、毎年7割の生徒は日商簿記2級に合格するようになった。商業科のうち残りの4学級は商業コースに分岐し、情報処理科も2年次から情報ビジネスコースと情報システムコースに分岐する。

　上述のように、くくり募集によって会計科の状況は好転したが、中学生の高校選択は学力によるところが依然として大きく、商業を勉強したい、将来税理士になりたい等の動機で入学してくる生徒は少ない。よって、「出口もさまざま」である。この10年間の就職・進学状況の変遷は、以下の図表1のようになっている。

図表1　10年間の就職・進学状況の変遷

卒業年度	卒業者数			就職率			就職者に占める県内の割合			事務職比率			進学率			進学者に占める四大の割合		
	男	女	計	男	女	計	男	女	計	男	女	県内女	男	女	計	男	女	計
2007	108	151	259	33.9	51.0	45.2	46.3	71.4	62.7	7.3	42.9	50.9	58.3	32.5	43.2	57.8	26.5	44.2
2008	106	128	234	34.0	44.5	39.7	61.1	72.4	68.1	5.6	39.7	45.2	62.3	39.8	50.0	57.6	23.1	42.4
2009	99	127	226	38.4	44.9	42.0	66.7	71.2	69.4	5.1	32.2	35.7	49.5	46.5	47.8	55.1	23.7	38.0
2010	108	122	230	29.6	41.8	37.8	45.5	75.0	64.0	15.2	32.1	38.1	63.9	41.8	52.2	56.5	27.5	44.2
2011	82	147	229	45.1	40.8	42.4	57.9	83.6	73.7	15.8	37.7	29.3	50.0	49.0	49.3	61.0	22.2	36.3
2012	100	128	228	34.0	47.7	41.7	61.8	67.2	65.3	2.9	31.1	41.5	58.0	46.9	51.8	55.2	16.7	35.6
2013	89	142	231	34.8	41.5	39.0	74.2	75.4	75.0	16.1	32.8	39.1	64.0	54.2	58.0	61.4	22.1	38.8
2014	103	126	229	41.7	46.8	44.5	72.7	85.0	79.8	13.6	41.7	29.8	57.3	51.6	54.1	51.7	12.1	31.0
2015	76	152	228	47.4	40.8	43.0	66.7	74.6	71.7	27.8	47.6	57.4	48.7	55.3	53.1	81.3	31.3	45.2
2016	87	147	234	39.1	48.3	44.9	70.6	69.0	69.5	11.8	45.1	58.8	60.9	50.3	54.3	66.0	17.6	37.8

※「事務職比率」のうち、「県内女」は、県内就職した女子のうち、事務職に就いた者の割合を示している。

　図表1をみると、2008年度卒以降は進学率が就職率を上回っている。年度によって差があるが、基本的に就職率は女子のほうが、進学率は男子のほうが高い傾向にある。女子の就職

者に関しては、県内就職率が7～8割で安定しており、男女全体でみても7割程度が県内と、県内就職率が高くなっている。また、就職者のうち事務職に就いた者の比率についても、女子は3～4割程度で安定しており、県内就職者に限定すれば、ここ2年ほどは6割近くが事務職に就いている。進学者のうち、四大に進学する者の割合は、男子が女子を大幅に上回っている。

2. 進路指導・キャリア教育の体制

　進路指導部は5名体制で、就職担当2名、進学担当が2名と、主任が1名という構成で、就職者は100名程度いるので非常に多忙である。

　進路指導の主なスケジュールは以下のようになっている。まず、1年次で特徴的なのは、9月にインターンシップを行うことである。ここでは、全員が3日間企業に出向いてインターンシップを行う。学校とつながりのある市内の企業リストからインターン先を選択する形式で、アポは進路指導部がとる。10月に行われる進路ガイダンスでは、起業家などの外部講師を呼んで講話を行う。進学希望者と就職希望者に別れてガイダンスを受けるが、このころには大体どちらの希望かが決まっている。もちろん希望が変動するケースもあるが、1割程度と割合的には多くない。

　2年次には、8月に青森県企画政策部が企画する「先輩から後輩へ夢相伝講座」が開催され、起業家その他さまざまな講師（1クラスあたり2名）から、仕事の楽しさやつらさについて講話を受け、将来をイメージさせる。9月には、高大連携の観点から、大学生とのコミュニケーションを通じて進学や進路について考えさせる「キャリアサポート推進事業」（青森県主催）もある。今年から、12月に県内企業12社を学校に招き、保護者も含めて興味のある企業から直接説明を受ける会を日曜に開催する。ハローワーク主催の説明会もあるが、生徒の希望する企業と必ずしもマッチしない状況も生じており、そうした問題意識から、県教育委員会の事業との関連もあり立ち上げた企画である。

　3年次では、5月に進路ガイダンスを開催するが、現在、ここでも企業を招いて直接説明を受けられるようにすることを計画している。6月には進路指導部で説明会を行い、求人票の見方等を業種別に説明するほか、面接練習も開始する。求人票の見方は1週間かけて丁寧に説明し、青少年雇用情報も確認するよう指導している。7月にはジョブカフェやハローワーク主催の企業説明会があり、バス代もジョブカフェが負担する。ただし上述のとおり、A商業の生徒にとっては必ずしもニーズと合っているとはいえない。応募前見学はほぼ全員が行い、複数社見学するケースもあるが、見学の時点で希望がある程度固まっており、見学に行った1社にそのまま応募するケースが圧倒的に多い。

　さらに、各学年で1回「面談週間」を設けており、自己や職業について考えさせる「面談ノート」を記入させたうえで、1回目担任、2回目副担任、3回目は生徒が教員を指名する形で、3名の教員と必ず面談するようにしている。進路志望調査も毎年行っており、1年次、2

年次で各3回、3年次には夏までに2回行われる。

3. 就職指導の現状

　進路指導部の主な業務は、求人票の整理、応募前企業見学のアポ取り、面談の練習などである。部活や授業もあり、支援員の配当がないため長時間業務になっている。特に求人票の整理は非常に時間のかかる仕事である。WEB求人については生徒がPCで閲覧するが、学校に送付・持参されてきた求人票については、進路指導部が大まかな企業名・地域・待遇面等を一社につき一行でまとめ、一覧表を作成して各クラスに紙ベースで配布する。加えて、求人票をスキャンしてPDFファイルにし、資料室のPC6～7台で職種別に検索できるようにしておく。生徒はまず紙ベースの表を見て、興味を持った企業についてはPCで実際の求人票を閲覧するという二段階の流れである。送付される求人票は毎年1000件を超え、今年度はさらに増加傾向にあるため、作業負担が大きい。送付された求人票を上述の形にして生徒に提示できるようになるまで2週間程度要するため、「学年の先生からするともっと早くみせてほしい」という要望を受けているが、現実的には厳しい。ただ、「高卒WEB求人でぽんと見てというよりも、顔が見える形の企業さんというところが、すごく大事だと思っていまして、そういう点で、やっぱりそういう作業は欠かせない」と考えている。求人票は取捨選択せず全てリスト化している。

　WEB求人と比較して、求人票を持参・郵送してくる企業のほうが内定しやすい傾向はあるが、確実ではない。安定して採用してくれる企業は、大手企業を含めて県内・県外に一定数ある。特に県内企業では、A商業のOBが要職についており、生徒の希望に合わせて求人を作ってもらえることもあるなど、「商業高校のブランドというものは、強く感じ」ている。今年度挨拶にきた企業は、県外210社、県内90社であるが、求人票の持参はやや少なくなってきている。挨拶にきた企業に対しては、県外なら社宅や寮の有無、県内なら通勤できる範囲、できない場合の施設の有無といった居住条件を第一に確認する。求める人材についても確認するが、運動部に所属している「元気な子」を、といった要望があり、OBが就職している場合等は具体的に部を指定してくるケースもある。なお、A商業だけを指定して非公開で求人を出してくる企業もある。

　希望が重複した場合、生徒にその旨は伝えるが、「その上での応募であれば」校内選考は行わず、そのまま応募させる。企業にも確認をとるが「どの企業さんも、いや、何名受けてくださっても結構ですと」いうスタンスであるため、生徒も不採用覚悟で応募する。ただし、生徒の中で自己選抜が行われることもあるため、数としては多くない。

　希望職種の男女差は、建設現場の仕事は男子のみであることを除けば基本的にないが、学科・コースの傾向として、会計コースの生徒は事務職を希望しやすい。事務職の求人はあまり多くないが、企業側も簿記や帳簿の知識がある生徒を求めており、また、上述のように「商業高校だから必ずしも全員に近い数字が事務職を希望しているかっていると、そうではない」

ため、事務職希望者は過不足なくうまくマッチングしている。

　第一次内定率は、昨年はほぼ100%だったが、今年は75%程度。県外の女子が半数程度不採用になったことが大きいが、職種問わず不採用になっているので、何らかの傾向があるというよりは本人の問題だろうと考えている。ただし、つながりのある企業にはほとんど内定しており、不採用になるのはやはりつながりがない企業である。今年は学校とつながりのない企業をWEB求人で探して応募する生徒が多いが、そうしたケースはあまり内定がもらえない傾向にある。「先輩たちが行っているところ（筆者注：企業）というのは、先輩たちからの情報が入ってくる」ことに加え、「求人票もお持ちされていろいろ説明してくだされば、我々もいろいろ説明できる」が、WEB求人では「やっぱり顔が見えない」ために、うまくいかないこともある。このような情報は、早期離職が多い企業ではなく、長く勤続できるような企業を生徒に勧めるという点でも有用である。なお、現在、最終的な内定率は100%であるが、これはリーマンショック後を底として求人が増加してきたという景気的な理由によるところが明らかである。

　上述のように、企業とのつながりが重要であるため、「どうしても長い目で見ると、いつも同じようなところに行っているようには見える」。よって、企業が集まる説明会に出席し、「おもしろそうな会社」があれば生徒に紹介したり、新たに求人票を持参した企業が魅力的であれば、その年は応募がなくても教員が実際に出向いたりするなど、新規開拓を行っている。昨年も今年も、新たに開拓した企業に就職した生徒が数名いる。

　一人二社については、10月までで就職が決まってしまうため、利用する生徒はいないが、もし未内定者が複数応募を希望した場合、学校としては複数応募してもかまわないという方針である。公務員志望者の民間との併願は不可で、公務員試験一本で受験し、結果が出てから、不合格であった場合はあらためて就職活動を行う。

4.　今後の課題と安定行政への要望

　前節で述べたとおり、ハローワーク主催の企業説明会は生徒の希望とあまりマッチングしないため、2年次、3年次に、A商業の生徒が希望するような企業を学校に招き、生徒や保護者が直接説明を聞くことができるイベント等を行っていきたい。また、就職支援員の配当がなくなり、求人票リスト作成等、進路指導部の物理的な負担が非常に重くなっているため、来年に向けてサポート体制を考えたい。ハローワークの支援で非常に効果的だと感じているのは、未内定者に対し、学校まで出向いてアドバイスをしたり、企業を紹介してくれたりすることである。要望としては、平日に進路行事を入れられると、かなりの数の生徒が授業をつぶして行かなければならないことになり、困るため、土日開催を検討して欲しい。ジョブサポーターの支援は現在のところ特に受けていない。

（19）青森 B 工業高校

実施日:2017 年 10 月 30 日

面談者：進路指導部の先生 2 名

（本校 3 年目、本校 1 年目）

1. 学校の概要

　大正期創立の伝統ある工業高校で、定時制課程を併置。現在は 7 学科（機械科・電子機械科・電気科・電子科・情報技術科・建築科・都市環境科）となっている。各科定員 35 名であり、女子生徒も各学年 20〜30 名ほど在籍している。部活動が盛んでスポーツだけでなく文化部も全国大会に出場している。学校独自の活動として、全校生徒による青森ねぶた祭へのねぶた運行を 25 年間行っている。ねぶた製作、山車の運行、囃子、跳人まで全て生徒が行う。

　進路は進学が 3 割強で 7 割近くは就職する。県内就職者割合は就職者を 100 としたうちのうち 3 割前後を推移しており、県外就職者が 7.割を超えている。

図表 1　進路の推移

	県外	県内	公務員	就職者計	大学	短大	職業能力開発施設	専門学校	進学者計	その他	就職者割合	県内就職者割合
2008	122	49	4	175	40	3	29		72	17	66.3	28.0
2009	110	48	11	169	52	5	41		98	7	61.7	28.4
2010	89	45	13	147	58	3	46		107	9	55.9	30.6
2011	79	71	9	159	52	4	35		91	10	61.2	44.7
2012	86	54	5	145	32	2	15	25	74	22	60.2	37.2
2013	89	55	10	154	44	0	9	26	79	6	64.4	35.7
2014	91	47	10	148	38	5	14	21	78	6	63.8	31.8
2015	106	53	3	162	43	6	11	16	76	1	67.8	32.7
2016	110	35	12	157	43	4	10	23	80	1	66.0	22.3
2017	107	52	9	168	50	0	6	12	68	3	70.3	31.0

※2008 年〜2011 年までは職業能力開発施設と専門学校は同一カテゴリーとなっている。

2. 進路指導・キャリア教育の体制

　進路指導部と科が連携して進路指導・キャリア教育に当たっている。進路指導部は専任 8 名体制（普通科教諭 4 名、工業科教諭 4 名）。工業 7 科は科長を筆頭に教諭、実習教諭等 6−7 名で構成されている。進路希望調査は毎年春に行っており 1 年次は未定が多いが、その後の進路が決定されていく。

　進路指導部主催として主にロングホームルームの時間を活用しながら、1 年次は進路講話・進路講演会・企業ガイダンス（ジョブカフェ）、2 年次は進路講話・先輩の講話・企業説明会（経済団体とタイアップ）、3 年次は模擬面接会、合同企業説明会（ハローワーク主催）、応募前企業見学を行っている。

　科主導として、1 年次は企業見学会（バスツアー）、2 年次は企業見学会（バスツアー）と

インターンシップ（全員で3日間の職業体験）、3年次に研究成果発表会を行っている。また資格取得のための講習会を実施している。

学年主導として、2・3年で民間業者に依頼して進路ガイダンスの実施、作文、小論文講座を行っている。また基礎学力不足により就職における筆記試験が受かりにくくなっているという問題意識から、学力向上委員会が始業前の10分間を活用して、読書、漢字、英単語、数学の小テストを実施している。補習も実施しており一定の成果が上がってはいるものの、まだ学力面での課題は大きい。

3. 就職指導

2年次3学期から四者面談（生徒・保護者・担任・科長）を実施し、県内か県外か、職種や具体的な希望等について確認する。普通科とは異なり工業高校の就職においては進路指導部よりも科の先生が持っているつながりや情報が大きい。ここ数年の先輩の就職先や前年度の求人票を参照しながら生徒は決めているようだ。

3年生春に四者面談を行って確定するが、3年次4月の進路希望調査においては具体的な企業名を提出させ、複数名の希望がある場合には科長同士で調整を行なう。ただし科が違うと職種も異なるのであまり重ならない。生徒は求人が解禁になる以前に、希望する受験先をほぼ固めているようだ。

7月1日から求人票を進路指導部において公開し、生徒は希望する企業の今年度の求人票をコピーし内容について確認する。7月末に推薦会議を開いて、一人一社の応募先を確認する。ミスマッチを防ぐため応募前見学に行くように指導しているが、最近は遠方でも交通費を負担してくれる企業も多い。

今年度は県外が8割を超えているが、積極的に県外に行くように指導しているわけではない。県外では自分のスキルを生かせること、また労働条件や福利厚生は県外の方がはるかに良い。県外企業は就職後のキャリアや研修計画等の将来の見通しについての情報提供ができる点も県内企業とは異なる。保護者も工業で男子生徒が多いせいか、県外に出ることに抵抗がないようだ。進路指導としては県内に行けとも県外に行けともいわない。「まず自分が一番行きたいところを考えなさいということで相談に乗るよという話をして…様々な情報は提供しなきゃいけないから、1年生から県内の企業もこうやってバスで回って歩いて様々情報を得ているし、企業の方がこの学校に来たらその話を聞いたりして、科長を通じてフィードバックして情報を流しているんですよ。」

一人一社制について保護者が尋ねてきた経験はない。「大学生は企業研究というのができるでしょ、3年次から。比較検討するだけの情報力とか分析力とか、そういうのを持っているけれども、高校生ってやったことがないので、知らないです。となれば学校の先生方に相談して選んだ企業に行くのが一番安全かなという形での信頼関係」が存在している。また「大学のほうも推薦が1校ですからね。だからぜんぜんその辺は疑問何もないと思いますね。」と

いうことで進学の指定校推薦と同様だと捉えられているようだ。生徒から民間と公務員との掛け持ちについて尋ねられることはあるが、どちらかにするように促す。「公務員受かったからそっち（民間企業）を断りますなんていうのは信頼関係が崩れてしまうんですよ。」

今年は第一回目で85%合格したが、去年はもっと高かった。11月末でほぼ全員内定すると予測している。

4. 求人について

2005年から2009年までは県内・県外を合わせて1000社を超えていたが、2010年はリーマンショックの影響で860社まで落ち込んだ。2013年から持ち直して、昨年は1900社まで増加した。増加したのは主に建築関係であり、工業以外の職種も目に付く。

今年度の企業訪問は4月から9月で約400社。企業訪問の際には、科長が対応する時も進路指導部が対応する時もあるが、就職面談資料という共通の面談シートを作成し情報を共有している。労働条件の他、求める人材像も聞き取っている。県外企業は採用内定後の挨拶、4月に担当の挨拶、6－7月に求人票を持参し、1年に3回足を運んでくる。対面する企業と、求人票を送ってくるだけの企業ではまったく印象が異なる。「科長は会って聞きたいです、話を。話をしながら誰かをイメージして、あの子に合うんじゃないかとなれば紹介しますよね。」教員も県外企業の訪問を科で行っており、1名あたり7－8社を訪問する。

5. 今後

現在の指導を継続していくが、進学者については高校で学んだことと全く異なる領域の大学や専門学校に進学する生徒が4割おり、進学後の学力面で不安がある。

安定行政に対しては、受験後1週間以内に企業は就職試験の採否を通知するとされているが、もし不採用だった場合生徒が二次募集のチャンスを逃してしまうため、2－3週間待っても来ない企業に対しては指導を強めて欲しい。

（20）高知 A 商業高校

実施日：2017 年 11 月 1 日
面談者：進路指導部長
3 年学年主任

1. 学校の概要

創立百年を超える歴史と伝統を持つ市立商業高校。現在は各学年 4 学科・8 クラス、学校全体の定員は 840 名である。学科構成としては、「総合マネジメント科」が 4 クラス（うち国公立大学や有名私立大学合格を目指す「特進コース」1 クラス、資格の取得・希望の進路実現を目指す「ライセンスコース」3 クラス）、「社会マネジメント科」（英語力をつけ、社会貢献活動を学び、行動できる人材の育成を目指す）が 2 クラス、「情報マネジメント科」（資格取得・パソコン技術習得に力を入れ、情報社会で活躍できる人材の育成を目指す）及び「スポーツマネジメント科」（スポーツリーダーとして活躍し、希望の進路実現を目指す）が各 1 クラスである。進学にも就職にも強く地域に貢献する商業高校として以下の 4 点に力を入れている。①進学、②レベルの高い検定取得、③部活動・生徒会活動・学校行事、④「市商マネジメント力」の育成（コミュニケーション力＋課題発見・課題解決力＋プレゼンテーション力＋ICT 活用力・英語運用力＋察する力）

2. 進路（就職）指導・キャリア教育の体制とプログラム

進路指導部は 14 名（教員 13 名、事務担当 1 名）で運営している。最近の新しい取組みとして、各学年主任が進路指導部に入ることとした。市立高校で教員の異動が少なく、OB（同校卒業生）教員が多いことなどから、教員と生徒との関係が近く、コミュニケーションを図りやすい雰囲気がある。

キャリア教育は 3 年間を通して計画的に実施されている。行事を生徒主体で行うこと自体がキャリア教育となる。例えば、生徒会中心の運営による近隣商店街活性化の取組みとして、ラオスの商品を買い付けて販売し、利益が出たら現地支援に使うといった事業を 20 年以上続けている。

「生徒が考えて、前でプレゼンさせるということも、その都度の行事で行うようにしていますので。行事自体がほんとうにキャリア教育というか、人の前へ立って、自分の意見をまとめて発表することは、就職する上でも、とにかくすぐ役立ちます。」

学年段階ごとに、1 年生はタイムマネジメント、2 年生はセルフマネジメント、3 年生はキャリアマネジメントができるようにということを理念としている。

1、2 年次の進路指導はロングホームルームが主体となる。1 年次では「高知県の企業を知ろう」というテーマで夏休みの課題があり、経営者協会が作成している県内企業紹介資料な

どもクラスに 1 冊は配布している（同冊子は 3 年生の就職希望者全員に配布）。2 年次後半に
なってはっきり進路を決めていく生徒が多いようだ。

3. 就職指導の現状

　長年、就職者数は 50 名前後（2 割程度）で推移してきたが、4 年制大学進学者の増加に伴
い、就職者と専門学校進学者が減ってきた（図表 1）。2018 年 3 月卒業予定者に関しては、11
月時点で就職予定者が 29 名（うち 26 名が 1 社目で決定、2 名が 2 社目で決定、1 名はヒア
リング時現在で結果待ち）、公務員希望者数名（市役所、自衛隊など。民間との併願はしない。）
を加えても全体の 15％に届かない人数となっている。

　入学時から就職希望という生徒は減ってきてはいるが一定数いる。進路変更は進学から就
職へというケースも逆のケースもある。進学から就職への進路変更は、家計の状況から県内
大学以外は進学が難しく、志望校に合格できなかったような場合である。景気がよくなった
といっても、地域の生活は変わっていない。

　求人数は順調に増えている。2017 年 3 月卒業者対象の県内求人は 129 社、2018 年 3 月卒
業者対象は 11 月時点で 143 社であり、厳しい時期には 20 社程度に落ち込んでいたのと比較
すると大幅な回復である。ここ 1〜2 年は銀行をはじめとする事務職求人も増え、希望者全員
が事務職で就職できている。また、今年は企業による学校訪問も多い。県外就職率は年によ
って変動があるが、傾向的には 2 割前後で推移してきた（図表 2）。県外就職はほとんどが大
手企業であるが、事務職を中心に県内求人が増えていることもあり、2018 年 3 月卒業者の県
外就職者は例年よりかなり少なくなる見込みである。

　「全国的な傾向だと思うんですけれども、高卒の事務の求人というのがなかったんですね、
ここ何年か。ちょうど去年あたりからぽつぽつ増えてきまして、例えば、地元の銀行さんが
高卒の採用を積極的に出し始めてくれて、それに追随するように、ほかの経理事務なんかの
求人も出てきて、病院事務や介護施設の経理事務とか、多いですね。」

　3 年生の就職指導の流れとしては、4 月に就職希望調査を行うが、この時点で志望企業まで
決めている生徒は 2〜3 名程度。求人票が開示されてから夏休みに決める生徒がほとんどで
ある。職種はだいたい決めている生徒が多く、ほとんどが県内求人希望、その他の優先事項
としては給与、勤務時間、福利厚生などである。

　校内選考は 7〜8 月に選考会を開催して行う。選考基準は成績に基づくルールである。仕事
内容などの関係で成績だけでは決めがたいケースもあるが、学校としての説明責任もあり、
ルールに沿って行う。企業とのやり取りの中で複数名推薦可という感触があれば 2 人受けさ
せることもある。企業との接触で情報をつかむことが重要である。

　「（校内選考は）しますが、ただ、それまでの企業さんとのやりとりの中で、一応 1 人の求
人ですけど、もしええ子がおったら複数名受けてもらっても、というのを事前に言ってくれ
るところもあるので。電話連絡とか、（企業が）訪問されたときなんかでも、そういうのはつ

かんでおくので。」

　ミスマッチを防ぐ意味でも、職場環境が自分に合うかどうか具体的に確認することが大切であるので、企業見学には極力行かせる。合同企業説明会にも行かせている。

　10月1日からは2社応募が可能とする申し合わせであり、過去応募例はある（昨年も1件）。申し合わせがある以上、事業所としてはダメとは言わないが、事前了解を取ると先方の声が曇り、反応はあまりよくはないと感じている。なかなか充足せずに2次、3次募集をするような事業所は受け入れてくれるかもしれないが、大学生の就職活動と同じようには受け止められていないようだ。

　「実際、（複数応募は）ルール的にできるんだけど、あんまりこういうことはせんほうが、生徒にとっていいのかな、というような印象は受けました、去年。」

4.　企業との意見交換等について

　県主催の企業との面談会に参加して情報収集している。就職者のいる企業に対しては、その際に状況を聞いている。また、企業による学校訪問も多いので、その際に求人票に書かれていないことについても確認して情報を補うようにしている（転勤の可能性や寮の有無など）。

5.　今後のキャリア教育、進路（就職）指導の課題など

　商業高校であるが、学校として進学実績を前面に出しており、今後も大学進学者が増えていくと考えられる。県内大学は国公立のみなので、推薦入試で県外大学に進学する者が多いが、帰って就職したいと希望しても実際に帰れるのは希望者の半分ぐらいであり、進学者も含めた県内求人の受け皿は十分ではない。

6.　安定行政との関係、要望など

　ここ数年は就職未定者がいないので、ハローワークに紹介を依頼する必要がなく、ジョブサポーターによる支援も受けていない。ハローワークからは、県全体の状況についてのデータ（事務職の就職状況など）を提供してほしい。また、公正選考に関して問題のある事案が生じた場合の企業への指導状況についてもフィードバックしてもらえるとよいと考えている。

図表1　進路の状況

	4年制大学（国公立）	短期大学	専門・各種	就職	就職未決定	その他・未定	合計	就職率
2007年	86(8)	21	108	51	4	1	271	18.8%
2008年	64(3)	26	99	52	4	9	254	20.5%
2009年	77(12)	26	120	43	4	4	274	15.7%
2010年	99(12)	26	93	45	1	10	274	16.4%
2011年	87(14)	31	88	55	2	12	275	20.0%
2012年	94(18)	32	88	44	2	11	271	16.2%
2013年	92(19)	40	90	51	0	1	274	18.8%
2014年	107(27)	26	88	51	0	2	274	18.6%
2015年	85(22)	25	104	64	0	2	280	22.9%
2016年	126(32)	29	71	50	0	1	277	18.1%

提供資料に基づき作成

図表2　就職先の内訳

		2008年度	2009年度	2010年度	2011年度	2012年度	2013年度	2014年度	2015年度	2016年度
産業別	農業、林業、漁業、鉱業等		1	2		1	3	2		1
	建設業		1	2	7	2	1	5	7	2
	製造業	9	7	11	10	9	8	8	13	4
	電気・ガス・水道業等	2		1	1	1	2	2		
	情報通信業	2	1		1	1	1		1	
	運輸業	3	1	2	13		1	3	3	4
	卸売業、小売業	23	13	7	1	5	14	15	10	12
	金融業、保険業			1	2	1	1	2	3	6
	不動産業、物品貸付業	1						1	2	1
	学術研究、専門・技術サービス業						1		3	2
	宿泊業、飲食サービス業	6	4	3	2	8	6	2	7	3
	生活関連サービス業、娯楽業						4	3	2	1
	教育、学習支援業		1						1	
	医療、福祉	3	2	3	2	2	2	2	2	1
	複合サービス業		2		3	1			1	1
	その他サービス業、分類不能,	3	5	12	2	1	1	1	1	2
	公務		5	1	11	8	7	8	8	10
職業別	管理的職業、専門的・技術的職業	2	4	5	3	1	2	3	7	
	事務的職業	11	11	15	11	10	19	19	19	21
	販売の職業	19	7	4	6	4	10	8	4	12
	サービスの職業	9	5	4	5	13	9	4	10	5
	保安の職業	1	1	1	9	7	3	6	6	8
	農林漁業の職業			1		1	2	1		
	生産工程の職業[1]	9	10	14	19	3	2	6	12	2
	輸送・機械運転の職業[2]	1			2	3			1	1
	建設・採掘の職業						1	1	1	1
	運搬・清掃・包装等の職業						2	3	3	4
	その他[3]		5	1						
	県　内	35	29	32	42	36	41	42	42	40
	県　外	17	14	13	13	8	10	9	22	10
	県外就職率(%)	32.7	32.6	28.9	23.6	18.2	19.6	17.6	34.4	20.0
	計	52	43	45	55	44	51	51	64	50

産業別、職業別分類は年度により変更があり、時系列で接続しない。
1)2011年度までは「生産工程. 労務作業者」の数、2)2011年度までは「運輸・通信従事者」の数、3)2009、2010年度は「その他」に公務員を含む

提供資料に基づき作成

（21）高知 B 工業高校

実施日：2017 年 8 月 24 日

面談者：校長（2016 年度赴任）

進路指導部長（教職 16 年目）

1. 学校の概要と 10 年間の進路状況

（1）学校の概要

昭和 37 年に創立された工業高校。現在は機械科、電子科、電子機械科、機械生産システム科（以上、全日制）、定時制の機械科が設置されている。

全県学区制のなかで、最近は定員割れの状況が続いてきた。昨年度、学科をひとつ廃止して 4 学科となった。現在の生徒の定員充足率は 7 割程度。入学者のなかには具体的な目標を持っている生徒も一部いるが、以前に比べて進路意識が不明確なまま入学してくる生徒が増加したように感じられている。中途退学者は一時期問題になっていたが、中退防止指定校になり、最近では年間一桁台にまで減少した。

全国の工業高校の中でも珍しい電気系と機械系に特化した学校である。近隣に所在する他の工業高校との差別化や学校の特色づくりとして、電気と機械の両方を学ぶこと（電気専門の教員が機械科の生徒に教えたり、その逆もある）を校外にアピールしている。

（2）10 年間の進路状況

生徒たちの 6 割は就職し、4 割が進学する。就職に関して、県外就職が多数派ではあるが、県内就職が以前よりも増加傾向にあり、2000 年代後半では 3 割前後であったのが 2010 年代では 4 割強で推移している（2015 年のみ 6 割を超えている）。この背景として、地元企業が直接学校を訪問して求人を寄せてくるようになったなど、求人全体に占める県内求人の割合が高まってきたことがあると考えられる（図表 1 下段を参照）。

図表 1　進路別生徒数と就職率、県内就職率、求人数の推移

		2007	2008	2009	2010	2011	2012	2013	2014	2015	2016
卒業者数		149	134	154	176	165	164	165	162	146	120
就職	県内	34	25	29	35	39	42	44	48	50	33
	県外	64	60	74	66	56	60	61	60	26	40
	合計	98	85	103	101	95	102	105	108	76	73
進学		47	42	44	66	64	59	56	51	65	44
その他		4	7	7	9	6	3	4	3	5	3
就職率(%)		65.8	63.4	66.9	57.4	57.6	62.2	63.6	66.7	52.1	60.8
県内就職率(%)		34.7	29.4	28.2	34.7	41.1	41.2	41.9	44.4	65.8	45.2
県内求人数		92	116	67	86	91	103	108	128	207	205
県外求人数		777	1139	369	289	263	269	319	467	528	477

注）学校提供資料より筆者作成

進学に関して、専門学校進学者が毎年 30-40 名程度、大学等進学者が 10-20 名程度であり、毎年若干名が地元公立工業系大学に進学している。また、一時期ほど問題になってはいないものの、就職も進学もせずに卒業を迎える進路未決定の生徒が毎年若干名発生している。「ただまあ、その子たちがどうして進路未決定なのかというたら、消極的な進路未決定ではほとんどないんですよ。自分でこういうことをしたいから、何年間かバイトして、そこからとかいうことを個人的に持っている子とかですね」。そうした生徒に対しては、進路指導部よりも担任教員が中心となって指導にあたっている。

2. 進路指導・キャリア教育の体制

進路指導部は現在 8 名で構成されている。理想としては、就職試験対策のことを考えると国語・数学・英語の教科担当に入ってもらいたいが、現在は国語 1 名、数学 2 名の先生に入ってもらっている。数年前から 3 年生担任は進路指導部に入っていない。学校全体では、教員の進路指導の力量を含めた「学級経営力」の力量を高めることを意識してやっている。最近では「進路ロングホームルーム」といった時間を設定して進路指導部長が講話をしたり、担任教員に指導させたりするなかで、各教員が OJT 的に進路指導の力量を高めている。

進路指導・キャリア教育プログラムとして、1 年生から進路ロングホームルームの時間を設定しつつ企業見学も導入し、2 年生の 3 月には職場体験（デュアルシステム）を実施している。現在の進路指導部長になってから、2 年生の冬休み明けに進路希望調査を提出して貰い、3 学期中には就職希望者と進学希望者を分けて進路講話を行っている。

図表 2　進路指導への取り組み

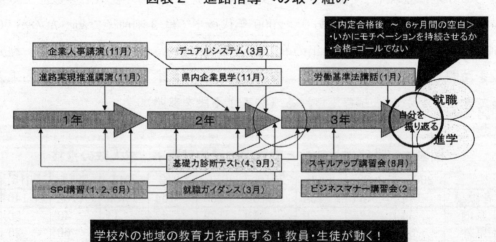

3. 就職指導

学校に寄せられる求人全体の半分程度は製造業で占められている。地元企業からの求人がここ 2～3 年で増加してきた。サービス業の求人はしばらく増加傾向にあったが、最近はむし

ろ建設業の求人増加が目立つようになっている。

　指定校求人や実績企業からの求人は大きく減っていない。とくに県外企業（中部地方の自動車関連が多い）からは毎年求人がある。「なぜそういったことで出していただけるかということも、特に県外の企業さんがおっしゃられるのが"高知Ｂ工業高校の生徒は辞めない"と。定着率がいいというところも、やっぱりあるみたいです」。「踏んづけられても立ち上がる。踏んづけたらいけませんけどね。イメージとして。たくましい。ただ筋骨隆々の外見だけのたくましさやなしに、黙々と仕事に取り込める子。ここが頑張りどころやという、歯を食いしばれとは大げさかもしれんけど、そういうような根気強い生徒の育成をしているのも要因かなとも思います」。

　このように毎年求人を寄せてくれる実績企業は大事にしたいと考えており、関係維持のため教員による企業訪問を行い、求められる生徒像を把握している。最近は女子生徒の採用に積極的な製造業企業もある。女子社員がいると職場がキレイになるなど。

　すべての求人票は、進路資料室で閲覧可能になっている。「1つの企業を1ファイルにして、求人票とかパンフレットとか挟んで、生徒が閲覧できるようにはしています」。ただし、生徒が希望する業種が同じである場合、教員は実績企業を優先的に紹介するようにしている。「正直というか、本音を言うと、やっぱり継続的に求人をいただいている企業さんに、優先的に応募者を出したいという思いはあるので、一応クラスの担任さんには、"同じ業種やったら、こっちのほうを勧めるようにお願いしますね"ということは言うてます。ただそれが全て強制でしているわけではないので」。あるいは、Ｂ工業の卒業生を採用したことのある企業にはシールを貼り、生徒自身で判別できるようにしている。「継続的に本校の卒業生が育っている会社というのは、そういう人材育成がうまくやっていただいているので、生徒も、先輩がいる会社というのは目につくというか、気になるわけですね。そういうようなシールを張っていますので、ファイルに」。これらの工夫を通じて実績企業との関係維持に努めている。

　就職指導は、高知県のルールに従って一人一社制でスタートする。受験先一社を決定するための校内選考は、毎年8月2日に実施している。ハローワークから"やってくれ"とも言われる（いたずらに競争率を上げないためだと学校側は理解している）。それに先立ち、確認会という各クラスの情報共有の場が設けられ、選考会議前のおおまかな希望調整が行われる。選考基準は成績をメインに、部活動なども勘案する。企業の選考基準との乖離があることは認識している（企業の求める人材像に関する教員側の認識は、後述）。そのうえで、「一応適性のところは事前には話はしますよ。進路ロングホームルームの中で、"いや、力仕事で力が強い子って言うてるところにヒョロヒョロの子が行ってもいかんだろ"っていう話はやはり前置きして、1年生の段階から話はしますけれども、それで全てが解決するわけではないですが、ただ"そういう意識は持っちょってね"ということで」。全てが成績順位によるわけではないが、学校だとどうしても成績をメインの基準にせざるをえない。それでも学校推薦で受験した生徒が1社目で採用される確率（第一次内定率）は、2016年度は95％ときわめて高

かった。2015年度は90％、2014年度は85％と、最近上昇してきた。

　高知県のルール上、10月以降、企業の了解を得られれば複数応募も可能になる。しかし、進路指導担当者は、企業に問い合わせをしても絶対に複数応募を了解してくれないという。「結局、高卒生が守られている1つの理由としては、やっぱり受験をして内定を出すと、必ず来てくれるっていうことが企業さんとしてのメリットではあるとは思います」。「学校としても、約束では、そこはもう"専願で受けますよ"ということは前提に受験させています」。

　教員らの認識によれば、企業は生徒の選考において、成績よりも先に、元気がある生徒、人と話すことができる（異世代とコミュニケーションをとることができる）生徒、タフさのある生徒を求めている。教員にとっても、最近の生徒はコミュニケーションをとるのが難しくなった。以前の生徒は、その場その場に飛び込めばなんとかなっていたが、最近の生徒は経験値が少なくトレーニングが必要になっている。東京で参加したある経営者の講演では、企業は生徒の専門性に期待しておらず、それ以外の社会人としてのマナーや態度を求めていると聞いた。そうした部分は、専門教科を教えるなかで学校でも育成できる、育成していく必要があると考えている。

　県外からの求人について、生徒も保護者もほとんど抵抗を示さない。ただ、保護者の介入や影響力は強くなってきており、たとえば優良企業であっても保護者が知らないと「知らないからやめておけ」と助言してしまうこともある。保護者の意向に沿って就職を決める生徒もおり、入社後に「俺が入社を決めたんじゃない」と言って辞めたケースもあるようだ（会社からの苦言）。総じて、就職に際して生徒には「覚悟」ができない傾向が感じられる（ただし、前述した"辞めない"県外就職者たちは、就職にあたり「覚悟」をもっているという）。

4.　今後の課題と職業安定行政について

　ハローワークには求人票の見方に関する講座を実施してもらっている。最近は、学校生活を頑張らなくても就職できる、といった意識が高まっているのか、卒業見込みを得られない生徒が増えている。卒業見込みがなく学校推薦を得られない生徒のフォローとして、ハローワークと情報共有するなど連携している。また、喫緊の課題となっているわけではないが、発達障害をもった生徒の対応を想定し、多様な特性をもつ子どもの進路先を一緒に考えられるような連携の在り方・内容を検討していく必要がある。

　若者雇用促進法により求人票に新しく記載された企業の情報について生徒はあまりそこまで見ないのではないか。また、企業には数字だけでは分からない部分があり、そうした部分について応募前見学等を通じて直接理解した上で応募すべきだ、と考えている。

（22）秋田Ａ商業高校

実施日：2017 年 11 月 24 日

面接者：進路指導主事（主事としては 2 年目、進路指導経験は 10 年近く）

1. 学校の概要と進路の状況

　大正期からの歴史を持つ伝統商業高校であり、部活動が盛んで、プロ選手も輩出している。1 学年 6 クラス 240 名定員で、男女比は女子が 6 割〜5 割とやや多い。簿記や情報処理の資格取得を重視しており、2 年からのコース分け（会計、情報、流通経済の 3 コース）の際には、会計と情報コース選択は一定の資格取得を条件としている。卒業後の進路は、就職が約 4 割、進学が約 6 割で推移してきたが最近は就職者が減っている。就職先は県内が多い。県外は近年は 2 割程度だが、10 年ほど前はもっと多く、県内比率は長期的に高まっている。

図表 1　卒業生の進路の変化

	卒業者計(人)	就職				進学	その他	就職/卒業(%)	県外/就職計(%)
		県内民間企業	県内公務員	県外民間企業	県外公務員				
2012年3月卒*	*229*	83		10		132	–	*40.6*	*10.8*
2013年3月卒*	*236*	76		20		136	–	*40.7*	*20.8*
2014年3月卒*	*236*	76		19		133	–	*40.3*	*20.0*
2015年3月卒	238	72	3	14	3	141	5	38.7	18.5
2016年3月卒	239	68	7	15	3	145	1	38.9	19.4
2017年3月卒	238	59	4	12	4	157	2	33.2	20.3
2018年3月卒予定（2017年11月24日現在）	239	60	4	8	9	100	–	33.9	21.0

*HP掲載情報のため、卒業者数は就職と進学の和（「その他」を含まない）であり、就職は民間企業と公務の区別をしていない。

2. 就職指導・応募先決定までのプロセス

　2 年次の半ばから就職希望者向けに履歴書の書き方などの指導を始め、前年度の求人票を見せて志望先を検討させる。毎年求人がある企業もあれば、事務職求人などは充足されれば翌年の募集がないことなどを細かく教え、3 月までには就職希望（県内・県外／職種）を固めるように指導する。卒業生の進路状況などは保護者を含めて随時伝えている。

　求人票の開示後は、校内で受付けた求人と公開求人から、県内求人については 250 社程度、県外求人については 150 社程度に絞ってファイルとリストを作成し各教室に配布する。進路指導室ではこのほか、最新のものを掲示しており、保護者が閲覧に来ることもある。なお、学校指定の求人は同校のみ指定は 4、5 社、他校も含めての指定でも十数社と限られている。求人票は PDF 化しているので、生徒は選んだ求人票を持ち帰り、保護者と相談の上、第 3 希望まで志望先を決める。応募前企業見学は行くことを勧めている。行くのは原則 1 社、ただ

し校内選考などで応募先変更に至る場合には複数見学に行くことがある。

3. 「一人一社制について」

　一人一社で応募させており、同時に複数社応募はさせていない。内定辞退はできないと生徒には伝えている。かつて勤務地が遠方となったために内定辞退をしたケースがあり、結果としてその企業からの求人が来なくなった。こうした経緯もあって、企業との信頼関係を重視し、内定辞退はできないことを進路の手引き等で明示している。公務員との併願も不可としている。当初から複数応募可という県の方針については、「現場では困っている」。

　応募希望者が求人票の採用予定数を超えた場合は、校内選考をおこなう。事務職はほぼ希望が重なる。今年も企業の採用数が合計で約20人のところに約30人の希望があった。成績や出席日数を主な選考基準とすることは、保護者にも事前に伝えており、きちんと伝えるようにしてから特に問題は起きていない。事務職求人は、募集が少ないところに希望者が多いので、校内選考になることが多い。なお、競合する応募希望者がいなければ、求人者の求める条件に合致しないと思われる生徒でも、そのまま応募させている。

　ヒアリング対応者は、個人的には一人一社の原則をはっきり生徒や保護者に伝えてからのほうが、第一次就職内定率は高まっており（70％台→90％台に）、秋田県も他県と同様、当初は一人一社としたほうがいいと考えている。

4. キャリア教育・生徒の企業との接点

　1年次からの体系的なキャリア教育に力を入れており、生徒が職業・企業について学ぶ機会は多い。昨年は、1.2年生に対して、職業人であるOBに各教室を回って講話してもらう行事を行った。また、経営者団体との連携で、校内での県内企業紹介のイベントも行っている。この他、進路希望の実現のために、資格取得に向けての指導に加え、基礎学力向上、一般教養教育、公務員試験対策にも力を入れている。

（23）秋田 B 工業高校

実施日：2017 年 11 月 24 日

面接者：進路指導主事（本校 1 年目）

1. 学校の概要と進路の状況

　明治期に創立された伝統ある工業高校。現在は機械科、電気エネルギー科、土木科、建築科、工業化学科の計 210 名の定員となっており、うち女子の入学者は 30 名を占める。スポーツ系の部活が盛んである。卒業者の 6 － 7 割は就職。昨年は県外就職が多い。県外の方が条件面でよいことがあるが、最近の保護者は県内にこだわらない。「昔はある程度家を見なきゃいけないんだから残りますみたいな生徒が多かったんですけど、最近はそういう理由を言う生徒はほとんどいないですね。自分の気持ち的に県外に行くのはちょっと怖いみたいな、そういう面で残る生徒はいますが。」今年度県外から来た求人のうち生徒に開示する求人票は専門と関連した 374 件。県内についてはハローワークのインターネットサービスからダウンロードする。

図表 1　進路の推移

	県内企業等	県外企業等	県内公務員	県外公務員	進学者	その他	就職率（%）	県外就職割合（民間：%）
平成25年度	76	69	13	4	65	6	69.5	47.6
平成26年度	86	63	7	8	74	0	70.4	42.3
平成27年度	65	61	13	6	54	0	62.2	48.4
平成28年度	54	77	13	4	59	1	63.5	58.8

2. 就職指導・応募先決定までのプロセス

　2 年生のうちから前年度の求人票を開示している。2 年生の 3 学期に三者面談を行い、この時点で先輩が就職している企業に希望を絞っている生徒もいる。「就職するんだという意識は 2 年生くらいから出てきていると思うので。三者面談のときに、早い生徒は、1 年生のとき（具体的な企業名を）言っている生徒もいますけど。ここに来た生徒の目的、就職というのが大多数がそうなので。学校がつながっている会社に関しては、それなりに決まり始めていますね。」6 月になると企業訪問があり採用人数が把握できるので、生徒の希望と照らし合わせる。決まらない生徒については職種や希望地域を明確にするように指導して求人票の中から探してもらうが、絞りきれない場合は科や進路指導部で 3 － 4 社を紹介する。

　人数が指定されている場合にはできるだけ近づけるようにするが、企業側から了解が取れれば人数を超えている場合でも受験させる。希望が重なった場合には平均評定に基づき校内

選考をするが、ここ数年は1件のみである。1クラス35名なので、求人が沢山あり生徒もお互いに希望を分かっているので重なることは少ない。

　最近は「先輩とのつながりから、いい情報、悪い情報がどんどんつながっていくので、我々の情報よりも多分もっと身近な先輩たちの寮が汚いとか飯がまずいとか、そういう情報が多分リアルに回っている。」また受験する企業の決定には保護者の影響力も大きい。

　過去には企業が直接科を訪問する場合もあったが、リーマンショックで求人が激減した際、生徒の就職率を高めるために科の垣根を取り払って情報を共有するようになった。現在、企業の訪問は進路指導部を通じて受けており、科の主任が進路指導部に所属している。

3.　「一人一社制について」

　原則として「一人一社」で運用しているが、複数応募をした生徒が26年度に2名、27年度に1名いた。いずれも併願先はサービス業で「複数応募可」とされていた求人であり、倍率が高く不安なので念のためにもう1社受けたいとのことであった。公務員は原則併願しないようにお願いしている。本校の工業系の求人のほとんどは「複数応募可」ではないので、生徒の大半は「一人一社」で受験し、昨年は9割強、今年は95%弱が1回目で採用された。最近は求人が来ても生徒が足りなくて送れないが、継続的に生徒を送らないと求人がなくなってしまうので懸念している。

　インタビューのために「一人一社」について3年生の意見を尋ねたところ、3分の2は一人一社でよかったという意見であり、成績が悪い生徒が複数応募したかったという意見を述べていた。保護者から尋ねられたことは特にない。「複数応募すると、かえって判断できない生徒が多いから、混乱するような気がしますね。企業3社用に志望動機を書くとか、面接を変えるとか、そういうのはちょっと難しいんじゃないかなという感じがする。」生徒がみな複数応募をするようになり、一人の生徒に内定が集中して他の生徒が内定を得られない状況が生じると、学級経営が難しくなると推測する。

4.　キャリア教育・生徒の企業との接点

　生徒が企業について知る機会として、科毎に行う工場見学、1－2年生向けに行う先輩の講話、県の就職支援員が収集した企業資料に基づき生徒に説明するふるさと企業紹介がある。また、2年生でインターンシップ3日間を全員行う。来校された人事担当者が語る生徒像（性格・学力面等）については面接票を作成して教員の間で共有している。

3．企業編

（1）東京Ａ社

実施日：2017 年 8 月 25 日

面談者：総務部副部長

課長代理

1．企業の概要と沿革

　鉄道グループにおいて車両メンテナンス及び車両基地設備のエンジニアリングを担当する企業。母体となった会社の発足は 1968 年であるが、旧国鉄から JR 各社への移行、グループ内における会社再編等により、事業内容の組み換えや社名の変更を経て、2015 年に現在の社名と体制となった。

　2007 年の前回調査からの変化として、前回ヒアリングを行った A 社が 2012 年に新潟県の B 社の車両部門を統合、さらに 2015 年に宮城県の C 社と統合し、それまでエリアごとであったグループ企業の車両メンテナンス業務が集約されて現在の A 社となった。旧 3 社の社内制度の違いや人事配置など会社統合に伴う課題もあり、課題解決に向けて取組みを進めているところ。今年度下半期ぐらいから、現業部門でも地域間で人を動かすことを検討している。2017 年 7 月 1 日現在の従業員数は 1,847 人。

2．従業員の募集・採用

　会社が現体制となった 2015 年度以降でみると、新規学卒採用は 2015 年度 34 名（うち高卒 21 名）、2016 年度 31 名（うち高卒 18 名）、中途採用は 2015 年度 61 名、2016 年度 30 名となっている（図表 1）。

　高卒採用はエリア別に新潟、仙台、東京で行っている。新潟（信越エリア）と仙台（東北エリア）では高卒採用をコンスタントに続けてきたが、旧 A 社においては大卒採用にシフトし、首都圏ではほとんど高卒採用を行わなかった時期がある。2017 年度は久しぶりに首都圏でも募集を再開し、7 名の求人を出している。新潟と仙台では高校との関係も築けているが、首都圏では最近の採用実績がないので、高校からの認知度を高める努力をしている段階。今年久しぶりに、首都圏の工業高校、鉄道系学科のある高校を回ってみた。東北、信越の高校も訪問したが、地元志向の高い地域と必ずしもそうでない地域とがあるように感じられる。

　「今までは、過去に入ったところの学校をずっと回っていたんですけど、今年はできる限り工業高校の名のつくところを回ってみようと。今年は東北も新潟も。（中略）そもそもエリアが向いていないとかですね、地元志望が多いんで仙台までは行きませんよですとか、そういう高校もあったりですとか、何でもっと早く言ってくれないんですかという高校もあった

りとか、温度差はばらばらだったようです。(中略)感触は、山形と岩手は結構地元を離れる子が多いということなんですけど。長野などはもう、東京はちょっと厳しいですねという。」

　首都圏でも高卒採用に再び力を入れるようになったのは、現業部門では高卒者の力が発揮できる面があるからである。旧Ａ社では、かつて高卒者が担ってきた現業業務を大卒者にシフトしてきたが、大卒者は学生時代に現場実習などをしていないので、スタート時のスキルに関しては高卒者のほうにアドバンテージがある。ほとんどが工業高校から来ているが、少数ながら普通高校、商業高校出身者もおり、その中から技能五輪を目指している者もいる。

　大卒者の採用はすべて技術系で、ポテンシャル採用(総合職)とプロフェッショナル採用(現場技術職)に分かれている。就職サイトで募集しているが、人数比は3：7で現場技術職希望者のほうが多い。出身大学は全国にわたり、社名に親会社の名前が入ったこともあって、プロフェッショナル採用にも上位校の学生が増え、能力やモチベーションに関してポテンシャル採用との差がなくなってきている。

　「今、総合職と技術職の垣根がちょっと薄くなってしまっていて、技術職のほうも上位校といわれるところからも来ていただいているので、能力的にもモチベーション的にも差がなくなってきてしまっていて。(中略)それが、ちょっと今、課題ですので、方針転換し始めて、高卒の採用も今年から力を入れ始めまして。やはり大卒はある程度、プロフェッショナルじゃなくて、ポテンシャルとしての役割を期待するほうにシフトさせて、まさに現業で技術第一線で頑張ってもらうのは、やっぱり高校生なのかなというような。」

　新規高卒採用の試験問題形式は10年前とほとんど変わっていない。大卒のプロフェッショナル採用試験は高卒とは別試験で、学科(受験者平均で50点ぐらい、合格者平均で80点ぐらい)と作文、面接重視である。大学生のインターンシップは始めて3年目であるが、参加者の中から入社に至った者も出ている。工場で働くことへのためらいがなくなり、イメージギャップが解消されることがインターンシップのメリットだと思われる(特に女性の場合)。

　中途採用もコンスタントに行っている。従業員の年齢構成は、60歳前後の年齢層が多く(図表2)、この層が抜けていく補充として、今後も一定数(今年度は25～30人ぐらい)の中途採用を続けていく予定。中途採用はそれぞれのエリアで行っており、地域間移動もあり得るが、基本はエリア定着となる。

3.　人材の育成とキャリア形成

　新入社員研修は最初の2週間は中央で全採用区分一緒に行い、次の2週間は各エリアに分かれて行う。最近3年間の新卒採用の離職者数はゼロで、定着は極めてよい。メンターは制度化していないが、鉄道の職場は各班で下の面倒をみる家族的な雰囲気がある。現場の技術継承は上の世代が一つ下の世代に伝えるというように近い世代の順送りで行うことが多い。

　「入社前の説明会ですとか、見学も必ずしていただいていたりしますし、入ってからのギャップというのをなくすような努力はしておりまして、そういった意味から早期離職の削減

にはつながっているのかなと思いますけども。面倒見がいい先輩たちも結構いるもんですから、丁寧に教えているというのもあって、先輩後輩の中でそういったものも、不安というのは取り除けているかなという感じはしますね。」

　総合職は育成プログラムを作成しており、階層別研修や年次ごとの課題付与といった体系に沿って計画的に育てている。これに対して技術職（プロフェッショナル職）は現場任せとなりがちで、現場で対応しきれていない場合もあるのが課題となっている。プロフェッショナル職はエリア配属であるが、前述したように両者の力の差が小さいこともあり、それでよいのか悩ましいところである。転換制度はあるが実績はない。ロールモデルも少ないので、試行錯誤している。

　資格取得の支援制度、（一定の条件はあるが）通信教育経費の全額補助などにより、個人の能力開発を援助している。

4. 今後の見通しと課題

　高卒採用は今後も続ける。高齢層の退職補充の必要性もあり、新卒採用、中途採用ともに増やしていく予定。年齢構成で手薄な層（30〜40代）があるため、通年で中途採用の活動をしている。

　現場の大卒（プロフェッショナル採用区分）の育成や人事配置のあり方、また合併から間がないため、各社の制度間の調整や地域間移動等についても今後の課題になっている。

　女性の採用・育成に関しては、人数を大きく増やすのは難しいが、ロールモデルを作り、作業の軽量化や職域拡大などにも取り組みたいと考えている。

5. 学校等への要望

　入社後にOJTで育てているので、高校の先生方に「こういったことを教えてほしい」といったリクエストはあまりしていない。よい生徒を送ってもらっていると思っている。高校に対しては、人物重視であること、ものづくりに興味・関心があること、何かに打ち込んだことがある人がよいといったことを伝えている。

　「人物重視なので、いろんなものに興味を持ってなぜだろうという疑問を持ちつつ、自分でそれを解決してみようかなというバイタリティーもあるとか、そういった方がいいですねとか、あと何か1つ、スポーツでも何でもいいんですけども、何か1つのものに打ち込んで、私はこれをやったと言えるものがあったらうれしいですねみたいな話はしているんですけども。技術的なものですとか、学問的なところは、特にないですね。」

図表1　東京A社　学歴別採用人数の推移　　　（人）

採用年度	高卒	高専、専門学校、短大	大学	大学院	新規学卒計	中途採用
2007	6	1	3		10	1
2008	4	1	4	1	10	
2009	6		3		9	2
2010	5		7	3	15	2
2011	7	2	9	3	21	2
2012	1		4	3	8	11
2013	10	3	5	1	19	27
2014	17	1	9	1	28	46
2015	21	1	7	5	34	61
2016	18		6	7	31	30
計	95	9	57	24	185	182

※2012年度までは旧A社採用分、2013年度から新潟、2015年度から東北の採用分が加わっている。

図表2　東京A社　年齢別社員構成（人）

	男	女	計
18～19歳	28		28
20～24歳	87	7	94
25～29歳	134	9	143
30～34歳	160	7	167
35～39歳	223	9	232
40～44歳	223	9	232
45～49歳	153	13	166
50～54歳	120	13	133
55～59歳	241	7	248
60～65歳	340	6	346
65歳～	77	4	81
計	1786	84	1870

図表1、2とも提供資料に基づいて作成。

（2）東京 B 社

実施日：2017 年 8 月 21 日

面談者：人事部長

1. 企業概要

設立：1985 年（昭和 60 年）、資本金：3000 万円、従業員数：118 名、パート 300 名程度、業務内容：パンとケーキの製造販売

2. この 10 年の経営戦略と今後数年の見通し

　スクラップ・アンド・ビルドはあるが、店舗数は 30 店で 10 年前と変化しておらず、会社規模はほぼ変わらない。この間、全店舗で ISO9001 をとるなど、品質管理を徹底してきた。また、10 年前に取り組み始めた PU 制度(プロフィットユニット制度：製パン工程を 8 つのユニットに分け、それぞれの単位に利益を含めた管理責任者を置く制度)も定着している。今後の事業については、パン焼き窯を置く工房で商品のよさを直接顧客に伝える DJ 型の販売法の展開や、新しいパンの常時の開発・販売などで顧客への訴求力を高め、一方、改変の頻度が高い駅ビル内などではサンドイッチやジュースを主力とした窯を置かない小規模店舗の展開を重視していく。

　現在の課題としては、人件費が高騰する中での人手不足と、30 歳代、40 歳代の従業員が少ないという人員構成の偏りが挙げられる。いずれも定着の促進を図ることが主要な対策になると認識しており、そのために、長時間労働の是正対策(例えば、仕込んだパン生地を冷凍状態で寝かせることで、発酵時間をコントロールし、パンの製造工程の性格に伴う長時間労働を是正：このプロセスはパンの味自体にもプラスになる)、育児休業取得促進(100％取得)などを進めてきた。若者応援企業の認定も受けているが、離職は少なくない。一つの理由は、店舗責任者となった場合に、責任上、長時間労働になりがちなこと。テナントである場合、夜まで店舗を開けておくことを求められ、またパートの多い職場であることから、パート労働者の不安定な出勤をカバーすることが必要になったりする。そのあたりに問題を感じている。

　正社員の不足をパートで補うことは考えていない。むしろ店舗への正社員配属を増やすことを考えている。都心ではパートが集まらないし、時給もどんどん高くなっている。同社では、高卒からしっかり正社員を育てたほうが、コストパフォーマンスも良いと考えている。

3. 従業員の職務の配置、キャリア、昇進

　採用は一貫して新規高卒を中心としてきた。大卒、短大、専門学校（製パン・製菓）も採用してきたが、数は少ない。中途採用も少ない。採用後の配属は、高卒の男性は工場が多い。大卒は店舗が多く、また、工房（店舗の中心に窯を設置して、顧客に DJ スタイルで製法など

の解説をしながら焼成工程を見せるパン製造）への配属は、パン造りへの意欲が高い者を配置する方針だが、専門学校卒はそれに適合することが多い。

最近の採用者の配属は下記の通り。

図表1　近年の職種別の新卒採用者数（性・学歴別）

入社年	高卒				専門卒		短大卒		大卒	
	男性		女性		女性		女性		女性	
	製造	販売	製造	販売	製造	販売	製造	販売	製造	販売
2015年	3	1	8	9	0	0	1	1	1	2
2016年	5	0	7	13	0	0	1	0	1	1
2017年	5	0	7	12	0	1	1	1	1	1

一人前といえるのは、工場ではおおむね全体の工程ができるようになる状態で、最初の配属ユニットで1年経験し、その後の配置転換で経験を重ねてからであり、そうなるとJBMA(日本ベーカーマスター協会)のB検定受験を奨励する。そのレベルが一人前である。そこまで3年を設定しているが、休みにも勉強に来るような熱意のある人だと2年でそのレベルに達することがある。

店舗では店長となるが、大卒の早い人で1年、高卒でも早ければ2年で達する人がいる。

賃金水準は、高卒と大卒では、世間相場に合わせて差があるが、店長などの一定の水準になれば差はなくなる。

4.　従業員の職業訓練、研修など、個人のキャリアを支援する仕組み

定着が課題だと考えており、新人研修には力を入れている。10日の初任研修に加えて、フォローアップ研修を5月、7月に行い、さらに、今後も予定している。学歴にかかわらず、同一の研修である。JBMA検定の検定料を会社負担としているほか、外部のコンテスト、セミナーなどへの参加も奨励している。内部では、新しいパンのアイディア募集を年4回実施しており、新人も参加できる。「商品をつくってみていいよということで、自分のやりがい、楽しいんだということを認識してもらう狙いがあります。」新製品の開発に貢献すれば、新年会で表彰している。

今後は、キャリア形成促進助成金を活用し、外部の専門家によるキャリアコンサルティングの導入を考えている。離職対策の意味もある。辞めるという場合、人事に話が上がってくる前に気持ちを決めてしまっているので、外の人が話を聞く仕組みがあるとよいかもしれない。

5.　従業員の離職状況とその変遷について

図表2のとおり、離職は多い。「地方から出てくる子は、ほかにやりたいことをいっぱい持

っているんですよね。1年、2年たって、ある程度貯金もできてきて、そうするとやっぱり自分のやりたいことの情熱が、まだ消えていないんですよ。歌手になりたいということで、2人ぐらいは音楽学校に通うといって辞めました。」「優秀な子だったので、店長に、君はできるよねということでやったら、それがストレスになってしまった。」ストレスに弱いとも感じている。そのほか、保護者からの介入といったこともあり、採用段階で、もう少し個人の状況がわかる仕組みになっていればよいと思う。

図表2　新規学卒採用者のうち現在も在職している者（人）

入社年	高卒	うち現在在職	専門卒	うち現在在職	短大卒	うち現在在職	大卒	うち現在在職	学歴計	うち現在在職
2008年	25	1			4	0	3	0	32	1
2009年	26	1			3	0	4	1	33	2
2010年	17	1					8	2	25	3
2011年	14	1	2	1	1	0	4	0	21	2
2012年	11	1			1	1	2	0	14	2
2013年	14	3	1	1	1		5	3	21	7
2014年	13	7			4	2			17	9
2015年	21	11			2	1	3	1	26	13
2016年	25	15			1	1	2	1	28	17
2017年	24	23	1	1	2	2	2	2	29	28

6. 新規高卒者の募集・採用と学校との関係

　新規高卒者採用が主力であることは今後とも変わらない。大卒については、（多額の費用をかけて募集活動をしても、それに見合う成果が得られないので）お金をかけた採用はしておらず、労働行政の行う面接会などに参加したり、ホームページからの応募によっている。「大卒のほとんどは、新卒応援様との合同求人説明会の中で会った方たち」である。専門学校は、特定の課程のある学校とのつながりがある。

　高卒については、募集職種は製造と販売で、各8名ずつとしており、長年、ほぼ同じ形で求人している。応募が多ければ、これを超えて採用することもあった。

　実績のある高校は東京、埼玉、岩手等の20校弱で、1〜2人の生徒の推薦を依頼する指定校としている。近隣地区であれば求人開示直後に訪問し、遠隔地については電話している。このほかの高校にも広く開示はしており、指定校以外からの応募者も少なくない。近年の募集採用状況は図表3の通り。10年前は応募倍率は3倍程度であったので、応募者は若干減っている。今年は応募前職場見学に高校から70名ぐらい参加があったので、増えることを予想している。「学校によっては、もうほんとうにうちにずっと来ていただいて、1人もやめていない学校があり、こうしたところは大事にしています。」

図表3　新規高卒採用における応募者数と採用者数

	2013年 3月卒	2014年 3月卒	2015年 3月卒	2016年 3月卒
応募者（人）	41	37	50	32
採用者（人）	14	11	21	23

　応募前職場見学には必ず来るようにお願いしている。地方からの応募の場合も、来てもらうようにしている。応募前職場見学で、パン製造・販売の工程を見てもらうと同時にその製造への思いを伝えている。また、採用試験の内容についても詳しく伝えており、参加者には何をどう準備すればいいのかよくわかるようにしている。

　試験は、一般常識試験と企業の理念など応募前職場見学で伝えたことの内容を確認するような独自の試験。パン製造・販売への熱意を見るためにこの試験に重きを置いている。このほかに面接試験。短時間の個人面接では突っ込んだ質問ができないので、それを補う意味で、グループディスカッションを行っている。

　採用試験で、落とすことがあることは高校に伝えているし、落とす場合には理由も伝えている。「落とされると困るんでしょうけれども、選択しなくちゃなので。わずかな時間で1日だけで全部を決めるというのは、やっぱりすごく乱暴だと思っているんです。ほんとう2日ぐらいの時間は費やさせていただくことがあっていい。」

　高校のインターンシップは、4校から毎年受け入れている。商業は販売、工業は製造工程である。そこから応募する生徒もいて、この場合の定着は良い。

　地方からの採用が毎年あり、入寮する。寮は、3LDKを借り上げ、3人を住まわせる形。上下関係を作りたくないので、できるだけ、同期の3人としている。寮費は2万円程度。半分を会社が持ち、残りの半分を3人で分担する考え方である。

　また、外国人採用を業者から打診されており、検討中である。

7.　高校新卒者の採用・募集にあたって高校・公共職業安定所に期待すること

　新規高卒は未成年であるため、採用活動にいろいろな配慮が必要だが、個人情報との関係もあり、個人の事情を十分把握できないまま正社員として採用することになり、それもミスマッチの一因かもしれないと思っている。内定後でよいので、保護者も含めて情報交換できるとよいかもしれない。

　若者応援企業に登録しているが、ユースエール認定は基準が厳しく、定着率の問題があって難しい。

(3) 埼玉Ａ社

実施日：2017年7月13日

面談者：代表取締役社長

総務部主任

総務部人事主任

1. 企業概要

設立：1950年代、資本金：6,000万円、従業員数：49名、業務内容：土木工事、建築工事

2. ここ10年の経営状況・経営上の取り組み

　10年前は建設業界にとって、厳しい時代であったが、大震災を契機に流れが変わった。「災害に対する復旧ですとか、復興ですとか、その場で災害対応をするですとか、そういうところから、地元の建設業って非常に大事だという意識が、国もそうですし、都道府県も非常に変わってきています。」

　そうした変化に加えて、Ａ社では社長が代替わりして、長く新卒採用をせず、若手不在の会社となっていた状況を大きく変えた。「10年後に誰が飯を食わせてくれるんですかという話ですよね。ちょっと変な話ですけど、ある程度年をとった人ばかりだとか中途採用の人ばかりでやっていくって、ほとんど不可能な話なので、若い人を入れて、きちんと会社として育ててあげて、変な意味じゃないですけど愛社精神をきちんと持って育っていって、やってくれるような人を育てていかないと、うまくいかない。」10年前まで中止していた新規高校、大学、専門学校等の採用を積極的に行うようになった。

　社員はすべて正社員であり、パート社員や派遣社員はいない。今後も非正規雇用を取り入れる予定はない。

3. 従業員構成、職務配置、キャリア

　現在の従業員の年齢構成は図表1のとおり、30歳代はほぼ空白状態だが、ここ10年の新卒中心の採用強化の結果、20歳代が17人と多くなっている。

図表1　従業員の年齢構成

	10歳代	20歳代	30歳代	40歳代	50歳代	60歳代	70歳代	合計
男女計(人)	1	17	1	13	9	7	1	49
(うち女性)		(6)	(1)	(4)	(1)			(12)

注：（　）内は女性

採用は、事務、土木工事施工管理、建築工事施工管理の3つの職種について、職種別に行っている。過去10年の採用数は図表2の通り。高卒、大学・短大・専門学校とも、土木は土木系の学科、建築は建築系の学科専攻者からの採用がほとんどであり、また配属もそれぞれ土木部、建築部となる。募集時には普通科高校にも求人を出すが、応募がほとんどないという。事務系は専攻を問わない。中途採用では、土木施工管理技士資格か建築施工管理技士資格を持った人が採用されることが多い。

図表2　職種別採用数の推移

			2008年	2009年	2010年	2011年	2012年	2013年	2014年	2015年	2016年	2017年
新卒採用	高校卒	事務	1(1)									
		土木	2(1)		1						1	
		建築	1		1		1					1
	大学・短大・専門卒	事務								2(2)	2(1)	
		土木						1	1	1	2(1)	2
		建築								1(1)		1
中途採用		事務				1(1)		1(1)	2(1)			
		土木	2(1)	3	1			2(2)	2	1		
		建築		2				1				1
合　計			6(3)	5	4	1(1)	1	6(3)	5(1)	5(3)	5(2)	5

注：（　）内は女性

工事現場の現場代理人となるには国家資格である施工管理技士資格を取得しなければならない。同社が新卒採用での説明に用いている従業員のキャリアモデルは、大学の土木系学部卒の例で、現場での補助的な業務で経験を積み、入社2年目の10月に2級土木施工管理技士資格を受験。この資格を得ることで独り立ちし、初めて一人で現場を任される。さらに2年後に1級土木施工管理技士資格を受験する。1級資格を取れば任される現場の規模が大きくなる。2級の資格試験受験に要する実務経験年数は、指定学科卒の大卒であれば1年、高卒であれば3年、指定学科以外の卒業であれば、さらに必要な期間は長くなる。

4. 従業員の職業訓練、研修など、個人のキャリアを支援する仕組み

同社では、この施工管理技士資格の取得を積極的に支援している。資格試験対策講座の受講を奨励し、日曜日に通学する形のコースについてはその受講料を、ハローワークの補助金も活用しながら、全額会社負担としている。1級受験、2級受験、それぞれ20数万円の負担となるという。10年前よりも支援は手厚い。

さらに、10年前と大きく変わったのは、新入社員研修である。10年前は、2泊4日の外部委託（＝社団法人　埼玉県建設業協会）研修が中心で、挨拶の仕方やチームによる課題達成やビジネス話法などであった。現在は、この研修を残しながら、社内外での豊富な経験をさせることとし、1カ月にわたるOFF-JTのプログラムとなっている。社内に外部講師を呼んでのコミュニケーションスキル等の研修、地元ゼネコン数社との共同研修で測量やドローンに

ついて学び、協力企業の工場見学や足場組立の実習、営業として役所周りを体験するなど、内容は多岐にわたる。高卒も大卒も、職種にも関わりなく、全員同じプログラムで一緒に受講する。

社長自身が新卒入社時に経験した研修をベースに、プログラムを構築したという。社内講師による研修についてはテキストが蓄積され整備されている。この規模で1カ月の研修は厳しいが、人材育成には欠かせないという認識で頑張っている。「やっぱりこれぐらいやることによって、定着率の話だとか、横のつながりだとか、いきなりボーンと現場出しちゃうと、何にもないままでみんな外に散っちゃうんで。」

新人には、社員旅行も企画させている。「幹事をやらせるようにして、新入社員たちが一緒に協力する機会を与えるようにはしています。」

5. 従業員の離職状況とその変遷

近年の新卒採用者の離職は少ない。この5年間に採用した高卒者では、2016年採用の1人が家具職人になりたいと言って専門学校に入るため1年で（雇用保険の訓練関係給付を受ける資格ができる期間働いて）辞め、2012年採用の1人が、現場に出る前に現場の難しさを強調して話したために、「無理」といって3ヶ月で辞めてしまった。この2例である。

大学・短大・専門卒の離職はより少なく、2010年採用の専門学校卒が結婚に伴って地元に帰るため退社したのみである。

6. 高校新卒者の募集・採用と学校との関係

現在、高卒、大卒、専門学校卒、短大を採用対象としているが、学歴差はあまり感じていない。「大卒だから、高卒だからといって特に区別して採用しているつもりはないので、基本的に建設業で、さらに現場に出て、外でする仕事になってくるので、どちらかというとやる気だとか、変な昔っぽい話になっちゃうかもしれないですけど、根性のあるなしですとか、多少、体育会系で元気がある子だとかいうところが非常に大事な要素になってくる。」

高校に対しては、近年はずっと土木施工管理2人、建築施工管理2人の求人を出しているが、なかなか採用できない。求人票を高校に持参しているのは、埼玉県内の高校で土木(環境)の専攻がある2校と、建築の専攻がある3校である。手分けをして、求人開示の初日に高校を訪問する。「現状で言うと取り合い。」昨年、一昨年と同じ高校から1人採用できた。「ご挨拶で行ったときには、今年も1人ぐらい行けるかなとおっしゃっていただけたのですが…(中略)…ちょっと期待はしているんですけど、期待ばかりで。なかなか。高校生だと、先生と親御さんと本人とになって、親御さんは家から通えるところと希望されている方が多いので、先生も、やっぱり生徒さんは遠いところに行かないから無理かなということもおっしゃるので、なかなかつながってはいかない。」「学校さんも生徒さんに（具体的な企業の）お勧めはあんまりしないんですって。（求人票が）生徒さんの目にとまらないと。」だから、目にとま

るように、初日に求人票を届けるという。

　採用試験は、適性検査と面接で、筆記試験はない。適性検査では、積極性などの性格を重視する。面接では、明るく元気であることが重要。現場監督という仕事上、年長の職人さんたちとうまく付き合っていかなければならないので、こうした特質を重視している。また、適性検査の学力的な面は、よほど悪くなければ問題にしない。なお、　大卒と高卒は同じ採用試験を行っている。

　夏休みの職場見学には対応しており、昨年は工業高校から1人希望者がいて、結局採用につながった。2年前には、普通科高校からの見学もあったが、複数社見ているということで、応募にはつながらなかった。

　ジュニアインターンシップには協力しており、毎年A高校から1～3人程度受け入れている。今のところ、就職にはつながっていない。高卒採用は今後も続ける。

7.　新規高卒者の募集・採用にあたって高校・公共職業安定所に期待すること

　地元ゼネコン数社で共同して、大学(埼玉県内の大学) への出前授業に取り組んでおり、学生に仕事内容への理解を促している。「最近の大学生が、うちも含めて定着してくれるようになっているのは、やっぱり大学の先生とかともすごく仲よくなってきて、呼んでいただいて、そういうことを伝えられるのもあります。」高校でもそうした機会があれば、もっと仕事内容を理解してもらえるのではないかという。

　「(高校生には) 僕ら肉体労働をしていると思われてるわけですよ。例えばつるはし持って、スコップ持ってみたいな。いや、そうじゃないんだよと。それはそういう仕事がいい子たちはそれでもいいけども、現場監督さんというのは違うんだよということを伝えたい。」「大手さんと僕らでいいところと悪いところの両方あるわけじゃないですか。例えば大手さんで言えば、日本全国、海外も行かなきゃいけない。僕らは地元でずっといられる。大手なら大きな建物だとか、大きな仕事ができるので、そういうことにやりがいを感じる子であれば、そこに行かなきゃいけないし、やっぱり地元でとか、災害とか、町を守るまではちょっと言い過ぎかもしれないですけど、そういう意識を持っている子であれば地元のほうがすごくやりがいがあるでしょうし、同じ業界の中でもまた違うところがあるよねとかいうことを伝えないと。」「高校の授業で、各業界で1つずつそういう時間をとってあげるだとか、そういうのって必要なんじゃないですかねという気がしますよね。」

　埼玉県の就業支援課には、大学生を集めてセミナーや出前授業の後援をしてもらったりして、協力関係ができている。ハローワークにもそうした高校・生徒との接点構築を後押ししてもらいたい。

（4）埼玉E社

実施日：2017年8月2日

面談者：人事課長

1. 企業概要

設立：昭和25年、資本金： 1000万円、社員数：166人、業務内容：理容美容（サロン・専門学校）

2. この10年の経営状況

　理容、美容の店舗のスクラップ・アンド・ビルドはあるが、全体として店舗数が大きな減少していることはなく、社内体制もほぼ変わらない。変化があったのは、採用で、年々厳しくなってきている。「この業界は、主役はそこで働く人間なので、機械で物をつくるという訳にはいかない。技術を身につけていただいて、それを提供していただいてという形になるので、そこで働く技術者を50数年間、採用して育ててできた。今、その採用という部分がちょっと厳しくなっている。」

　年々、応募数、採用数は減少しており、10年前と比べると、従業員数も減っている。「高校生だけに頼れないので、最近はほんとに専門学校生の採用とか、あとは資格を持っている方の中途採用とかとにもちょっと力は入れさせてもらっています。」「大卒で技術者を目指したいという方も今年入っています。」10年前は、専門学校卒やいったん就職された方はやり方に癖がついているので、高卒の子のほうがピュアにお店のやり方を吸収できるといわれていたのですが、今はそういう方針が変わっている。「専門学校で卒業した方に関しても、習ってきたことを否定せずに、それを生かしながら当社に合わせていただくという形にしています。10年前はそんなこと言えるぐらい、高校生が集まったんでしょうね、正直。」

　しかし、高卒を育てて行くというスタンスは変わらないという。「定期採用を始めて５５年なんですよ。その定期採用の1年目は第1期生と呼んで、今５５期生になる方の採用活動をしているというところなのです。」

図表1　近年の新規高卒採用における応募者と採用者数

	2010年 3月卒	2011年 3月卒	2012年 3月卒	2013年 3月卒	2014年 3月卒	2015年 3月卒
応募者(人)	70	51	42	34	35	20
採用者(人)	50	40	32	33	34	20

　理容師、美容師は養成施設で所定の課程を修了したうえで国家試験に合格して、初めて就

ける職業である。同社では、高校新卒者をアシスタントとして採用し、同社が15年前に設立した理容・美容の専門学校で就学しながら修業する仕組みを取っている。就業形態は、フルタイムで就業しながら通信課程（3年制）で学ぶコースと、短時間就業で通学課程（2年制）で学ぶコースがある。短時間就業の場合は、月収7万円程度で扶養家族の範囲に収まるように設定している。

なお、専門学校には、同社の従業員以外の一般の学生も入学している。

3. 従業員の職務の配置、キャリア

入社後のキャリアパスは、10年前からほとんど変わらない。アシスタント（2～3年、免許取得）→ジュニアスタイリスト（2年）→スタイリスト（ここまで美容なら5～7年、理容では3年程度）。スタイリストで一人前といえる。その後は、主任、副店長、店長、複数店舗の管轄責任者とステップアップの道がある。

独立自営を志向する人が多く、新入社員時には3分の2程度が自営志望である。「あんまり若くして独立しても成功事例は少ないんですね。成功するのは、大体30歳代半ば以降ですね。」「店長になると、当然スタッフの育成、教育訓練も施さなきゃいけないとか、あとは店舗で使っている薬剤とか、そういったものを管理しなくちゃいけないとか、どういうキャンペーンを、どうやろうという企画をして、予算を組んで、チラシを配るとか、ティッシュを配るとか。で、やってみて成功すればいいんですけど、失敗するケースもあるわけです。個人店だと失敗は許されないんですけど、会社というキャパだと失敗が許されるので、そういう経営の疑似体験をしてから独立していくというケースが成功しますね。」

現在、同社の店長は、系列専門学校からの生え抜きがほとんどである。経営陣もほとんどが生え抜きである。

4. 従業員の職業訓練、研修など、個人のキャリアを支援する仕組み

入社直後は3日間の集合研修で、社会人としての基礎的なことを中心に学ぶ。その後は店舗でのOJTだが、シスターブラザー制度があり、先生役の先輩従業員が手取り足取り教える。このほか、様々な技能別講習会や階層別研修があり、また社内検定制度があって技能向上のステップとなっている。なお、国家試験対策は、専門学校での指導に加えて、最近は各店舗でも過去問の指導などをしている。

専門学校在学中は、「月に1回父兄会に、遠方の父母に代わって会社のある程度職位の者が出て、店舗のほうで今こういう状況ですという状況報告と、学校のほうから学校生活が今こういう状況で、こういう問題が起きていますといった情報交換をして、それでそれに合わせて問題解決に当たる。」「店舗内の人間関係で悩んでいるんだけれども、なかなか店長には言えないとかいう情報があれば、店舗間の配置転換とか、そういったこともさせてもらっています。」「理容は私どもの会社に限らず、昔従弟制度があって、ほんとに私生活から全部面倒

を見るというのがあったんですね。ですから、面倒を見るという文化は、この業界のいいところだと思います。」

5. 従業員の離職状況とその変遷

美容は離職が多いが理容はさほど多くない。同社の離職率は、業界では低いほうだという。地元にもどるなど、免許を取得した段階でやめるケースもあるが、同社としては、店舗運営までできる30歳代になってから異動したほうがいいと助言している。「買いたたかれるんですね、地元に戻ってもできない仕事があると。ですので、一通りの仕事を全部できて、スタイリストとして雇ってもらえるようになりなさいよと指導はしてます。」早期離職は、人間関係（主に恋愛がらみ）の理由が多い。思っていた仕事と違ったと3日でやめたケースもあり、これは本人の経歴に傷をつけないために、入社辞退扱いにした。

図表2　直近3年の新卒者等の採用数および離職率（2017年6月時点）

		入社年		
		2014年	2015年	2016年
正社員	採用数	19	12	13
（通信教育受講者を含む）	離職者数	8	9	2
就職進学コース	採用数	10	8	7
（専門学校通学＋短時間勤務）	離職者数	6	3	2
合算離職率(%)		48.3	60.0	20.0

6. 高校新卒者の募集・採用と学校との関係

新規高卒者の採用が基本だと考えているが、前述のとおり近年応募が減っており、専門学校の新卒や中途採用も行っている。ただし、これは採用全体の5〜10%程度にとどまる。

高校への求人は、公開でインターネットに載せてもらっている。加えて、学校訪問もおこなっている。これまで採用実績のあった学校を中心に、沿線ごとに計画的に回り、まず5月に専門学校の案内で回って理・美容希望者について情報取集し、7月に求人票を持っていき、8月に再度念押しの依頼に行く。関東に加え仙台にも店舗があるため東北6県には各県1人、関東、甲信越、九州・沖縄に各1人採用担当を配置している。訪問校の学科はこだわらない。普通科、商業科、工業科からも応募がある。

募集人数は、昨年までは30人（理容アシスタント20人、美容アシスタント10人）であったが、昨年の充足率は60%程度まで下がっており、今年は20人とした。

応募前企業見学は、メインとなるのが7月の3日間で、午前中は専門学校の体験入学、午後はサロン見学となっている。別に仙台のサロン見学日がある。この4日間に参加できなかった人は随時個別に受け入れている。今年は東京で20人程度が参加し、仙台はこれからで5名程度の予約がある。例年、見学参加者の6割程度が応募するが、見学なしで応募するケースもあるので、まだ応募数はつかめない。

採用試験は、学校から送られた統一書類と面接による。面接試験は東北は各県、関東、甲信越は東京で行うが、その際、専門学校の教頭も同行し、就職進学の場合は、採用試験で内定をもらえば、そのまま専門学校入学もほぼ決まる。

「ほんとに足切りできるような状況ではないですね。来ていただいたらありがたい状況です。」ここで不採用としたのは、障害で片手しか動かせない人とメンタル不調の人だけである。学校の成績について、以前は5段階で3程度の成績を基準にしていたが、今は下がっており、2点台になっている。その分、入社後の研修（国家試験対策）には力を入れている。

インターンシップは各店舗で、学校から要望があれば受け入れている。

入寮を原則としているが、住居が店舗に近く通勤できる場合はそれも選択できる。

高校新卒採用は今後も採用の中心と考えている。基本、正社員であり、子育て期の従業員が希望して短時間勤務のパートとなることがある。仕事内容も大きな変化はなく、キャリアパスもかわらない。

7. 高校新卒者の採用・募集にあたって高校・公共職業安定所に期待すること

教員との信頼関係は重要で、毎年のように採用してきた学校でも先生が異動するとまったく応募者がなくなったり、逆に、これまで応募がなかった学校でもお付き合いがあった先生が赴任されると、応募者が出たりする。また、地域によって指導が異なり、「東北では先生と生徒の距離が非常に近く、先生は生徒の家族構成から趣味まで全部把握していて、将来何やりたいとか全部わかった上で、じゃあこういう会社があるよって紹介するんですけど、だんだん関東に近くなればなるほどその関係が非常に希薄になって、一応求人票はあるから好きに見なさいという指導が多い。」

今後の募集方法として、HPなどを通して、直接生徒に企業情報を届ける方法について、工夫していきたい。「今は、ブランドごとにやってはいるんですけど、もっと企業全体としてのものをしっかり構築していって、それに対して何か反応があったら丁寧に答えていくっていうことをやっていかないといけない。」最近の新入社員は、入社までにSNSを通じて、学校の先輩である社員と連絡を取り、職場のことをいろいろわかって入社してきている。また、同期入社者との間でも、SNSで関係を築いて入社している。以前は地方出身者のほうが離職率が高い傾向があったが、今はない。背景には、こうした関係を築いての入社があるのではないか。こうした点もあり、インターネットを通じた情報の発信に力を入れたい。

青少年雇用情報票は最初は手間がかかったが、一度作成すれば後は一部書き加えるだけなので、問題ない。

（5）秋田Ａ社

実施日：2017年8月8日

面談者：取締役総務部長

1. 企業概要

設立：1973年（昭和48年）、資本金：8500万円、社員数：290名（うちパート9名）、業務内容：各種鋼構造物の設計製作と施工・据付、各種機械装置／プレス金型の設計製作、NC／MC加工など

2. ここ10年の経営状況・経営上の取り組み

10年前のヒアリング時（2007年）に13あった事業部を、2009年にホールディングス制に移行した際、4社にまとめた。だが、事業分野が非常に広いため、まとめると逆に経営戦略が曖昧になってしまった。そこで、2〜3年前に再び事業部制（独立採算制）に戻した（図表1）。2015年には、ドーム事業部とUAV事業部を新設（ドローン）。将来的には、各事業部を、完全な独立の会社にしていきたい。各社がそれぞれに商いを広げ利益を伸ばす、ということだ。これは世代交代という狙いもある。つまり、売上規模を拡大していかないと、若手が将来就くことになるポストが増えない。

ここ1〜2年は、機械事業部の売上げが伸びている。生産設備、とくに液晶（タッチパネル、タブレット、カーナビ）関連が好調である。

図表1　事業部と人数

事業部、部署	人数
ベンダー事業部	30
機械事業部	21
産業機械事業部	23
精密事業部	21
メインテナンス事業部	7
UAV事業部	15
鉄骨事業部	37
インフラ鉄構事業部	49
ドーム事業部	25
工事事業部	9
産業事業部	30
プロジェクト営業部	3
仙台営業所	3
管理部	8
品質保障室	兼務
合計	281

3. 従業員構成、職務配置、キャリア

社として新しいのは、女性活躍促進の取り組みだ。今後一層進む人口減少を考えると、これは必須である。来年、創業80周年を迎えることもあり、3年前から、各事業部長に特任補佐として女性を付け、ある程度の権限を与え、どうすれば働きやすくなるかなど議論をし、職場環境の改善に向けて活動してもらっている。

技能工も高卒女性を採用している。バブル期にも、女性技能工の採用はあったが、「男」の職場ゆえ互いにやりにくかったのか、すぐに辞めてしまった（それもあり、今般の採用についても最初は反対があった）。昨年（2016年）入社の技能工女性はさしあたり定着している（後述）。今後の課題は、後輩が入ってきたときどう対応するのか、また、事務職女性との関係性などであろう。

高卒技能工は、入社して工場に配属されると、まずは溶接や機械加工といった個々の技量を高めていく。それを後押しするため、資格取得を推進している。資格取得の諸経費は個人負担だが、取得後は給与に手当が付く（ひと月あたり最大5万円）。技能資格は、そこそこのレベルが取れていると思うが、もう一歩上の技術資格（土木施工管理技士、建築施工管理技士、建築士など）を取得させることが、現在の課題である。地域における技術者の需給が逼迫しているため、やはり内部で育成するしかないのではないかと考えている。

高卒技能工は、ある程度見極めた上で、そのままずっと技能を高めていく場合と、途中から営業や設計のほう（＝事務所のほう）に職種を変えて行く場合とがある。

4. 従業員の職業訓練、研修など、個人のキャリアを支援する仕組み

人材育成については社全体としては、とくに制度化しておらず、各事業部に任せている。ただし、キャリアモデルといったことを考える時期には来ているかもしれない。新卒入社者も、1年といったより長期の研修を好む傾向がある。

教え方については、各事業部に注意するように言っている。「乱暴な言葉遣いは良くない」「頭ごなしに叱りつけてはダメだ」といったことである。女性技能工が入社したことの好影響は、そこにも現れている。つまり、相手が女性であることを意識するため、気を遣って教えるようになる。すると、男性にもそのように対応することになり、職場の雰囲気全体が明るくなる。

5. 従業員の離職状況とその変遷

人員不足からトライアルとして中途採用も多く採用していることもあり、結構多くの従業員が離職している。

6. 高卒採用の再開と学校との関係

高卒については、4年前まで（2012年4月入社まで）採用を停止していたことが響き、この3年間（2013、14、15年4月入社まで）は採用したくてもそれが叶わなかった。「今年採りたい」と採用を再開しても、生徒たちは昨年度の求人票を見たり、年齢の近い先輩がいるかどうかを基準にして企業選びをしているから、前年に求人票を出していないと、そもそも選んでもらえないことを痛感した。

また、生徒たちの情報交換手段の変化にも驚かされている。SNSでつながって、あまり親しくない先輩からも、会社情報を得たり相談したりしている。こういう点にも留意した採用活動を意識する必要がある。

2017年4月入社の新規高卒は、ハローワーク管轄内の二校から一人ずつ技能工を採用。ともに女子で、CAD設計と機械加工である。ちなみに、技術者については、高専とポリテクカレッジから採用した。

今年度の高卒採用活動（2018年4月入社）は、CAD設計 2／機械加工技術者 2／溶接技能者 2／生産管理事務 1 で募集をかけている。

　試験は、筆記（60分、漢字、計算問題）、性格検査（15分）、社長・事業部長面接（20分）。近年は、1〜2名しか応募がなかったので、ほぼ全員採用している。多少不器用でも、基礎学力が覚束なくても、それを補うやる気や元気があればよい、と考えている。そのほうが、職場に活気が生まれるからである。

　インターンシップや企業見学は、お互いをよく知るという点で役立っている。企業見学は、商工会議所のサービスを活用している。都合の良い日時を伝えれば、商工会議所が高校と調整してくれる。今夏は、地元高校から2年生が8人参加する。

7.　新規高卒者の募集・採用にあたって公共職業安定所に期待すること

　就職イベントや合同説明会の開催、就職支援員の存在は有り難い。

　若者雇用促進法に定められた情報提供は、離職率などネガティブ情報を書かねばならず、面倒な気持ちになることは否めない。

　高校は、7月1日に求人票が解禁されるが、生徒はそれまでに、前年度の求人票を見てあらかたの志望を決めているため、解禁のタイミングに疑問が残る（ついでに大卒についていえば、3月1日に企業説明会が解禁されてから、求人票公開までの期間が長すぎる）。つまり敷衍すると、ハローワークの機能とは何だろうか？ 新卒に関して職業紹介機能を果たしているのだろうか？という疑問がある。

　県として、高校生の県内就職・地元定着促進を主張するのであれば、地元企業の早めの解禁を可とする「採用特区」をつくってほしい。

　ただし同時に、社としても、いかに企業ブランド力を上げ、PRするかが重要。見せ方をもっと考えて、地域で企業ブランドを認めてもらうようにしなくてはいけない。

（6）秋田B社

実施日：2017 年 8 月 8 日

面談者：総務課長

1. 企業概要

設立：1987 年（昭和 62 年）、資本金：5000 万円、社員数：93 名（うち女性 7、パート 3）、
業務内容：産業廃棄物処理

2. ここ 10 年の経営状況・経営上の取り組み

　地元の中心産業であった鉱業が衰退し、従業員の雇用が課題となるなか、産業廃棄物処理
の将来性を見込んで親会社 100％の出資で設立。10 年くらい前までは産廃物処理は「まだま
だお荷物事業」と言われていたが、その重要性は社会的に徐々に浸透し、事業としてもだい
ぶん伸びてはきている。2016 年 4 月、他社があまり着手していない、低濃度 PCB 無害化処
理炉の稼働を開始した。

3. 従業員構成、職務配置、キャリア

　20 代男性の数が多くなっているのは（図表 1）、昨年（2016 年）4 月に稼働を開始した焼却
炉のオペレータが必要で、2015～2016 年度に高卒求人と一般求人とで多数採用したため。そ
のため、今年度（2017 年度）の新規高卒者の募集はない。間を空けず採用できればよいが、
今後の業況見通しと組織状況（親会社からの出向者受け入れなど）を勘案すると、必ずしも
容易ではない。

図表 1　従業員の年齢段階別・男女別構成

年齢段階	男性	女性	合計
20代	28	1	29
30代	24	1	25
40代	17	0	17
50代	11	4	15
60代（再雇用）	8	1	9
合計	88	7	95

※従業員は在職社員でホールディングスからの出向社員、パート社員を含む。

　新規高卒で入社しての仕事は、まずは搬入された廃棄物を、フォークリフトやローダーな
どの重機によって移動させること、そのさい、廃棄物の仕分け（の手伝い）をすることであ
る。廃棄物は、クライアントは液体だと言っていたのが固体になっていたり、別の処理が必
要な異物が混入されていたりするので、仕分けの基本にしたがってその作業ができないとい
けない。

実際の廃棄物処理プロセスは、集中管理室から出される処理計画を実行に落とし込むかたちで進められる。それには、オペレータとして、油と空気の混合比やPH濃度などの基礎知識や計器の読み取りも必要である。つまり、それなりの判断を要する仕事といえる。工場全体の仕事を覚えるために、焼却処理／冷却水・排水処理／後処理の3工程をローテーションし、全工程のオペレーションをできるようにする。

入社後半年経つと、一応戦力として認められる社員にはなる。しかし、一通りの仕事ができるようになる、つまり、任せられるようになるには5年、これにそれなりの判断業務ができる、ということになると10年くらいかかる。

現業者の役職（現在の人数）は、班長（10〜13人）→主任（7〜8人、うちプロパー2人）→係長（1人）、となっている。達するまでの年数は、それぞれおおよそ、10年、15年、20年である。班長は、チームを率いて担当の仕事をこなすことが任務。主任になると、ある程度マネジメント（管理仕事や事務仕事）ができなくてはならない。主任になる年数は、近年、遅れ気味である。

4. 従業員の職業訓練、研修など、個人のキャリアを支援する仕組み

上記の理由として考えられるのは、オペレータで入社してくる人は、現業志向が強く、担当作業ができればそれでよく、管理仕事・事務仕事をやりたいとは思っていないことである。手順書（仕事のマニュアル）など完備しているが、「親方の背中を見て覚えろ」という雰囲気が濃く、勉強熱心な社員はあまり多くない。主任、係長といったリーダークラスが叩き上げで育つのかという疑問も無くはない。

従業員訓練としては、OJTが基本である。ヒヤリハット報告の日々の提出や、それを共有するための勉強会などを繰り返すなかで、「手順書を読んで、それを自分で想像しながら危険なところを判断、見つけ出せるように」なっていくため、「どうしてもOJT」になる。一人前になるには5〜10年がかかる。

資格としては、危険物乙種4類（ガソリンや灯油の扱い）は、9級で入社して8級にあがるときには、取ってほしい。そこから上位層の資格要件は、それほど厳しくしていないが、係長以上であれば、公害防止管理の資格ぐらいを持っていないと登用は難しい。

なお、10年前のヒアリング応対者が、専門・短大・大学を新卒採用して成分分析（処理計画や試験計画の策定など）に従事させたいと言ったのは、やはり内部で育てて、プロパー社員のみで運営可能な態勢が望ましいからだろう。ただし、そうした人材計画は、どのように大卒・専門卒を採用したらよいかというノウハウもなく、現在のところ具体化はしていない。

5. 従業員の離職状況とその変遷

地域においては比較的給与水準が高めであることもあり、離職率はそれほど高くない。2007〜2016年度の10年間に関しては、採用31人（うち新規高卒14人）のうち退職者（定年退

職をのぞく）は6人である（図表2）。

図表2　2007年度から現在にかけての採用と退職

採用	31人	うち新卒	14人	全て高卒。募集職種：オペレーター
退職	10人	うち定年	4人	再雇用からの退職を含む

6. 高卒採用、学校との関係

　2006年度までの10年間は、新規高卒は毎年1人ずつ採用するかたちであった。この10年間では、ほぼ隔年での採用である（図表3）。基本的には近場で通える者であることが重要なので、市内の高校を中心に求人を出してきた経緯がある。

　インターンシップの受け入れはしており、「エコ」というと格好良いイメージがあるのか、高校生はやってはくるが、「何か違う・・・」と思うようだ。廃棄物処理は、そんな格好良い仕事ではない。

　今後とも、高卒採用は継続していきたいという気持ちはある。やはり新人からベテランまで揃っているのが理想的なためである。しかし、収益状態を勘案すると、そこまでの意思決定にはなっていないのが現状である。

図表3　直近10年の採用状況

	新規高卒	中途
2007		5
2008		
2009		2
2010		
2011	2	
2012		
2013	5	
2014		
2015	5	8
2016	2	2
2017		3

7. 新規高卒者の募集・採用にあたって公共職業安定所に期待すること

特になし。

(7) 秋田Ｃ社

面談者：総務課長

1. 企業概要

設立：1928年（昭和3年）、2011年、合併により社名変更　資本金：9800万円、社員数：75名、業務内容：建築、土木

2. ここ10年の経営状況・経営上の取り組み

　2002年に民事再生法の適用を受け、2011年に合併により社名変更。合併先は、土木の特殊技術を持つ県内の会社である。現在の売上は、建築7割、土木3割。かつては商業ビルなどの建設需要があったが、近年はそうしたビルの補修が多い。今後は、県庁所在地などで売上げ増加を図っていくことが不可欠であろう。

3. 従業員構成、職務配置、キャリア

　従業員の年齢段階別構成は、20代 6人／30代 ゼロ人／40代26人／50代22人／60代9人、となっている。民事再生適用から合併までの時期、新卒採用を手控えていたため、30代がゼロ人、また20代も少なくなっている。

　現場監督の仕事は、工程計画を立て、予定の原価率以下でもって納期までに工事を完成することであり、資材が届かない、発注者の発注ニーズが違うといった、予期せぬ様々なハプニングに対応する機転も重要である。こうした仕事の性質は、何十年もほとんど変わっていないように思う。

　一人前になるには5〜8年かかる。入社後1か月弱は新入社員研修があり、会社のルール、見積書、施工図のトレースといった基本を学ぶ（ただし、受注状況により、研修期間が短縮されることもある）。そのあとは基本的にOJTである。現場監督の見習いとして、監督の指示のなかで、組まれた工程を遅滞なく管理し遂行するという仕事を覚えていく。そのうち少しずつ、部分的に責任を任される。工期の短い現場なら1か月、長いものなら半年くらいの現場を、年に10箇所くらい経験しながら、現場監督の仕事を覚えていく。一つの現場は二人責任体制にしており、熟練すると、より重い比重で任されることになる。

　50代の現場監督の仕事には狂いがなく、予定の原価率以下で納期までに工事を完成する。彼らは、最近の若手は一人前になるのに要する時間は、かつては4年くらいだったのが、より長くなってきている、原因の一つとしては、手書きではなくCADを用いて図面を作成するために、図面が頭の中に残っていないこともあるのでは、と評価・推測している。

4. 従業員の職業訓練、研修など、個人のキャリアを支援する仕組み

会社として技術者は不足の状態だと考えている。上級資格の取得は、入札チャンスを広げる点でも重要なので、資格取得諸費用は2回まで会社負担であり、資格手当もある。

社内の土木技術者は現在15人。全員が最近、土木施工管理技士1級が合格となった。建築技術者は18人、うち8人が建築施工管理技士1級を取得できていないので、取得してほしい。

5. 従業員の離職状況とその変遷

合併を機に、2012年から2016年までに10人を新卒採用したが（大学、専門学校、ポリテク、高校）、4人離職している。

6. 高卒採用の再開と学校との関係

幅広く技術職（現場監督）を採用しており（図表1）、学歴は、大学、専門学校、ポリテク、高校のいずれでもよい。また、覚える意欲が重要なので学科も不問である。

やはり毎年、できるだけ年を空けないように採用するのがよいと思うが、会社としてはまだ厳しい部分もあるので、隔年くらいの感じでよいかもしれない。

今年度の採用活動に関して言えば、求人は出しているが、まだ応募がない。我が社は建築7割・土木3割であるのに対し、地元には土木がメインの企業がたくさんあり、新卒者はそうした競合他社を選んでいるようである。これは数年前からの傾向である。そのため、普通科や商業科の生徒であっても、技術職（現場監督）に興味のある生徒がいたら是非、という趣旨で、学校訪問や就職説明会出席を重ねてきた。

2014年4月入社の地元高校卒（事務職）は、そんななかでの、市内の就職説明会で知り合った先生からの依頼であった（高卒事務職採用はほぼ20年ぶり）。

図表1　直近6年の新卒採用

入社(4月)	人数	学歴
2012年	2	大卒(退職)、ポリテクカレッジ(退職)
2013年	2	高専、ポリテクカレッジ
2014年	2	地元高校※、ポリテクカレッジ
2015年	2	専門学校、職業能力開発大学校
2016年	0	
2017年	2	ポリテクカレッジ、専門学校(退職)

※地元高校卒（事務職）をのぞき、すべて技術職（現場監督）

インターンシップは、入社後の定着促進という点で効果があるようで、インターンシップ経験者は離職が少ない傾向がある。「生徒さんも会社を見て、1週間、10日間の期間で1現

場であるとか、自分が目指している職種ってこれだなとか、ちょっと違うなというのも、そこで1回でわかるのかなと。」企業パンフレットを表面だけ見て応募してくると、ミスマッチも増えるのではないか。このように考えるので、先日開いた社内検討会では、当社に関心を持つ生徒にはできるだけインターンシップを受けてもらうように、また、四則計算と漢字の読み書きを含めた一般常識テストも導入する（従来は面接と作文のみ）ことに決定した。

7. 新規高卒者の募集・採用にあたって公共職業安定所に期待すること、その他

新卒採用は、（ほぼ）毎年採用するような実績関係のある高校でも、いったん疎遠になると応募してくれなくなるので、自分たちのほうから足を運んで、会社の宣伝をしていく必要があると考える。

(8) 秋田G社

実施日：2017年8月8日

面談者：業務本部人事部マネジャー

1. 企業概要

設立：1899年（明治32年）、資本金：5000万円、社員数：2763人（8時間換算；うち正社員は400名程度）、業務内容：総合スーパーマーケット

2. ここ10年の経営状況・経営上の取り組み

業績は好調で、10年で売り上げは120億円以上増加している。店舗は、秋田県内には県北を中心に21店舗、青森県内に4店舗を展開している。10年前と比しては数店舗の増加にとどまるが、店舗のスクラップ&ビルド、改装を行っている。業績拡大の背景には、「地元密着」を経営・営業の理念として確立し、地元各店舗が地元の顧客ニーズに対応した品ぞろえ、価格帯を追求してきたことがある。

従業員（正社員）の年齢構成は、現在は20代、30代、40代、50代がそれぞれ4分の1程度となっているが、20歳代前半は最近の大卒採用強化で増加したものの後半は特に少なく、今後50歳代の退職に伴い、拡充を図らなければならないと認識している。

3. 従業員構成、職務配置、キャリア

社員の8割以上はパートナー社員（短時間勤務・有期雇用）である。正社員は新規学卒採用が中心で中途採用は少なく、この10年間の採用者（157名）の85%は新卒採用であった。新卒者のうちでも最も多いのは大卒（117名）で、特に2015年、16年は20名を超える採用をしている（図表1）。ただし求人は30名で出しており、充足できない状況が続いている。

図表1　最近10年の採用状況

			2007年	2008年	2009年	2010年	2011年	2012年	2013年	2014年	2015年	2016年
新卒	高卒	男性	0	0	0	1	1	0	0	0	0	0
		女性	0	0	0	4	4	0	0	0	0	0
	短大・専門卒	男性	0	0	0	0	0	0	0	1	0	3
		女性	0	1	0	0	0	1	1	0	0	0
	大卒	男性	9	11	9	3	4	6	4	7	15	10
		女性	3	4	2	1	2	1	1	8	6	11
新卒採用計			12	16	11	9	11	8	6	16	21	24
中途採用		男性	4	3	2	1	2	0	0	7	1	2
		女性	1	0	0	0	0	0	0	0	0	0

どの学歴も販売職としての採用である。採用後のキャリアモデルとしては、まず店舗での販売を担当し、大卒だとおよそ3〜5年程度で部門マネジャー、10年程度で本部マネジャーやバイヤー、スーパーバイザーとなる例を提示している。ただし、「決まったパターンはなく、個人の適性によって変わるというのが現状です。個々人の適性や成長度合い、あと、この人にはこの仕事を任せられるなというのが来た時点で、年齢や性別を問わず、抜擢させていただいて、ステップアップしていただく。」「高卒の場合も基本は一緒です。学歴は全く関係なく、本人の能力次第というところは変わりません。例えば大卒者と高卒者では年齢に4歳の差が生じます。そのことで高卒者の方はマネジャーになるまでの期間は大卒よりはもしかしたら長い期間がかかるかもしれませんけれども、チャンスのありどころとしては全く同じです。高卒だからマネジャーで止まるとかそういうことは全く無いです。」

賃金の上では、高卒者の8年目と大卒の4年目が同一になるような設定としている。

なお、社員区分としては正社員登用につながる「チャレンジ社員」という制度を新たに設けた。社内外で公募するのでパートナー社員からの応募もある。4年間の有期雇用だが、1年毎に行う評価面談の中で店長等の推薦と人事での面談を経て正社員に登用されうる仕組みで、実際に、採用から1〜2年で登用された実績がある。

このほかの社員区分としてエリア社員がある。正社員は基本オールエリア社員であるが、家庭の事情などで地域限定の働き方をしたい社員が移ることができる社員区分である。また、離職から5年以内であれば復職可能な「カムバック制度」も取り入れた。

4. 従業員の職業訓練、研修など、個人のキャリアを支援する仕組み

新入社員研修は5日程度の集合訓練で、後は配属先の各店舗でのOJTが中心となる。高卒者は大卒者とは別のプログラムも加えた研修を実施予定。集合研修は、これ以降、3カ月目、1年目、2年目、3年目に設定されている。今後、高校生には3年間は半年に1回の追加的な研修を予定している。「社会人経験の不足というところを補うのを目的としています。コミュニケーションの考え方とかですね。仕事のやり方云々ではなくて、上司とうまくいかないとか悩みの共有の場というのを大卒者よりも多く実施し、いったん会社から離れる外部研修も組み込んでいきたいと考えています。」

このほか、海外研修の制度も整備され、必要に応じて外部のセミナーを受講することもできる。資格制度としては、スーパーマーケット協会によるスーパーマーケット検定制度を取り入れており、各段階に応じた検定資格の取得が奨励されている。

5. 従業員の離職状況とその変遷

離職率は、この業界としては低い。最近では、2014年度新卒入社の16人中3人、2015年度新卒入社の21人のうち1人、2016年度新卒入社の28人中4人が離職した。

しかし、かつては高卒新入社員の離職が少なくなく、高卒採用をしばらく取りやめていた

のは、離職の多さが主な理由であった。高卒採用は2003年までは毎年行っていたがいったん途絶え、その後2010年と2011年に各5人採用した。2001年から2010年までの採用者は計23人であるがそのうち15人がすでに退職し、退職した人のうち10人は1～2年でやめていた。「退職する理由として、職場の受け入れ態勢というのも少なからずあったと思うんですけど、本人の意識の問題というのが非常に大きくて、弊社の場合だと土日が出勤日であること、お盆や年末年始も出勤になる。友人と休みが合わないということがハードルになっており、気持ちの面で大きく差が出てきていました。」しかし、2011年に採用した5人は、退職することなく現在まで継続就業している。「その方々何名かに聞いてみると、自分は高卒で働かないといけないという気持ちの強さが非常に高い。」

　「あとは社内でも、高卒採用の方々も活躍できる環境というのも整えてきて、それは高卒だろうが大卒だろうが関係ないので、大卒を中心に採用してきた環境の中で、入社からのどのような段取りでもって成長させていくのか、どういう項目を教えていけばいいのかというのをある程度、当時よりは見える化をして図ってきましたし、本人と店長、部門マネジャーの関わりというのも以前よりは変わってきたと思う。」大卒採用が中心になる中で、研修制度やメンター制度、上司の指導の在り方などを見直し、若手を育成する環境を整えたということである。

　同社は今年から高卒採用を再開する。「今回、高卒採用を再開しますけど、再開を起案した時も、共育の環境が以前よりも整ってきたという認識で、高校生を採用後も離職にはつながりにくい環境になったと説明させていただいています。」

6.　高卒採用の再開と学校との関係

　高卒採用を再開する理由は第一には、地元企業としての責任である。県を挙げて、若者の地元定着を図る中で、地元密着を経営理念とする企業としての役割がある。近隣の高校から販売希望の生徒の応募先が無いので是非という要請も多く、パートナー社員からも期待されている。第二には、大卒採用での未充足が続き、またパートナー社員の補充も難しい状態であることから、人手不足の緩和、そして採用後も離職の問題がクリアできそうな環境が整ったと判断したからである。

　募集は、販売職で、Cハローワーク管下で10名、店舗がある他の2つのハローワーク管下で5名ずつの計20名である。募集はそれぞれの管下（通勤圏内）の高校を対象に公開求人としている。

　採用試験は、適性検査と四則計算程度の計算、作文、面接、グループワークとしている。適性検査では、メンタル面と性格の特徴を注目する。面接、グループワークで判断することは、「自分の考えていることを素直に話せるかというところです。高校生ですけども、入社後は正社員として仕事をすることになります。パートナー社員と一緒に仕事をする中でも、要求を受け入れるばかりではなく、私はこう思うんですというのを自分でちゃんと言えるかど

うかというのは非常に大事なんです。」

　学校や生徒との接点の構築は積極的に行っている。まず、本社がある地区や近隣地区の高校3校へは挨拶に伺い、授業時間や放課後の時間をお借りして企業説明会を実施した。これは学校側が、地域の有力企業に個々にアプローチをして開いているもので、同社の説明会には、3校併せて25名程度の生徒が参加した。「高校生の方々には、土日休みでは無くなる件と、将来的には転勤がある話を必ずしているんですね。それでもって、それでも弊社で頑張りたいと思ってくれたら、次、選考会への参加をお願いしますと話をしています。」

　また、ハローワークが主催する県北地域の高校生を対象にした「合同企業説明会」が7月末にあり、そこでは20名程度の高校生が同社の説明を受けたという。

　さらにその後には、地域の商工会議所が企画する、同時期にいくつかの事業所を高校生が自由に見学できる「オープンオフィス」という取り組みがあり、その機会に同地区、および近隣地区の3校から計7名が同社を訪れた。この生徒たちは「合同企業説明会」で接点を持った生徒であった。さらに今後、訪問予定の生徒もいるという。

　この地区は複数応募可能だが、「何社か回っているという話は聞かなかったですね。ちょっと高校生にも聞いてみたんですけれど、今日が初めてだと話をしたので、1回目に選んでいただいているのか。これから他を回るかどうかは聞かなかったです。」

　このほか、同社ではジュニアインターンシップの受け入れも行っている。「学校側からご要望があれば、受けたいと思っています。特に今回、高校生採用再開ということで、実際夏期インターンシップや短期アルバイト採用では、インターンシップ等々の情報が先生方に伝わって店舗に問い合わせが寄せられたり、お盆時期の短期アルバイト応募が去年より増えたとか、そういう話も聞きましたので、効果はあったのかなと感じています。」

　「社内でも高校生のお子さんを持っている方々が多くいらっしゃいまして、その方々の話ですとインターンシップに参加するということは、その企業を受験する前提で参加することや、自分の将来の進路を決めるため、高校生は特にインターンシップは大事にしているということがあったので、・・・(中略)・・・、次年度はインターン募集の時期や、会社を知る機会をある程度こちら側で用意して、学校側に案内していきたい」

　また、キャリア教育として授業の一環で行われる職業人講話に、実施校の卒業生である同社の社員を派遣し会社説明を行ったり、地元小学校の社会学習のための講師として職業の紹介を行うことも少なくないという。

7.　新規高卒者の募集・採用にあたって公共職業安定所に期待すること

　「ハローワークに一番お願いしたいのは、説明会などの学生との接点機会の設定です。現在は7月頃にしかそのような機会がありません。実際、説明会などはどのように行うのかを問い合わせたところ、企業にお任せしていますという返答が多くあったので、ハローワークと学校側がより連携して、高校生の就職について、「企業の方へ参加をお願いします」という

アプローチ、そういう取組みがもっとあると・・・(中略)・・・いろんな機会で学生と企業の接点をつくっていただく。校内説明会や学校側のキャリア授業の時間を利用させていただいたり、会社説明会を設けて企業に時間指定で参加いただくなどという機会を毎週1回設けてもらうといった2年生から将来に向けて取り組むことが必要と考えます。」

（9）長野Ａ社

実施日：2017年8月21日

面談者：管理部人事総務グループ課長

1. 企業概要

創業：1940年（昭和15年）、資本金：19億2500万円、社員数：209名（臨時的従業員135名、外数）、業務内容：電線・ヒータ製品、ケーブル加工品、線材加工品などの製造

2. ここ10年の経営状況・経営上の取り組み

　1940年の創業から1990年代前半までは、規模の拡大と事業の多様化でやってきた。その後は、事業の再編成に腐心した。2002年には、それまでは1000人程度いた従業員の三分の一を減らし600人台にした。リーマンショックの後は、不採算事業部門の譲渡による早期退職募集など徹底し、現在の人員規模に絞った。臨時的従業員の比率が正社員と比べて5～6割高いのは、得意先からの受注量の変動に対応するためである。2012年には、それまで関連会社であったが、大手非鉄金属製造会社の子会社となる。

　現在の事業は、電線・ヒータ線部門とデバイス部門に大別できる。高卒配置でいえば、前者は男子、後者は女子（手先の器用さ、顕微鏡検査など細かい作業があるため）。

　事業の再編成は2013年7月で終了、その後は高い利益率で推移。2020年は80周年にあたるので、2017年度の連結売上高163億円を200億円までもっていく計画。高級車（北米とヨーロッパ）の座席ヒータ線や、電車やパソコンのケーブルなど売れ行き好調。当社は高速・高周波ケーブルの製造に強みがあるのでこれを活かす。

3. 従業員構成、職務配置、キャリア

　高卒男性社員は全員、機械のオペレータである。一人前になるのは、幾つか機械を動かせて、夜勤がこなせるかが一つの目安。そこに達するまでの年月は、部門や工程によっていろいろあるので一概には言えないが、1～3年程度。

　製造職場での職階は、リーダー（班長的なもの、正式な職階ではない）→係長→課長→部長、となっている。達する年齢の目安は、リーダー30歳、係長30歳半ば、課長40代。

　なお、製造派遣は高卒正社員の代替にはならない。製造派遣は3年という上限があり、本人の意志で他社に行ってしまうこともあり、長期的に就業してもらえる状況にはないからである。やはり一定割合については正社員で継続的に安定的労働力として確保する必要がある。

4. 従業員の職業訓練、研修など、個人のキャリアを支援する仕組み

　入社すると3日間の人事部研修、それ以降は2週間の事業部研修・実習（高卒は現場研修）

がなされる。

　上司は、叱り方などに気をつけている。一昔前なら頭ごなしに叱っていたが、上司自体も世代交代したため、言い方なども変わってきている。高卒者本人が「打たれ強いか打たれ弱いかというよりも、いかに本人のやる気を引き出して前向きにきちんとやってもらえるようにするかというほうに、力を注いでいます」。

5.　従業員の離職状況とその変遷

　高卒採用者は 2015 年 4 月入社の者以外（試用期間中に離職）、辞めていない。

6.　高卒採用の再開と学校との関係

　前回ヒアリング時の 2007 年に 4 人、次は 2009 年に 1 人、その次は 4 年空いて 2014 年に 2 人、それから 4、2、5 と毎年採っている。2020 年度まで売上げ拡大を目指しているので、それに合わせて毎年 5 人程度採用していく予定だ（図表 1）。また現在、20 代が全正社員の 9% しかいない。20 年後のことを考えれば、今後の継続的な採用が必要である。

図表1　新規高卒採用実績と採用計画

年	採用数	備考
2000	2	
2001		
2002		早期退職募集、1000人規模の従業員を600人台に。
2003		製造派遣活用開始
2004		
2005		
2006		
2007	4	
2008		
2009	1	早期退職募集
2010		
2011		
2012		大手非鉄金属製造会社の子会社に
2013		早期退職募集。事業再構築終了
2014	2	
2015	4	
2016	2	
2017	5	
2018	5 *	
2019	5 *	
2020	5 *	創業80周年

＊印は計画

採用実績がある高校は、近隣2校で、それぞれ総合制高校と専門高校（工業科、商業科、被服科）。この2校からの採用がほとんどである。少し離れた公立3校からの実績もある。高卒者の学科は不問。普通科でも採用するが、実際には応募がない。高卒就職者が減るなかで、この辺りの企業が取りあいをしている状況だ。市内のポリテクカレッジからは話は来たことはない（なお、大卒・短大卒採用も、当事業所が主力工場なので、担当しているが、確保が難しい）。

　企業見学は、高校の先生より連絡を受けて、夏休みに実施。とにかく現場を見てもらう。生徒たちも、初めて企業に接するからであろう、おとなしい。そのため、相性がいいといったことはわからない、企業見学によってはそこまで感じ取れない。企業見学後、高校からは誰それを受験させるので宜しくと連絡が来る。

　選考倍率は1.5～2倍弱。採用計画に則って進めており、多めに採用したりはしない。選考のポイントは、一定の学力があることを希望したうえで（適性検査の実施）、よく言われることだがコミュニケーション能力である（面接の実施）。

　作業指示書と上司の指示に従ってきちんと作業できることが品質保持のカギだから、失敗したら報告する、分からないなら早めに訊くといったことができるかどうか。コミュニケーション能力で差が見られないときは、適性検査の出来具合を参考にする。

　選考に落ちた生徒について先生からの問い合わせは、とくにない。

7.　新規高卒者の募集・採用にあたって公共職業安定所に期待すること

　企業活動は、その長い年月のなかで、山もあれば谷もある。当社もまた、過去に事業の再構築や早期退職募集を何回か実施せざるを得なかった。そのため、ネガティブなイメージを保護者がもってしまっている面は否めない。しかし、ここ数年で企業体質・業況は大きく改善し高卒採用も再開した。こうしたポジティブな情報を、より明確に、ハローワークから高校へ、高校の先生から生徒へと伝えるようにしていただければと思う。

(10) 島根B社

実施日：2017年8月7日

面接者：総務課長

1. 企業の概要

創業：明治43年（1910年）、創立：昭和18年2月8日（1943年）、資本金：6億9,300万円、従業員：1,077名（2015年度）島根の工場は259名、うち正社員および再雇用従業員が男性142名、女性41名。76名は派遣社員やパート社員。

事業内容：オイルシール、ブツーツ、パッキン他工業用ゴム及び樹脂製品の製造販売

2. ここ10年の経営状況・経営上の取り組みと今後数年の見通し

もともとは国内大手自動車メーカー系列で部品供給していたが、同メーカーの代表交代により全面提携が解消されたため、現在は同メーカーに加えその他の国内大手自動車メーカー複数社にも部品提供を行うようになった。自動車関連の売り上げが7割を占めており、島根の工場で生産された製品が約54%を占めている。

ここ10年の間に海外拠点も設けたが、中国などは現地産業政策の関係で困難があり撤退した。最近は産業ロボットの開発・生産が進められており、忙しく、人手不足の状態でハローワークに10名以上の求人を出している。

3. 従業員の職務の配置、キャリアアップ、昇進について

新卒・既卒とも、資格・技術の必要な人員と、ライン工など特別な技能が求められない人員とで分けて採用計画を立てて、求人を行っている。求人票には作業内容を明示し作業別に人数等を指定している。学校指定の求人は出しているが、最近はハローワークから「学校指定をしないでほしい」と依頼されており、「学校指定なし」の求人も出すようになった。学科指定はしていないが、求人票に作業内容を明示してどのような学校・学科から採用したいかを暗示している。

採用後の昇進システムについては、1990年代に導入した成果主義的評価制度にもとづく等級制度を、継続的に活用している。高卒者は1級からはじまり、「ひとランクアップは自動昇格します。特別悪くない限り。成績、それから情意、それから能力の3つの項目で人事考課をした後、査定にかけて、特別悪くなければ1から2級へは上がります。大体2年ぐらいで上がるかな」。しかし、3級以上の受験では考課や査定を厳密に適用し、昇進には会社に関する業務の問題点と改善点、改善策などに関するレポートを課している。5級以上の昇進には面接も課し、7級以上の昇進は論文と役員面接を課している。高卒就職後24年勤続しているにもかかわらず3級にとどまっている従業員も複数おり、昇進の速い、遅いがハッキリして

いる。女性従業員については、役職者でいままで5級合格（班長レベル）が最高で役職なし者では7級がいる。企業全体の人事異動を勘案しながら現場叩き上げの監督者（班長、係長レベル）を育てるため、誰をどのくらいの時期に昇格させるかを考えている。

4. 従業員の職業訓練、研修など

入社後は全員に安全教育を実施し、配属後は配属先に必要な資格取得などを支援している。また、県内経済団体が行う若手社員対象の研修会に若手従業員を出席させたり、特定の社員に日本能率協会の通信教育講座の受講を推奨したりしている。後者については、人事計画に応じて昇進させたい社員に推奨するケースが7～8割で、必要経費は会社が負担している。

5. 離職状況について

離職については、かなり少ない状況で推移している（図表1）。2014年以降、退職者はいない。

6. 従業員の募集・採用について

新規高卒の採用実績と充足度は、図表1のとおり。2008年以降の10年間では、リーマンショック後採用ゼロの年もあったが、継続的に新規高卒者を採用してきた。同時に中途採用も行っている。島根の工場における正社員の増減は小さいが、派遣社員の活用によって従業員規模は10年前よりやや大きくなった。

新規高卒の募集について、資格や技能が求められる部署・工程にかかわる求人は近隣の工業高校に、その他の求人は進学メインの普通高校1校を除いて、ほとんどすべての近隣高校に出している。採用試験ではSPI3および面接試験（最低でも、配属希望の部門長、総務課長、工場長の3名が面接官）を実施している。

採用基準として、面接評価票を用いている。総務課長によると、採用したい高卒者のイメージは「やんちゃな子。元気な子。素直な子で。それが一番ですよ。高卒で、頭がいい悪い

図表1　島根の工場における最近10年間の採用状況

	2008年4月	2009年4月	2010年4月	2011年4月	2012年4月	2013年4月	2014年4月	2015年4月	2016年4月	2017年4月
高卒求人数	2	2	0	2	2	2	2	2	2	2
応募者数	0	2	0	3	3	3	4	3	3	2
採用人数	1	2(1)	0	3	2	2	2(2)	1	3(1)	2
中途採用者	1(1)	0	9(2)	4	0	0	1	1	0	2
退職者	0	0	1	2	1	1	0	0	0	0

注）当社提供資料より抜粋。
　　括弧内は女性を示しており、内数。

の前に、人の目は見る、会えば『おはよう』『こんにちは』『お疲れさまでした』」といったことを重視している。高校の先生は、当社の採用試験を厳しいと思って優秀な生徒を送ってくれるため、学力面で不満を感じることはほとんどない。

　地元地域でも企業のことや工場のことを知らない人が多くなっており、応募者が少ない傾向にある。生徒が当社に関心をもったとしても、保護者が当社を知らないことが多く、社名も聞いたことのない会社は敬遠するよう介入するケースがある。

　また、女性従業員が20〜30歳代で少なくなっており、技術継承の問題を懸念している（図表2）。仕上げ部門で女性が多く活躍してくれており、女性を多く採用するよう努めているが、「女性を夜勤にするライフラインが整っていない」などの困難がある。女性従業員から「昼しかできない（＝出勤できない）と言われると、（略）昼勤で男性がつくった製品を、次の、翌日の昼勤でというふうに、物が引っかかって停滞するではないですか。（略）昼・夜、昼・夜、ずっとやっていったほうが効率はいい」。「目視でこうやって見て、いい物と悪い物を分けるということの集中力」の必要な仕上げ作業を女性に期待しているものの、若い世代で十分に採用できていない。

　2017年度、はじめて生徒対象の企業見学を実施した。理由は不明だが、これまでは学校や生徒から見学の相談があっても断っていた。今年はすでに高校生が見学に来ており、そのなかには島根R商業の生徒もいた（受験してもらえるか分からないが、島根R商業とお付き合いが再開するかもしれない）。

　県外からの採用は稀であるが、県内遠方からの採用はある。資格や技能を必要とする部署の採用では、遠方の生徒を採用し、会社がアパートを借り上げて工場近くに居住させるという対応を行ったこともある。

7.　今後の新規高卒者の採用計画について

　今後も続けて高卒者で労働需要を賄う予定で、大卒者への学歴代替は考えていない。中途

図表2　工場の年齢別従業員構成

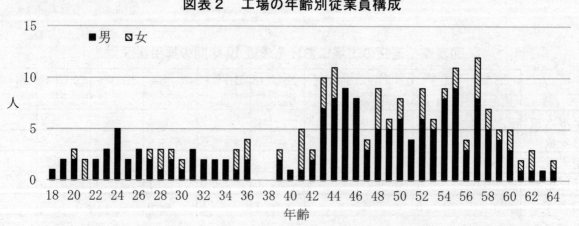

注）当社提供資料より筆者作成

採用よりも新卒採用が好ましいと考えられている。「中途にしろ、パートにしろ、3月から20人ぐらい新規に雇っているのですけれども、いろいろな経歴を持った方がいたりするのですよ。癖が出たり。それを考えると新卒のほうがいいのかな、と。」

これからの新卒者には、製品の生産工法の革新に対応してもらうような配置を行い、新しい工法の指導者・教育者、職場のリーダーや責任者に早く育ってもらいたいと考えている。

8. 高校に対する要望・ハローワークに対する要望などについて

要望として、高校にはコミュニケーション（分からないことを聞くことができる、挨拶ができる）と、長続きする生徒の育成を期待している。また、高校3年生だけでなく2年生、1年生をも対象とした企業説明会などを開催してもらいたい。ハローワークには、産業振興財団なども通じて生徒に企業PRできる機会を増やしてほしい。また、工場のある市内だけでなく、市外にも企業情報が届くようにしてほしい。高校とハローワークには、とにかく子どもとふれあうことのできる機会を多くしてほしいと考えている。

（11）青森 C 社

実施日：10 月 30 日

面接者：事務局長・園長

1.　企業概要

設立：平成元年、社員数：373 人、事業内容：介護福祉サービス等の提供（老人ホーム・老健施設・デイサービス・グループホーム・訪問介護・居宅介護支援等）

2.　ここ 10 年の経営状況・経営上の取り組み

C 社は複数の事業を運営しており、各事業において利用者数の減少や従業員を確保できない等、総合採算性を検証し、採算が取れない場合には、当該事業を休止し状況を見る方針を採っている。ここ 10 年では、看護師がなかなか採用できなかった訪問看護事業（2000 年開設）を 2013 年に休止した。また、人材を育成し、C 社で採用するという目的で設立した訪問介護員養成研修施設（2008 年開設）も、あまり採用につながらなかったことから 2013 年に休止している。更に現在は、入所者・利用者定員を下回っている施設・事業所について、継続するか採算性を検証し、廃止するか検討している。

3.　従業員構成、職務配置、キャリア

施設職員の配置状況は、国の基準省令では入所者 3 人に対し介護・看護職員が 1 人以上（3：1）とされているが、C 社のある 1 施設では基準上 33.3 人以上の配置に対し 76 人配置し、その比率は 1.6：1 と充実している。年齢・男女別の従業員数は図表 1 のとおりとなっている。全体のボリュームゾーンは 30 代〜40 代で、男女比は 1：3 程度である。

図表 1　年齢・男女別　従業員数

	男（常勤）	男（非常勤）	女（常勤）	女（非常勤）	計
10代	1	0	6	0	7
20代	23	1	45	3	72
30代	22	3	55	9	89
40代	14	1	57	16	88
50代	17	0	39	17	73
60代	7	2	15	16	40
70代	0	4	0	0	4
計	167	18	428	122	373

過去 10 年間の採用状況は図表 2 の通りである。高卒と短大・専門卒者は、基本的に介護福祉士取得見込みでの採用を行っているが、求人が充足しないため、今年から福祉系学科卒以外の無資格者も採用する方針に切り替えた（後述）。社会福祉専攻の大卒者の場合、社会福祉士の資格は持っているものの、介護福祉士資格はなく、給与面で資格手当もつかないため、

応募・採用数は少ない。中途採用も、本来は有資格者が望ましいが、現在は採用基準を緩め無資格者も採用し、採用後に研修等を行い人材育成を図っている。

図表2　採用状況の推移

	2007	2008	2009	2010	2011	2012	2013	2014	2015	2016	2017
新卒採用	4	13	20	9	13	8	12	8	14	12	9
高卒	4	1	2	5	0	0	1	0	2	5	4
短大・専門卒	0	10	14	3	8	8	10	7	11	6	3
大卒	0	2	4	1	5	0	1	1	1	1	2
中途採用	54	65	52	50	55	34	51	43	25	18	21
合　　計	58	78	72	59	68	42	63	51	39	30	30

　また、雇用の受け皿として、他で就職することが難しい年配の方の中途採用を行うことにしている。新卒者はその後のキャリアで産休育休を取得する可能性が高く、むしろ社会人学生や中途採用で年配者を採用した方がよいのではという考えもあり、2011年度からは乳幼児の子育てがひと段落した世代の方を優先し採用する方針を採っている。加えて、新卒者雇用数が少ないため、65歳までの再雇用の他、技術・経験を有する者にあっては65歳を超えて引き続き雇用できる規定に改正し、人手不足の解消を図っている。

　今後は少子高齢化の影響により、更なる従業員数の不足が懸念されるが、現時点では余剰とはなるものの今のうちから多めに採用して人材育成を進めておくことで入所者の処遇向上にもなると考えている（「これからはますます人が足りなくなっていくし、収支上少し厳しいかもわからないけれども、今から採用し育てておけば、それだけ職員の負担が少なくなり楽でしょうというのが理事長の考えなので」）。

　キャリアアップ体系は、介護福祉士資格を取得した職員から、ユニットリーダー→主任→生活相談員→副施設長→施設長となっている。ただし、このような体系があっても、民間企業ではそのポストが空かなければ昇格できず、かつ昇格の要件として必要な資格を保有している必要があるため、年次とともに自動的にキャリアアップできるわけではない。例えば、ユニットリーダーにはだいたい5年程度で昇格できるが、定員が12人となっており、空きが出なければ昇格できない。また、職務によって要件となる資格もあり、介護支援専門員等の必要な資格を取得しなければ希望する職務に異動することもできない。

4. 従業員の職業訓練、研修など、個人のキャリアを支援する仕組み

　毎月園内研修を実施している。職員が交代勤務制であることを鑑み、同じ内容を2日間実施することで、できるだけ多くの職員が参加できるよう配慮している。

　また、キャリアアップに必要な研修も、勤続年数に応じて受講させたいと考えている。例えば、入職3年以上の職員は認知症実務者研修を受講させてステップアップを目指すが、研修の主催者側が1施設1名より参加できないという制限を設けていることも多く、経験年数に応じ全員に順々に受けさせることができない状況にある。研修を受けさせる職員の選考は、「ふだんの状況を見て、この職員はこの研修でここをもうちょっと学ばせ伸ばしてあげたい

なと思う人を選んで」いる。1名の枠に入れない職員に対しては、民間の研修を受けさせるなどして研修の受講機会を確保している。

　新入社員に関しては、まず3月中に10日間の事前研修を行っている（参加は強制ではない）。事前研修では、まず1日間の座学で、C社に関することやサービス提供の基本的な視点、障害・疾病・医学の基礎知識等を学ぶ。残る9日間では配属施設で各マニュアル等の講義や実習を行い、個々の介護技術の習得レベルやコミュニケーションの特徴を把握している。4月～6月はOJT研修として、実際の現場で実務を学び、ケアの基礎を固める。その後も一年を通じて新入社員向けの研修が行われる。

　加えて、働きながら介護福祉士受験資格が得られるよう、6ヶ月間の介護福祉士実務者研修を無料で受けられる「キャリアアップ事業」を行っている。実務ルートで介護福祉士資格を取得するためには、3年間の実務経験と実務者研修を修了し、国家試験に合格する必要があるが、このうち実務者研修を受けるための費用最大約21万円を会社が全額負担し、資格取得を支援する制度である。本事業の対象は準職員で、6ヶ月間の研修を終えた後に正職員に転換させる仕組みをとっている。6ヶ月間の研修費用は厚生労働省のキャリアアップ助成金でまかなうことができるため、修了後にC社で一定年数勤務しなければならないという条件は付していない。また、複数の奨学金制度を設けており、介護職員が看護師を准看護師が正看護師を目指すための看護学校への進学等に利用でき、卒業後3～4年など一定期間C社で勤務した場合は全額返還免除になる措置をとっている。

5. 従業員の離職状況とその変遷

　C社の年間離職率は、2016年度で7.6%、2017年度で3.4%に抑えられている（離職率の計算は離職者数÷年度当初人数）。2016年雇用動向調査によると、医療・福祉分野全体での離職率は14.8%であり、産業平均に比べるとC社は比較的離職率が低い傾向にある。離職率の推移は図表3の通りである。

図表3　離職率の推移

	2012	2013	2014	2015	2016	2017
離職率（%）	14.2	11.1	9.9	7.6	7.6	3.4

　C社では基本的に「去る者は追わず、来るものは拒まず」というスタイルで、辞めたいと言う人を止めることはない。その理由として、地域への貢献という視点があるという。「理事長も、辞めて他の事業所に勤めてもここで3年間覚えたことを、ほかに行って役立ててくれればいいよねっていう考えなんですよ。ここで培った経験をほかで生かすことによって、その地域の住民のためになりますよねというのが理事長の考えなんですよね」。また、退職の際には、「いつ戻ってきてもいいから」と伝えている。ただし、高卒就職者の場合は、はっきり進路を決めて高校を選んだ方ばかりではなく、福祉科に合格し学んだことから介護関係へ就

職したという方も多く、「世間がよくわからない」状態にもあるため、「1回だけは止め、当施設が他施設と比べ優れている点を話しもう1回だけ考えてみなさいという」。それであっても辞職の意思を伝えられた際は「新しい就職先がもし自分の思っていたのと違い、考えた結果そこをやめてほかに行くくらいだったら戻ってきなさいって」話している。そのような働きかけやC社の働きやすさなどを理由に、一度C社を辞め、他の事業所に転職したのちに再度C社に戻ってきた職員が10数名ほどいる。そのような職員は、「やっぱりここがいいよねって、それで戻ってきてくれた方ばかりであり、結果的に今後絶対やめることはない。戻ってきてくれるのは、こっちにすればいいことなんですよ。もうやめる心配がないから」という。いったんC社を離れ、他の事業所へ転職することによって、職員はC社のよさを確認することができ、むしろC社と職員との信頼関係が強まるという効果が生じているのである。最近の離職傾向としては、結婚などを理由に離職する人が多く、他施設に移るという人はあまりいない。

6. 高卒新卒者の募集・採用と学校との関係

2015〜17年はいずれも正職員での介護職員の募集を行っている。求人数は2015〜16年が5人、2017年が10人で、実際の高卒就職者は0〜5人（図表2を参照）。県内では福祉系の高校数が少なく、また福祉科は進学者も多いため、福祉系高校からの就職希望者は少なくなっている。また、現在は高卒求人数が増加している影響で、福祉系の学科を卒業しても他業種に進む生徒が増えており、新卒の確保が難しくなっている。そこで、2017年度より、普通科新卒者も募集・採用を行うこととし、普通科高校への訪問を広く実施している。上述の「キャリアアップ事業」についても説明しているが、現時点では応募はない。学歴代替については、「高校生であっても、いい人は伸びていきますから」検討しておらず、今後も高卒採用を継続する方針である。選考に際し、2年前までは学科試験を行っていたが、結局採用段階で参考にすることはないので廃止した。明るい、挨拶ができる、コミュニケーションが取れるなどの印象を重視している。応募にあたって、施設見学は必須である（「うちのほうを全部見てもらって、それで選んでいただければ働いて下さいっていう形になるので」）。見学では、入居者への配慮から普段着で参加して貰う。福祉科高校の実習は毎年、各学年3〜4人が1ヶ月ずつ来ている。

高校に望むこととして、「学生自体は自分が希望しないで（筆者注：学力的な理由により福祉系の学科に）入っている場合もある」ため、「福祉の仕事というのは、これは社会全体で支え合う仕組みの中で支援を必要とする方の一番身近でその人の手助け、お手伝いをする仕事であり、一緒に喜べるそして感謝されるんだよ、社会のためになっていくんだよということを広めてほしい」。「やっぱり介護の仕事というのは、きつい、汚い更に夜勤あってつらい」ため、他業種の求人が多くなるとそちらに流れがちになるため、高校で福祉職の重要性や意義を指導して貰いたい。

（12）高知 A 社

実施日：2017 年 8 月 24 日

面談者：経営企画室　室長

総務部　総務課　課長

1.　企業概要

設立：1953 年（昭和 28 年。創業は 1920 年（大正 9 年））、資本金：6000 万円、社員数： 158 人、業務内容：部品事業（耕うん爪を中心とした刃物類の製造販売等）、製品事業（農業用アタッチメント、アグリ機器の製造販売等）、環境事業（廃油・廃液トータルソリューションシステム、プール等のろ過装置の製造販売等）

2.　ここ 10 年の経営状況・経営上の取り組み

　部品事業、製品事業、環境事業という三事業の柱は変わっていない。また、耕うん爪が売り上げの 90％を占めており、「耕うん爪が健全な商品である間に、早く耕うん爪以外の事業をひとり立ちさせなければいけない」という課題も「10 年前と同じ」である。ただし、「環境事業と製品事業を別々にやっていたのではなかなかひとり立ちも難しい」ということで、2017 年からは、環境事業の中でも特に農業関連分野に着目するという方針のもと、両事業を統合した「E&A 事業部」を立ち上げた。売り上げ高にあまり大きな変化はなく、10 年前と比較すると漸減といったところで、経常利益はほぼ横ばいとなっている。

　この 10 年で特に注力していたのは海外事業で、インドに耕うん爪の工場をつくって 3 年になる。インドの工場では 50 人程度が勤務しており、日本からは、社長兼営業が 1 名（国内では営業所の所長をしていた 50 代の社員）、工場のメンテナンス・品質管理担当が 2 名（国内では生産技術課長・係長を担当していた 30〜40 代の社員）、全体の管理担当が 1 名（国内では経営企画を担当していた 40 代の社員）の計 4 名をインドに派遣している。なお、学歴構成は、大卒 2 名、高専卒 1 名、高卒 1 名となっている。インド派遣者の選考基準としては、工場全体の稼動を見ることができる、営業でも耕うん爪に関する一定の知識があるなど、「1 人でいろいろできる人間」であることを重視している。インド事業は立ち上がったばかりなので、早く利益を出していきたいと考えている。

3.　従業員構成、職務配置、キャリア

　男女別・年齢別の従業員構成は、次ページの図表 1 に示したとおりである。女性は事務職が主であり、方針としては 50 代の女性事務職の引継、男性技術職の採用難などから「男女関係なく採用したいと思っている」が、指定校である工業高校に在籍していて、かつ県内就職志望の女子生徒となるとほとんどいないため、現時点では高卒採用は男性が多くなってい

る。ただし、女性の採用に関しては、直近の新卒女性採用は大学卒企画職だが、全体には高卒者が多い。事務職の欠員補充がある場合は、地元商業高校を指定校に追加して採用した実績がある（10年ほど前）。

図表1　男女別・年齢別　従業員構成

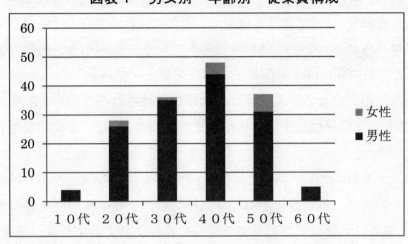

最近10年の採用の状況は、以下の図表2に示したとおりである。

図表2　最近10年の採用状況

		2007	2008	2009	2010	2011	2012	2013	2014	2015	2016	2017	合計	うち退職者
新卒採用	大卒・大学院卒	3	1	2	1	1	1	3	1	1	2	0	16	3
	高専・短大・専門卒	1	0	0	0	0	0	0	0	1	0	0	2	0
	高卒	3	2	2	3	2	2	2	2	2	2	2	24	2
	中卒	0	0	0	0	0	0	0	0	0	0	0	0	—
	新卒採用計	7	3	4	4	3	3	5	3	4	4	2	42	5
中途採用	大卒・大学院卒	2	0	1	0	0	1	0	0	0	0	0	4	0
	高専・短大・専門卒	0	0	0	0	0	0	0	1	0	0	1	2	0
	高卒	0	0	0	0	0	0	0	0	0	0	1	1	—
	中卒	0	1	0	0	0	0	0	0	0	0	0	1	0
	中途採用計	2	1	1	0	0	1	0	1	0	0	2	8	0

　図表2からもわかるように、新卒採用について、大卒・大学院卒は例年1〜3名程度、高卒は2〜3名程度で安定している。また、大卒・大学院卒では、10年間で16名採用して退職者は3名、高卒では、24名採用して退職者は2名と、定着率が高いことが特徴的である。

　大卒営業職については学部・学科を問わず採用している。技術職については、機械系、電気系、材料系がメインにはなるが、「開発技術から営業に回るものがいないわけではない」。大卒の採用は、特に理系で内定辞退が出るなど厳しい状況にあるが、「ハードルを下げたりはしていない」。なぜなら、後述のとおり、「高卒の子たちは非常に優秀なので」、大卒のハードルを下げることでバランスが崩れてしまうことが危惧されるためである。大卒就職では特定の大学との関係があるわけではないが、高知出身者が多い。工業系の大学やポリテクカレッジからインターンシップ生を柔軟に受け入れているが、必ずしも採用に直結しているわけで

はなく、トップの意向で社会貢献という側面が強い。

　高卒採用については、県内の工業高校2校に指定校で求人を出し、各校からほぼ1名ずつ採用という従来の形を継続しており、「高卒採用に関しては上手に回っている」。こうした採用形態のメリットとして、まず、「生徒さんの側から見ると、ずっと先輩が継続して入っているので安心感がある」ことが挙げられる。OBのほうからも後輩にA社を勧めており、また、図表2にも示したとおり、「非常に定着率がよい」ため、教師からも「県内企業の就職希望であれば安心して勧められる」という評判を得られている。基本的に、両校の生徒とも、1年生で工場見学、2年生の春には1週間のインターンシップを体験したうえでA社を希望するという流れであるため、会社と「マッチした状態で入社されることも定着率につながっているといえる」。こうした関係性の中で、平均評定がかなり高く、「基礎的な能力は高い」生徒が入社してきている。

　今後の高卒採用の方針について、最近は特に、「大学の理系の学生さんの採用が難しくなってきて」おり、その中で、指定校である工業高校2校は「質の高い生徒さんを出してくださっていますから、無理に大学卒だけの理由で理系を採ったりするよりは、（筆者注：高卒者を）社内で教育していったほうがよいのではないかという考え方も一つある」と考えている。両校とは「非常にいい関係が続いて」いるため、「よほどのことがない限りは指定校1校ずつで、継続して採用させていただきたいとは思って」いる。なお、指定校である2校以外の高校からも、応募したいという話はあるが、指定校以外はほぼ自由競争になってしまう旨を説明すると、実際にはなかなか具体化しない。

　人事制度は大きく分けてOコース（現場の技能職や実務）とGコース（営業、技術、企画職といったいわゆる総合職）の2本ルートとなっており、Oコースは6割程度、Gコースは3〜4割弱を占めている。高卒はOコースでスタート、大卒はGコースでスタートすることになる。総合職（Gコース）には、一般職の次に主任・係長がある以外、細かい職務等級の区分はない。高卒の場合、だいたい30代から専任班長になれるといった感じであるが、現行制度では専任班長、班長、係長は役職となっており、自動的に全員がなれるというわけではない。高卒者は大卒者より1つ下の職務等級からスタートするため、最高評価を取り続けなければ大卒には並べない制度設計となっているが、後述のように高卒からの抜擢もありえるため、高卒と大卒に「あまり差はない」と考えている。

　こうした現行の人事制度は、今年で3年目となっている。以前は技能資格制度の中で一本の人事制度であったが、「設計とか営業とか、個人の裁量で仕事をやらなければいけないとか、あるいは目標管理であったりとか、方針展開であったりとか、一定の責任を持って仕事をしてもらわなければいけない人たち（筆者注：Gコース）と、実務職としてラインの中でチームの一人として仕事をしていく人たち（筆者注：Oコース）を、同じ人事制度で評価するのは難しい」ということで、現行制度が導入された。入社時にGコースを想定しているのは学卒者であるが、上述のように高卒者の基礎能力はかなり高いものであるため、高卒者でGコ

ースに転換する者が4〜5人出てきている。このような転換は、本人の希望もあるが、どちらかといえば指名によって行われる。高卒の場合、入社後1年はOコースとなり、次の1年間でGコースへの転換を行うかどうかを検討するため、最短で入社3年目からのコース転換ということになる。選抜基準は、「能力が高い、工夫とか改善とかの意欲が高」く、定型的な仕事だけをやっているのは「もったいない」人材だということである。コース転換後は、専門的な研修を受け、品質管理や統計の勉強をすることとなる。コースの転換により、給与がすぐに大幅に増加するわけではないが、長いスパンで見れば生涯賃金も多くなり、キャリアの見通しは変わってくる。

4. 従業員の職業訓練、研修など、個人のキャリアを支援する仕組み

　高卒新入社員に対しては、高知県経営者協会が主催する「新入社員合同研修会」や、「フレッシュマン研修」、社内の集合研修などが行われる。入社後、4月〜6月にかけて、各職場での実務研修である「新入社員職場研修」が行われ、適性を見極めたうえで、7月から決定された部署に配属されるという流れとなっている。

　資格について、溶接などの資格は高校で取得してくるよう話をするが、それでも取得できていない資格が配属先の部門で必要になった場合、会社がお金を出して取得してもらうということになっている。高卒採用では基礎学力の高い生徒が入社してくるため、そこで資格が取得できないというケースは生じていない（ただし、何度かチャレンジする場合もある）。

5. 一人一社制、学校との関係

　一人一社制については、「何人も来てもらってその中で1人を選ぶというよりは、今のほうがいいのではないか」と考えている。「学校との信頼関係というか、長く続いているもの」があり、基礎学力が十分である生徒が入社してくることも大きい。ただし、「基礎能力はあまり心配していない」が、「明るくて前向きな子がいい」という要望はあり、インターンシップ等を通じ、そのような面でマッチしていると思われた生徒と、高校側の学力による選抜の結果とが必ずしも一致しないケースもある。

6. 新規高卒者の募集・採用にあたって公共職業安定所に期待すること

　高卒採用に関しては、指定校との関係が非常に安定していることもあり、ハローワークへの要望は特にない。

（13）山陰 E 社

実施日：2017 年 8 月 8 日

面談者：人事担当部長

1. 企業の概要

住宅の内装部材など木製品の製造を行っている。すべて主取引先企業向けであり、一般向けの製品はない。

20 年前の調査に対応した会社とは、名称は似ているが、全く別の会社になっている。以前の会社は 2008 年に生産部門を閉鎖し、従業員は全員解雇となった。その際、退職した従業員が出資して何とか職場を存続させようということになり、78 名がそれぞれ 1 か月分の給与程度の出資をして新会社を設立した。出資メンバーの一人が社長となり、主取引先の理解もあって事業を続けることができた。

2 年前に、大阪に本社のある東証二部上場の専門商社の１００％子会社となり、親会社役員が社長となった。親会社の方針に沿って、組織改革を進め始めたところである。

2. 従業員の募集・採用や育成

従業員数は、外国人技能実習生 4 名を含め約 80 名。平均年齢は 45 歳ぐらいである。

現会社の設立の趣旨からして、「雇用を守る」という考え方が強く、解雇をしない企業であったが、このため事業規模からみて人が多い。設備が古いので、人手が必要になるという面もある。出資メンバーに経営のプロがおらず、営業力も弱かった。会社の業績は厳しい。

したがって、積極的に新規採用をするという状況ではなく、必要に応じて中途採用で対応しており、新卒者の定期採用は行っていない。直近の新規高卒採用は現在 20 代前半であるが、現場からの推薦により、若くして役職についている。年齢や学歴による決まったキャリアコースがあるわけではない。

60 歳定年で 65 歳まで継続雇用し、65 歳を超えても会社の要請により残ってもらう人材もいる。高齢になっても、職人的な仕事ができる人は年齢を理由に辞めることがあまりない。従業員の高齢化が進み、技能の継承も必要であり、一定数は採用を継続していきたいと考えている。

現在、高卒求人を出しているが、まだ学校からの反応はない。同様の条件で学歴不問の一般求人もハローワークに出している。賃金水準が低いので募集してもなかなか人が集まらないが、現従業員の賃金実態からみて、初任給を引き上げるのは難しい。地元では以前の会社が倒れた時のイメージが残っており、親世代が心配することも若者の応募に関してマイナス要因になっているのではと思われる。昨年からベトナム人技能実習生（女性）を 4 名採用し、戦力になっている。

「高卒募集かけてもちょっと手を挙げられんので、中途では採用はさせていただいております。（中略）もう補充ぐらいしか、今できんので、やっぱりこれも儲からんとね、人の採用できんのでね、今ちょっとそこがきついところなんで。（中略）定期（採用）がね、なかなか難しい。やっぱ、これも給与の部分も大きく関係しとるかもわかりませんよ。（中略）儲かっていけばね、みんなの給料を上げてやりたいがいう思いはあるんですが、まあそれを早くしたいなとは思っています。」

　定着状況については、健康上の理由や結婚で辞める人はいるが、短期間で辞める若者が多いといった傾向はない。のんびりしたところがあるので、居心地がよい面があるのかもしれない。会社としては、あまり利益が上がっていないので親睦会など福利厚生の費用補助はできないが、新人の歓迎会などは職場単位で自主的にやっている。

3.　今後の見通しと課題

　新たな親会社の経営方針に従って、今後、企業風土が変わってくる可能性がある。しっかりした会社の傘下に入ったことで、とりあえず雇用は守られたと安心する従業員もいるが、親会社の意向で設備が新しくなれば人手が少なくて済むかもしれず、意識の切り替えが必要になるだろうと考えている。

　研修についても、今まではっきりした体系がなかったが、親会社にならってプログラム作りを進めているところである。30代から40代ぐらいまでを対象に人選して実施する予定である。資格取得の奨励についても、これまではケースバイケースであり、業務に必要な資格の場合、給与面で適宜対応することはあったが、今後は明文化していくことも必要だろうと考えている。

　ISO9000（品質マネジメント）とISO14000（環境マネジメント）を2018年度中に取得するための準備をしており、事務系の人材が少ない中で作業が大変であるが、今後に向けて必要なこととして取り組んでいる。

　「今、もう変わっていますね。（中略）少しずつ、一遍にそれを言うとついてきませんので、少しずつ、わかりやすく、（親会社から）説明をしていただいて変ってきとる状況。まだ５０％も変わってきていませんけどね。これ、ちょっと時間かかることなんで。やっぱり時間はかけても、これやらんと、将来がちょっと見えてこないんでね。」

4.　行政や学校への要望

　外に要望をする前に、まずは会社としてレベルを上げることが必要。今は要望を言えない。旧会社のイメージを払拭して地元からの評価を上げてからのことだと考えている。

　「ここ（地元）の人のイメージが、さっき言ったように旧会社のイメージが浸透しとるのを何回も聞くんで、それを払拭せんにゃいかん思うとるんですよ、私は。それは、立派な会社、要は儲けていける土台づくりができるいうのがまず先だろう思ってるので、そっからで

すよ、ある程度言わしてもらいたいことがあれば、というところですね。」

図表1　山陰E社　従業員構成（外国人技能実習生を除く）

	20代	30代	40代	50代	60代～	年齢計
【男性】						
大学卒		1	1	1		3
短大・専門学校等卒・中退※	1			2	1	4
高校卒	3	6	6	13	10	38
（うち専門高校）	*2*	*3*	*5*	*12*	*10*	*32*
中卒・高校中退・養護学校卒	2		1		1	4
不明				2		2
学歴計	6	7	8	18	12	51
【女性】						
大学卒	2		1	1		4
短大・専門学校等卒・中退※		3				3
高校卒	1	2	7	7	1	18
（うち専門高校）	*1*	*1*	*5*	*6*		*13*
中卒・高校中退					1	1
学歴計	3	5	8	8	2	26

※職業訓練校卒、専門学校中退を含む。
　提供資料に基づき作成

（14）I社

調査実施日　2017年8月1日

面談者：総務部長

1. 企業概要

設立：1950年代、社員数271名、業務内容：百貨店。

2. この10年の貴社の経営戦略と今後数年の見通し

他の地方百貨店同様に売り上げが減少する状況が続いている。

3. 従業員の募集・採用とその推移について

　10年前は団塊世代が多かったが定年退職により現在では40代が最も多くなっている。

　高卒採用（販売職）は2004年に5名を採用したのを最後に採用していない。2007年のインタビュー時には高卒採用（販売職）について「ここ数年というスパンで見たときには、まだ可能性は極めて少ないかなというのが本音でございます」ということだったが、引き続き停止しており、「今のところはちょっと考えていないですかね」。理由としては、高校生は成長途上にあり大学生よりも今後の成長を見極めづらいこと、また進学率が高くなり学力が高い高卒者の採用が難しくなったことがある。

　ただし保守管理のための従業員として電気工事士資格を持っている生徒を工業高校から2014年、2016年に採用し、来年の2018年も採用する予定となっている。電気工事士資格を持っている必要があるので、求人票は保守管理を担当する多くの先輩社員の出身校でもある地元の工業高校の電気科に非公開で出している。I社は工業高校では珍しい就職先であり毎年採用しているわけではないので採用に苦労すると予測していたが、百貨店のように綺麗な場所で働けることに魅力を感じているのか採用できている。生徒には企業見学に来てもらい、その上でI社で働きたいと希望した生徒に、人事部長が面接・筆記試験をしてその後役員面接を行う。

図表1　新卒採用の推移

		2008	2009	2010	2011	2012	2013	2014	2015	2016	2017
男性	大卒	4	4	3	0	1	0	2	0	2	2
	短大卒	0	0	0	0	0	0	0	0	0	0
	高卒	0	0	0	0	0	0	1	0	1	0
女性	大卒	1	1	2	0	1	0	1	0	1	3
	短大卒	2	0	0	0	0	0	1	0	2	0
	高卒	0	0	0	0	0	0	0	0	0	0
合計		7	5	5	0	2	0	5	0	6	5

大卒・短大専門卒は就職支援サイトで公募し（多数の応募がある）、100名程度が地元で実施する企業説明会にやってくる。結果的に地縁がある方々が採用されていることが多い。

採用の際に重視するのは表現力や受け答えである。「問われたことに対していかに回転よく、端的に答えられるか。回転よく話してもらえるのって、ある程度、頭がいいというか、学力とは違う部分かもしれませんけど、やっぱりある程度比例しますよね。」

従業員の研修については階層別研修が行われている。キャリアについては、採用の際に全員が管理職になるというイメージで採用していることに変化はないが、一つの売り場を3－4年担当して係長に昇進するというパタンはすべての者がたどるわけではなくなった。

新入社員（販売職）については、2週間の机上研修があり、その後1ヵ月半マンツーマン指導教育がある。担当指導員も置いている。なお保守管理系については、最初の2週間は同じ研修を受けるが、その後は保守管理系の先輩社員に指導を受ける。

大卒も短大・専門卒も職能資格制度上の格付けは異なるものの全員売り場からだが、ずっと売り場で販売をすることは想定されておらず、総務や経理を含めて多様なキャリアに広がる。ジョブローテーションは今も行っており、スキル形成において大変重要だと考えている。

百貨店は売り場によって発注形態も取引先も異なり、求められるスキルが全く異なる。販売職として自立するには、一つの売り場で5年程度かかる。例えば婦人服の売り場は100人くらい従業員がいるが、Ｉ社は10人程度で他はお取引先の社員であり、Ｉ社でフロア全体をまとめていかなくてはならない。若手社員はマネージャーの指導を受けながらいくつか売り場を経験してコツや指導の仕方を身につけていく。

4. 今後の新規高卒者の採用計画

保守管理の従業員については足りていないので、今後もあと2－3名は採用したいと考えている。非正社員として高校生を採用したことはない。

地元の大学生に対して1週間程度のインターンシップをしており、売り場にも立ってもらっているが、採用とは切り離している。

(15) 秋田 I 社

実施日：2017 年 11 月 24 日

面接者：管理部次長　兼総務課長

1. 企業の概要

　食品製造・販売を主たる事業とする従業員約 750 人（うち正社員約 4 割）の企業で、近年、定年を迎える社員が増えており、新卒採用を拡大しているところである。高卒、大卒、専門学校、短大、技術専門校など幅広い学校卒業者を採用している。

　入社後の研修、および配属は特に学歴で異なることはない。最初の 1 か月を研修期間とし、食品衛生や労働安全などの座学とともに、製造から販売、配送などの幅広い業務を経験させ、その間に本人の適性を見極め、希望を聞きながら本配属を決めている。専攻によっての配慮はある。その後も本人の状況により随時、配置転換や昇進を行っており、学歴別のキャリアパスは特に設定していない。高校新卒者の早期離職は少なく、むしろ中堅社員の離職が今の課題。

2. 採用状況

高校新卒の採用は毎年行っており、近年は、製造職で 10 人、営業職で数人の求人を出している。本年の採用は、すでに 9 名を内定し募集を終了している（男女比は半々程度。他に、大卒 3 名を内定）。応募は 11 人あり、2 人を落とした。メンタルの問題や特に出席日数が少ないなどの理由による。現在、一部の高校から、公務員試験で不採用になった生徒などの応募を打診されているところであり、事業所見学に来るよう応答している。応募前の事業所見学は、採用後の定着のためにも重要だと思っており、すべての応募者に促している。

採用試験では、一般常識試験と適性検査を行い、応募に向けての努力やコミュニケーション能力などをみる。正社員はパート・アルバイトを指導する必要があり、そのために必要な能力だからである。

3. 新規高卒の募集状況

高卒求人は、県内のすべての高校に対して、公開で提示するようにしている。学科は問わない。学校訪問も積極的に行っているが、24 時間稼動工場での交代制勤務であることから、応募が見込めないと学校側から言われることが少なくない。リーマンショック直後は、募集数の倍を超える応募があったが、現在は採用難である。しかし、高卒採用は採用の基本だと思っており、これからも続けていく。

4. 「一人一社制」について

すでに「一人一社制」は崩れており、3～4年前まではありえなかった内定辞退が、毎年起こっている。辞退が伝えられるのは年明けの遅い時期で、配属の予定なども組んでおり大変困るが、受け入れるしかない。内定辞退があったからといって、その高校に翌年の募集をかけないということはないが、推薦依頼数を減らすようなことは考えている。また、複数応募していると、学校から事前に連絡を受けた経験はない。会社としては一人一社のほうがいい。

5. 高校生との接点

2年生に対するインターンシップや学校からの要請による企業見学、あるいはハローワークによる「オープンハウス（1日企業説明会）」には協力しており、こうした機会に接点のあった生徒が応募してきたケースはある。インターンシップを経験者の定着率はかなり高い。繁忙期のアルバイト採用もあるが、これを契機にした応募はいままでない。

（16）青森Ｂ社

面接者：人事部　次長
同席者：青森県経営者協会　専務理事

1．企業の概要

地方銀行。従業員数約 1300 名。正社員は全員が総合職で、Ｇ系（転居が伴う転勤あり）と
Ｌ系（転居が伴わない転勤あり）から構成されている。高卒者はＬ系での採用になる。

新入行員研修は高卒者も大卒者もいっしょに行う。２週間の集合研修、１週間の端末研修
がある。新入行員には支店で OJT トレーナーや JOB トレーナーをつける。学歴を問わず同
じ教育訓練体系となっている。

2．新卒採用の状況

90 年代以降も人数の多寡はあるものの、継続して高卒者を採用してきた。2017 年について
は応募者が 26 名おり、15 名を採用した。高卒者は応募者がほぼ女性で占められているが、
男性を採用した実績もある。

図表1　新卒採用の推移

	2016	2017	2018（予定）
高卒（L系）	26	15	12
大卒等計	65	74	選考中
G系	34	53	
L系	31	21	

3．高卒者の募集状況

高卒就職情報 WEB 提供サービスを利用し、インターネットでの求人閲覧を可能にしてお
り、高校から生徒を採用して欲しいとの新規のアプローチもある。地元に密着したサービス
を提供するという観点から、それぞれの地域（都市部・郡部）で採用することを心掛けてい
る。依頼する高校の半数は商業高校であり、さらに地域的な戦略のもとで採用を行っている。
郡部において採用したい場合には、高校に直接尋ねていくこともある。優等な生徒が受験し
ており、中には工業科の希望者もいるが、同じＬ系での採用である。

各高校から必ず何名採用するということはなく、採用試験で判断している。先生にも送っ
ていただいても必ず採用するわけではないことを伝えている。事前に何名に絞り込んで欲し
いというお願いもしない。採用試験は、一次が面接、筆記、適性検査、集団討論であり、二
次は役員面接である。

高卒者の「質」が下がったとは思わない。高校生は若く素直な生徒が多く、入行後に成長する可能性がおおいにあるため、今後も採用を継続したい。

4. 「一人一社制」について

企業側から言えば現在の「一人一社制」は、内定辞退がある大卒者に比べると、スケジュール的に遅く、また内定辞退がない高卒者は確実に採用が見込めるため、採用計画においてメリットがある仕組みであると思う。

採用試験はいつも9月に行っているので、公務員合格を理由として内定辞退を受けたことは少なくとも近年はない。11月に高卒者を採用したことがあるが、同時に複数応募はしていないようであった。9月は1人1社、10月ないしは11月以降に1人2社という現在の慣行で特に問題はない。

仮に現行のように一人一社ではなく同時に複数応募が可能になった場合、「応募者が増える」「内定辞退者が増える」「採用選考時期が長期化する」「中小企業への応募が少なくなる」と予想する。「優秀な生徒を採用できる」「企業と生徒の双方の納得度の高い採用ができる」とは予想しない。

5. 高校生との接点

高校生向けにはインターンシップはしていないが、支店見学（昨年は14校）の機会を提供したり、合同企業説明会や高校の卒業生講話には積極的に参加、協力している。高校の先生には、折に触れて、B社の業務は事務ではなく接客が中心であり、コミュニケーション能力が高く、何かをやり遂げた経験のある生徒が望ましい旨をお伝えしている。人事担当者と卒業生である入行2－3年目の職員、金融希望の高校生との交流会をしている高校もある。

なおご同席頂いた青森経営者協会は青森県において高卒就職に関する申合せに参加する経済団体の一つであり、現在の高卒採用の仕組みには一定の意義があると考えている。今のところ合同企業説明会は主催していない。

（17）高知 B 社

面接者：総務部　人事担当課長

同席者：高知経営者協会　専務理事、並びに事務局長

1.　企業の概要

　B 社は主に国内でサービス事業を展開しており、同支店では高知県全体を統括している。新卒採用は、採用区分を事務系と技術系に分け、高卒、大卒・大学院卒、高専卒等について行っているが、高卒については支店での採用、大卒等は本社での採用となる。採用後は、本社において配属別に１～６ヶ月の集合研修を行い、その後は支店等の現場においてトレーナー制度を基軸に OJT 主体で育成する。なお、新人研修および入社後数年間の配属については、高卒と大卒等の間で特段の区別はない。

2.　採用状況

　新規高卒の採用数は本社の決定による。同支店では高卒技術系を毎年２～３名程度、継続的に採用している。事務系については昨年より高卒採用を止め、大卒採用に切り換えた。

3.　高卒者の募集状況

　毎年、県内の工業高校５校に求人を出し、推薦を依頼している。応募は、例年２～３人。高校からは採用基準を満たす生徒の推薦を得られており、募集人員を充足できている。会社・業務内容への理解を深めてもらえるよう応募前職場見学会を実施している。学校には社会見学の一環として気軽に参加可能と伝えているが、実際に見学に来るのは応募する生徒が中心である。

4.　「一人一社制」について

　前述のとおり、現行の仕組みのもと、採用基準を満たす生徒を必要数確保できているため、「一人一社制」に関する課題は強く感じていない。このため、応募ルールについての申し合わせにおける「２社までの応募・推薦」についても、活用する必要性に乏しかった。複数応募に伴う生徒への負担増も勘案すると、会社側の採用方法が同じであれば、複数応募可能になっても、応募者数の増加等の影響はあまりないと考えている。

　一方で、高校生の「質」については、大学進学率の高まりによる影響があると感じており、複数社応募可能となれば、質の向上も期待できるのではないか。ただし、企業側での課題ではないが、複数応募に伴い就職活動が長期化する生徒や選考からもれる生徒が出てくると思うので、多面的な視点から慎重に検討する必要があるのではないか。

5. 高校生との接点

　生徒との接点が応募前職場見学会のみであるため、今後は合同企業説明会や高校生向けの企業案内の冊子(労働局の委託で経営者協会が発行) などを活用し、会社についての情報提供を充実させていきたいと考えている。また、保護者にも魅力的な就職先として認識してもらえるよう、アプローチ方法を検討していきたいと考えている。

6. 高知経営者協会の事業と「一人一社制」への意見

　高知経営者協会としては、前述の高校生向けの企業案内を作成しているほか、地元企業を紹介する合同企業説明会や企業数社を回る見学ツアーなどを実施しており、地元企業への高校生の就職促進を図っている。

　なお、企業から高卒採用への意見を聴取はしていないが、同席の専務理事および事務局長からは、生徒の希望をより尊重した学校斡旋の仕方が後の早期離職防止に繋がると思われるので複数応募にすることを支持する意見や、現在の仕組みの中では現行の最初は一人一社という方式のほうが問題が起きないだろうという意見などが語られた。

労働政策研究報告書　No.201

「日本的高卒就職システム」の現在

　　－1997年・2007年・2017年の事例調査から－

定価（本体1,300円＋税）

発行年月日　　2018年 9 月 10 日
編集・発行　　独立行政法人　労働政策研究・研修機構
　　　　　　　〒177-8502　東京都練馬区上石神井4-8-23
（照会先）　　研究調整部研究調整課　TEL:03-5991-5104
（販　売）　　研究調整部成果普及課　TEL:03-5903-6263
　　　　　　　　　　　　　　　　　　FAX:03-5903-6115
印刷・製本　　有限会社　太平印刷

Ⓒ2018　JILPT　　　　　　　ISBN978-4-538-88204-8　　Printed in Japan

＊労働政策研究報告書全文はホームページで提供しております。（URL:http://www.jil.go.jp/）